A B C

F G H I K

L M N O P

Q R S T U

V W X Y Z

SPIEGEL DER WELT
Band I

SPIEGEL DER WELT

Handschriften und Bücher aus drei Jahrtausenden

Eine Ausstellung der Fondation
Martin Bodmer Cologny
in Verbindung mit dem
Schiller-Nationalmuseum Marbach
und der Stiftung Museum Bärengasse Zürich

Band I

Museum Bärengasse Zürich
31. Mai – 27. August 2000

Schiller-Nationalmuseum Marbach
10. September – 29. Oktober 2000

Grolier-Club New York
20. Februar – 28. April 2001

Sächsische Landesbibliothek –
Staats- und Universitätsbibliothek Dresden
Staatliche Kunstsammlungen Dresden
Residenzschloß, Georgenbau
27. Mai – 26. August 2001

Marbacher Kataloge 55
Herausgegeben von Ulrich Ott und Friedrich Pfäfflin

Ausstellung und Katalog
Martin Bircher
in Zusammenarbeit mit Elisabeth Macheret-van Daele
und Hans-Albrecht Koch

Beratung
Nicolas Baerlocher, Zürich,
und Friedrich Pfäfflin, Marbach

Photoarbeiten: Bernd Hoffmann

Auf dem Umschlag und den Umschlagklappen:
Seite 1: Der Evangelist Lukas aus dem ›Evangeliar‹ aus
Konstantinopel, Ende des 10. Jhs. (Ausschnitt, Nr. 2) –
Seite 2: Johann Wolfgang Goethe, ›Im May‹, 1810 (Nr. 83) –
Seite 3: Initiale R aus den ›Vitae sanctorum‹ (Passionar),
12. Jh. (Ausschnitt, Nr. 3) – Umschlagrückseite:
Miniatur aus Abû l'Qâsim Manûr Firdausî,
›Buch der Könige‹, 16. Jh. (Nr. 26)

Auf dem Frontispiz:
1 Boccaccio liest Adam und Eva aus seinem Buch vor (Nr. 24)

3., durchgesehene Auflage 2000
6. und 7. Tausend
Gesamtherstellung: Gulde Druck GmbH, Tübingen
ISBN 3-933 679-34-6

Mitarbeiter

Michael von Albrecht, Heidelberg (M. v. A.) 55
Patrick Andrist, Genève (P. A.) 2
Martin Bircher, Cologny (M. B.) 1, 8, 38 51, 61, 134, 150, 159–169
Urs Bitterli, Zürich (U. B.) 151–155
Herbert Breger, (H. B.) Hannover 141
Gisela Bucher, Cologny (G. B.) 5, 11, 12, 18, 68, 69, 72, 120, 122
Thomas Bürger, Dresden (T. B.) 40
Olivia Franz-Klauser, Zürich (O. F.-K.) 4
Herbert Funk, Zürich (H. F.) 144
Fritz Grosse, Karlsruhe (F. G.) 132
Alois M. Haas, Zürich (A. H.) 106
Ernst Halter, Aristau (E. H.) 35, 36
Hans Jörg Jans, München (H. J. J.) 115
Michel Jeanneret, Genève (M. J.) 37, 62–64
Christian Juranek, Wernigerode (C. J.) 137
Friedhelm Kemp, München 66–72
Hans-Albrecht Koch, Bremen/Berlin (H.-A. K.) 13–15, 17, 25, 28–30, 41–44, 48–50, 53, 54, 57, 58, 78, 95, 96, 98, 99, 101
Urs B. Leu, Zürich (U. L.) 138, 140, 148
Max Lütolf, Zürich (M. L.) 112
Elisabeth Macheret-van Daele, Cologny (E. M.-v. D.) 131
Charles Méla, Genève, Introduction
Sylviane Messerli, Genève (S. M.) 16, 17, 24, 31–34, 97, 123, 124, 128
Emmanuelle Métry, Cologny (E. M.) 119, 121, 145, 146
Wolfgang Milde, Wolfenbüttel (W. M.) 65

Victor Monnier, Genève (V. M.) 126, 127
Monica Montesinos, Cologny (M. M.) 134, 136, 143
Masayuki Ninomiya, Genève (M. N.) 56
Enrico Norelli, Lausanne (E. N.) 6
Klaus Podak, München (K. P.) 39, 102–105, 107–111, 135, 139
Gabriella Rovagnati, Milano (G. R.) 19–23, 45–47, 52, 74–77, 100
Bruno Schmidlin, Genève (B. Sch.) 125
Edeltraud von der Schmitt, Bern (E.v. d. Sch.) 26, 27, 94, 133
Hans-Konrad Schmutz, Winterthur (H.-K. S.) 142
Tilman Seebaß, Innsbruck 113–118
Marlis Stähli, Zürich (M. S.) 3
Udo Sträter, Halle (U. S.) 9, 130
Werner Weber, Zürich 81, 82
Henning Wendland, Hamburg (H. W.) 10, 129
Anthony James West, Kent (A. J. W.) 61

Inhalt des ersten Bandes

Martin Bodmer
Die Bibliotheca Bodmeriana

Das Vorhaben der Bodmeriana ist anspruchsvoll. Sie möchte das Menschlich-Ganze umfassen, also die Geschichte, wie sie sich in den Geistesschöpfungen aller Zeiten und Zonen spiegelt. Dieses Ziel ist zwar nicht zu erreichen, doch konnte man sich ihm auf zwei Arten nähern: auf direkte, durch Originaldokumente belegte, und auf indirekte, durch Sammlung von Berichten über die menschliche Leistung. Beide Wege wurden hier versucht, und in beiden Fällen kam nur eine konzentrierte, sinnbildlich-andeutende Form in Frage. Am nächsten lag dabei die Sprachschöpfung, die am ehesten zu erfassen und wohl auch die zentralste menschliche Ausdrucksweise ist. Also ein Museum des Sprachdokuments? Ein Museum lag uns zwar fern, dennoch steht die Bodmeriana diesem Begriff näher als dem einer Bibliothek im gebräuchlichen Sinne.

Sie ist eine Sammlung von Schriftdenkmälern. Aber auch schriftlose Kulturen mußten, im Hinblick auf den Gesamtplan, durch bezeichnende Objekte vertreten sein. Ebenso wurden dort, wo zeitgenössische Handschriften nicht beizubringen waren, wie für gewisse Perioden des Altertums, Kunsterzeugnisse gewählt. Für die römische Kaiserzeit z. B. Münzen, Gemmen, Reliefs, Plastiken.

Alles ist hier aber als Symbol zu verstehen, seien es Bücher, Handschriften, Artefakte der Vorgeschichte, Kunstwerke der Frühzeit, Rollsiegel, Vasen, Münzen, Mosaiken, Skulpturen, Inschriften. Auch Fossilien, Mineralien, Meteorite sind vorhanden, in der folgerichtigen Absicht, die klassischen naturwissenschaftlichen Werke durch »Originale« zu ergänzen. Dem Originalen wurde überhaupt die größte Bedeutung beigemessen. Manuskripte und Drucke sind vorwiegend durch Stücke vertreten, die der Entstehungszeit des Textes so nahe wie möglich stehen, und die ursprungsnächsten Dokumente, die Autographen, in großer Zahl vorhanden.

Die vor rund fünfzig Jahren von mir selbst begonnene Sammlung umfaßt heute ungefähr 150 000 Einheiten, vor allem natürlich Bücher, denen aber auch Broschüren, Einzelblätter, und die eben erwähnten Gegenstände beizuzählen sind. So ist denn allmählich das Werk zustande gekommen, dessen Charakter und Aufbau im folgenden kurz skizziert sei.

Ihr wichtigster Bestandteil sind die Dokumente, der zahlenmäßig größte dagegen die Literatur über die Dinge, womit angedeutet ist, daß die Bodmeriana auch ein Arbeitsinstrument darstellt. Hier ist jedoch nur von der ersten Gruppe die Rede, von den Dokumenten. Was ist darunter zu verstehen?

Mancherlei Faktoren sind am historischen Geschehen beteiligt: geographische, sprachliche, rassische, zeitgebundene, irrationale, so daß auch die Art der Zeugnisse dieses Geschehens vielfältig ist. Dennoch sind gewisse Eigenschaften allen gemeinsam. Jedes Kulturdokument ist die Materialisation eines geistigen Vorgangs. Eine Idee wird damit ausgedrückt und fixiert, und das wohl wichtigste Mittel dafür ist die Schrift. Schrift im weitesten Sinne verstanden als Buchstabe, Bild, Form, Note, Zahl. Diese Art von Dokument interessiert uns hier in erster Linie.

Es gibt keinen Teil des zivilisatorischen und kulturellen Schaffens, der nicht in diesem erweiterten Schriftsinne festgehalten würde. Literatur, Musik, Bildkunst, Religion, Philosophie, Wissenschaft, Recht, Politik, Wirtschaft... Eine methodische Gliederung der Dokumentation läßt sich also auf die Schrift gründen, und die in heutigen Bibliotheken übliche kennt mindestens zweihundert Disziplinen und Unterdisziplinen. Auch die Bodmeriana bedient sich ihrer. Da jedoch für die Idee, die hinter ihr steht, eine bloße Fachmethodik nicht genügt, wurde der hier dargestellte Aufbau versucht.

Der materiellen und geistigen Bedeutung des Dokuments ist schließlich noch eine weitere hinzuzufügen, nämlich seine Aura. Gemeint ist damit der Seelenatem, der von ihm ausgeht, und den zu spüren Bereitschaft verlangt. Man kennt die Wirkung der Reliquie, des Andenkens, des aus irgend einem Grunde liebgewordenen Gegenstandes. Eine solche Wirkung geht vom Dokument aus für den, der seine Kraft und Bedeutung begriffen hat. Dies setzt freilich eine Entwicklungsstufe voraus, die für die Vergangenheit hellsichtig geworden ist. Es gab Epochen – die sogar zu den höchstkultivierten zählen – da ein Homer und ein Dante vergessen waren, da Shakespeare als barbarisch galt, da Rembrandt verkannt wurde, kurz, da gewisse Formen des menschlichen Genies wenig galten. Seit man jedoch mit soviel »Geschichte« angereichert ist, daß das, was darin unzweifelhaft gewaltig war, nicht mehr unter den Bewußtseinshorizont sinken kann, wächst auch die Bedeutung seiner Urkunde, und damit aller Urkunden. Vergessen wir nicht, daß es ohne sie überhaupt keine Überlieferung gäbe, und Überlieferung ist kein überflüssiger Zeitvertreib, sondern der Muttergrund unserer Existenz.

Zur direkten Wirkung des Dokuments kommt nun noch die Wirkung seiner Interpretation, die oft sogar die folgenreichere ist. Historiographie war für die Gestaltung des Geschichtsbildes nicht selten entscheidender als der Geschichtsvorgang selbst. Dieser besteht unverändert fort, die Auffassungen über ihn aber wandeln sich dauernd und verkehren sich oft in ihr Gegenteil. Wie wenig bleibt von einer Generation, was die folgende noch gelten läßt. Ja, scheinbar so absolute Größen wie das Wahre, Gute, Schöne sind diesem Wandel unterworfen. Heute z. B. will man das Schöne gar nicht, man empfindet es als matt und flau. Es gibt Denksysteme, die den Begriff des Guten total umgewertet haben. Armut, Keuschheit und Gehorsam sind die Ideale des Mönchtums. Macht, Ruhm und Sinnenfreude diejenigen der Hochrenaissance. Freiheit, Gleichheit, Brüderlichkeit das Ziel der französischen Revolution... Kein Gedanke, kein Gut, kein Wert scheint beständig – nichts ist dauernd als der Wechsel. Was bestimmt in dieser Lage aber den Rang eines Dokumentes? Wohl die Überzeugungskraft, die auf die Dauer aus ihm spricht, das Einzigartige, das alles in allem in ihm wirkt, das Ansehen, das von ihm ausgeht, unabhängig von Zustimmung oder Ablehnung einzelner. Wenn es diese Eigenschaften vereint, darf man es als vollwertig bezeichnen.

Nichts kommt der Bezauberung gleich, die von einem solchen Objekt ausgeht. Sie ist es, die uns schließlich auf die Form der Sammlung geführt hat. Gewiß gibt es schon ähnliches. Drei Beispiele nur seien erwähnt: die Pierpont Morgan Library in New York, die vielleicht großartigste private Verwirklichung einer Sammlung abendländischer Manuskripte und Frühdrucke. Weiter die Sammlung Chester Beatty in Dublin, die für außereuropäische Handschriften aller Zeiten eine ähnliche Rolle spielt. Auf einem andern Feld endlich das Schiller Nationalmuseum für deutsche Literatur in Marbach, das Hunderte von Dichternachlässen enthält und damit auf umfassendere und lebendigere Art das Nachleben von Schriftstellern zeigt, als eine Bibliothek im gewohnten Sinne es tun kann.

Bei diesen Beispielen edelster Dokumentenpflege handelt es sich jedoch stets um Spezialgebiete, während die Bodmeriana al-

2 *Martin Bodmer. Photo: Jean Mohr, Genève 1959 (Nr. 160)*

les zu umfassen versucht. Das ist – wir sagten es bereits eingangs und sind uns dessen bewußt – ein unerfüllbares Unternehmen. Zu Ende gedacht bedeutet es, alles Große und Entscheidende, das über die Welt verstreut ist, an einem imaginären Brennpunkt zu versammeln. Aber wir brauchen uns nicht ins Absurde zu verlieren, denn die Möglichkeit besteht ja, aus der Not eine Tugend zu machen. Sie liegt in der Idee des Symbolischen. Es gilt nur, sprechende Beispiele zu finden, die *stellvertretend* eine Welt, einen Raum eine Stufe, eine Sphäre verkörpern. Und sie tun es dann, wenn ein Hauch des Geschichtsgeistes von ihnen ausgeht, d.h. wenn etwas aus ihnen spricht, das zu überdauern vermag. Wo der Genius spricht, wird der Augenblick Ewigkeit. Vermögen wir nun genügend solcher Beispiele zu vereinigen, so entsteht ein Bild dessen, was man unter Geschichtlichkeit zu verstehen hat. Eben dieses versucht die Bodmeriana auf ihre Art und Weise. Wie weit es gelungen ist, mögen andere beurteilen.

Nach dem Gesagten braucht die Bedeutung des Aufbaus nicht mehr besonders betont zu werden. Gewiß sind Zahl und Umfang der verschiedenen Gruppen, aus denen sich die Sammlung zusammensetzt, wesentlich; gewiß sind Wert und Qualität der einzelnen Stücke von Bedeutung – entscheidend ist dennoch die Struktur des Ganzen. Sie bildet einen Geschichtskosmos in nuce, durch den der große, wenn nicht erfaßt, so doch geahnt zu werden vermag. Damit freilich gerät alles, auch das scheinbar Größte und Zeitloseste, in eine ungewohnte Lage, die sonst kein Gesichtspunkt vermittelt. Dieses »Verhältnis aller gegen alle« (Goethe) – ein gelassen heiteres, über den Dingen und Epikur nicht ferne stehendes – ergibt den wohl unverfälschtesten Begriff, den wir uns heute vom Geisteserbe der Menschheit machen können. [...]

Erstdruck in: Image. Medizinische Bilddokumentation Roche, Nr. 36. Basel 1970: Hoffmann – La Roche & Co., S. 22–32.

Martin Bircher
Direktor der Bibliotheca Bodmeriana

Martin Bodmer – sein Leben, seine Bücher

1. Vita

Seine Maturitätsarbeit im Fach Deutsch schrieb Martin Bodmer am 19. April 1918 über das Thema ›Die Bühne im Zeichen der Zeit‹. Er wolle darin »etwas von meinen Idealen verraten«, schreibt der Achtzehnjährige in Zürich in regelmäßiger Schülerschrift. Er bewohnte mit seiner Mutter und drei älteren Geschwistern die vornehme Villa Freudenberg in der Enge. Auf seinem Schulweg zur Kantonsschule an der Rämistraße mußte er täglich die Limmat überqueren.

»Was will ich studieren?« – offenbar waren seine Pläne noch vage. »Alles, was schön ist, wenigstens alles, was mir so schön und warm erscheint: die Geistesblüte der Völker, Literatur, dann Ästhetik, Kultur – Kunst – ach, es gibt soviel von alledem, und alles ist so herrlich.« Draußen, außerhalb der schweizerischen Landesgrenzen, ging der blutige Erste Weltkrieg einem traurigen Ende entgegen. Europa hatte sich verändert; Werte und Illusionen waren zerstört. Die Eidgenossenschaft war verschont geblieben.

In wirtschaftlicher Hinsicht ging es dem jungen Bodmer wohl besser als allen Klassenkameraden, die mit ihm die Maturität machten. Zwei Jahre zuvor war sein Vater, 65jährig, gestorben. Er hatte seiner Witwe, jedem seiner Kinder ein stattliches Vermögen hinterlassen. Martin hatte wohl keine Ambitionen, eine Handelsschule zu besuchen oder sich in wirtschaftlichen Fächern ausbilden zu lassen. Er träumte von literarischen Zielen. Sein Deutschlehrer, Eduard Korrodi, mag in ihm die Freude an allem »Schönen«, an Literatur und Kunst geweckt haben. Seit kurzem unterrichtete er nicht mehr, sondern war Feuilletonredaktor an der ›Neuen Zürcher Zeitung‹. Die beiden pflegten zeitlebens freundschaftlichen Kontakt miteinander. Korrodi war es, der Bodmers erste Schritte in selbständiges Handeln förderte, der ihn lobte, der ihm Neues suggerierte.

Und die Ideale, die der Maturand seinem Aufsatzheft – man möchte sagen: in prophetischer Weise – anvertraute, lauteten: »Ich wünsche nichts sehnlicher, als daß der Mann einst mit ebensolcher Kraft handle, wie der Jüngling hoffte.«

Zuhause, im Freudenberg, stand dem jungen Bodmer eine ansehnliche Bibliothek zur Verfügung. Man besaß die üblichen Ausgaben von Klassikern der Weltliteratur. Überdies war man sich bewußt, daß man in der entfernten Verwandtschaft einen der namhaftesten schweizerischen Schriftsteller des 19. Jahrhunderts hatte: Conrad Ferdinand Meyer. Seine Frau Louise, geborene Ziegler, lebte mit ihrer Tochter Camilla im unfernen Kilchberg. Martin Bodmers älterer Bruder (*16. Dezember 1891) war Hans Conrad Ferdinand getauft worden. Meyer hat freilich die Patenschaft mit einem freundlichen Brief an seine »Verehrte Frau Cousine«, die Mutter des Säuglings, abgelehnt: »Sie werden mein Bedenken würdigen... daß ich zu solchem Amte in der That zu alt bin. Wir hoffen deshalb nicht minder gute Verwandte zu bleiben und uns am Gedeihen Ihrer kleinen Schaar zu erfreuen.« Louise Meyer (1837–1915) war eine Cousine von Martin Bodmers Vater. Meyer starb ein Jahr vor Martins Geburt. Er hat später den Großonkel trefflich charakterisiert, wenn er in einem Buch über Meyers »Herkommen und Umwelt« (vielleicht sein Leben mit dem des Onkels messend) feststellt: »Bürgerliche Sicherheit – trotzdem er sie ein klein wenig verachtete – ist sein Lebensraum gewesen. Ohne sie, die in mannigfachen Formen ihn umgab, wäre er zerbrochen.«

Die familiären Bande in der Vaterstadt wurden durch gesellschaftliche verstärkt, man war in der Saffranzunft, man gehörte zur vornehmen, nur wenigen, uralten Zürcher Geschlechtern vorbehaltenen Gesellschaft der Schildner vom Schneggen. In der »Heraldica« und in der »Antiquarischen Gesellschaft« war man Mitglied; an den Veranstaltungen des »Lesezirkels Hottingen« nahm man regen Anteil. Konzerte besuchte man gerne – die erste Publikation Bodmers ist die Besprechung der Aufführung der ›Matthäus-Passion‹ von Heinrich Schütz in der Kirche Kilchberg.

Familiensinn bewies die weitverzweigte Familie Bodmer seit langem; jährlich traf und trifft man sich in formellem Rahmen, nach altem Zeremoniell. Martin Bodmer wird nie gefehlt haben; anläßlich eines Treffens im Jahre 1968 hielt Martin Bodmer eine Tischrede, ein »Lob des Herkommens«:

»Schauen wir uns daraufhin etwas um in unserem eigenen Ahnensaal ... Um ganz ehrlich zu sein: Genies finden sich darin keine. Zum Glück vielleicht ... Der berühmteste Träger unseres Namens, Johann Jakob gehört leider nicht zu uns. [...]

Von rund 150 Bodmer der A Linie ... waren vom 16. bis 20. Jahrhundert etwa 97 % Handwerker, Fabrikanten und Kaufleute, und nur fünf oder sechs hatten akademische Berufe, und keiner war Künstler. Daß dagegen fast alle ehrenamtlich politische und militärische Funktionen ausübten, gehörte zu den selbstverständlichen Attributen des Patriziers. Es ergibt sich also ganz eindeutig, daß wir eine solide Handwerks- und Kaufmannssippe sind, und das ist ehrenvoll, bedeutet es doch Grundlage und Baustoff der abendländischen Kultur.«

Anlaß zu solcher Rede war ein Familienfest, die Feier des 425. Einbürgerungsjahres der Familie Bodmer in Zürich. Der Stammvater der Zürcher Bodmer, Melchior, stammte aus der deutschsprachigen Walsergemeinde Alagna im Sesiatal, südlich des Monte Rosa – gleich anderen protestantischen Familien wie den Pestalozzi oder den von Muralt aus Gebieten südlich der Alpen – wurde er in der Zwinglistadt freundlich aufgenommen und erhielt 1543 das Bürgerrecht.

Nach der Matur begann Bodmer das Studium der Germanistik in Zürich, das ihm aber nicht sonderlich behagte; ein Semester verbrachte er in Heidelberg. Bei Friedrich Gundolf und anderen hat er Vorlesungen besucht, wie sein erhaltenes Testatheft belegt. Eine Reise nach Amerika folgte; zwei Jahre hielt er sich in Paris auf.

Sein Studium hat Bodmer nicht fortgeführt und nicht abgeschlossen. Ihn faszinierte ein Konvolut autographer Balladen C. F. Meyers, die er aus Berner Privatbesitz erwerben konnte. Als Herausgeber in einem Alter, da seine Studienkollegen Seminararbeiten verfaßten, ist Bodmer erstmals an die Öffentlichkeit getreten. »Wir sind viel zu sehr in Blutgebundenheit befangen, um das Erbe ohne Schaden zu verleugnen«, meint er in einem Vorwort zu den ›Frühen Balladen‹ Meyers. Sie erscheinen in Meyers Verlag H. Haessel in Leipzig. Bodmer zählt grade erst 22 Jahre. »Es mag wundernehmen«, schreibt er weiterhin, »daß alte, längst vergessene Dokumente eines Dichters ans Licht müssen, die vielleicht, wie schon etwas mürbe Reliquien, dem rauhen Hauch der Gegenwart nicht standhalten ... es genügt, wenn diese Blätter in die Hände der wenigen gelangen, die etwas davon spüren.« – In Bodmers Bibliothek hat Meyer von allem Anfang an einen Ehrenplatz eingenommen, auch wenn er ihn nicht zu ihren fünf Säulen (Homer, Bibel, Dante, Shakespeare, Goethe) rechnet. Keine andere Bibliothek, mit Ausnahme der Zürcher Zentralbibliothek, die Meyers Nachlaß verwahrt, kann sich an Erlesenheit mit Bodmers Meyer-Beständen messen.

Der Hang zum Sammeln mag in der Familie gelegen haben; der Vater liebte und erwarb alte Waffen, Kunsthandwerk, Porzellan, Gemälde; ein Großonkel, Eduard Hirzel-Usteri, hatte sich als Numismatiker einen Namen gemacht und hinterließ eine exzellente Münz- und Medaillensammlung. Martins älterer Bruder hatte eine einmalige Sammlung von Handschriften Ludwig van Beethovens zusammengebracht, deren Katalog in den ›Schriften der Corona‹ 1939 erschien. Der geistige Nährboden seiner Vaterstadt Zürich war sicher dem langsam sich entwickelnden Vorhaben von Martin Bodmers großer Privatbibliothek günstig. Bei verschiedenen Gelegenheiten weist er auf große Zürcher Vorbilder hin und rechnet gerne zu seinen geistigen Ahnen Rüdiger Manesse, den Sammler des Minnesangs, Conrad Gessner, den Naturforscher und Polyhistor, der mit seiner ›Bibliotheca universalis‹ eine Schau des damaligen Wissens vermittelte, endlich Johann Jakob Bodmer, den Wiederentdecker des Mittelalters, Dantes, Shakespeares, Mittler und Förderer des geistigen Zürich im 18. Jahrhundert.

Gottfried Keller-Preis

1921 kam es zur Gründung des »Gottfried Keller-Preises« der »Martin Bodmer Stiftung«. Auch hier hat Eduard Korrodi Pate gestanden; er hat Bodmer beraten, wie solche Sache anzupacken sei. Mit Bedacht wählt Bodmer den 19. Juli zum Gründungstermin: Es ist Gottfried Kellers Geburtstag, zugleich auch derjenige Johann Jakob Bodmers. Auf einem Merkblatt veröffentlicht er alles Wissenswerte: Der Zweck der Stiftung ist die »Anerkennung und Förderung schweizerischer Dichter und Schriftsteller für Schöpfungen, die sich durch künstlerische Form und geistigen Inhalt auszeichnen und der Ausdruck eines neuen zielsuchenden Willens sind.« Autoren anderer Nationen können dann berücksichtigt werden, »wenn sich in ihren Werken eine schöpferische Gemeinschaft mit dem schweizerischen Geistesleben erkennen läßt«.
Das ursprüngliche Stiftungskapital beträgt Fr. 100 000, Vizepräsi-

Martin Bodmer-Stiftung

3 Ankündigung des Gottfried Keller Preises der »Martin Bodmer Stiftung«, 1921

Wenn sich der Geist der Geister will entfalten,
Wird unablässig er das Wort erneuen.
Wir aber müssen bei der Arbeit lauschen,
Wohin die heil'gen Ströme wollen rauschen!

Gottfried Keller.

Künstlerisches Schaffen, schöpferisches Gestalten führen heute einen verzweifelten Kampf ums Dasein. Seelenkräfte, die zum Licht empor möchten, werden von schweren und immer lastenderen Fesseln niedergehalten. Jeder kennt sie, aber nur wenige wissen um ihre lähmende Macht. Nur wenige leben und leiden daran, denn die Zahl der Auserwählten ist nicht groß. Wenn aber die darben, wenn die in Not und Elend verkümmern, die berufen sind, das Feuer zu hüten, ihm die Kräfte ihrer Zeit zuzuführen und es künftigen Geschlechtern rein zu erhalten, dann werden unsere Tage nicht bestehen können in der Zeitrechnung eines Ewigern, Größeren. Es läßt sich wohl fragen, ob der Künstler überhaupt Berechtigung habe, in einer Zeit, die ihm nicht natürliche Lebensbedingungen schafft — eine solche hat dann aber auch keinen Anspruch auf Kultur. Seelenwerte lassen sich nicht künstlich züchten. Alle Kunst zerrinnt in Sinn- und Körperlosigkeit, die nicht einem Nähr- und Mutterboden entwächst wie die Frucht dem Acker. Haben wir das heute? Ich weiß nicht. Doch das Werk, die künstlerische Tat sind unberechenbar, und wir haben kein Recht, an ihrer Möglichkeit zu zweifeln. Daher soll der Gottfried Keller-Preis in höchstem Sinne geistiger und realer Dank sein, öffentliche Würdigung für einen Schritt, eine Stufe vorwärts, und nicht Notunterstützung, noch weniger „Anregung". Anregen kann ein noch so bedeutender Preis in diesen, höchsten, subtilsten Dingen nicht. „Aus Geld wird nie Kunst und was sich mit Geld wirken und fördern läßt, ist wertlos, denn es ist tot. Unfruchtbar Metall zeugt nicht." Die Kunst ist ein mächtiger Naturstrom, in dem jede gewollte Steuerung versagt. Das weiß ich wohl. Und doch hoffe ich, daß durch den guten Willen etwas mehr von dem Sonnengeist in die Welt kommt, der ihr so nottut: Freude.

Martin Bodmer

dent ist Korrodi. Im ersten Stifungsrat wirken auch Max Rychner als Aktuar sowie Robert Faesi mit. Die Stiftung besteht noch heute; mit der Bibliotheca Bodmeriana ist sie nicht verbunden. Nach Martin Bodmers Tod übernahm sein ältester Sohn Daniel den Vorsitz, nach dessen Tod (1995) sein Sohn Thomas. Bis heute wurden folgende Persönlichkeiten mit dem Preis ausgezeichnet:

1922 Jakob Boßhart
1925 Heinrich Federer
1927 C.F. Ramuz
1929 Josef Nadler
1931 Hans Carossa
1933 Festgabe Universität Zürich
1936 Hermann Hesse
1938 Ernst Gagliardi
1942 Robert Faesi
1946 Fritz Ernst
1949 Rudolf Kassner
1952 Gertrud von Le Fort
1954 Werner Kaegi
1956 Max Rychner
1959 Maurice Zermatten
1962 Emil Staiger
1965 Meinrad Inglin
1967 Edzard Schaper
1969 Golo Mann
1971 Marcel Raymond
1973 Ignazio Silone
1975 Hans-Urs von Balthasar
1977 Elias Canetti
1979 Max Wehrli
1981 Philippe Jaccottet
1983 Hermann Lenz
1985 Herbert Lüthi
1989 Jacques Mercanton
1991 Erika Burkart
1994 Gerhard Meier
1997 Giovanni Orelli
1999 Peter Bichsel

Die Laudatio eines neuen Preisträgers verfaßte Bodmer selber; die meisten dieser Texte sind in der ›Neuen Zürcher Zeitung‹ erschienen. Zur besseren Würdigung des ältesten und wichtigen Schweizer Literaturpreises würde es sich lohnen, diese Texte zu sammeln und zu edieren; ein besseres Verständnis der Wertschätzung der schweizerischen Literaturszene durch Bodmer und seinen Stiftungsrat könnte daraus gewonnen werden. – Bei jeder Preisverleihung sind auch andere Ehrengaben oder Förderungsbeträge verliehen worden.

Zum Nachteil seiner Sammlung hat leider Bodmer in den meisten Fällen versäumt, die Preisträger um einen Beitrag für die Autographensammlung seiner Bibliothek zu bitten...

›Corona‹

Lange Zeit bereitete der junge Bodmer die Gründung einer wichtigen Literaturzeitschrift vor und berichtet selber am anschaulichsten über die Anfänge, das Gedeihen und das Ende seiner ›Corona‹: »Ihr Ursprung geht ... auf Begegnungen zurück. Ohne diese, d.h. ohne die Voraussetzung, daß Herbert Steiner und mir die Mehrzahl der künftigen Mitarbeiter persönlich bekannt war, wäre das Wagnis noch größer gewesen. Die Gunst des Schicksals erlaubte mir, schon als junger Mensch in meinem Elternhause einer europäischen Elite zu begegnen. Es handelte sich in vielen Fällen um Gäste des Lesezirkels Hottingen in Zürich, einer literarischen Gesellschaft von Rang, und die Konstellation der Jahre nach dem Ersten Weltkrieg war eine besonders glückliche. Unter manchen anderen lernte ich damals Persönlichkeiten kennen wie Carl Spitteler, Rabindranath Tagore, Gerhart Hauptmann, Ulrich von Wilamowitz-Moellendorff, Thomas Mann, Ricarda Huch, Karl Vossler, Rudolf Kassner, Richard Beer-Hofmann, Hans Carossa, Friedrich Gundolf, Heinrich Wölfflin, Ernst Bertram, Paul Claudel, Paul Valéry, Charles Du Bos ... Mit einigen entwickelte sich eine lebenslängliche Freundschaft. Entscheidend aber wurde die Begegnung mit Hugo von Hofmannsthal, Rudolf Borchardt und Rudolf Alexander Schröder. Hier setzt die ›Corona‹ ein.

Durch den Lesezirkel Hottingen hatte ich auch Herbert Steiner kennen gelernt. Er war damals Redaktor der von dieser Gesellschaft herausgegebenen Zeitschrift. Da ich im Zusammenhang mit dem schon damals wachsenden Plan einer Bibliothek der Weltliteratur selber eine Zeitschrift plante, war bald das anregendste Gespräch im Gang. Mir schwebte, als Ergänzung zur Bibliothek, etwas Unmittelbares vor, eine weltliterarische Revue der bedeutenden Lebenden, aber mit dem Rückgriff ins große Erbe verbunden. Der Leitgedanke war in beiden Fällen derselbe: »Hinweis auf geistigen Besitz«, wie es Hofmannsthal ausgedrückt hat, wobei es sich vom Standort Schweiz aus von selbst verstand, daß das Schwergewicht dieses Besitzes Europa bedeutete, aber »weltliterarisch« war durch eine Weltoffenheit im Sinne Herders und Goethes.

Der Gedankenaustausch mit Steiner wies den Weg. Wer indes diesen Mann kannte, dessen editorisches Talent ganz ungewöhnlich war, wird sich nicht wundern, daß es Jahre beanspruchte, zu einem bloßen Entschluß zu kommen! [...]

Nach sorgfältiger Vorbereitung erschien im Oktober 1930 das erste Heft der neuen Zeitschrift. Ihr einen Namen zu finden war übrigens kein leichtes Problem. Eine ganze Skala von Vorschlägen ist erwogen worden, von der rein sachlichen Benennung ›Zweimonatsschrift‹ bis zur symbolisch-anspruchsvollen von ›Brot und Wein‹ ... für die man beinahe optiert hätte! Den negativen Ausschlag gab das Bedenken, daß es etwas seltsam wäre, in einer Buchhandlung Brot und Wein verlangen zu müssen. Man entschied sich schließlich für das Wort Corona, das sowohl Kreis wie Kranz wie Krone bedeutet, in jeder Sprache verstanden wird, realistisch wie symbolisch aufgefaßt werden kann, und zudem eine ideale typographische Gestaltung erlaubt. Auch hier freilich machten kritische Stimmen geltend, daß man mit einer Schreibmaschinenmarke oder bekannten Zigarren verwechselt werden könnte ... Aber die Wahl bewährte sich, und die ›Corona‹ ist ein Begriff geworden.

Daß Dr. Wiegand an dieser Bewährung seinen Anteil hat, sei hier in aufrichtiger Dankbarkeit bekannt. Der erste von ihm technisch betreute Jahrgang ist der einzige, der in jeder Hinsicht das verkörpert, was uns als Ideal vorschwebte. Das ist bei einem Erzeugnis der Bremer Presse fast selbstverständlich. Aber mir scheint, diese sechs Hefte gehörten selbst innerhalb des Gesamtwerkes von Wiegand mit zum Vollkommensten, was er erreicht hat. Ich war beglückt, und hätte mir nichts besseres gewünscht, als so fortzufahren, denn Drucker und Herausgeber waren sich einig in ihrem Willen, ein mögliches Maximum zu erreichen. Eine anspruchsvolle Zeitschrift war geschaffen, bei der Gehalt und Gestalt sich in seltener Harmonie deckten. Aber dieser Harmonie war, wie so oft im Leben, keine Dauer beschieden.

Wir hatten zwar von Anfang an mit kaum mehr als zwei bis drei Jahren gerechnet. Doch schon der erste Jahrgang brachte ein Defizit, das selbst für heutige Begriffe enorm war, geschweige denn vor 35 Jahren! Schweren Herzens mußte, um die Idee des Unternehmens zu retten, das edle Gewand geopfert werden, und das bedeutete, sich von der Bremer Presse zu trennen. Man ging zum Maschinensatz über, und begnügte sich bald auch mit einem kleineren Format. Das erlaubte, die ›Corona‹ noch weitere elf Jahre in gleichem Sinn und Geist fortzuführen. Sie hatte sich bewährt, um so mehr bewährt, als niemand ahnen konnte, in welch schwierige Zeiten man hineingeraten sollte. Von 1933 an war München die Hauptstadt der Bewegung. Wir waren in keiner Weise belästigt – dies festzustellen fordert die Gerechtigkeit – aber es wurde doch immer mehr zu einem Schwimmen gegen den Strom. Dann kam der Krieg. Immer noch hielt sich die ›Corona‹, bekam ihr Papier zugeteilt, war von Kritik und Schikanen verschont, und wäre es vielleicht weiterhin geblieben. Aber schließlich ließ die innere Not ein Erscheinen nicht mehr zu. Die Lage hatte sich zu weit vom Ausgangspunkt entfernt, und so stellte die ›Corona‹ 1943 ihr Erscheinen ein. Nach dem Krieg aber war ein neues Zeitalter angebrochen, aus dem es kein Zurück mehr gab. Nicht nur im zeitlichen, auch im geistigen Sinne war etwas unwiederbringlich vorbei.«

Martin Bodmer verfaßte diese »Erinnerungen« unter dem Titel ›Vom Werden und Wesen der Corona‹ für den von Bernhard Zeller und Werner Volke 1966 herausgegebenen Band ›Buchkunst und Dichtung. Zur Geschichte der Bremer Presse und der Corona‹. Einige Jahre später erschien M. Ralls materialreiche Dissertation ›Die Zweimonatsschrift ›Corona‹ 1930–1943. Versuch einer Monographie‹, so daß Bodmers Tätigkeit als Literaturförderer, die Funktion Herbert Steiners als Redaktor weit besser erforscht und dargestellt sind, als seine Tätigkeit als Sammler. 1970 erschien ein Reprint der ›Corona‹ (Johnson Reprint Corporation), so daß die Bände leicht in Bibliotheken zu finden sind.

In besonderer Freundschaft war Bodmer in den frühen Jahren

mit Rudolf Borchardt verbunden, der am 7. April 1929 seinem Freund Hugo von Hofmannsthal schreibt:

»In Zürich habe ich Martin Bodmer bei definitiver Begründung seiner Monatsschrift beraten und das ganze Programm, die Mitarbeiter, Ton und Haltung, Form, Geschäftliches und Technisches in zwei angestrengten Tagen so constituiert, dass die Sache steht.« Eine Mitarbeit lehnte Hofmannsthal kategorisch ab – hätte sie freilich gar nicht mehr ausüben können, da er noch vor Erscheinen des ersten Heftes gestorben ist.

Borchardt freilich blieb Bodmer verbunden; seine Briefe und manches schöne Manuskript verwahrt die Bodmeriana, darunter auch dasjenige des ›Lichterblickungs Lieds‹, eine Hymne auf den am 7. November 1928 geborenen Daniel, den ältesten Sohn Martin Bodmers. Sie wurde im ersten Heft des ersten Jahrgangs der ›Corona‹ veröffentlicht, natürlich ohne Nennung des Neugeborenen. Wie sehr Borchardt den Umgang mit den Bodmers schätzte, zeigt eine Bemerkung aus dem bereits zitierten Brief an Hofmannsthal: »Bodmer ist durch seine Ehe mit dieser einzig schönen einzig guten klugen ernst und frommen Frau sehr verändert. Ich habe von den drei Tagen die glücklichsten Eindrücke.«

In der Tat hat die ›Corona‹ Bodmer manche freundschaftliche Beziehung eingebracht. Im Spiegel der Handschriftenbestände in der Bibliothek denken wir in erster Linie an Hans Carossa, Fritz Ernst, Hermann Hesse, Ricarda Huch, Selma Lagerlöf, Rudolf Alexander Schröder und Paul Valéry.

Letzterer war oft und gern gesehener Gast im Freudenberg oder im Muraltengut. Dieses prächtige Landgut aus dem 18. Jahrhundert am See hatte Bodmer erworben, um es vor dem Abbruch zu bewahren. Ursprünglich beabsichtigte er, darin seinen Wohnsitz aufzuschlagen – wäre nicht am 27. Februar 1926 seine Mutter gestorben. Er heiratete im Dezember 1927 Alice Naville aus einer seit zwei Generationen in Zürich tätigen Genfer Familie, und sie wohnten fortan im Freudenberg. Für das Sekretariat der berühmten schweizerischen Landesausstellung von 1939 hat Bodmer das Muraltengut zur Verfügung gestellt. Paul Valéry verfaßte 1938 eine entzückende kleine Liebeserklärung an die Stadt Zürich, ›L'amateur de Zurich à Martin Bodmer‹, das in einem Werbeprospekt für die Landi erstmals veröffentlicht wurde.

Tätigkeit für das Internationale Komitee vom Roten Kreuz in Genf; Tod

Die »große Wende« im Leben Bodmers bedeutete seine mit dem Anfang des Zweiten Weltkriegs einsetzende Tätigkeit im Rahmen des Internationalen Komitees vom Roten Kreuz in Genf. Bodmer betrachtete seinen vollen Einsatz als staatsbürgerliche Pflicht, um so mehr als er im Jahre 1918 als 19jähriger zu den nicht eingezogenen Jahrgängen gehört hatte. Max Huber, Präsident des Internationalen Komitees, hat Bodmer nach Genf berufen. Die Familie folgte ihm bald, die Sammlung erst 1951, als feststand, daß er nicht mehr nach Zürich zurückkehren würde.

Bodmer übernahm zunächst den Ausbau der Abteilung »Secours intellectuels«. Rund 1,5 Millionen Bücher konnten unter seiner Leitung gesammelt und an die Kriegsgefangenen und Zivilinternierten der verschiedenen kriegführenden Länder verteilt werden. In Zusammenarbeit mit verschiedenen karitativen Vereinigungen, die alle unter dem Vorsitz Martin Bodmers zum »Comité consultatif pour la lecture des prisonniers de guerre« zusammengeschlossen waren, konnte Millionen Kriegsgefangenen geistige Hilfe gebracht werden. Auf seine Anregung hin wurde 1940 eine schweizerische Geldsammlung eingeleitet, die mehr als die Hälfte der rund 60 Millionen Franken betragenden Betriebskosten des Internationalen Komitees aufbringen konnte. Immer wieder warb er mit Aufsätzen in Zeitungen und Zeitschriften für den Gedanken des Roten Kreuzes, hielt Reden und machte Reisen, um wichtige Persönlichkeiten zu treffen. Er war Vizepräsident des IKRK in den Jahren von 1947 bis 1964 und zog sich von seiner Mitarbeit erst im Jahr vor seinem Tod zurück.

Im Umgang mit Menschen wird Bodmer als zurückhaltend, beinahe schüchtern geschildert. Er hatte das Gesicht eines »intellektuellen Patriziers«, berichtet Bernard Breslauer, »das sich belebte, wenn er sprach, in Ruhestellung aber war es von asketischen Zügen geprägt, die sich mit zunehmenden Jahren noch vertieften« (1987).

Am Ende seines Lebenswegs hatten sich die hochfliegenden Träume des 18jährigen Schülers erfüllt: »Aber ich wünsche nichts sehnlicher, als daß der Mann einst mit ebensolcher Kraft handle,

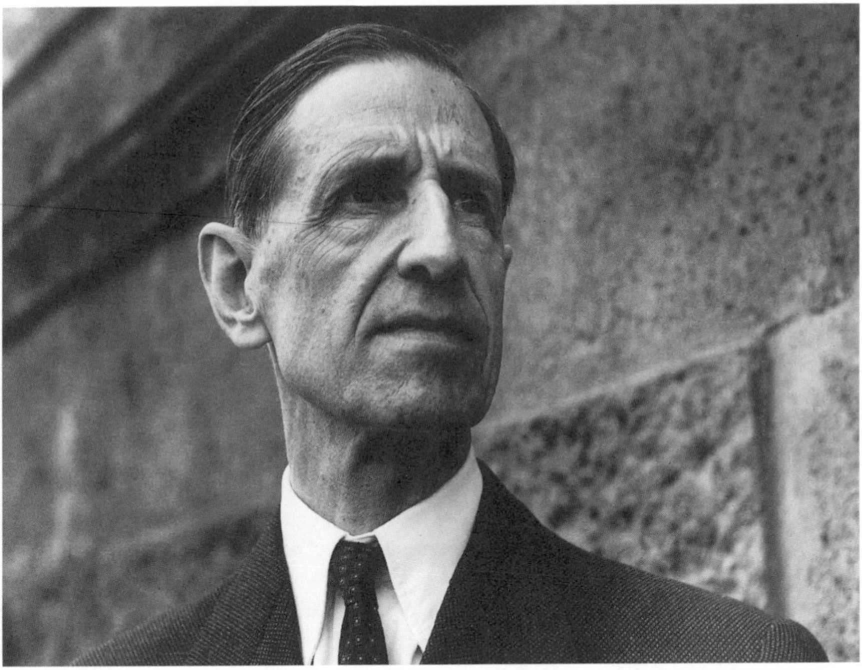

4 *Martin Bodmer, Photo: Erica Loos, Pforzheim 1959*

wie der Jüngling hoffte.« Wer den alten kleinen Friedhof von Cologny besucht, findet auf Bodmers Grab das Motto seines Lebens und seines unbeirrbaren Glaubens an sein Lebenswerk, die Bibliotheca Bodmeriana. Seneca hat den Gedanken formuliert: »Quidquid egeris tunc apparebit cum animam ages« – »Was du getan hast wird dann offenbar, wenn du ans Sterben gelangt bist.«

2. Bibliotheca Bodmeriana: von der barocken Wunderkammer zum »Chorus mysticus«

Die Frage nach dem Charakter, nach dem Charakteristikum der Bibliotheca Bodmeriana, ist nicht leicht zu beantworten. Ihr Besitzer sagte 1957 am treffendsten: »Sie will die großen Texte aller Zeiten in möglichst ursprungsnaher Form vereinen und sie in ihren geistigen Zusammenhängen zeigen« (›Vom Sammeln‹).

Ist sie aber letztlich eine Wunderkammer oder ein Raritätenkabinett, wie man sie im Barock anlegte? Vieles spricht dafür – viele

Kunstgegenstände sind vorhanden, auch Versteinerungen, römische Münzen, Medaillen der Renaissance, Steine vom Tempel von Ninive und ägyptische Totenbücher, Mondgestein und Plastiken von Afrikanern und Polynesiern. Stattliche Ichthyosaurier, 160 Millionen Jahre alt, und eine Schmetterlingsammlung kamen später dazu.

Zweifellos: Bodmer hat die Bibliothek für seine Studien gebraucht, jedes einzelne seiner Bücher gekannt und geliebt, nicht selten eines wieder dem Handel zurückgegeben, um sich ein besseres Exemplar, ein interessanteres Manuskript zu gönnen. Die Vorstellung, von jedem kreativen Schriftsteller, Komponisten, Künstler – zumindest eine Probe seines Schaffens zu besitzen, weist den Sammler als einen im polyhistorischen, enzyklopädischen 19. Jahrhundert wurzelnden Geist aus.

Eine der Repräsentation dienende Schau großen Besitzes? Wer sich dem prachtvoll oberhalb des Genfersees gelegenen Sitz nähert, wer vor den schmiedeeisernen Gittertoren stehenbleibt, um die Sicht auf das in eine wundervolle Parklandschaft eingebettete klassizistische Schlösschen zu genießen, könnte leicht auf solche (unzutreffenden) Gedanken verfallen.

Die Bodmeriana also – eine erlesene Gelehrten- oder Forschungsbibliothek? In der Bodmerschen Familiengeschichte (1942) ist sein Hauptberuf mit »Privatgelehrter« angegeben. Seine stattliche Publikationsliste weist ihn zweifellos als Forscher, als Publizist aus.

In erster Linie aber benützte Martin Bodmer seine Sammlung – zur genaueren Definition, zu einem neuen, allgemeinen Verständnis von Literatur und Weltliteratur, vom Wunder menschlichen Geists, vom Prozeß der Zivilisation. Symptomatisch während seines ganzen Lebens war Bodmers Lust und Bedürfnis, seine Sammel-Tätigkeit immer wieder neu zu rechtfertigen. Daran arbeitete er, zumindest vom Moment an, da das räumliche Ausmaß seiner Sammlung den Wohnraum seiner stattlichen Zürcher Villa sprengte und er genötigt war, sie in nur für sie bestimmten Räumen unterzubringen. Oft hat sich die Zielrichtung, die Aufgabenstellung des Sammlers verändert, erweitert. Weit ist der Weg von den beiden ersten Büchern, Goethes ›Faust‹ in der Buchausstattung von Fritz Helmut Ehmcke (1909) und Shakespeares ›Sturm‹ von Edmund Dulac illustriert (1912), für die der 15jährige Schuljunge sein Taschengeld opferte – bis zur Unterschrift unter den Stiftungsver-

5 *Bibliotheca Bodmeriana, Cologny. Luftaufnahme: Christian Poite, Genève 1999*

trag seiner Sammlung von rund 150000 Handschriften und Büchern, 56 Jahre später.

Früh schon erwarb Bodmer Bücher, die ihm gefielen – man möchte annehmen, daß zeitlebens die Freude am Entdecken, die Neugierde, zu neuen Ufern, neuen Gegenständen aufzubrechen, Urtrieb seines Sammelns gewesen ist – ein unvermindert heftiger Trieb gleichsam, dessen Quellen tief in der Psyche des Sammlers begründet liegen. Den echten Sammler zeichne »ein nicht nachlassendes Bedürfnis« aus, »ein Hungern nach Neuanschaffungen«, führt der amerikanische Psychoanalytiker Werner Muensterberger aus (›Sammeln eine unbändige Leidenschaft‹ Berlin 1995). »Das fortwährende Suchen ist ein Kernelement ihrer Persönlichkeit ... Sammeln ist eines jener Abwehrmittel, die zeitweilige Entlastung versprechen und neue Vitalität verleihen, weil jedes neue Objekt die Vorstellung einer phantasierten Omnipotenz verschafft«. Interessant die – auf Bodmer wohl kaum zutreffende – Schlußfolgerungen des Psychologen, der eine bestechende Analyse von

Sammlern wie Balzac und Sir Thomas Phillipps vorgelegt hat: »Die Objekte, an denen das Herz der Sammler hängt, sind unbelebter Ersatz für Fürsorge und Schutz. Was vielleicht noch aufschlußreicher ist: Sowohl dem Sammler wie der Welt beweisen diese Objekte, daß er etwas Besonderes und ihrer wert ist.«

Wenige hatten anfänglich von Bodmers Sammlerleidenschaft gewußt; mit kaum einem Freund teilte er das Vergnügen, in Neuerwerbungen zu blättern. Wir wissen zufällig, wie sehr Paul Valéry von Bodmers Büchern, von seinem schönen Exemplar der Gutenbergbibel beeindruckt war. Die Exklusivität des Besitzes gehört zur Psychologie des Sammlers, der seine Liebhabereien höchstens mit wenigen Freunden, nicht einmal mit seinen engsten Familienangehörigen zu teilen braucht. Schon in Zürich hatte er dafür gesorgt, daß Wohnen und Privatbereich streng getrennt wurden von den Räumen, die seiner Büchereinsamkeit dienten. Seit 1938 war die Bibliothek in dem umgebauten Schulhaus an der Bederstraße untergebracht. Eigene Gebäude mit erlesener Einrichtung und unter (damals) besten konservatorischen Bedingungen errichtete er für sie am Rande seines Parks in Cologny. Die Seele seines Unternehmens war die ihm zeitlebens treu ergebene Bibliothekarin Dr. Elli Lehmann, die 1951 mitsamt der Bibliothek nach Genf übersiedelte; sie half ihm bei jedem Einkauf und führte den Katalog mustergültig.

Zürcher Freunde werden ihn gedrängt haben, erstmals aus der Anonymität eines privaten Sammlers herauszutreten. Bodmer rechtfertigt sein Buch ›Eine Bibliothek der Weltliteratur‹ damit, seine Anschauungen von dem Begriff, vom Kosmos der von ihm aufgebauten Bibliothek darzulegen und zu entwickeln. 1946 hatte er das Manuskript des ›Neujahrsblatts auf das Jahr 1947. Zum Besten des Waisenhauses in Zürich herausgegeben von der Gelehrten Gesellschaft (ehem. Gesellschaft der Gelehrten auf der Chorherren)‹ abgeschlossen. Dieser Publikation folgte rasch eine »um Anhang und Abbildungen vermehrte Buchausgabe« im Atlantis Verlag des ihm befreundeten Martin Hürlimann. Keiner hat Bodmers Buch – und Anliegen – kompetenter und treffender gewürdigt als Max Wehrli (›Neue Zürcher Zeitung‹ 27. 9. 1947): »Weltliteratur« – das ist »jenes Leben und Weben des menschlichen Geistes in seiner höchsten Erscheinungsform, das sich kaum fassen läßt und in dem sich doch eigentlich alles erst finden sollte«. »Weltliteratur«

6 *Bibliotheca Bodmeriana vom Park aus. Photo: Christian Poite, Genève 1999*

meint aber auch, nach Wehrli, »den gemeinsamen Muttergrund, die poetische ›Ursprache der Menschheit‹. Schließlich aber und hauptsächlich ist es ein Wertmaßstab: das überzeitliche und übernational Gültige, auf das es zuerst und zuletzt ankommt«. Der Sammler bekenne sich zu einem Begriff »des Klassischen als Mitte und Maß, der vielleicht auch den Schlüssel zu den Nationalliteraturen geben kann, und er weiß sich so dem humanistischen Erbe Europas verpflichtet.«

Es scheint, daß sich Bodmer oft besser mit Antiquaren als mit Wissenschaftlern oder Schriftstellern verstanden hat, getreu ihrer Devise »Amor librorum nos unit«. In einem hohen Lied auf den Berufsstand des Buchhändlers rühmt er dessen Anteil am Aufbau der Bodmeriana. Gegen 150 Antiquare hätten daran mitgewirkt; ihr Geschäft sei äußerst anspruchsvoll – man könnte es »eine Art von Gesamtorchestrierung des abendländischen Geistes« nennen (in: ›Antiquar und Sammler‹, 1962). Der Sammler schätzt am Antiquar die Eigenschaft als »tüchtiger und solider Geschäftsmann« –

das liege ja auch stets im Interesse seiner Kunden. Ein Buchhändler ist, genau wie ein Sammler, Humanist, Fachmann und Kenner. Über 40000 Briefe habe er im Laufe seines Lebens mit Antiquaren gewechselt, Zehntausende von Katalogen studiert. Keiner mag ihm so nahe gestanden haben wie H. P. Kraus, den er, im Gegensatz zu den meisten anderen Händlern, sogar auf seinem Landsitz »Le Grand Cologny« empfangen hat. Der Festschrift zu Ehren des 60. Geburtstags von Kraus, ›Homage to a Bookman‹ (1967) vertraut Bodmer erstmals ein neues Konzept seiner Bibliothek an, die er als »Symbol des Weltschrifttums«, als »Synthese menschlicher Zivilisation« verstanden wissen wollte. Er entwickelte erstmals für Kraus die Vorstellungen eines »Chorus Mysticus«. Darin läge »der Ursprung aller Menschheitsgeschicke«, hier erhielte »das Rätsel der Existenz eine vorläufige Antwort«. Die folgenden drei Jahre verbrachte Bodmer damit, diese Gedanken zu feilen, besser zu formulieren. Das Manuskript, sein »geistiges Testament« zu vollenden,

7 *Bibliotheca Bodmeriana. Photo: Christan Poite, Genève 1999*

war ihm nicht vergönnt – scheiterte er an der Unmöglichkeit der Quadratur des Kreises? Oder am Wunsch Fausts, zu viel wissen zu wollen?

Kraus hat ihm später zum Dank in seiner ›Saga von den kostbaren Büchern‹ (deutsche Übersetzung 1982) das gültige Denkmal gesetzt: Er nennt ihn »Sammler *par excellence*« und »König der Bibliophilen«. Kraus hatte Grund dazu. Kurz vor, und kurz nach Bodmers Tod war es ihm gestattet, eine Menge »kostbarer Bücher« aus Cologny für den Handel auszuwählen.

8 Bibliotheca Bodmeriana, Ausstellungsraum (abgebrochen 2000). Photo: Christian Poite, Genève 1999

Für die Geschichte der Bibliothek ist die Frage der Herkunft wichtiger Exemplare und Bestände von vorrangiger Bedeutung; leider versagt die erhaltene Dokumentation in zahlreichen Fällen nähere Auskunft. Besonders aus der Zürcher Zeit, aber auch aus späteren Jahren haben sich keine Briefwechsel mit Antiquaren, kaum alte Antiquariatskataloge erhalten. Oft findet sich im Zettelkatalog

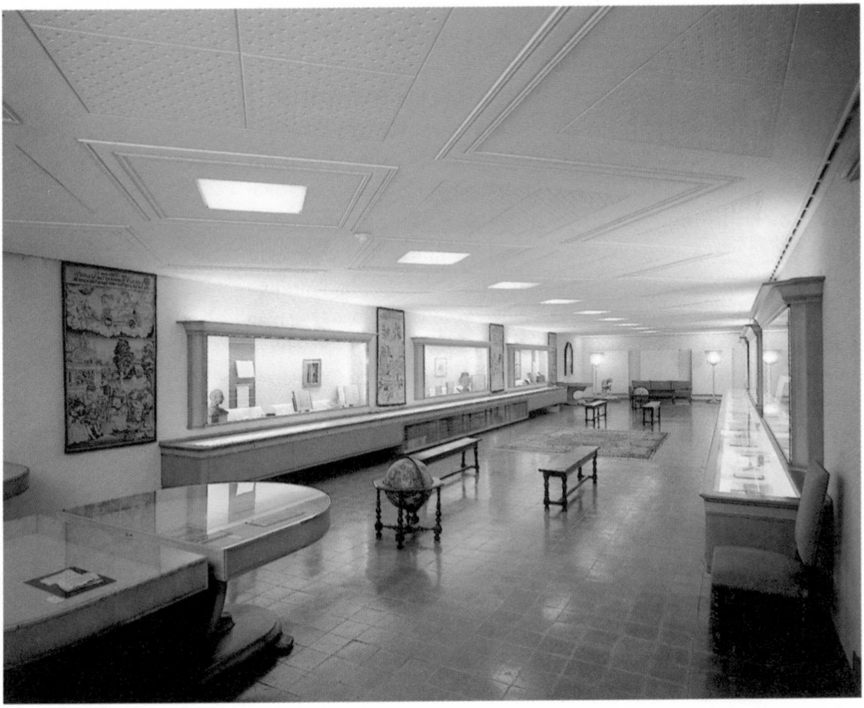

lediglich der Ausschnitt eines nicht identifizierten Katalogs aufgeklebt, während aus den aufbewahrten Katalogen die Beschreibungen erworbener Titel ausgeschnitten wurden.

Bodmer hatte oft eine glückliche Hand beim Erwerb von Spitzenstücken aus großen Sammlungen, bevor sie in alle Winde zerstreut wurden. Zu denken ist an die Bibliotheken der Fürsten Stolberg von Schloß Wernigerode, der Fürsten von Liechtenstein, Vaduz/Wien, die als erstes Schweizerisches Literaturarchiv geplante Handschriften-Sammlung des Lesezirkels Hottingen und die Bibliotheken von Gotthilf Weisstein und des Goethesammlers Heinrich Stiebel. – Über den Erwerb der Handbibliothek des Antiquariars Martin Breslauer berichtete viel später sein Sohn Bernard aufs anschaulichste. Der Katalog der Rosenbach Shakespeare-Sammlung, Philadelphia liegt gedruckt vor.

Sieht man vom Erwerb des großen Papyri-Bestands ab, so stellt derjenige von Stefan Zweigs Autographensammlung die wichtigste Bereicherung der Bodmerschen Bibliothek dar. Antiquar Hinterberger in Wien bot erstmals 1936 große Teile zum Kauf an, die weitgehend von Bodmer erworben wurden. Er muß Zweig in Zürich begegnet sein; ein Kontakt läßt sich indes nicht feststellen – als hätte der österreichische Schriftsteller den strengen Bodmerschen Kriterien von »Weltliteratur« nicht entsprochen. Zweig hat sein Leben lang mit Leidenschaft Autographen erworben, um dem »Geheimnis des künstlerischen Schaffens« nachzugehen, überzeugt, jedes Werk zeige im Akt seiner Entstehung den eigentümlichsten Charakter. Ob Bodmer sich jemals mit graphologischen Fragen beschäftigt hat, ist nicht bekannt – wenn er auch sicher den Enthusiasmus für das Schriftstück als Spiegel der Persönlichkeit teilte. – Umgekehrt ist beachtlich, daß sich der größte Schweizer Autographensammler der Zeit, Karl Geigy-Hagenbach (1865–1949) in Basel, mit dem Zweig Hunderte von Briefen gewechselt hat, nicht für den Erwerb interessiert zeigte. Zweigs Sammlung ist jedenfalls bei Bodmer in die beste Obhut gekommen, da er sie in den folgenden dreißig Jahren aufs pfleglichste betreut und erweitert hat.

3. Ausblick

Martin Bodmer starb am 22. März 1971, einundsiebzigjährig. Am 26. Februar hatte er den Stiftungsvertrag unterzeichnet; für den

Fortbestand seines Lebenswerks, für seine Bibliotheca Bodmeria, hatte er Vorsorge getroffen. Sie unterschied sich von allen anderen Bibliotheken; sie war eine Institution *sui generis*. Durch die Stiftung bestimmte er: Die Bodmeriana soll in erster Linie ein Museum sein. Kataloge sollen entstehen, Studien durchgeführt, Editionen unbekannter Schätze erarbeitet und der Öffentlichkeit zur Verfügung gestellt werden.

Viele Überlegungen hatten ihn zu seinem letzten Willen bewogen. An Möglichkeiten, die Sammlung zu verkaufen, hatte es nicht gefehlt. Noch im Vorjahr seines Todes hatte er ein Angebot mit dem Hinweis abgelehnt, »sie hergeben, hieße alles zerstören«. Die in der Bodmeriana verwirklichte Idee leitete und bewegte ihn, sie nicht wieder in alle Winde zu zerstreuen. Die Bibliothek war ihrem Sammler ein Spiegel der Welt – »ein Spiegel der gesamten Weltzivilisation«. Daß die vier Kinder Bodmers den Wunsch und Willen ihres Vaters in bezug auf seine Bibliothek voll respektierten und seither die Fondation stets unterstützten, ist mit Genugtuung und Dankbarkeit festzuhalten.

Im Gegenzug für die hochherzige Stiftung hatte sich der Kanton Genf verpflichtet, die laufenden Betriebskosten der Bibliothek zu übernehmen. Die Stiftungsurkunde sieht vor, daß dem ursprünglich fünfköpfigen Stiftungsrat – *ex officio* – ein Mitglied des Genfer Staatsrats angehört, ferner stets ein Mitglied der Familie Bodmer, ein Vertreter der Universität Genf (möglichst von der philosophischen Fakultät I), ein Jurist und jemand, »dessen Kompetenzen der Stiftung nützlich sein können«. Heute stehen die acht Mitglieder des »Conseil de la Fondation Martin Bodmer« unter der Präsidentschaft von Charles Méla, Professor für altfranzösische Literatur an der Universität Genf. André Tombet, Rechtsanwalt, Genf, ist Vizepräsident; zwei Söhne Martin Bodmers wirken ebenfalls im Stiftungsrat mit.

Ein Stiftungskapital wurde bei der Gründung aus dem Verkauf von Objekten abgezogen, denen natürlich noch heute der Bibliophile nachtrauert; bedauerlicherweise sind Neuerwerbungen kaum möglich. – Zum ersten Direktor wurde Hans Braun gewählt, der von 1971 bis zum Herbst 1996, neben dem Präsidenten der Stiftung, Daniel Bodmer, dem ältesten Sohn des Gründers, in seinem Sinn die Geschicke der Bibliothek vorbildlich leitete. In Bodmers Sinn sind eine ganze Anzahl von Publikationen der Bibliothek in dieser Zeit erschienen: Editionen von Papyri und von wichtigen,

9 Besuch des gesamten Bundesrates in der Bibliotheca Bodmeriana, Juni 1999: (v. r. n. l.) Gaspard Bodmer und die Bundesräte Pascal Couchepin, Caspar Villiger, Ruth Metzler, Joseph Deiss und Adolf Ogi, Juni 1999. Photo: Christian Poite, Genève

10 M. Bircher, Bundespräsidentin Ruth Dreyfus, Bürgermeister Jean Claude Martin von Cologny, Bundesrat Adolf Ogi. Photo: Christian Poite, Genève

bisher unveröffentlichten Handschriften, Kataloge von einzelnen Sammlungsgebieten (vgl. die im Anhang wiedergegebene Bibliographie).

Fünfzig Jahre nach der Einweihung der Gebäude von Cologny, hundert Jahre nach Bodmers Geburt, schien es das Gebot der Stunde, nach einer neuen Museumskonzeption, einer neuen Definition der Bedürfnisse und Aufgaben des von Bodmer hinterlassenen »Spiegels der Welt« zu fragen. Dringend erforderliche Sanierungsmaßnahmen verbanden sich – im Dialog mit Mario Botta – mit der Realisierung eines neuen Museum-Konzepts. Die notwendigen Mittel dazu wurden durch den spektakulären Verkauf einer Zeichnung Michelangelos im Jahre 1998 bereitgestellt.

4. Zur gegenwärtigen Ausstellung – Dank

Die Idee zu einer Ausstellung von Prunkstücken aus der Bibliotheca Bodmeriana erörterten wir schon vor geraumer Zeit mit Nicolas Baerlocher vom Präsidialdepartement der Stadt Zürich. Ein zweifacher Anlaß förderte die Realisierung: am 13. November 1999 hätte Martin Bodmer seinen 100. Geburtstag feiern können. Fast gleichzeitig hat das Museum die Türen infolge des Umbaus für etwa zwei Jahre geschlossen. Aus diesem Grund konnte sich der Stiftungsrat dazu bereit erklären, erstmals – und sicher auch zum einzigen Mal – eine Ausstellung auserlesener Stücke aus allen Gebieten ihrer Sammlungen in anderen Städten zu zeigen.

Wenn schon Bodmer, Besitzer von 150 000 auserwählten Objekten, sich genau bewußt war, daß seine Sammlung »im besten Falle Stückwerk bleibt«, so macht solche Einsicht den Ausstellungsmachern wenig Mut, eine weitere, qualvolle Auswahl zu treffen, und zwar von lediglich einem Promille des Bodmerschen Besitzes. – Normalerweise sind Ausstellungen einem besonderen Autor, einem Thema, dem Sonderbestand eines Museums gewidmet. Eine Würdigung von Bodmers Leistung als Sammler möchte indes in erster Linie eine Vorstellung von der Weite seiner Interessen und seines geistigen Horizonts vermitteln. Es ist angesichts der getroffenen Auswahl spielend leicht, wichtige fehlende Namen aufzuzählen, nicht zu begreifen, warum eine große Anzahl erstklassiger Objekte aus den verschiedensten Sektoren nicht ausgewählt wurden. Viele Auswahlkriterien ermangeln einer strengen Objektivität und sind oft auf rational vielleicht nicht zu verteidigende Entscheidungen zurückzuführen.

Die Kategorien der Einteilung des Ausstellungsgut sind eher konventionell und versuchen tunlichst, den Charakter eines Raritätenkabinetts zu vermeiden. Stets wurde die Wahl eines Dramas, eines Gedichts als stellvertretend für seine Zeit, seinen Kulturkreis, seine Umwelt getroffen; pars pro toto – stellvertretend für eine große Anzahl von ebenso würdigen Autoren, Büchern oder Handschriften.

Die bloße Aufzählung aller Stücke in Form einer Titelliste allein erschien uns bei solcher Art Ausstellung reichlich unbefriedigend; jedes einzelne Ausstellungsobjekt bedarf eines ausführlichen Kommentars, der Würdigung, der Interpretation. Solche kompetenten Kommentare zu verfassen ist einem einzelnen aus fachlichen Gründen nicht möglich, will man sich nicht auf ein sehr bescheidenes Niveau beschränken. Aus diesem Grund haben am Katalog nicht weniger als drei Dutzend Mitarbeiterinnen und Mitarbeiter gearbeitet. Wenn dadurch oft ganz verschiedene Anschauungs- oder Annäherungsweisen zum Ausdruck kommen, gewinnen der Katalog und seine Beschreibungen doch auf der anderen Seite an Farbe, an Methodenvielfalt: Ein Kaleidoskop stellt das buntere Bild als das strenge Schema eines Lexikons dar. Ganz besonderer Dank gebührt Hans-Albrecht Koch, der mit seiner großen Ausdauer und seinen Kenntnissen einen stattlichen Teil der Texte verfaßt hat; auch Gabriella Rovagnati hat viel zum guten Gelingen beigetragen. Jedem Experten für einzelne Fragen sei an dieser Stelle der beste Dank von Seiten der Bibliothek und der Ausstellungsveranstalter ausgesprochen.

In Zürich schien uns das Museum Bärengasse für das Vorhaben einer Ausstellung prädestiniert: Das Gebäude gehörte der Familie Bodmer seit 1818. Ursprünglich war es Sitz ihrer Seidenfirma und Wohnort der Familie im Winter, während man im Sommer im Freudenberg residierte. Martin Bodmers Urgroßeltern und Großeltern wohnten noch hier; sein Bruder, Hans Bodmer, hat es geerbt und hat darin seine Beethoven-Sammlung aufgebaut (die er später dem Beethoven-Haus Bonn vermachte); oft hat er hier seinen Schützling Hermann Hesse beherbergt.

Der Präsident des Stiftungsrats »Museum Bärengasse«, Walter Anderau, förderte und unterstützte aktiv das Projekt.

In Marbach stieß das Vorhaben, nach einer ersten Begegnung mit Direktor Ulrich Ott, auf große Unterstützung und Förderung, ohne die der vorliegende Katalog nie hätte realisiert werden können. Friedrich Pfäfflin kam mehrfach für Gespräche nach Cologny, betreute und redigierte den Katalog in der berühmten Marbacher Reihe.

Daß die Ausstellung auch noch in zwei weiteren Städten gezeigt werden kann, deren Institute nicht an der Vorbereitung mitwirkten, wohl aber stets unseren Enthusiasmus teilten, erfüllt uns mit Genugtuung. In New York waren es Peter Kraus und Eric Holzenberg vom Grolier-Club sowie Roland Folter, die sich erfolgreich um eine Realisierung des Vorhabens bemühten.

Für Dresden setzten sich Jürgen Hering, Generaldirektor der Sächsischen Landesbibliothek – Staats- und Universitätsbibliothek Dresden sowie sein Stellvertreter Thomas Bürger tatkräftig ein, so daß die Ausstellung zum krönenden Abschluß im Georgenbau des Dresdner Residenzschlosses gezeigt werden kann.

Die vorbereitenden Arbeiten an Katalog und Ausstellungen hätten ohne die aufopferungsfreudigen Mitarbeiterinnen an der Bibliotheca Bodmeriana nicht bewältigt werden können. Elisabeth Macheret-van Daele leistete die entscheidende Hilfe für die Auswahl der Objekte und ihre Katalogisierung, unterstützt von Monica Montesinos. Jedes Exponat wurde von unserer Restauratorin Florence Darbre gepflegt und auf seine Transporttauglichkeit geprüft. Gisela Bucher, die wissenschaftliche Mitarbeiterin, hat mit viel Energie die Beschreibung von Kunstwerken gefördert, über die bislang in unserer Bibliothek wenig bekannt war. Weit mehr als sekretarielle Hilfe bot unermüdlich Emmanuelle Métry.

Während im Mai 2000 rund 150 der schönsten Objekte der Bibliothek in ihre Herkunftsstadt Zürich ausgeliehen werden, beginnen die Bauarbeiten auf dem ruhigen Gelände der Bibliothek. Wenn die Bücherkisten wieder nach Cologny zurückkehren, werden sie neue Archive, neue Vitrinen vorfinden. Die einmalige Ausleihe von so viel wertvollem Kulturgut möge nicht nur dem Gründer und Stifter Martin Bodmer zur Ehre gereichen und inskünftig manchen Besucher an die Gestade des Genfersees locken. Vielmehr hoffen wir, daß die leitende Idee den Büchern und alten Handschriften, den kostbaren Zeugnissen von 3000 Jahren menschlicher Kulturgeschichte neue Freunde gewinnt, die Ehrfurcht vor hervorragenden Werten menschlicher Zivilisation gebührend vermehrt.

Charles Méla
Président du Conseil de la Fondation Martin Bodmer

Martin Bodmer ou l'idée d'un chef-d'œuvre

»So hatte ich beim Aufbau meiner Sammlung nicht selten das Gefühl, an einem Kunstwerk zu bilden« *(cité par Rudolf Adolph dans Martin Bodmer und die Weltliteratur, Olten: Vereinigung Oltner Bücherfreunde 1954, p. 16)*

De la Bibliothèque au Musée et du Musée à l'Univers

La collection dont Martin Bodmer fit avec passion l'œuvre de sa vie peut-elle se définir avec exactitude comme »une bibliothèque de la littérature universelle«? De prime abord il semble bien que ce soit le cas. L'expression de »Weltliteratur« vient de Goethe, lequel demeura la référence majeure de Martin Bodmer: »Ce dernier formait la clef de voûte de mon édifice spirituel«, rappelait-il dans une conférence au Ve Congrès des Bibliophiles à Venise le 2 octobre 1967. Il y citait à titre d'exemple le fameux ›Dizionario delle opere di tutti tempi e di tutte le litterature‹ de Bompiani comme ce qui correspondait à peu près à ce qu'il entendait par littérature. Mais son intérêt allait plus loin encore. Il n'envisageait, en effet, rien de moins que »la diversité de la pensée à travers les âges«, élargissant la collection à »toutes les créations de l'esprit«, abordant ainsi tous les domaines essentiels: religieux, philosophique, scientifique aussi bien. Surtout il donnait la caractéristique propre de son entreprise en ajoutant: »toutes les créations de l'esprit qui peuvent être transmises *par le moyen du signe«*, terme qu'il commentait ainsi: »Les signes ne sont pas seulement les caractères des alphabets, mais aussi les chiffres, les formules, les plans, les notes de musique, le dessin, la peinture, la sculpture, bref tout ce qui, fixé sur une base ou empreint dans une matière, exprime un sens spirituel.« L'importance d'un document culturel est ainsi double, à la fois matérielle et spirituelle: c'est »la matérialisation d'un acte spirituel de création et la préservation d'une idée« (conférence à Londres en 1967) et il n'y a aucun domaine de la création dans l'ordre matériel de la civilisation ou idéal de la culture qui ne puisse être retenu par le signe écrit : »littérature, musique, peinture, religion, philosophie, science, loi, politique, économie etc.« (ibid.) L'ambition de la collection devient aussitôt encyclopédique, avec un objectif précis: recueillir tout ce qui, de l'esprit créateur, a laissé sa trace dans la matérialité du signe. Sans doute le livre est-il apparu comme un support privilégié de la pensée, mais il n'en est pas le seul et le terme de bibliothèque devient inadéquat.

Aussi Martin Bodmer en venait-il naturellement à parler de »musée«. Ce qui faisait, à ses yeux, défaut au Bompiani, c'était le *document*, dont il jugeait la présence indispensable, non pas les illustrations, mais les originaux. »Pour mon compte, avouait-il, rien ne remplace la fascination qui émane des originaux.« Et d'évoquer, en les comparant avec sa bibliothèque, la Morgan Library, véritable musée du manuscrit occidental, la collection de Sir Chester Beatty, avec son lot de manuscrits non européens, enfin l'illustre Musée national de littérature à Marbach. Ce dernier »porte à juste titre le nom de musée, car il se compose de suites plus vivantes et plus complètes que celles qui se trouvent généralement dans une bibliothèque proprement dite.« Ces réflexions révèlent quel fut le désir de Martin Bodmer: embrasser, dans toute sa diversité, la pensée créatrice des hommes, la symboliser grâce à un choix de spécimens représentatifs et lui donner présence par la magie de l'original que nous devinons chargé de tous les secrets d'une histoire et d'une invention dont il fut le plus proche témoin jusqu'à nous parvenu et, soudain, là, à portée de main, familier et lointain, éloquent et muet, mais encore inerte et frémissant, fragile et éternel.

N'abandonnons pas pour autant l'idée »d'une bibliothèque de la littérature universelle«. Martin Bodmer avait en mains le petit opuscule de Hermann Hesse, ›Eine Bibliothek der Weltliteratur‹, imprimé à Leipzig, en 1929, par l'éditeur Philipp Reclam, dans la collection Reclams Universal-Bibliothek, n° 7003: »Sehr wahr«, avait-il annoté au crayon en marge du début où l'auteur évoque le »trésor merveilleux« que nous a laissé le passé, celui des pensées, des expériences, des symboles, des imaginations et des fantasmes que contiennent les œuvres des poètes et des penseurs de nombreux peuples. Si Martin Bodmer collectionne des livres, ce n'est pas au titre de curiosités bibliophiliques, mais en raison des trésors de pensée qu'ils recèlent. Ce sont les témoins des pas significatifs accomplis par les hommes dans la lente avancée de l'histoire des civilisations. Cette littérature mondiale est proposée à notre étude, comme l'un des chemins qui mènent à ce que Hesse appelle une culture authentique (*echte Bildung*), laquelle est à la fois un élan et un épanouissement (au même titre que la culture physique: *ebenso wie echte Körperkultur*): le travail y est à lui-même sa récompense et le chemin, sa fin. On atteint en cours de route un certain accomplissement de soi et c'est comme un autre regard qui s'acquiert dans une quête qui ne connaît pas de fin. La vraie culture est en ce sens un »être-en-chemin (*Unterwegssein*) dans l'interminable et l'infini, une vibration en harmonie avec l'univers, un vivre avec l'intemporel.« Ne sous-estimons pas l'impact de ces expressions sur l'esprit de Martin Bodmer. Une authentique quête spirituelle traverse et anime l'œuvre avec laquelle se confond sa vie entière. Cette création »non seulement spéciale, mais unique« (ce sont ses propres termes) qu'est la bibliothèque (»un joyau de notre temps«, écrit-il encore) et qui l'absorbait tout entier, exigeait une Fondation qui fût à la hauteur de ses intentions, ainsi qu'un livre qui devait être »absolument (son) testament spirituel« et sur lequel il travaillait encore l'année de sa mort.[1]

Pourquoi, dans ces conditions, nous refuserions-nous le plaisir d'imaginer la Bibliothèque de Martin Bodmer comme une version historiquement réalisée du *Jeu des Perles de Verre* (1943), qui se fût pratiquée à son instar »avec toute la substance et toutes les valeurs de notre culture«, comme s'il se fût agi »de reproduire dans son jeu tout le contenu spirituel de l'univers« (Paris: Calmann-Lévy 1955, trad. fr. p.24). Hermann Hesse anticipe Martin Bodmer quand il évoque ainsi »ce que l'humanité a produit au cours de ses ères créatrices dans le domaine de la connaissance, des grandes idées et des œuvres d'art..., tout cet immense matériel de valeurs spirituelles«, symbolisé dans sa fiction par un ensemble codé et figuré de signes, offrant »le caractère d'une sorte de langage universel«. Encore fallait-il que le jeu ne se réduisît point au seul exercice, fût-il virtuose et brillant, de la mémoire et de l'intellect, mais qu'il y eût »plus d'âme«:

»Après chacun des signes évoqués par le directeur du jeu, on se livra à une *méditation* muette et rigoureuse sur ce signe, sur son contenu, son origine et son sens. Chacun des partenaires fut ainsi obligé de *se représenter* fortement, *dans sa chair, la teneur du signe«* (ibid. p. 47, nous soulignons).

Sans doute serait-il vain de forcer ici la comparaison, mais en recherchant passionnément le document, l'original qui fascine, Martin Bodmer ne nous invitait-il pas à prêter toute l'attention nécessaire au signe lui-même, porteur d'une richesse et d'une histoire insoupçonnées, doué, tel une relique, d'une aura, d'une force, d'une vertu propres à nous conduire par la méditation du beau et du vrai jusqu'à un ordre du monde et de l'esprit secrètement à l'œuvre dans le cours des choses? Et ne pourrions-nous pas y puiser le principe d'un nouvel ordonnancement comme d'une nouvelle vie de la Bibliothèque?

Il est remarquable, en effet, qu'en composant sa petite bibliothèque idéale de la littérature universelle, dont la liste tourne aussi autour de quelques grands »symboles« (la Bible, Homère, Dante...) et se distribue entre littérature européenne et non européenne, Hermann Hesse se soit attaché à faire résonner dès les premiers titres (la *Bible*, les *Upanishads*, *Gilgamesh*, la Chine de Confucius et de Lao-Tseu) ce qu'il appelle »les accords fondamentaux de toute littérature humaine«:

»L'aspiration à une norme et à une loi, la quête intuitive de la rédemption d'une existence terrestre insuffisante, la connaissance secrète de l'harmonie éternelle (*ewige Harmonie*) au delà du monde inquiet, multiforme des apparences, la vénération des puissances de la nature et de l'âme sous la forme des dieux, avec le pressentiment que les dieux ne sont que des symboles et que la puissance (*Macht*) et la faiblesse, l'allégresse et la douleur de la vie sont entre les mains de l'homme.«

Or, Martin Bodmer avait organisé sa collection autour des quatre grands thèmes de l'esprit croyant (*Glaube*, la foi : les textes sacrés des religions), de l'esprit bâtisseur (*Macht*, le pouvoir : les fondements historiques, juridiques, politiques des civilisations et de la société), de l'esprit artiste (*Kunst*, l'art, les chefs-d'œuvre de la culture humaine), de l'esprit inventeur (*Wissen*, le savoir : les systèmes et les découvertes du monde).

Ces rapprochements nous confirment dans l'idée d'une même appartenance morale et spirituelle de ces deux grands esprits, avec peut-être une inflexion plus morale chez Hermann Hesse, dans l'ordre tout intérieur d'une sagesse, plus métaphysique chez Martin Bodmer, par la quête d'un sens à l'échelle du Cosmos. Ainsi peut-on encore découvrir dans la marge de l'opuscule de Hesse un trait de la main de Martin Bodmer, cochant un passage qui définit le but de la lecture comme étant non d'en savoir le plus possible, mais au contraire »d'obtenir le pressentiment de l'étendue et de la plénitude de la pensée et de l'aspiration des hommes, et de l'ensemble même, de la vie et de la pulsation de l'humanité entière, dans une relation vivifiante et vibrante en harmonie«.

La vision finale de Martin Bodmer, dans son testament spirituel, longtemps oublié, sinon disparu, peut-être tout récemment retrouvé (mais non, semble-t-il, dans sa forme définitive, à moins qu'il ne soit resté inachevé) est celle du *Chorus mysticus* qui lui donne son titre, emprunté au final du *Faust* de Goethe[2], et qui n'est pas sans trouver un écho dans l'*Unio mystica* chère au Jeu des Perles de Verre: »We have called the totality of these personalities the *Chorus mysticus*, that is to say the group of people to whom the secret power of human civilisation is due«, annonçait-il dans la conférence de Londres en 1967. A l'occasion de la cérémonie commémorative du 24 novembre 1979, le précédent directeur de la *Bodmeriana*, le professeur Hans E. Braun avait traduit dans son allocution une des dernières notes de Martin Bodmer, datant de la nuit du Nouvel An 1971, au cours de laquelle il eut, au milieu de ses souffrances, l'illumination de ce qu'il cherchait:

»A Chardonney. Froid glacial – le château est délicieusement chaud ! – énorme tempête de neige. Nous allons – pour la première fois depuis mon enfance! – nous coucher à 10 h. déjà. Mon arthrite se fait de nouveau remarquer – puis tout à coup arrive une crise très douloureuse (malgré les médicaments !) qui me tourmente jusque vers 2 heures du matin. C'est vraiment une nuit de la St. Sylvestre tout à fait horrible – si loin, si loin des chères « Cloches de Nouvel An »de Meyer! Alice me donne encore quelque chose et je m'endors enfin.–Toutefois,– et voilà que survient la grande merveille – l'idée est née, l'idée que j'attends depuis de longues semaines et c'est la solution. Précisément en cette terrible nuit du 1.1.71 ! Elle est très simple: *Chorus mysticus*, ce sont les représentants de l'histoire qui se rapprochent le plus de l'humain dans sa totalité, dans son ensemble. Deux choses sont importantes à cet égard: la pureté (*die Reinheit*) et l'effet (*die Wirkung*). L'exemple typique de la première, avec un effet relativement limité, c'est peut-être Hölderlin; l'exemple du second: peut-être le Dante, qui a formé et entraîné tout un monde historique, sans être absolument supérieur au premier quant à la profondeur essentielle...«[3]

Mais l'expression garde encore une part de mystère, débordant la seule manifestation de l'humain, pour l'englober dans un plus vaste ensemble. L'avant-propos du *Livre* qui devait compléter la mise en place d'une *Fondation* adéquate donne en effet une définition plus compréhensive et plus énigmatique:

»Par Chorus mysticus, nous comprenons une réciprocité mystérieuse de liaisons et de résonances entre toutes les choses, depuis l'univers (*Weltall*) jusqu'à l'esprit de l'homme, laquelle a pour effet que l'ordre et non la confusion soit le principe du monde ... Chorus mysticus désigne le Tout, car celui-ci n'est pas *chaos*, mais *chorus*. Ne pas en connaître la raison dernière, c'est cela qui est un mystère.«

Ainsi existe-t-il un principe d'harmonie au sein de l'univers, analogue à la fameuse *catena aurea*, qui relève de puissances (*Mächte*) et d'ordres (*Ordnungen*) créés par Dieu (ou qui laissent pressentir la possibilité de Dieu), lesquels sont à l'œuvre au sein du monde, malgré la misère de celui-ci. »Mais ce qui est effectué par l'esprit humain, c'est-à-dire l'histoire (*Geschichte*), nous l'appelons ‚le pouvoir et l'ordre' (*Macht und Ordnung*)«, dont on dénombre cinq manifestations, le pouvoir comme tel ou puissance de l'histoire, la puissance de la foi, la puissance du mot, la puissance de l'art, la puissance du savoir.[4] Le nombre 5 se charge ici d'une forte valeur symbolique, soulignée comme telle par Martin Bodmer, dans sa conception des cinq périodes de l'histoire, des cinq civilisations de l'écriture et des cinq autres de la représentation picturale, des cinq domaines qui structurent la civilisation occidentale (»civilisation, culture, humanity, art and literature«), du pentagone poétique (Homère, Virgile, Dante, Shakespeare, Goethe) et des cinq piliers de la bibliothèque. Dans l'arithmologie, rappelons-le, ce nombre chiffre le mystère de l'homme (les cinq sens, les cinq extrémités du corps humain, les cinq plaies du Christ) et le fameux *pentacle* est dans la philosophie hermétique l'hiéroglyphe de la matière première!

A la lumière de cet ultime écrit de Martin Bodmer, sa Bibliothèque, répartie entre les quatre sections intitulées *Glaube*, *Macht*,

Kunst, Wissen symboliserait, à travers les réalisations de l'esprit humain censées prolonger ou exprimer elles-mêmes dans le processus de l'histoire les puissances d'ordre obscurément au travail dans l'univers, qu'il y a de l'ordre et que cet ordre est le principe de l'univers. L'envers ironique et angoissé de l'entreprise nous serait donné par le célèbre récit de Borges, en 1941, qui commence par ces mots : »L'univers (que d'autres appellent la Bibliothèque)...« et se termine par l'évocation d'un même désordre »qui, répété, deviendrait un ordre : l'Ordre«.

Une question demeure, aux accents d'amertume, mais comme un défi pour ceux qui ont reçu en dépôt l'œuvre de Martin Bodmer: a-t-il eu le temps d'y mettre la dernière main comme il l'avait souhaité, en achevant son livre et en créant une fondation conforme à ses intentions? A la date de juillet 1970 ce qu'on lui avait soumis sur ce point ne s'y accordait toujours pas à ses yeux : »Ce n'est du reste pas possible, car *qui* me connaît? Et cette fondation est une chose bien spéciale qui doit correspondre à la création non seulement spéciale mais *unique* qu'est la bibliothèque. Bref, il faut encore deux choses: une fondation adéquate et mon livre qui sera absolument mon testament spirituel.«

Ce livre n'a toujours pas été publié. Est-il même entièrement retrouvé? La fondation qui a été finalement mise en place a-t-elle eu ce caractère d'universalité qui lui paraissait essentiel? C'est afin de répondre à ces interrogations qui subsistent trente ans après la mort de Martin Bodmer que l'idée a pris forme de demander à Mario Botta de créer, baigné d'une nouvelle lumière, un réceptacle digne »d'un joyau de notre temps« et d'offrir en partage à tout homme désireux d'en devenir meilleur »la Bibliothèque universelle de Martin Bodmer«. La nouvelle construction matérialiserait notre foi en un monde que le chaos menace, mais où résonnent aussi parmi les choses, en des moments privilégiés par la force de l'esprit, les accords mystérieux du *Chorus mysticus*.

2001 : la survie ou l'aventure ?

Quel avenir pour la Collection à laquelle Martin Bodmer a donné son nom? Trente ans après sa mort, la question se pose avec plus d'acuité que jamais. Célèbre dans le monde pour son lot exceptionnel de papyrus, qui a fait l'objet de 38 volumes publiés, réimprimés tout récemment en 10 volumes de 4872 pages avec les planches de tous les originaux aux éditions Saur, elle est aussi réputée pour n'être guère accessible. Son fondateur l'entendait ainsi, quand il parlait de sa bibliothèque, »qui est malgré tout une merveille (discrètement à l'abri des curieux)«. On comprend la mauvaise humeur de Richard Westfall dans sa biographie de Newton, parue en 1980: »La bibliothèque Martin Bodmer de Genève possède un long manuscrit théologique... Il se peut que le manuscrit Bodmer soit une histoire cohérente de l'Eglise, et d'une certaine importance. Malheureusement cette bibliothèque, à la différence de toute autre bibliothèque détenant des fonds newtoniens, a choisi d'interdire ses possessions aux chercheurs. L'Académie soviétique des sciences détient également un document ... qui est plus accessible que le manuscrit Bodmer« (Paris: Flammarion 1994, p.879). La charge est assurément injuste, car Martin Bodmer avait aussi écrit dans sa brochure de présentation de 1958 : »Ce qui nous tient à cœur, c'est de mettre au service de l'érudition ce que nous appellerons les sources, à savoir les documents de l'Antiquité classique, du moyen âge occidental et du monde oriental, y compris la Bible.« Au cours des trente dernières années, un travail considérable de catalogage fut entrepris et réalisé par d'éminents spécialistes (7 volumes parus entre 1973 et 1994) et, dans chacune de ses séances, le Conseil de la Fondation consacrait une partie de son temps à examiner les nombreuses demandes de consultation scientifique et de nombreux chercheurs ont bénéficié pour leurs conditions de travail du dévouement du personnel de la bibliothèque. D'autre part le premier devoir du directeur de la bibliothèque est d'assurer la conservation de pièces fragiles aussi précieuses qui ne peuvent faire l'objet de manipulations hasardeuses : les microfilms furent systématiquement réalisés, à titre de sauvegarde et afin de répondre aux demandes. Il est certain qu'à l'avenir les possibilités offertes par la saisie numérique et le passage à l'état virtuel des éléments de la collection devraient résoudre le conflit entre les exigences de la conservation et celles de la consultation.

Mais l'essentiel est ailleurs. Comme il s'en est expliqué en 1953 en introduisant le livre édité par Fritz Ernst, ›Von Zürich nach Weimar‹, premier volume au demeurant des publications de la *Biblio-*

theca Bodmeriana, ce que Martin Bodmer a cherché à ériger sur la base matérielle des objets rassemblés, fragments antiques, manuscrits médiévaux, incunables, éditions originales, éditions revues et corrigées par l'auteur, autographes de la Renaissance aux temps actuels, n'est rien de moins qu'»un édifice spirituel« (p. 12), destiné à »montrer le développement de l'esprit humain« (p. 16). »C'est pour cela«, précisait-il en 1967 (dans sa conférence de Venise au Congrès des Bibliophiles), »que nous en venons à l'idée du musée – à la nécessité du musée!« C'est pourquoi en confiant à Mario Botta le soin de concevoir et de créer une extension des bâtiments qui rende enfin visibles ces »chemins que prend la pensée« au fil des âges de l'humanité dans son ensemble, sous le regard des fossiles et des ichtyosaures qui relativisent d'autant de millions d'années l'aventure humaine de la civilisation, de la culture et de l'écriture, et dans le cadre d'un musée ouvert cinq jours de la semaine, nous avons la certitude de rester fidèles au vœu le plus intime du fondateur de la collection et de mettre au service de sa vision le génie d'un autre créateur et les ressources nouvelles des technologies de notre temps. Celles-ci devraient faciliter l'accès du public intéressé aux trésors d'un patrimoine intellectuel et spirituel qui est celui de l'humanité tout entière et en faciliter l'intelligence par les moyens didactiques appropriés, car le secret des livres comme leur fascination ne se livrent pas de prime abord. Si les développements futurs de l'Internet passent par la valeur des contenus, l'informatisation de la bibliothèque devrait lui permettre de jouer un rôle non négligeable dans la partie qui s'annonce.

Cette nouvelle vie de la Collection pose encore un problème: doit-elle se clore sur elle-même, c'est-à-dire se refuser toute possibilité d'achats après la disparition de son fondateur? Martin Bodmer avait lui-même laissé entendre qu'une bibliothèque est morte à partir du moment où elle n'achète plus. La vocation de la Bodmeriana n'est pas plus de s'arrêter en chemin aux alentours des années 1970 que de rester portes closes. Une poussée profonde est inscrite dans sa conception même, celle d'épouser, au fil des temps, le cheminement de l'esprit créateur, de garder les témoins de l'aventure spirituelle de l'humanité. Le temps est une dimension inhérente à l'existence de la collection. Martin Bodmer avait d'ailleurs ménagé dans sa Collection la place de ces changements, ou de ces tournants »de Marx à Lénine, de Kierkegaard à Barth, de Freud à Einstein, de Röntgen à Curie, de Kandinski à Klee, de Schönberg à Webern, de Joyce à Beckett« (Londres 1967). Mais comment continuer l'œuvre entreprise? Personne ne peut prétendre à être un second Bodmer, faute de moyens sans doute, mais surtout parce que son œuvre n'appartient qu'à lui et qu'elle doit garder cette singularité, dont témoigne le présent catalogue. Il n'y a pas lieu cependant de s'interdire certaines occasions exceptionnelles, comme ce fut le cas lors de la vente de la Collection Beck, où nous acquérions trois manuscrits médiévaux (le ›Dragmaticon‹ de Guillaume de Conches, la Bible Rothschild et ›Les Vœux du paon‹ de Jacques de Longuyon) ou plus privément avec l'achat d'un sublime Liotard (le portrait de l'archiduc Joseph, le frère de Marie-Antoinette) et tout récemment pour la trouvaille d'un mouvement inédit d'un quatuor à cordes en si mineur de Beethoven. Legs et donations sont également une source d'enrichissement de la collection : le »Nachlass« du peintre Felix Hoffmann (1911–1975) en a été le dernier en date. Mais l'accent devrait porter résolument sur les tournants majeurs du XXe siècle, particulièrement le surréalisme (d'où, ces deux dernières années, des éditions originales d'Apollinaire, des autographes de Breton et d'Eluard, mais aussi Bataille et le magique Cendrars et Delaunay).

Mais faire autrement ou autre chose consisterait par exemple à rechercher systématiquement des archives complètes d'un contemporain, afin que la Bodmeriana devienne dans certains secteurs une véritable bibliothèque de recherche. La volonté du fondateur d'opérer de façon symbolique et de ne retenir que des spécimens représentatifs ne s'y prêtait pas. D'où nos tentatives, tantôt infructueuses, tantôt réussies, pour réaliser ce projet (l'intégrale des éditions originales de Michaux, par exemple).

Les nouveaux locaux devraient aussi favoriser les échanges intellectuels et les rencontres culturelles au plus haut niveau. A l'instar de la Herzog August Bibliothek de Wolfenbüttel et du Musée de Marbach, des colloques sur des domaines bien représentés dans la Collection pourront être organisés et bénéficieront de la relance de la revue *Corona* (*nova*) par notre directeur, le professeur Martin Bircher, grâce auquel toute la présente réflexion a pu être menée et qui a su s'entourer d'une équipe de collaborateurs aussi dévoués que compétents. La possibilité est aussi envisagée, à l'occasion, lorsque le thème abordé est illustré par des pièces de la Collection, que telle séance de cours d'institutions prestigieuses comme le Collège de France ou comme Corpus Christi College, à Cambridge, se tienne à la Bodmeriana. Les contacts existent déjà en ce sens. Mais notre présence sur le marché de l'art autorise aussi l'accueil de manifestations culturelles (conférences, expositions temporaires) organisées par de grandes maisons comme Sotheby's ou Christie's: ce fut le cas dans un passé récent pour la vente de la Collection Beck, qui servit de déclencheur pour la suite des événements. Des collections privées, comme Genève en recèle, y trouveront l'espace et les conditions nécessaires pour s'offrir aux regards. Des échanges d'expositions ou des expositions combinées avec des institutions comparables (Pierpont Morgan Library, Chester Beatty Library) pourront être envisagés. Enfin, la vie internationale propre à Genève y puisera un nouveau souffle, la visite d'hôtes illustres, comme cela a déjà été le cas, y sera, avec l'appui des autorités et de la commune de Cologny, systématiquement encouragée. Nous comptons également beaucoup sur l'aide que nous apporte l'Association des Amis de la Fondation Martin Bodmer, sous l'impulsion aussi efficace qu'élégante de son président, M. Jean Bonna.

Bref, l'avenir est ouvert, il suffira de l'inventer, en préférant toujours résolument l'aventure à la survie (voir la conclusion du beau livre de Manfredo Tafuri, *Venezia e il Rinascimento*).

[1] Ces citations sont extraites de deux lettres de Martin Bodmer, adressées à O. Bongard et datées du 21–01-69 à Pontresina et du 30–07-70 à Caslano.

[2] Le passage est célèbre, auquel Freud fait écho au chapitre VI de la *Traumdeutung* (section VII), à propos de *She* de Rider Haggard et de l'*Ewig-weibliche*.

[3] Voici la transcription partielle de la note manuscrite de Martin Bodmer, conservée à la Fondation parmi ses papiers inédits :

Neujahrsnacht 1970/71

In Chardonney, Eisige Kälte – das Schloss herrlich warm! – ein mächtiger Schneesturm. Wir gehen – zum erstenmal seit meiner Kindheit! – schon um 10h zu Bett. Meine Arthritis macht sich wieder bemerkbar – dann plötzlich kommt ein sehr schmerzlicher Anfall (trotz Mitteln!) der mich bis gegen 2h morgens plagt. Ganz scheußliche Sylvesternacht – wie weit, wie weit von den lieben Meyerschen »Neujahrsglocken«! Alice gibt mir dann noch etwas, ich schlummere ein ... Aber – nun kommt das große »Aber« – die Idee ist geboren!! Auf sie warte ich seit Wochen und Wochen und das ist die Lösung. Ausgerechnet am 1. 1. 1971, in der schlimmsten Nacht! Sie ist sehr einfach.: Ch(orus) m(ysticus) das ist das Menschlich-Ganze, jene Repräsentanten der Geschichte, die dem Menschlich-Ganzen am nächsten kommen. Dabei zweierlei: die Reinheit und die Wirkung. Typus des ersteren, mit relativ begrenzter Wirkung, ist etwa Hölderlin, des zweiten – der eine ganze Geschichtswelt formte und mitriss, ohne unbedingt an Wesenstiefe dem ersteren überlegen zu sein: etwa Dante.

›Neujahrsglocken‹ est un court poème très connu de Conrad Ferdinand Meyer auquel Martin Bodmer était apparenté et qu'il avait lui même publié en 1925 à Zurich, dans C. F. Meyer, ›Gedichte‹, (Dreissig ausgewählte Gedichte), Festgabe zum hundertsten Geburtstag des Dichters, 11. Oktober 1925 (Auswahl und Anordnung der Gedichte besorgten Herbert Steiner und Martin Bodmer), p. 22.

La traduction de »nun kommt das grosse Aber« n'est qu'approximative. Ce »mais« qui s'introduit ici condense aux yeux de Martin Bodmer ce qui n'a cessé de résister à son interrogation.

[4] Nous donnons le texte complet de l'avant-propos d'après la dactylographie de Martin Bodmer :

Vorbemerkung:

Unter ›Chorus mysticus‹ verstehen wir – abgesehen von der Huldigung die damit Goethe dargebracht wird – jenes geheimnisvolle Ineinandergreifen und Ineinanderklingen aller Dinge, vom Weltall bis zum menschlichen Geist, welches bewirkt, dass sie nicht auseinanderfallen, dass Ordnung statt Verwirrung das Weltprinzip sei.

Eine Art von Theodizee, wenn man will, wobei es aber offen bleibt, ob Gott dahintersteht. Also keine Rechtfertigung, sondern eine Möglichkeit, eine Ahnung Gottes, durch die trotz dem Uebel in der Welt evidente Tatsache der Ordnungen.

Chorus mysticus also meint das Ganze, denn dieses ist nicht Chaos, sondern eben Chorus. Da jedoch seine Ursache uns verborgen bleibt, ist er ein Mysterium.

Was ihn bewirkt, nennen wir Mächte und Ordnungen. Sie durchwirken das All. Was aber durch den menschlichen Geist bewirkt wird, die Geschichte, nennen wir »Macht und Ordnung«. Ihr ist das Schlusskapitel gewidmet. Sie äussert sich in fünf geistig-seelischen Urphänomenen: der Macht schlechthin, hier als Geschichtsmacht bezeichnet, der Glaubensmacht, der Wortmacht, der Kunstmacht, der Wissenmacht.

On peut lire une première présentation du ›Chorus mysticus‹ dans *Homage to a Bookman. Essays on manuscripts, books and printing written for Hans P. Kraus on his 60th* birthday, oct. 12, 1967, Gebr. Mann Verlag, Berlin, pp. 263–271 : ›Chorus Mysticus. Ein Symbol des Weltschrifttums.‹ Martin Bodmer avait explicitement rattaché à Goethe ce »Chorus mysticus« qu'il annonçait comme le titre de son livre en cours dans la conférence donnée à Londres en 1967: »The cultural and spiritual ideas behind the *Bodmeriana*. A historical and philosophical survey.« Ce renvoi mettait en évidence la relation entre la Bodmeriana et Goethe ainsi que son caractère »symbolique«. On ne soulignera jamais assez ce lien entre la quête spirituelle de Martin Bodmer et le développement de sa bibliothèque: »Indem man die Sammlung entwickelt, entwickelt man sich selbst, worin vielleicht ihr grösster Reiz liegt« (cité par Rudolf Adolph, 1954, p. 16). La réflexion qu'il conduit commande ce qu'il collectionne, avant qu'il ne l'expose »au bénéfice des études et de l'élévation spirituelle de la société«, comme le lui écrivait le 6 février 1971 Monseigneur Pasquale Macchi, de la secrétairerie d'État de Paul VI.

Spiegel der Welt

Vorbemerkung: *Das Objekt kann aus konservatorischen Gründen nicht oder nur an einzelnen Orten ausgestellt werden.

CB = Codex Bodmer

Inc. = Incunabula

Abkürzungen bei Literaturangaben: siehe Literaturverzeichnis

I. Die Bibel
Martin Bodmer: Die Bibel

Martin Bodmer hat dem Aufbau seiner Bibelsammlung von Anfang an besondere Beachtung gewidmet. Seine Ziele und Absichten hat er zu einer Zeit formuliert, da er den wichtigsten Bestand, denjenigen der »Papyri Bodmer« mit den ältesten Bibel-Texten noch gar nicht besaß. 1947 schreibt er:

»Wir betrachten die Bibel hier in erster Linie vom literarischen Standpunkt aus. Ihre Entstehungszeit umfaßt annähernd ein Jahrtausend, ihre Wirkung erstreckt sich über weitere zwei Jahrtausende, so daß sie allein schon in weltliterarischer Beziehung ein einzigartiges Monument darstellt. In diesem Sinne wurde sie denn auch als einer der drei großen Stoffkreise der Sammlung zugrunde gelegt. Es wurde dabei nicht versucht, ein möglichst umfangreiches Material zu vereinen, was neben den zahlreichen bestehenden oder auch einstigen Bibelsammlungen nur eine Wiederholung und damit ein müßiges Unterfangen gewesen wäre. [...] Von allen diesen Sammlungen, die bisweilen Tausende von Nummern zählen, finden sich Kataloge im bibliographischen Anhang unserer Bibelabteilung. [...]

Woran uns lag, war Konzentrierung auf das Wesentlichste. In dieser Hinsicht darf die Sammlung eine Ausnahmestellung beanspruchen. Nicht einfach Bibeln aller Art wurden gesucht, sondern besonderer, besonderster Art! Vor allem wiederum Editiones principes, d. h. jene Bibeln, in denen zum ersten Mal in der Geschichte der Geist dieser besonderen Sprache, dieser Übersetzung, dieser Textgestaltung verwirklicht wurde und auf die Welt gewirkt hat. An der Spitze steht eines der ehrwürdigsten Bibelmonumente, das zugleich das erste und bedeutendste gedruckte Buch ist, die Gutenberg-Bibel. Ihr folgen die erste datierte Bibel von Fust und Schöffer, Mainz 1462 und die erste deutsche Bibel von Mentelin, Straßburg 1466. Unter den zehn seltenen Inkunabel-Bibeln der Sammlung sei noch die seltenste von allen erwähnt, die erste illustrierte italienische Bibel von Mallermi, deren Holzschnitte zu den Meisterwerken der Renaissance-Buchkunst gehören (Venedig 1490).

Die Bibelhandschriften umfassen ein halbes Jahrtausend, vom 10. bis 15. Jahrhundert, die Drucke ein weiteres, vom 15. bis 20. Jahrhundert. An Manuskripten liegt eine Evangelien-Handschrift aus dem 10. Jahrhundert vor, eine illuminierte Bibel aus dem 13. Jahrhundert, ferner ein armenisches Manuskript der vier Evangelien, ein äthiopisches Manuskript der Psalmen, eine hebräische Schriftrolle, enthaltend das Buch ›Esther‹ und ein äthiopisches Manuskript der Apokalypse des Baruch. Ihnen schließen sich Erst- und Frühdrucke von Bibeln in 47 Sprachen an, ferner Bibelteile, Bearbeitungen, Nachdichtungen, Illustrierungen und so fort. Natürlich figurieren die Urtexte auf Hebräisch, Aramäisch und Griechisch. An griechischen Bibeln mag von Interesse sein die Faksimileausgabe des Codex Sinaiticus, der ältesten bekannten Handschrift des Neuen Testamentes, früher in Leningrad, heute im Britischen Museum. (Als Kuriosum sei erwähnt, daß mir dieses vielleicht wertvollste Buch der Welt vor seinem Ankauf durch das Britische Museum angeboten worden war.) Im Original vorhanden ist dann wieder ein weit bescheideneres, aber in der Geschichte des Bibeldrucks wichtiges Buch: die erste kritische Ausgabe der Bibel in hebräischer und griechischer Sprache, die sog. Polyglottbibel, die 1514–1517 in Alcalà de Henarez erschienen ist, ferner die erste griechische Gesamtausgabe der Bibel, von Aldus 1518 in Venedig herausgebracht.

Wir beschließen diese Übersicht mit der Erwähnung noch einiger Rara und Kuriosa. Als erstere können – in Ergänzung der sieben deutschen Inkunabelbibeln – die Erstdrucke der sämtlichen neun Ausgaben der Lutherschen Bibelübersetzung gelten, die zu Luthers Lebzeiten erschienen sind ... bis zur Ausgabe letzter Hand mit dem endgültigen Text, 1545, d.h. im Jahr vor Luthers Tod erschienen.

Als kulturhistorisch gewichtiges Dokument erwähnen wir das Blockbuch einer italienischen Biblia pauperum. Als Kuriosa seien einige Bibelübersetzungen in die Sprachen von Naturvölkern angeführt ...«

Bodmer, Weltliteratur S. 57–60

1* **›Johannesevangelium‹**

Ms. Ägypten, 2. Jahrhundert, griechisch. Papyrus

16,2 x 14,2 cm; 108 S., Kodex, ohne Einband

Papyrus Bodmer II

PROVENIENZ: *Aegypten, 1956*

Mit dem Erwerb eines großen Fundus von Papyri, deren genauer Inhalt ihm beim Kauf noch nicht bewußt war, hat Martin Bodmer seine Bibliothek um den vielleicht wichtigsten, größten Schatz bereichert. Unter diesen Handschriften befindet sich das älteste Johannesevangelium der Welt, das aus dem Ende des 2. Jahrhunderts n. Chr. stammt, ferner die ältesten Petrus-Briefe, sowie drei Komödien von Menander, einem Dichter der Antike, von dem bislang nur der Name bekannt war (s. Nr. 54).

Die Anregung zu Bodmers Wunsch, in seiner Bibliothek auch Beispiele einiger Papyri zu besitzen, soll 1952 von einer dreisten Frage eines Besuchers gekommen sein, der anläßlich eines Papyrologenkongresses in Genf die Sammlung besuchte. Bodmer wollte darauf wenigstens einige Proben besitzen, und schickte seine Sekretärin zum Einkauf nach Ägypten, just zur Zeit der Suezkrise, als Engländer, Franzosen und Amerikaner ungern gesehene Gäste in dem Land am Nil waren. Rein zufällig traf die Sekretärin in einer kleinen Boutique einen Händler, der für den großen Fund einer Ausgrabung keinen Käufer fand, und mit dem man bald handelseinig wurde. Es handelte sich um rund 1800 Textseiten in drei Sprachen: koptisch (56 %), griechisch (40 %) und lateinisch (4 %). Auch inhaltlich sind die Texte sehr unterschiedlich: »heidnische« Texte (6 %), biblische Texte (77 %) und christliche, nicht-biblische Texte (17 %). Einige Papyri, so auch das Johannesevangelium, sind noch in ihren originalen Einbänden erhalten, während später jedes lose Blatt unter Glas vorsichtig konserviert wurde.

Die Bedeutung der »Bodmer Papyri« kann nur mit derjenigen von Qumran (heute in Jerusalem) und von Nag Hammadi (heute in Kairo) verglichen werden. Man kann annehmen daß die heute in Cologny aufbewahrte geschlossene Sammlung im 4. und 5. nachchristlichen Jahrhundert von einem ägyptischen frühchristlichen Bücherfreund angelegt wurde, und zwar an ihrem späteren Fundort in Oberägypten, wohl in der Nähe von Nag Hammadi. Die andere Möglichkeit wäre, daß es sich um die Texte eines Skrip-

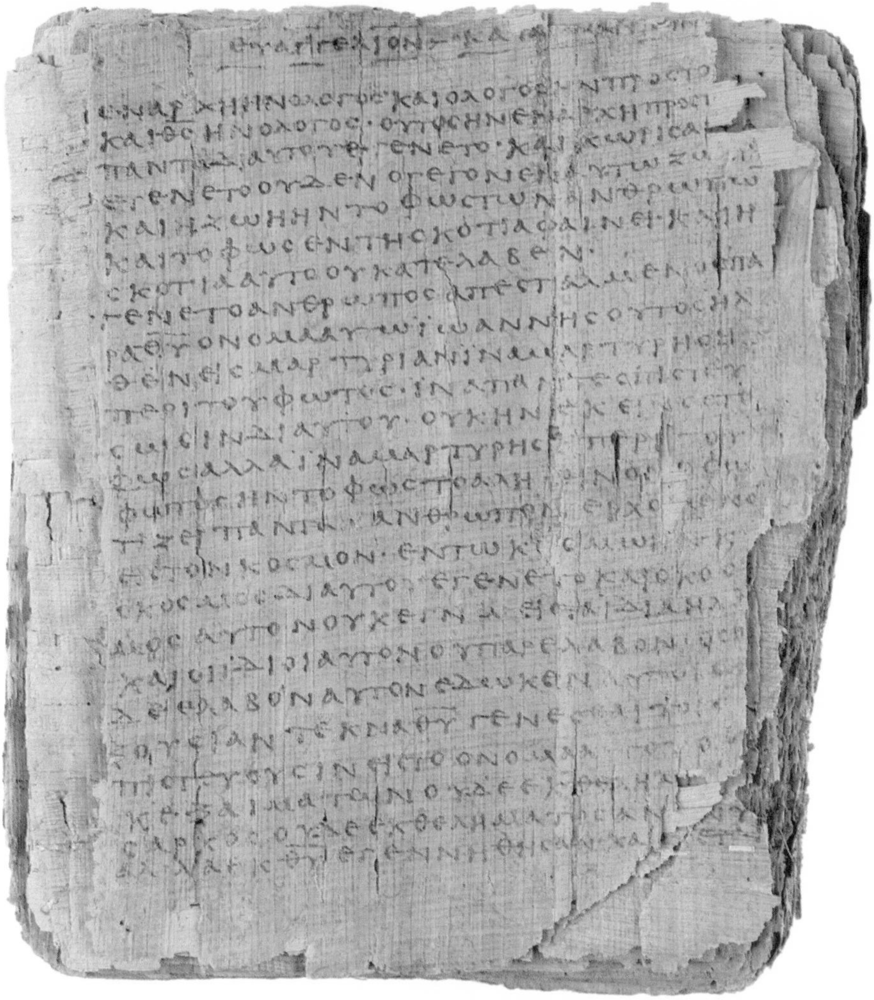
ΕΥΑΓΓΕΛΙΟΝ ΚΑΤΑ [...]

ΕΝΑΡΧΗΗΝΟΛΟΓΟCΚΑΙΟΛΟΓΟCΗΝΠΡΟCΤΟ
ΚΑΙΘCΗΝΟΛΟΓΟC·ΟΥΤΟCΗΝΕΝΑΡΧΗΠΡΟC
ΠΑΝΤΑΔΙΑΥΤΟΥΕΓΕΝΕΤΟ·ΚΑΙΧΩΡΙCΑ
ΕΓΕΝΕΤΟΟΥΔΕΝΟΓΕΓΟΝΕΝΕΝΑΥΤΩΖΩ[...]
ΚΑΙΗΖΩΗΗΝΤΟΦΩCΤΩΝΑΝΘΡΩΠΩ[...]
ΚΑΙΤΟΦΩCΕΝΤΗCΚΟΤΙΑΦΑΙΝΕΙ·ΚΑΙΗ
CΚΟΤΙΑΑΥΤΟΟΥΚΑΤΕΛΑΒΕΝ·
ΕΓΕΝΕΤΟΑΝΘΡΩΠΟCΑΠΕCΤΑΛΜΕΝΟCΠΑ
ΡΑΘΥΟΝΟΜΑΑΥΤΩΙΩΑΝΝΗCΟΥΤΟCΗΛ
ΘΕΝΕΙCΜΑΡΤΥΡΙΑΝΙΝΑΜΑΡΤΥΡΗCΗ
ΠΕΡΙΤΟΥΦΩΤΟC·ΙΝΑΠΑ[...]ΠΙCΤΕΥ
CΩCΙΝΔΙΑΥΤΟΥ·ΟΥΚΗΝ[...]ΚΕΙ[...]
ΦΩCΑΛΛΙΝΑΜΑΡΤΥΡΗCΗ ΠΕΡΙ[...]
ΦΩΤΟC·ΗΝΤΟΦΩCΤΟΑΛΗ[...]ΝΟΝ[...]
ΖΕΙΠΑΝΤΑΑΝΘΡΩΠΟΝ ΕΡΧΟ[...]
ΕΙCΤΟΝΚΟCΜΟΝ·ΕΝΤΩΚ[...]
ΚΑΙΟΚΟCΜΟCΔΙΑΥΤΟΥΕΓΕΝΕΤΟΚΑΙΟΚΟ
CΜΟCΑΥΤΟΝΟΥΚΕΓΝΩ·ΕΙCΤΑΙΔΙΑΗΛ
ΘΕΝ ΚΑΙΟΙΙΔΙΟΙΑΥΤΟΝΟΥΠΑΡΕΛΑΒΟΝ·
ΟCΟΙΔΕΕΛΑΒΟΝΑΥΤΟΝΕΔΩΚΕΝΑΥΤΟΙ[...]
ΕΞΟΥCΙΑΝΤΕΚΝΑΘΥΓΕΝΕCΘΑΙ[...]
ΠΙCΤΕΥΟΥCΙΝΕΙCΤΟΟΝΟΜΑ[...]
[...]ΕΞΑΙΜΑΤΩΝΟΥΔΕΕΚ[...]
CΑΡΚΟCΟΥΔΕΕΚΘΕΛΗΜΑΤΟCΑΝ[...]
ΑΛΛΕΚΘΥΕΓΕΝΝΗΘΗCΑΝ·ΚΑΙ[...]

11 Anfang des Johannesevangeliums, der ältesten überlieferten Handschrift, Ende des 2. Jhs. (Nr. 1)

toriums handelte, aus dem vermögende Gebildete sich »Weltliteratur« bestellen und abschreiben lassen konnten. Texte aus dem Alten wie aus dem Neuen Testament sind dabei, aber auch antike und frühchristliche Schriften fehlen nicht. Die reich vertretenen koptischen Texte zählen ebenfalls zu den wichtigsten Schätzen der Papyri Bodmer; sie sind Zeugen der Volkssprache Ägyptens aus römischer Zeit und sind keineswegs nur für Philologen von Interesse.

Seit 1954 erschienen in Bodmers Privatverlag Editionen seiner Papyri in Einzelbänden; nur vereinzelte Fragmente sind heute noch unediert. Eine 2000 beim Verlag K.G. Saur in München gemachte Gesamtausgabe der bisher erschienenen Einzelbände, der erstmals Abbildungen sämtlicher originalen Tafeln beigegeben sind, erschließt den spektakulären Fund einer fast vollständig erhaltenen Bibliothek der Alten Welt.

Die Komödie vom ›Dyskolos‹ wurde im Juni 1959, anläßlich der 400-Jahrfeier der Universität Genf, in Carouge uraufgeführt. Das Original der beiden Petrus-Briefe überreichte Martin Bodmer im Juni 1969 als Geschenk an Papst Paul VI., anläßlich dessen Besuch in Genf.

(Verständlicherweise können die äußerst fragilen Papyri nicht im Original ausgestellt werden.) M. B.

2 ›Evangeliar‹

Ms. Konstantinopel (?), Kleinasien, Ende 10. Jahrhundert, griechisch. Text mit Kommentar in kleinerer Schrift
Pergament
31,8 x 24,2 cm, 196 Bll.
CB 25

BUCHSCHMUCK: *zwei ganzseitige Miniaturen der Evangelisten Markus und Lukas auf Goldgrund (19 x 13 cm); ein Ornament und eine illuminierte Initiale zu Beginn jedes Evangeliums.*

EINBAND: *Leder erste Hälfte des 19. Jahrhunderts mit Goldprägung*

PROVENIENZ: *Robinson, London, 1948. Phillipps, Ms. 13975. Supralibros mit Wappen des Viscount Strangford*

Das kostbare Manuskript des 10. Jahrhunderts aus der Sammlung von Sir Thomas Phillipps enthält die vier Evangelien sowie eine mehrseitige, chronologisch geordnete Aufzählung der Textstellen, die in der Messe gelesen wurden. Es überrascht nicht, daß der Bibeltext dem traditionsgemäß in der orthodoxen Kirche verwendeten Text entspricht. Der Kodex bietet ein interessantes Beispiel für die verschiedenen Aspekte der Überlieferung der griechischen Bibel. Daß das Manuskript nur die vier Evangelien enthält, ist keineswegs unüblich. Die ältesten erhaltenen vollständigen Bibeltexte stammen aus dem 4. Jahrhundert. Seit dem 6. Jahrhundert wurde der Bibeltext öfter in verschiedene Bände eingeteilt. Die Hauptgruppen sind die vier Evangelien, die Apostelgeschichte mit den sog. Katholischen Briefen, ferner die Paulusbriefe, und schließlich die Offenbarung. Über die Herkunft oder das Scriptorium des Kodex, der aus Byzanz, der Hauptstadt des oströmischen Reichs stammen mag, findet sich bedauerlicherweise im gesamten Text oder am Einband keinerlei Hinweis.

Das Manuskript der Evangelien in einem einzigen Band bot mancherlei Vorteil. Die Mönche besaßen ein bequem transportierbares Buch, dessen Text in großen Buchstaben leicht zu lesen war, so daß die liturgische Lesung bei Kerzenschein erleichtert wurde. In anderen Fällen – wie hier – erlaubte die separate Abschrift, den Bibeltext mit exegetischen Katenen zu versehen. Un-

12 Griechisches Evangeliar. Konstantinopel(?), spätes 10. Jh. (Nr. 2)

[illegible]

ΕΚ ΤΟΥ ΚΑΤΑ ΛΟΥΚΑΝ

[illegible]

Ἐπειδήπερ πολλοὶ ἐπεχείρησαν ἀνατάξασθαι διήγη-
σιν περὶ τῶν πεπληροφορημένων ἐν ἡμῖν πραγμά-
των· καθὼς παρέδοσαν ἡμῖν οἱ ἀπ᾿ ἀρχῆς αὐτό-
πται καὶ ὑπηρέται γενόμενοι τοῦ λόγου· ἔδοξε κἀ-
μοὶ παρηκολουθηκότι ἄνωθεν πᾶσιν ἀκριβῶς·
καθεξῆς σοι γράψαι κράτιστε θεόφιλε· ἵνα ἐπι-
γνῷς περὶ ὧν κατηχήθης λόγων τὴν ἀσφάλειαν·
ἐγένετο ἐν ταῖς ἡμέραις ἡρώδου τοῦ βασιλέως τῆς
ἰουδαίας· ἱερεύς τις ὀνόματι ζαχαρίας· ἐξ ἐφημερίας ἀβιά· καὶ ἡ γυνὴ αὐτοῦ ἐκ τῶν θυγατέρων
ἀαρών· καὶ τὸ ὄνομα αὐτῆς ἐλισάβετ· ἦσαν δὲ
δίκαιοι ἀμφότεροι ἐναντίον τοῦ θεοῦ· πορευόμενοι ἐν
πάσαις ταῖς ἐντολαῖς καὶ δικαιώμασι τοῦ κυρίου
ἄμεμπτοι· καὶ οὐκ ἦν αὐτοῖς τέκνον· καθότι ἡ
ἐλισάβετ στεῖρα· καὶ ἀμφότεροι προβεβηκότες ἐν
ταῖς ἡμέραις αὐτῶν ἦσαν· ἐγένετο δὲ ἐν τῷ ἱερα-
τεύειν αὐτὸν ἐν τῇ τάξει τῆς ἐφημερίας αὐτοῦ ἔναντι
τοῦ θεοῦ κατὰ τὸ ἔθος τῆς ἱερατείας· ἔλαχε τοῦ θυ-
μιᾶσαι εἰσελθὼν εἰς τὸν ναὸν τοῦ κυρίου· καὶ πᾶν τὸ
πλῆθος τοῦ λαοῦ ἦν προσευχόμενον ἔξω τῇ ὥρᾳ

[illegible]

13 Lukas. Aus Evangeliar, Konstantinopel (?) spätes 10. Jh. (Nr. 2)

ter »exegetischen Katenen« (von lat. catena, die Kette) versteht man Auszüge von Kommentaren oder Predigten der Kirchenväter, die wie Glieder einer Kette aneinandergereiht werden. Im Falle des »Bodmerianus 25« beginnt der Bibeltext unter einem Zierband und wird von einem Katenentypus umgeben, den man dem im 7. Jahrhundert lebenden Petrus Laodicenus zuschreibt. Er geht vor allem auf die Lukas-Homilien des Cyrillus von Alexandrien (gest. 444) und des Titus von Bostra (gest. vor 378) zurück.

Die erste Seite des Lukasevangeliums weist drei verschiedene griechische Schriftarten auf. Zuerst die für den Titel verwendete Majuskel oberhalb einer Zierleiste. Bis ins 9. Jahrhundert waren Majuskelschriften (in verschiedenen Versionen) gebräuchlich für biblische Texte. Bei der Majuskelschrift nimmt der Buchstabe die Höhe von zwei (imaginären) Hilfslinien ein.

Der zweite Schrifttypus, die Minuskel, wird für den Bibeltext verwendet (stets in der Höhe von 4 imaginären Hilfslinien). Wie Perlen werden die einzelnen Buchstaben dieser Minuskel aneinandergereiht, weshalb diese Schrift auch »Perlschrift« genannt wird. Die Minuskelschrift, für die ein Kopist weit weniger Zeit aufwenden muß, wird für biblische und literarische Texte wohl seit dem 8. Jahrhundert verwendet, auch wenn die frühesten Schriftzeugen erst aus dem 9. Jahrhundert datieren. Seit dem 10. Jahrhundert hat sich ihre Verwendung durchgesetzt. In dieser Zeit jedoch dienten die Majuskeln nicht dazu (wie dies viel später der Fall ist), den ersten Buchstaben eines Satzes hervorzuheben. Texte in Majuskelschrift konnten sogar kleiner neben einem solchen in Minuskeln erscheinen.

Der dritte Schrifttypus, der für die »Katenen« verwendet wird, nennen die griechischen Paläographen die Kursive, da er eine vorwiegend in Minuskeln gehaltene Schrift mit verschiedenen Abkürzungen und tachygraphischen Zeichen verbindet. Ihr Vorteil ist eine wesentliche Ersparnis an Zeit und Platz.

Der Kodex ist mit zwei kostbaren Miniaturen geschmückt, die Markus und Lukas darstellen; Matthäus und Johannes fehlen. Nach der Niederlage der ikonoklastischen, bilderfeindlichen Bewegung im 9. Jahrhundert setzte sich im byzantinischen Reich allmählich der Brauch durch, biblische Texte mit Bildern zu versehen. Der Ausschmückung des Evangeliars kommt unter den liturgischen Handschriften eine besondere Bedeutung zu. Neben den vier

Evangelistenbildern können in einer Miniatur die wichtigsten Szenen des betreffenden Evangeliums erzählt werden; oft beginnt ein Evangelium mit einer schön illuminierten Initiale. P. A.

Zum Bild des Evangelisten Lukas: Wirkungsvoll hebt sich der schreibende Evangelist Lukas von dem Goldgrund der Miniatur ab, die nur von einer feinen Zierleiste eingerahmt ist. Ohne sein Symbol ist er, wie in der byzantinischen Tradition zumeist üblich, sitzend und nach rechts gerichtet, abgebildet. Er hat seinen Kopf sinnend auf die Hand gestützt, und seine Rechte ruht mit dem Kalamos auf der Rolle. Hat er aufgehört zu schreiben oder wird er sich, der göttlichen Inspiration folgend, erst ans Werk machen? Man bemerkt, daß der Autor mit einer Rolle festgehalten ist. Der Kodex hat sich als Schriftträger seit dem 4. Jahrhundert durchgesetzt. Neben der Rolle trifft man ihn auf byzantinischen Evangelistenbildern seit dem 10./11. Jahrhundert an. Auf dem Schreibpult kann man unter den verschiedenen Schreibutensilien das Schabemesser zum Auskratzen von Fehlern und den Zirkel zum Abmessen der Proportionen erkennen. G. B.

3* **›Vitae sanctorum‹ (Passionar)**

Ms. Weißenau (Diözese Konstanz), 12. Jahrhundert, Latein. Pergament

44,8 x 30,5 cm, 265 Bll. (11 leer)

CB 127. Bodmeriana, Mss latins, S. 265–280

BUCHSCHMUCK: *Kapitelüberschriften rubriziert. Zahlreiche Fleuronné-Initialen, Zierleisten, Initialen und Figureninitialen in leuchtenden Farben, auch in Gold und Silber*

EINBAND: *Schweinsleder auf Holzdeckeln mit Blindstempelung*

PROVENIENZ: *Genève, Kundig, 1948 (»aus Hohenzollern-Besitz«). Exlibris Weißenau. Die Handschrift stammt aus dem Prämonstratenserstift St. Peter zu Weißenau, Diözese Konstanz, Württemberg; Bonaventura Brem (†1818), letzter Abt von Weißenau), Graf Franz von Baratti (†1835), Schloß Liebenau, Graf Georg von Waldburg-Zeil, Jesuit, Fürstlich Hohenzollern'sches Museum, Sigmaringen*

Das Kloster Weißenau, südlich von Ravensburg in der Diözese Konstanz gelegen, wurde 1145 durch den Prämonstratenserorden gegründet. Geht man davon aus, daß das prachtvolle Passionar der Bibliotheca Bodmeriana in Weißenau hergestellt wurde, setzt das voraus, daß das Kloster von seiner Gründung an mit einer hervorragenden Schreib- und Malwerkstatt ausgestattet war. Die prachtvoll illuminierte Handschrift mit den Lebens- und Leidensgeschichten von Heiligen wurde durch die Kunsthistorikerin Solange Michon eingehend untersucht und mit 48 weiteren Manuskripten des Mittelalters der Schreib- und Malwerkstatt Weißenau zugeordnet. Der Hauptteil des Passionars ist in einer formschönen, sehr ausgewogenen Minuskelschrift mit den charakteristischen Eigenheiten der Romanik des 12. Jahrhunderts geschrieben. Die erste Lage der Handschrift dagegen stammt von einem zweiten Schreiber, dessen Schrift von der aufkommenden Gotik geprägt ist.

Wie viele dieser wertvollen Kodizes weist die Handschrift der Bibliotheca Bodmeriana einen Einband aus dem späten 15. Jahrhundert auf, der mit typischen Blindstempeln der Weißenauer Buchbinderwerkstatt dekoriert ist. Da überdies eine ganze Reihe aus der Handschriftengruppe ähnlich lautende Besitzeinträge der Abtei Weißenau aus dem 13./14. Jahrhundert trägt, läßt sich die Herkunft der Manuskripte weit zurückverfolgen.

Der Gesamteindruck des Kodex ist sehr einheitlich, was den Buchschmuck betrifft, und es ist gut denkbar, daß zwei Schreiber, die verschiedenen Generationen angehörten, nebeneinander arbeiteten – ein älterer, der die runden Formen der spätkarolingischen Minuskel pflegte, und ein jüngerer, der bereits im neuen frühgotischen Stil geschult war. Allerdings ist klar zu erkennen, daß die ersten Seiten des Kodex wenn auch nur wenig, so doch etwas später hinzukamen. Dies legt nahe, daß die Handschrift nicht unbedingt in Weißenau selber entstanden sein muß, sondern daß sie – vielleicht auf Bestellung oder als Geschenk für das Prämonstratenserkloster – auch in einem anderen Skriptorium hergestellt worden sein könnte.

14 Frater Rufillus in einem Passionar aus Weißenau, 12. Jh. (Nr. 3)

Ausgestattet ist das Passionar äußerst kostbar mit zahlreichen Zierinitialen in leuchtenden Farben, gestaltet aus üppigen, bisweilen Flechtmuster bildenden Ranken, verziert mit reichem Blattwerk, häufig mit kleinen Tierköpfen oder Tieren, Drachen und Drôlerien geschmückt. Viele Initialen zeigen Heiligendarstellungen oder kleine figürliche Szenen, einige Feste sind durch freistehende kolorierte Federzeichnungen besonders ausgezeichnet. Da das Passionar sowohl von der Schrift wie vom Buchschmuck her in einem Skriptorium anzusiedeln ist, das auf höchstem Niveau arbeitete, erstaunt es nicht, daß gleich drei Initialminiaturen der Schreib- und Malkunst selbst gewidmet sind.

Am auffallendsten ist die großartig gestaltete R-Initiale zum Fest der Hl. Martina mit dem Bild eines Malers in seinem Atelier, wobei überrascht, daß es sich beim dargestellten Mönch mit Tonsur, bezeichnet als Frater Rufillus, nicht zwingend um einen Buchmaler handelt, denn er beugt sich nicht über ein vor ihm liegendes Buch oder Blatt, sondern holt in aufrechter Haltung weit aus, mit der rechten Hand den Pinsel führend, Farbschale und Maßstab in der Linken. Die Darstellung ist geprägt von mehreren sich gegenseitig durchdringenden Perspektiven. Der Maler sitzt in vollem Bewußtsein seines künstlerischen Könnens in der Initiale, die den ersten Buchstaben seines eigenen Namens bildet, unmittelbar dabei, sie zu kreieren.

Im Begriff, die innere Linie der Dracheninitiale anzumalen, die seinen Arbeitsraum begrenzt, präsentiert er sich als Wandmaler. Ob dies tatsächlich dahingehend gedeutet werden kann, daß der Mönch Rufillus gleichermaßen als Wand- und Buchmaler tätig

oratoriū in͞ construūt: &
ellas in͞ uirgines in adiuto
ū dare: Inueniūt s͞ aūt a nono
mo & sup̄ quas parentes
rogantes optulerūt ei ita
intra paucū tempus ampl'
ā sexaginta fierent in con
rsatione ei'. quas instrux
in ymnis & psalmis. & can
is. pseuerans cū eis & di
gnt̄ docens. Sponsus u͞ ei'
mmodus eugenius time
t eā manifestare: ne forte
na ei' que ipse occupaue
r fisco offerrentū. Completo
ā triennio. rogauit ponti
ē capitolii nomine iulianū
misit ad eū comitē templorū
omine taliarcū. q͞ ingressus
staunculo breuissimo &
adio dixit ei. Audi me uic
ria. ex iussione dn̄i mei de
i regis adora deā dianam
sacrifica ei. Tunc exclama
t sc̄a uictoria & dixit. Num
ā sit t͞ bene: nec dn̄o tuo
rio. Ille u͞ audiens hec. p
ssit eā gladio & fugit. Ppl's
m̄ ciuitatis habuit magnū
ctū septē dieb'. Sacerdotes
xp̄i cū omni ppl'o sepelierūt
rpus ei' in sarcofago no
cū aromatib' in loco ex quo
sa sc̄a uictoria draconē ex
lerat. & ibi exuberant ora
ones ei' in salutē omniū pom
a sc̄la sc̄lor. Virgines u͞ sa
e que ab ea docte erant pos
plurimos annos pmanse
nt in uirginitate sua. Tali

arcus u͞ comes q͞ eā pcussit.
cū manu arida rediit in domū
suā. & intra sex dies lepsus
fact' ē: & in fetore uermiū ex
pirauit. Passa ē aūt a carnifi
ce taliarco sc̄a uictoria deci
mo kalendas ianuarias cū
laudib' xp̄i. cui ē honor &
gl'a & imperiū in sc̄la sc̄lor am̄.

Incipit passio s. Marine ũ ygi.

eg
nan
te
pri
mū
om
niū
in am
bitu
tot'
orb
dn̄o
& saluatore nr̄o ih̄u x̄.
militante aūt aduersario
diabolo aduersus seruos
dn̄i nr̄i ih̄u xp̄i. sub regno
alexandri cesaris. in quarto

war, muß dahingestellt bleiben. Das Bild ist jedenfalls gerade in seiner Komplexität ein wichtiges Zeugnis hinsichtlich Fragen der Beziehungen zwischen Buch- und Wandmalerei im Mittelalter.

Mit seiner meisterhaften Schrift, seiner reichen Ausstattung und den mit phantasievoller Einbildungskraft gestalteten figürlichen Szenen, Tieren und Fabelwesen, Masken und Grotesken vermittelt das kostbare Passionar ein faszinierendes Bild der Romanik im Bodenseegebiet und ist gleichzeitig in seinem Formen- und Bildinventar durchdrungen von einer internationalen Tradition, die aufgenommen, variiert und kunstvoll weitergeführt wird. Das Passionale stellt einen bedeutenden Vertreter der Kunst seiner Epoche dar und zugleich einen der wertvollsten Schätze der Bibliotheca Bodmeriana.

M. S.

Lit.: Solange Michon, Le grand passionaire enluminé de Weißenau et son scriptorium autour de 1200. Genève: Editions Slatkine 1990

4* **›Buch Esther‹**

Ms. 15. Jahrhundert. Hebräisch. Schriftrolle, Pergament

354 x 33 cm

CB 22

PROVENIENZ: *vor 1947. Bodmer, Weltliteratur, S. 58*

Am Purimfest wird im jüdischen Gottesdienst in der Synagoge und zu Hause die Geschichte von Esther vorgelesen. Es gehört zum Brauch des Festes, jedesmal, wenn bei der lauten Lektüre der Name des bösen Königs Haman fällt, Lärm zu schlagen. Purim, das »Fest der Lose«, erhielt seinen Namen von der Esther-Geschichte, da Haman das Los werfen ließ, um den Tag der Vernichtung der Juden zu ermitteln. Das Datum, der 14. Adar nach jüdischem Kalender, fällt in den Februar oder den März. Ausgelassene, karnevalähnliche Festbräuche charakterisieren Purim auch als ein Frühlingsfest: der Sieg über den Winter, über das Böse wird mit Humor gefeiert, kleine Geschenke werden ausgetauscht, Kinder verkleiden sich. Man ißt und trinkt mit Freuden; schon der Talmud gestattete, soviel zu trinken, bis man nicht mehr weiß, ob Haman oder Mordechai verflucht oder gesegnet werden soll.

Im alttestamentarischen Buch Esther wird die Geschichte von der Rettung des jüdischen Volkes durch die mutige Königin aus dem 5. Jahrhundert v. Chr. zur Zeit des persischen Königs Ahasveros erzählt. Die Legende berichtet von Haman, Günstling des Königs, der die Juden im persischen Reich ausrotten wollte. Als Esther von diesem Plan hört, gibt sie sich ihrem Mann Ahasveros als Jüdin zu erkennen und erreicht durch geschickte Diplomatie die Rettung ihres Volkes. Statt der Juden wurde in der Folge der Verräter Haman samt seinen zehn Söhnen umgebracht. Verfaßt wurde das Buch Esther im 2. Jahrhundert v. Chr., zu einer Zeit neuer Bedrohung des jüdischen Volkes durch den Hellenismus. Es erfreute sich daher durch seine Aktualität von Anfang an großer Popularität. Auch später wurde Bewahrung vor Verfolgung immer wieder als eine Aktualisierung der Esthergeschichte gesehen. Der Sieg über Haman, den Prototypen des Antisemiten, wird bis heute Jahr für Jahr gefeiert.

Für den liturgischen Gebrauch wird das Buch Esther bis heute von Hand auf Pergamentrollen geschrieben. Ihre Höhe variiert zwischen 7 und 35 cm; oft sind die Rollen an einem Holzstab befestigt und werden in einer Hülle von verziertem Leder oder Metall aufbewahrt. Schon im Talmud, dem religionsgesetzlichen Kompendium aus dem 7. Jahrhundert n. Chr., wird den Frauen besonders empfohlen, das Buch zu lesen oder es sich vorlesen zu lassen, da ja seine Heldin eine Frau ist. Deshalb wurden viele Estherrollen für den Hausgebrauch hergestellt. Im Gegensatz zu denjenigen, die zum Gebrauch in der Synagoge dienten, wurden diese verziert und illustriert.

15 Buch Esther. Schriftrolle, hebräisch, 15. Jh. (Nr. 4)

Die in der Bodmeriana erhaltene Rolle aus sechs zusammengenähten Pergamentrollen hat eine Gesamtlänge von 3,54 m. Der Text ist in 17 Spalten eingeteilt, pro Blatt 2–3 Spalten. Jede Spalte umfaßt zwanzig Zeilen, mit Ausnahme der drittletzten, die in Buchstaben doppelter Größe geschrieben ist. Der Schreiber verwendet die hebräische Quadratschrift, wie für jeden Bibeltext, der für die jüdische Liturgie bestimmt ist; sie ist mit Krönchen (Tagin) versehen. Bekanntlich wird die Schrift von rechts nach links geschrieben. Der Schriftduktus wird als aschkenasisch bezeichnet, erkennbar an den unterschiedlichen Breiten von Quer- bzw. Längsstrichen. In Deutschland und Osteuropa, dem aschkenasischen Raum, wurden Vogelkiele verwendet, die bei festem Druck nachgeben, so daß breite oder schmale Striche geschrieben werden können. Das Pergament ist auf beiden Seiten fein geschabt, so daß sich Vorder- und Rückseite nicht in der Farbe unterscheiden, gleichzeitig ein weiterer Hinweis auf die aschkenasische Herkunft. Wie in gedruckten hebräischen Bibeln wird auch in dieser Handschrift die Schreibweise der Söhne Hamans hervorgehoben, um das vorgeschriebene Aussprechen in einem Atemzug zu erleichtern.

Bei der Estherrolle der Bibliotheca Bodmeriana handelt es sich um eine bemerkenswert frühe Handschrift aus dem 15. Jahrhundert. Alle dreizehn weiteren Exemplare, die in öffentlichen Schweizer Bibliotheken aufbewahrt werden, sind wesentlich jüngeren Datums. Dem Manuskript kommt deshalb, auch wenn es keine Illustrationen oder eine zeitgenössische Hülle mehr enthält, eine besonders ehrwürdige Stellung zu. O.F.-K.

איש ואת
פרשנדתא ואת
דלפון ואת
אספתא ואת
פורתא ואת
אדליא ואת
ארידתא ואת
פרמשתא ואת
אריסי ואת
ארידי ואת
ויזתא עשרת

5* **›Esther vor Ahasver‹**

Flämischer Bildteppich. Ende 15. Jahrhundert. Wolle, Seide und Goldfäden

272 x 192 cm

PROVENIENZ: *Botte, Paris, Juni 1966. Sammlung Figdor, Wien, 1930*

Dargestellt ist die beliebteste Episode aus dem Buch ›Esther‹ des Alten Testaments: Esther bittet ihren Gemahl, den persischen König Ahasver (oder Xerxes I.) um Gnade für ihr Volk, die Juden. Obwohl sich die Königin ungerufen zum König begeben hat, ein Vergehen, das mit dem Tod geahndet wird, ist ihr der König gewogen und berührt sie zum Zeichen seiner Gnade mit dem Zepter. Diese Szene der Esther-Geschichte wird oft in illustrierten Bibeln abgebildet. Bei der Darstellung auf dem Bildteppich handelt es sich um eine Verschmelzung zweier Begebenheiten: Esthers ersten Bittgangs zum König (Esther 5, 2) sowie der eigentlichen Fürbitte nach dem zweiten Mahl (Esther 7, 3). Fälschlich wurde die Darstellung auch schon als Königin von Saba vor König Salomo gedeutet. – Eingefaßt von einer Blumenbordüre spielt sich die Szene in einem Innenraum ab. Während der Fußboden mit seinem Ornamentschmuck eine flächenhafte Wirkung erzeugt, gibt der Blick aus dem Fenster in die Landschaft den Eindruck von Tiefenwirkung. Dieses Motiv ist in der zeitgenössischen flämischen Malerei überaus beliebt gewesen.

Wirkungsvoll wird Esthers Gegenspieler in der Komposition in Szene gesetzt. Haman, der Günstling des Königs und Urheber des Dekrets zur Vernichtung des jüdischen Volkes, steht stolz mit gespreizten Beinen und in die Hüfte gestemmtem Arm der mutigen Fürbitterin gegenüber. Der Pelzbesatz an seinem Gewand deutet auf seine hohe Stellung, seine Mimik könnte Hinweis auf das bittere Ende sein, das ihm bevorsteht. Die symbolische Bedeutung dieser Szene, der Gegensatz zwischen der Demut Esthers und dem Hochmut des Judenverfolgers wird durch diese Anordnung der Figuren stark betont.

Ein weiterer Gegensatz wird mit dem weißhaarigen alten Mann zur Rechten des Königs angedeutet: Es handelt sich um Mardochai, den Ziehvater Esthers, der dem König das Leben gerettet hat. Mardochai zeichnet sich durch Gottergebenheit und Loyalität seinem Fürsten gegenüber aus. Er verkörpert den guten Ratgeber des Fürsten, im Gegensatz zu Haman, dem schmeichelnden Höfling und Intriganten. Geschickt setzt der Zeichner der Vorlage ein Thema ins Bild um, das in den Ratgebern für Herrschende, den sogenannten »Fürstenspiegeln«, häufig vorkommt: die Bedeutung des guten Ratgebers. Das Verhältnis der Hauptpersonen zueinander läßt sich auf ein geometrisches Schema zurückführen. So sitzt der König genau in der Diagonalen, die von Mardochai und Haman gebildet wird. Im rechten Winkel dazu bildet Esther mit dem König eine weitere Diagonale, die durch die Position der Hände des Königs verdeutlicht wird. Esther, die dem König frontal gegenübersteht, erweist sich durch ihre Tugendhaftigkeit, aber nicht zuletzt auch durch ihre Schönheit als die Kraft, die das Handeln des Königs bestimmt.

Es erstaunt nicht, daß sich diese mutige Frau als Identifikationsfigur anbot. Esthers Verhalten hat nicht nur für die Ruhmesgeschichte und den Triumph des jüdischen Volkes über seine Widersacher große Bedeutung, sondern es finden sich auch aktuelle Bezüge zum Burgunderhof, in dessen Kräftefeld der Bildteppich geschaffen wurde. Die junge Frau, die mit dem Einsatz ihres Lebens ihr Volk verteidigt und rettet, wurde als Symbol für die Herzoginnen verwendet. So wurden Isabelle von Portugal und Margarethe von York als »neue Esther« gefeiert. Bei Maria von Burgund erlaubte der Vorname zudem noch eine Anspielung auf die in typologischen Werken beliebte Parallele von Esther und der Gottesmutter, galt doch die Fürbitterin der Juden als Praefiguration für Maria, die durch ihre Fürbitte vor Christus an der Erlösung der Menschheit beteiligt war.

Auf zahlreichen Tapisserien, die der Esther-Geschichte gewidmet waren, wurde der biblische Stoff mit dem burgundischen Hofzeremoniell verbunden. So kann man beispielsweise die beiden Ehrendamen, die Esthers Schleppe tragen, auf die zeremonielle Reglementierung des burgundischen Hofes zurückführen: Es war hier ausschließlich Fürstinnen gestattet, »ihre Schleppe von einer ›gentilfemme‹ oder ›fille d'honneur‹ aufnehmen zu lassen, Gräfinnen und Baronessen mußten dies einem Junker oder Pagen überlassen« (Birgit Franke).

Ob in der Tapisserie der Bibliotheca Bodmeriana zudem ein Rollenporträt vorliegt, das eine Ähnlichkeit zwischen Ahasver und

Philipp dem Schönen sowie von Esther mit Johanna von Kastilien feststellt, muß offen bleiben. Ebenso könnte man an eine Anspielung auf Philipps Eltern, Maria von Burgund und Maximilian, denken, wie ein Blick auf einen flämischen Bildteppich (Ende 15. Jahrhundert) bestätigt, der Maria und Maximilian beim Schachspiel zeigt (Sammlung des mit Martin Bodmer verwandten Abegg, Riggisberg). G.B.

Lit.: Birgit Franke, Assuerus und Esther am Burgunderhof, Zur Rezeption des Buches Esther in den Niederlanden, 1450–1530. Berlin: Gebr. Mann 1998

6 ›Offenbarung des Baruch‹ (»Baruch 5«)

Ms. Abessinien, 15. Jahrhundert. In altäthiopischer Sprache, sog. Geez, Pergament

15,8 x 12,5 cm, 75 Bll.

CB 33

BUCHSCHMUCK: *Rubrizierung*

EINBAND: *Holzdeckel in Ledertasche der Zeit mit Riemen*

PROVENIENZ: *vor 1947. Bodmer, Weltliteratur, S. 58*

Baruch, Sohn des Nerija, wird im alttestamentarischen Buch ›Jeremia‹ als Schreiber des Propheten bezeichnet; er folgte Jeremias auf der Flucht nach Aegypten mit einer Gruppe von Juden, nachdem Gedalja, Verwalter des Königs von Babylon in Juda ermordet worden war. Baruch hatte einen beachtlichen Erfolg unter den Autoren jüdischer Pseudoepigraphen. Unter seinem Namen existieren nicht weniger als fünf Bücher:

1. Das Buch Baruch zählt zu den Apokryphen des Alten Testaments. Es ist auf griechisch innerhalb der Alexandrinischen Bibel überliefert, und auf Latein in der Vulgata, die eine frühere Übersetzung vor Hieronymus wiederaufnimmt.

2. Eine Apokalypse des Baruch in einer semitischen Sprache, darauf ins Griechische, dann ins Syrische übersetzt, in welcher Sprache das Werk erhalten ist. Man nennt es oft ›Syrische Offenbarung des Baruch‹ oder durch eine moderne, willkürliche Zählung ›Baruch 2‹. Dabei handelt es sich um eine jüdische Reaktion auf die Problematik der Zerstörung des Tempels von Jerusalem durch die Römer im Jahre 70 n. Chr.. Dieses Buch hat einen eindeutigen literarischen Bezug zur Apokalypse des Esra, die sich derselben Problematik widmet und von der wohl Baruch abhängt.

3. Eine griechische Apokalypse des Baruch; es handelt sich um Offenbarungen und Visionen, die Baruch während einer Himmelfahrt im Geleit eines Engels erlebt hatte. Das Werk läßt sich kaum datieren oder geographisch bestimmen; es stammt vermutlich aus dem 2. nachchristlichen Jahrhundert.

4. Ein Werk unter dem Titel ›Paralipomena des Propheten Jeremia‹, das in griechischer, äthiopischer, kirchenslavischer und rumänischer Sprache erhalten ist. Es berichtet die Erlebnisse von

Baruch und Abimelech nach der Zerstörung im Jahre 586 v. Chr. Abimelech schläft während 66 Jahren, und bei seinem Erwachen schreibt Baruch Jeremias in Babylon, um ihn vom bevorstehenden Ende des Exils zu unterrichten. Das Werk wurde wohl in einer semitischen Sprache in den beiden ersten Jahrzehnten des 2. Jahrhunderts n. Chr. verfaßt. Bislang nahm man an, daß der Kodex Bodmer den Text von diesem »Baruch 4« enthalte.

16 Offenbarung des Baruch mit dem Lederbeutel des Priesters, 15. Jh. (Nr. 6)

5. Der Kodex Bodmer enthält sicher Text »Baruch 5«, erhalten und zweifellos auch verfaßt im klassischen Äthiopisch, dem sog. Geez. Es berichtet von der Himmelfahrt Baruchs, der vom Engel Sutuel begleitet wird und die Belohnung der Gerechten und die Bestrafung der Sünder sieht. Ein zweiter Teil enthält die Prophezeiung der Zukunft bis zu den Zeiten des Antichrists, des Messias und der endgültigen Auferstehung. Dieses Buch hängt von verschiedenen anderen Werken in geezischer Sprache ab, so z. B. von den ›Paralipomena des Jeremias‹, der Offenbarung des Petrus und der Apokalypse der Jungfrau. Zweifellos handelt es sich um ein christliches Werk; die Erwähnung des Königs Gabra Masqal (um 550 n. Chr.) gibt einen Terminus post quem. Von diesem Text existiert nur die Edition von J. Halévy nach einem Manuskript, das er bei Falâshâs, den äthiopischen Juden erworben hatte, die sich Beta Israel nennen. Bis heute sind nur zwei weitere Handschriften in der British Library London und eine in der Bibliothèque nationale Paris bekannt. Der Text war ursprünglich christlich, wurde aber später in einigen Versionen von den äthiopischen Juden bestmöglich von christlichen Elementen gereinigt.

Wohl noch eindrücklicher als der Inhalt ist im Fall der Baruch-Handschrift vorab ihre äußere Form im originalen Beutel: Ein frommer Priester mag das heilige Dokument regelmäßig zu seinen Gläubigen in verschiedenen Kapellen seines Kirchspiels getragen haben. E.N.

Lit.: Joseph Halévy, Te'ezâza sanbat (Commandements du sabbat) accompagné de six autres écrits pseudo-épigraphiques admis par les Falachas ou Juifs d'Abyssinie (Bibliothèque de l'École des Hautes Études 137), Paris. 1902, S. xxiii-xxvii (Resumé), S. 80–96 (Text), S. 196–209 (frz. Übersetzung). – Steven Kaplan, Les Falâshâs (Coll. Fils d'Abraham), Turnhout: Éditions Brepols 1990.

debreiamin id est verba dierū interpre-
tatus sum idcirco feci: ut inextricabiles
moras et siluam nominū q̄ scriptorꝫ
confusa sunt vicio· sensuumq; barba-
riem apcius et versuū cola digererē:
michi metipi ⁊ meis· iuxta ismeniūm
canēs· si aures surde sūt ceterorꝫ. Expli-
cit prologus. Incipit liber palipom.

Adā seth enos caynan
malalehel iared e-
noch matusale la-
mech noe sem cham
⁊ iafeth. Filij iafeth:
gomer magog ma-
dai et iauan thubal mosoch thiras.
Porro filij gomer: ascenez et riphat et
thogorma. Filij autem iauan: elisa
et tharsis cethim et dodanim. Filij
cham: chus et mesraim phut ⁊ chanaan. Filij autem chus: saba· et euila
sabatha et regma et sabathaca. Porro filij regma· saba ⁊ dadan. Chus autem genuit nemroth. Iste cepit esse po-
tens in terra. Mesraim vero genuit lu-
dim et ananim et laabim ⁊ nepthu-
im: phethrusim quoq; et chasluim de
quibz egressi sunt philistijm ⁊ capthu-
rim. Chanaan vero genuit sydonem
primogenitum suum: etheum quoq;
et iebuseum et amorreū et gergeseum
eueumq; et aracheum ⁊ asineum ara-
dium quoq; et samareum et emathe-
um. Filij sem: elam et assur. Et arfa-
xad· et lud ⁊ aram. Filij aram: hus ⁊
hul· et gether· et mes. Arfaxat autem
genuit sale: q̄ et ipe genuit heber. Porro heber nati sūt duo filij: nomen uni
phalech quia in diebus eius diuisa ē
terra: et nomen fratris eius iectan. Iectan autem genuit elmodad ⁊ saleph·
et asomoth et iare: aduram quoq; ⁊
uzal et de ela ebal etiā et abimael et

saba· necnō et ophir· et euila· ⁊ iobab.
Omnes isti filij iectan. Sem arfaxat sale heber phalech ragau· seruch nachor
thare abram: iste est abraham. Filij
autem abraham: isaac et ismael. Et
hee generationes eorum. Primogeni-
tus ismahelis nabaioth: et cedar ⁊ ab-
dehel et mabsan et masma et duma
massa adad et thema iachur naphis
cedma. Hij sunt filij ismahelis. Filij
autem cethure concubine abraham
quos genuit: zamram iecsan madan
madian iesboc et sue. Porro filij iecsan: saba ⁊ dadan. Filij aūt dadan: asu-
rim et lathusim ⁊ loomim. Filij autē
madian: epha et epher· ⁊ enoch ⁊ abi-
da ⁊ eldaa. Omēs hij filij cethure. Ge-
nerauit autē abraham isaac: cuius fue-
runt filij esau ⁊ isrl. Filij esau: eliphaz
rahuel iehus ielon chore. Filij eliphaz:
theman· omar· zepphi· gotham ce-
nez thamna amalech. Filij rahuel:
naath zara samma meza. Filij seir:
lothan sobal sebeon· ana· dison· eser di-
san. Filij lothan: horri· ahoman.
Soror autem lothan fuit thamna. Filij sobal alian ⁊ manaath· et ebal et se-
phi· onan. Filij sebeon: ahaia et ana.
Filij ana: dison. Filij dison: hama-
ran ⁊ eseban· ⁊ iethran ⁊ charran. Filij
eser: balaan· ⁊ zaban et iachan. Filij di-
san: us ⁊ aran. Isti sunt reges qui im-
perauerunt in terra edom: anteq̄ esset
rex super filios israhel. Bale filius be-
or: ⁊ nomē ciuitatis eius denaba. Mortuus est autem bale: ⁊ regnauit pro eo
iobab filius zare de bosra. Cumq; ⁊ iobab fuisset mortuus: regnauit pro eo
husan de terra themanorum. Obijt
quoq; ⁊ husan: ⁊ regnauit p̄ eo adad
filius badad qui percussit madian in
terra moab: ⁊ nomen ciuitatis eius

7 **›Biblia latina‹**

[Mainz: Johannes Gutenberg, um 1452–1454, nicht nach August 1456]. Papier, sog. 42zeilige Bibel

Band 1: 2°, 324 Bll.; Bl. 1 des 1. Teils eingeklebt (Bd. 2 nicht ausgestellt)

Inc. Bodmer 259. Bodmeriana, Ink., S. 175

Familienbesitz

BUCHSCHMUCK: *Rote Kapitelüberschriften und Seitentitel. Initiale rot und blau. Zu Beginn der einzelnen Bücher, Fleuronné-Initialen in Gold und Farben. Auf Bl. 1r von Bd. 1 Randleisten aus farbigen Blattranken*

Im 19. Jahrhundert wurden in Bd. 1 fast alle, in Bd. 2 9 Initialen herausgeschnitten und durch neu gemalte ersetzt. Die Papierstücke wurden exakt eingesetzt und der Text auf der jeweiligen Rückseite handschriftlich ergänzt. Die Blattranken an den Rändern stammen vom zweiten Illuminator, da sie fugenlos aus den Initialkästchen hervorgehen, ebenso alle nicht herausgeschnittenen Initialen. Die Initialen in Bd. 2 sind i. a. weniger sorgfältig ausgeführt, statt Gold wurde häufig Kupfer verwendet.

EINBAND: *Leder über Holz, mit Rücken- und Deckelvergoldung, 19. Jahrhundert, vier drachenförmige Eckbeschläge und ein rhombenförmiger Mittelbeschlag mit flachen Buckeln und Verzierungen. Zwei Metallschließen mit Dorn, einer defekt. Goldschnitt*

PROVENIENZ: *Maggs, London, 1928*

– Band I, f. 1r und Band 2, f. 2r, hs.: »Sum B.V. Mariae in Rottenbuech«, ca. 17. Jahrhundert. – Nach der Säkularisation des Klosters kam die Bibel 1803 nach München. Stempel auf f. 1r+v und und 324v des I. Bandes und auf f. 317v des 2. Bandes: »Bibliotheca Regia Monacensis«. Stempel auf dem letzten Bl. beider Bände : »Duplum Bibiliothecae Monac.« – Die Münchner »Dublette« wurde bei der Auktion am 3. Mai 1858 bei Butsch, Augsburg, für die Bibliothek des Zaren in St. Petersburg erworben, aus der sie die Sowjets verkauften.

17 Seite aus der Gutenberg-Bibel (Nr. 7)

Diese Gutenbergbibel, auch 42zeilige Bibel genannt, ist das erste mit beweglichen Lettern gedruckte Buch, ein zugleich monumentales Werk der Buchdruckerkunst. Der Erfinder, Johann Gutenberg aus Mainz, wo er sein ganzes Leben verbrachte, wollte mit dieser Probe eines Bibeldruckes die Leistungsfähigkeit der von ihm ersonnenen neuen technischen Vervielfältigung erweisen. Er verwandte die hohe Zahl von 290 Typen, um das Druckbild durch Buchstabenverbindungen, sog. Ligaturen, und durch Abkürzungen, sog. Abbreviaturen, dem Schriftbild von Handschriften anzugleichen, an das die Zeitgenossen gewöhnt waren. Die Schriftform seiner Typen ist eine gotische Textura.

In Gutenbergs Werkstatt wurde nur der schwarz eingefärbte Druck des Textes hergestellt. Die weitere Ausgestaltung der einzelnen Exemplare blieb den Käufern überlassen. Ergänzende Tätigkeiten stammen vom Rubrikator, der von Hand rot oder blau Überschriften, Kapitelzahlen usw. anbrachte, vom Illuminator, der allerhand farbige Ausschmückung zu Beginn der einzelnen biblischen Bücher sowie Initialen und Randleisten verfertigte, und endlich vom Buchbinder, der das Werk zumeist in zwei Bände band, je nach Auftrag des Sammlers in Leder oder Pergament. Durch diese manuelle Behandlung unterscheidet sich jedes der etwa 48 erhaltenen Exemplare von den anderen; die Auflage schätzt man auf 180 bis vielleicht 200 Stück. Der größte Teil der Auflage wurde auf Büttenpapier gedruckt, elf Exemplare auf Pergament, wie z. B. die der Staatsbibliothek Berlin, der British Library London, der Pierpont Morgan Library New York, der Bibliothèque nationale Paris und der Bibliotheca Vaticana Rom.

Es gelang dem noch sehr jungen Bodmer, aus dem englischen Handel ein prachtvolles Exemplar zu erwerben, das eine beachtliche Provenienz aufweist. Nachdem es Jahrhunderte lang im Chorherrenstift Rottenbuch aufbewahrt worden war, gelangte es durch die Säkularisation an die Münchner Staatsbibliothek, von wo es als Dublette an den Zaren von Rußland verkauft wurde. Hier wurde es nach dem Geschmack der Zeit neu gebunden; einige Initialen wurden ausgeschnitten und durch neue und – wie man meinte – schönere und elegantere ersetzt. Die Sowjets verkauften es, zusammen mit zahlreichen Kulturgütern aus zaristischem Besitz; heute ist es das einzige Exemplar der Gutenberg-Bibel in der Schweiz und damit eines der ganz wenigen in Privatbesitz.

Lit.: Angaben vorwiegend nach dem Katalog der Staatsbibliothek Preussischer Kulturbesitz. ›Kostbare Handschriften und Drucke. Ausstellung zur Eröffnung des Neubaus in Berlin‹. Wiesbaden: Reichert 1978, S. 12

8 ›Novum Instrumentum omne diligenter … recognitum & emendatum‹

HERAUSGEBER: ***Erasmus von Rotterdam.*** *Basel: Johannes Froben, 1516. Neues Testament mit griechischem und lateinischem Paralleltext. 2°, 14 nn. Bll., 675 S. und 2 nn. Bll.*

BUCHSCHMUCK: *drei Titelbordüren in Holzschnitt von Urs Graf. Zahlreiche geschnittene Initialen und Zierstücke, alle in Handkolorierung der Zeit. Mehrfarbig rubriziert. Druckermarke auf dem Titelblatt und am Schluß*

EINBAND: *Leder des 18. Jahrhunderts, mit Rücken- und Deckelvergoldung*

PROVENIENZ: *Juni 1948. Exlibris und Besitzvermerk: C.S. Currie, Ettricks, Derrinallum*

Die von Erasmus edierte Ausgabe des Neuen Testaments in der Ursprache ist für die Reformation und für die Übersetzung Luthers von grundlegender Bedeutung. Sie ist zugleich auch die bedeutendste wissenschaftliche Leistung des niederländischen Gelehrten, welcher jahrelange Vorarbeiten und ein halbes Jahr für Satz und Drucklegung durch Froben in Basel vorangegangen waren. Erasmus wußte, daß die Ausgabe übereilt und verfrüht war; Eile war indes geboten, da Froben vom Projekt einer polyglotten Bibel erfahren hatte, der er zuvorkommen mußte.

Die Zeitgenossen wurden dank der Ausgabe des Erasmus in die Lage versetzt, das Studium der Theologie auf die Heilige Schrift zu gründen und deren Verständnis zu erneuern. Auch die lateinische Version ist eine selbständige neue Übersetzung und weicht von der bisher allgemein verbreiteten Vulgata ab. Erasmus gibt überdies dem Urtext Anmerkungen bei, in denen er die Abweichungen vom bislang tradierten Wortlaut rechtfertigt, dunkle Stellen erklärt, bisweilen auch moralisch-zeitkritische Ermahnungen gibt. Diese ›Annotationes‹ nehmen annähernd soviel Platz in Anspruch wie die griechische und die lateinische Fassung des Neuen Testamentes zusammen. Erasmus widmet die Ausgabe Papst Leo X., der an seine apostolische Pflicht erinnert wird, christliche Frömmigkeit und die Lektüre der Bibel zu fördern.

Nach heutigen Kriterien ist der Text des Erasmus überholt, da er nur auf drei späten griechischen Handschriften des 12. Jahrhunderts basiert. Die lateinische Übersetzung war als Hilfsmittel für Leser gedacht, die des Griechischen nicht kundig waren. Erasmus erstrebte keine elegante, sondern eine klare und zuverlässige Übersetzung. Seine Ausgabe eroberte den Buchmarkt; es folgten rasch vier autorisierte Auflagen und zahlreiche weitere Nachdrucke.

Die historische wie auch die wirkungsgeschichtliche Bedeutung von Erasmus' editorischer Leistung kann nicht hoch genug eingeschätzt werden. Auf seiner Ausgabe und deren hermeneutischen Voraussetzungen ruht die Übersetzung Luthers und seiner Zeitgenossen, ruht die Tradition der deutschen Bibelbübersetzung bis in unser Jahrhundert.

Die von Zeitgenossen oft kritisierte Ausgabe ist nicht nur wegen des Textes, sondern auch wegen der Schönheit des Druckes ungewöhnlich. Die Holzschnittrandleisten am Beginn des Widmungsbriefes an Leo X., des Matthäus-Evangeliums und der Annotationes stammen von Urs Graf (um 1485–1527/28), aus dessen umfangreichen und vielfältigem Werk nur die Holzschnitte zur Passion Christi erwähnt sein sollen. M. B.

18 Beginn des Matthäus-Evangeliums, Buchschmuck Urs Graf. Basel, 1516 (Nr. 8)

Lit.: Cornelis Augustijn, Erasmus, Desiderius, in: Theologische Realenzyklopädie. Bd. 10. Berlin: Walter de Gruyter 1982, S. 1–18 – Heimo Reinitzer, Biblia deutsch. Luthers Bibelübersetzung und ihre Tradition. Wolfenbüttel: Herzog August Bibliothek 1983 (Ausstellungskataloge der Herzog August Bibliothek Nr. 40), Nr. 52

QVATVOR EVANGELIA, AD VETVSTISSIMORVM EXEMPLARIVM LATINORVM FIDEM, ET AD GRAECAM VERITATEM AB ERASMO ROTERODAMO SACRAE THEOLOGIAE PROFESSORE DILIGENTER RECOGNITA.

ΕΥΑΓΓΕΛΙΟΝ ΚΑΤΑ ΜΑΤΘΑΙΟΝ.

ΒΙΒΛΟΣ γενέ-
σεως ΙΗΣΟΥ ΧΡΙ-
ΣΤΟΥ, υἱοῦ Δα-
βίδ, υἱοῦ ἀβρα-
άμ. Ἀβραὰμ ἐ-
γέννησεν τὸν ἰσα-
άκ. ἰσαὰκ δὲ, ἐγέννησεν τὸν ἰακώβ. ἰακὼβ
δὲ, ἐγέννησεν τὸν ἰούδαν, καὶ τοὺς ἀδελ-
φοὺς αὐτοῦ. ἰούδας δὲ, ἐγέννησεν τὸν φαρὲς, καὶ τὸν ζαρὰ, ἐκ τῆς θάμαρ. φαρὲς δὲ,
ἐγέννησεν τὸν ἐσρώμ. ἐσρὼμ δὲ, ἐγέννησεν
τὸν ἀράμ. ἀρὰμ δὲ ἐγέννησεν τὸν ἀμι-
ναδάβ. ἀμιναδὰβ δὲ, ἐγέννησεν τὸν ναασ-
σών. ναασσὼν δὲ, ἐγέννησεν τὸν σαλμών.
σαλμὼν δὲ, ἐγέννησεν τὸν βοὸζ ἐκ τῆς ῥα-
χάβ. βοὸζ δὲ, ἐγέννησεν τὸν ὠβὴδ, ἐκ τῆς
ῥούθ. ὠβὴδ δὲ, ἐγέννησεν τὸν ἰεσσαί. ἰεσσαὶ
δὲ, ἐγέννησεν τὸν δαβὶδ τὸν βασιλέα.
Δαβὶδ δὲ ὁ βασιλεὺς ἐγέννησεν τὸν σο-
λομῶνα ἐκ τῆς τοῦ οὐρίου. σολομὼν δὲ,
ἐγέννησεν τὸν ῥοβοάμ. ῥοβοὰμ δὲ, ἐγέννησεν
τὸν ἀβιᾶ. ἀβιᾶ δὲ, ἐγέννησεν τὸν ἀσά. ἀσὰ
δὲ, ἐγέννησεν τὸν ἰωσαφάτ. ἰωσαφάτ δὲ,
ἐγέννησεν τὸν ἰωράμ. ἰωρὰμ δὲ, ἐγέννησεν τὸν

EVANGELIVM SECVNDVM MATTHAEVM.

Liber generatio-
nis Iesu Christi
filij Dauid, Filij
Abrahã, Abra-
ham genuit Isa
ac. Isaac aũt, ge-
nuit Iacob. Ia-
cob aũt, genuit Iudã, & fratres eius.
Iudas aũt, genuit Phares, & Zarã,
e Thamar. Phares autẽ, genuit Esrom. Esrom aũt, genuit Aram. Arã
autem, genuit Aminadab. Amina
dab aũt, genuit Naasson. Naasson
aũt, genuit Salmon. Salmon autẽ,
genuit Boos, e Rhachab. Boos aũt,
genuit Obed, e Ruth. Obed autẽ,
genuit Iesse, Iesse aũt, genuit Dauid
regem. Dauid autẽ rex, genuit So-
lomonem, ex ea q̃ fuerat uxor Vrie.
Solomon autem, genuit Roboam.
Roboam aũt, genuit Abiam. Abia
autem, genuit Asa. Asa autem, genuit Iosaphat. Iosaphat autem, genuit Ioram. Ioram autem, genu-
A it Oziã.

IOANNES FROBENIVS SVIS TYPIS EXCVDEBAT

9 ›Das Newe Testament Deutzsch‹

»Septembertestament«

übersetzt von ***Martin Luther,*** *Wittenberg: [Melchior Lotter d. J. für Christian Döring und Lukas Cranach d. Ä. September 1521].*

Erstausgabe, ohne Nennung des Übersetzers und des Druckers

2°, 4 nn. Bll., 107 Bll., 1 leeres Bl., 6 nn. Bll., 77 Bll., 1 leeres Bl., 26 nn. Bll. Familienbesitz

BUCHSCHMUCK: *Titelholzschnitt und 21 ganzseitige Holzschnitte zur Offenbarung, Lukas Cranach d. Ä. zugeschrieben, 25 figürliche Initialen*

EINBAND: *Pergament der Zeit mit Blindstempeln, Metallschließen und Rückenschild*

PROVENIENZ: *nach 1932, Martin Breslauer, Berlin, Exlibris Christian Ernst Graf zu Stolberg*

Ob jemand »wider den Stachel löckt« oder »sein Licht nicht unter den Scheffel stellen« will: wo die Bibel im deutschen Sprachgebiet sprichwörtlich geworden ist, wurde sie dies in Luthers Übersetzung. Die Übersetzung des Neuen Testaments brachte Luther in knapp elf Wochen zustande, von Mitte Dezember 1521 bis Anfang März 1522. Ort des Geschehens war die Wartburg, seine »Einöde« (eremos), wohin er am 4. Mai vor den Gefahren der über ihn verhängten Reichsacht zu eigenem Schutz entführt worden war.

Einzelne Texte der Bibel hatte Luther schon zuvor übersetzt; seine Schriften lebten aus der Bibel, gerade die programmatischen, in ganz Deutschland gelesenen Schriften des Jahres 1520 (›Von den guten Werken‹; ›An den christlichen Adel‹; ›Von der Freiheit eines Christenmenschen‹). Im November 1521 beendete Luther auf der Wartburg den Predigtband der ›Weihnachtspostille‹ mit dem Wunsch: »O daß Gott wollte, meine und aller Lehrer Auslegungen gingen unter und ein jeglicher Christ nähme selbst die bloße Schrift und das lautere Gotteswort vor sich!« Nach einem heimlichen Besuch in Wittenberg, von Melanchthon und den Freunden bestärkt, machte er sich an die Arbeit, eine eigene Bibelüberstzung zu schaffen. Er überstzte nicht einfach die lateinische Standardversion der Vulgata, sondern griff auf den griechischen Text zurück, den ihm die zweite Auflage (Basel 1519) der Aus-

19 Erste Bibelübersetzung von Martin Luther, sog. Septembertestament, 1521 (Nr. 9)

Das erst Capitel.

1. N anfang war dz wort.
vnnd das wort war bey
Gott/vnd Gott war das wort/da-
sselb war ym anfang bey Gott/Al-
le ding sind durch dasselb gemacht/
vnnd on dasselb ist nichts gemacht
was gemacht ist/In yhm war das
leben/vnd das leben war eyn liecht
der menschen/vnd das liecht schey-
net ynn die finsternis/vnd die finster
nis habens nicht begriffen.
th.3. Es wart eyn mensch/võ Gott ge-
cl.1. sand/der hies Johannes/der selb
.3. kam zum zeugnis/das er võ dem liecht zeugete/auff das sie alle durch
yhn glewbten/Er war nicht das liecht/sondern das er zeugete von
dem liecht/Das war eyn warhafftigs liecht/wilchs alle menschen
erleucht/durch seyn zu kunfft ynn dise wellt/Es war ynn der wellt/
vñ die wellt ist durch dasselb gemacht/vnd die wellt kandt es nicht.

Er kam ynn seyn eygenthum/vñ die seynen namen yhn nicht auff/
Wie viel yhn aber auffnamen/den gab er macht/Gottis kinder zu
werden/denen/die da an seynen namen glewben/wilche nicht von
dem geblutt/noch von dem willen des fleyschis/noch von dem willen eynes mannes/sondern von Gott geporen sindt.

th.1. Vnd das wort ward fleysch/vñ wonete vnter vns/vnd wyr sahen
.2. seyne herlickeyt/eyn herlickeyt als des eyngepornen sons vom vatter/
voller gnade vnd warheyt.

Johannes zeuget von yhm/schreyt/vnd spricht/Diser war es/von
dem ich gesagt hab/Nach myr wirt komen/der fur myr gewesen ist/
denn er war ehe denn ich/vnd von seyner fulle/habẽ wyr alle genom- (gnad vmb gnad)
men/gnade vmb gnade/denn das gesetz ist durch Mosen geben/die Unser gnad ist vns
gnade vnnd warheyt ist durch Jhesum Christ worden/Niemant geben/vmb Chri-
hatt Got yhe gesehen/der eyngeporne son/der ynn des vatters schoß stus gnade/die ym
ist/der hatts vns verkundiget. geben ist/das wyr

Vnnd dis ist das zeugnis Johannis/da die Juden sandten von
Jerusalem priester vñ Leuiten/das sie yhn frageten/wer bistu? Vnd
er bekant vnd leugnet nicht/vnd er bekant/ich byn nicht Christus/vñ
sie fragten yhn/was denn? Bistu Elias? Er sprach/Ich byns nitt.
th.3. Bistu eyn prophet? vnnd er antwort/Neyn/Da sprachẽ sie zu yhm/
.1. Was bistu denn/das wyr antwort geben denen/die vns gesand ha-
3. ben? was sagistu võ dyr selbs? Er sprach/ich byn eyn ruffende stym
40. ynn der wusten/Richtet den weg des herñ/wie der prophet Isaias
gesagt M

(Gloss, right margin:) (gnad vmb gnad) Unser gnad ist vns geben/vmb Christus gnade/die ym geben ist/das wyr durch yhn das gesetz erfullen vnnd den vater erkennẽ/da mit heuchley auf hore vnd wyr ware rechtschaffnen menschen werden.

gabe bot, die Erasmus von Rotterdam nebst einer eigenen lateinischen Übersetzung zuerst 1516 herausgebracht hatte.

Nach Wittenberg zurückgekehrt, sah Luther den Text nochmals durch, gemeinsam mit Melanchthon. Dann ging das Manuskript zum Druck. Den Verlag übernahmen der Gastwirt und Ratsherr Christian Döring und Lukas Cranach, der 21 Holzschnitte zur Offenbarung des Johannes beisteuerte, darunter einige Blätter mit scharf antipäpstlicher Tendenz. Gedruckt wurde bei Melchior Lotter d. J., bisweilen auf drei Pressen zugleich. Im September 1521 (deshalb »September-Testament«) lag ›Das Newe Testament Deutzsch‹ bereit zum Verkauf. Die wohl 3000 Exemplare waren in wenigen Wochen vergriffen, so daß im Dezember schon eine neue Ausgabe (»Dezember-Testament«) erschien, durchgesehen und an vielen Stellen korrigiert. Erst in den folgenden Jahren entstand im Kreis der Wittenberger Reformatoren die Übersetzung des Alten Testaments; die erste vollständige Bibelübersetzung erschien 1534.

Luther gab seiner Übersetzung Glossen und Vorreden bei, und in ihnen ordnete er die biblischen Bücher entschieden nach ihrem Wert im Sinne der reformatorischen Lehre von der Glaubensgerechtigkeit: »Und darin stimmen alle rechtschaffenen heiligen Bücher übereins, daß sie allesamt Christum predigen und treiben, auch ist das der rechte Prüfestein alle Bücher zu tadeln, wenn man siehet, ob sie Christum treiben oder nicht. [...] Was Christum nicht lehret, das ist nicht apostolisch, wenns gleich Petrus oder Paulus lehret; wiederum, das Christum predigt, das ist apostolisch, wenns gleich Judas, Hannas, Pilatus und Herodes tät«.

So steht der Römerbrief, dessen Meditation Luther seinen eigenen »reformatorischen Durchbruch« verdankte, an erster Stelle: »Diese Epistel ist das rechte Hauptstück des neuen Testaments und das allerlauterste Evangelion«. Ans untere Ende rückt der Jakobusbrief, gegen die »rechten und edelsten Bücher des Neuen Testaments« in Luthers Augen »eine rechte stroherne Epistel [...]; denn sie doch kein evangelisch Art an ihr hat«; und zur Offenbarung des Johannes teilt er mit: »mein Geist kann sich in das Buch nicht schicken, und ist mir die Ursach gnug, daß Christus drinnen weder gelehrt noch erkannt wird« (später, 1530, urteilt er differenzierter und schreibt eine neue Vorrede).

Auch wo die Lehren des Reformators umstritten blieben, steht die prägende Wirkung seiner Bibelübersetzung für das Entstehen der deutschen Schriftsprache außer Frage. Im selbstbewußt apologetischen ›Sendbrief vom Dolmetschen‹ (1530) hat Luther seine vielzitierte Übersetzungstheorie formuliert: »Denn man muß nicht die Buchstaben in der lateinischen Sprache fragen, wie man soll deutsch reden, wie diese Esel tun; sondern man muß die Mutter im Hause, die Kinder auf den Gassen, den gemeinen Mann auf dem Markt darum fragen, und denselbigen auf das Maul sehen, wie sie reden, und danach dolmetschen, so verstehen sie es denn, und merken, daß man deutsch mit ihnen redet«.

Mit sprachbezogenem Argument wendet sich Luther auch gegen den Vorwurf, er habe an entscheidender Stelle (Römer 3, 28) durch ein unbegründetes »allein« die reformatorische Kernthese des »sola fide« gegen den Urtext eingetragen, wenn er übersetzt: »Wir halten, daß der Mensch gerecht werde, ohne des Gesetzes Werk, allein durch den Glauben«. Das Deutsche verlange halt stilistisch gegenüber der Negation eine durch »allein« verstärkte Position, entgegnet Luther seinen Kritikern: »Als wenn man sagt: Der Bauer bringt allein Korn, und kein Geld ...« Doch dient auch hier die Sprache Luther letztlich ganz dazu, die Lehre des Apostels stark zu konturieren: »Und wer deutlich und dürre von solchem Abschneiden der Werke reden will, der muß sagen: allein der Glaube, und nicht die Werke machen uns gerecht. Das zwingt die Sache selbst neben der Sprachen Art.«

Luther war der festen Meinung, mit seiner Übersetzung bisher Singuläres geschaffen zu haben. »Ich kann dolmetschen; das können sie nicht«, rief er gegen seine altgläubigen Kritiker, und bewußt spricht er von »des Luthers Deutsch und Dolmetschen« und vom Eingeständnis seiner Gegner und Plagiatoren, »daß mein Deutsch süß und gut sei«. Doch anders als die sich später nach ihm benennende Orthodoxie war er davon entfernt, seine Bibelübersetzung für sakrosankt zu erklären: »Zum andern, mögt ihr sagen, daß ich das Neue Testament verdeutscht habe, auf mein bestes Vermögen, und auf mein Gewissen; habe damit niemand gezwungen, daß ers lese, sondern frei gelassen, und allein zu Dienst getan denen, die es nicht besser machen können. Ist niemand verboten, ein bessers zu machen.« Luther selbst hat sich zeitlebens in immer neuen Revisionen darum bemüht. Erst sein Tod ließ die »Lutherbibel« als »Ausgabe letzter Hand« (1545) zum – immer noch wirkmächtigen – Monument werden. U. S.

10 ›Biblia pauperum‹

Opera nova contemplativa...laquale tratta de le figure del testamento vecchio...lequale figure sonno verificate nel testamento nuovo

Venedig, Giovanni Andrea Vavassore, um 1530. Blockbuch

8°, 63 nn. Bll. und ein leeres Bl.

BUCHSCHMUCK: *120 Holzschnitte und begleitender Text. Am Schluß ein Holzschnitt ohne Text*

EINBAND: *Maroquin der 2. Hälfte des 19. Jahrhunderts*

PROVENIENZ: *vor 1947. Bodmer, Weltliteratur, S.59. Sammlung Huth mit Exlibris*

»Die neuen Werke der Betrachtung« oder der »Versunkenheit in Wort und Werke Gottes« finden wir in einem kleinen und heute sehr seltenen Büchlein, das man bequem bei sich tragen konnte. Das fromme Erbauungsbuch mit italienischem Text gilt als letztes Blockbuch in der Nachfolge der Biblia Pauperum, bestimmt für Menschen, die nur wenig oder gar nicht des Lesens mächtig waren, aber die Sprache der Bilder gut verstanden. »Pauperes« waren diejenigen, die kaum Chancen hatten, Schreiben und Lesen so zu lernen, daß sie längere Texte in Büchern lesen und verstehen konnten. Ein Blockbuch wurde mit Holztafeln gedruckt, in die Bilder und Texte von einem Formschneider seitenverkehrt so eingeschnitten waren, daß der Abdruck – anfänglich mittels Reibertechnik, später auf Holzpressen – ein in Illustrationen und Texten seitenrichtiges und lesbares Bild ergab. Die zuerst einseitigen Druckabzüge auf gefeuchtetes Papier, die danach eine starke rückseitige Reliefprägung aufwiesen, wurden mit den Rückseiten gegeneinander geklebt und danach übereinander gelegt blockartig gebunden. Unser kleines venezianisches Blockbuch wurde dagegen vorder- und rückseitig bedruckt und in der damals längst üblichen Weise gefalzt und gebunden.

Von den Niederlanden ausgehend hatten Formschneider in Süddeutschland und Österreich ähnliche Blockbücher hergestellt und weit verbreitet. Sicherlich ist ein solches Exemplar auch nach Venedig gelangt. Daß noch um das Jahr 1530 in Venedig ein Blockbuch erschienen ist, verwundert, denn Druckkunst und Buchillustration standen zu dieser Zeit in Venedig schon in hoher Blüte.

Aber die Mehrzahl der in Venedig hergestellten Bücher erreichten vor allem wissenschaftliche Leser und gebildete Kreise in ganz Europa, da die venezianischen Drucker vor allem für den Export arbeiteten.

Bisher hat man angenommen, daß dieses in allen vier Auflagen undatierte Buch zuerst zwischen 1510 bis 1512 erschienen sei, doch konnte Denis V. Reidy nachweisen, daß es erst um 1530 erschienen sein kann, weil Giovanniandrea Vavassore erst um diese Zeit als Druckerverleger tätig geworden ist. Die ›Opera nova contemplativa‹ gehören zu seinen ersten Büchern. Vorher datierte Drucke sind von ihm nicht gefunden worden.

Die ersten »Biblia-pauperum«-Ausgaben hatten ein größeres Format. Zahlreiche kleinere Bilder und kurze Texte waren auf den Seiten jeweils einem Thema zugeordnet. Dabei hatten die Bilder den Vorrang vor den Texten. Zwei Szenen aus dem Alten Testament sind einer Szene im Neuen Testament gegenübergestellt. Damit sollte gezeigt werden, wie sich die Weissagungen des Alten Testaments im Neuen Testament erfüllt haben. Hinzu kamen die in Holz geschnittenen erklärenden kurzen Texte. Die »Biblia pauperum« gehörte wie das ›Speculum humanae salvationis‹ zu den typologischen Büchern der mittelalterlichen Theologie, die Ereignisse und Weissagungen des Alten Testaments mit deren Erfüllung im Neuen Testament verglichen.

Bei dem kleinen Format der ›Opera nova contemplativa‹ mußten die einzelnen Bilder mit ihren Texten auf mehrere Seiten verteilt werden. Der Holzschneider und Druckerverleger Giovanniandrea Vavassore detto Vadagnino richtete sich bei seinen Bildern aus dem Alten Testament nach den niederländischen Vorbildern der Biblia pauperum. Für die neutestamentlichen Darstellungen könnten die Holzschnitte von Dürers ›Kleiner Passion‹ oder deren Kopien durch Marcantonio Raimondi als Vorbilder gedient haben. Diese Vorlagen können frühestens um 1511 in Einzelabzügen nach Venedig gekommen sein, ein Erscheinungstermin zwischen 1510–12 kann daher kaum in Frage kommen. Die durch starke Linienränder eingefaßten Bilder enthalten oben oder unten abgeteilte Felder, in denen der ebenfalls in Holz geschnittene italienische Text steht. Sicherlich zählen diese Holzschnitte nicht zu den Glanzleistungen italienischer Holzschneidekunst, aber die handwerkliche Fertigkeit, eine rundgotische Schrift in einem kleinen

20 *Jonas wird vom Fisch verschlungen. Biblia pauperum, Blockbuch, um 1530 (Nr. 10)*

Grad so in Holz zu schneiden, daß man auf den ersten Blick meint, es sei eine gegossene und gesetzte Schrift, verdient doch Bewunderung.

Der Aufbau, das kleine handliche Format, die Art der Holzschnitte, die italienischen Texte, lassen vermuten, daß die ›Opera nova contemplativa‹ wohl für eine andere Vertriebsform entstanden sind: für den Verkauf auf Straßen und Jahrmärkten, wo auch Einzelblattholzschnitte, andere Blockbücher und Kalender angeboten wurden. So war dieses Andachtsbuch in Bildern nicht für die Gelehrten bestimmt, sondern für den niedern Klerus und die »einfachen« Bürger. Die »Leutpriester« verwendeten ein solches Buch gerne für die Unterweisung der Gläubigen.

Durch regen Gebrauch der in vier Auflagen gedruckten »letzten Biblia pauperum« weist deren Seltenheit heute darauf hin, daß die meisten Exemplare des Buches verschlissen oder dem vollständige Verbrauch anheimgefallen sind. Heute lassen sich noch in öffentlichen Bibliotheken und privaten Sammlungen etwa 19 annähernd vollständige Exemplare nachweisen, so in England, Italien, in den USA und das vorliegende in der Schweiz, das wohl schon in den zwanziger oder dreißiger Jahren in die Sammlung Bodmer gelangt ist. In öffentlichen Bibliotheken Deutschlands ist das Buch nicht vorhanden.

Nicht allein Seltenheit und Besonderheit des Holztafeldrucks wird Martin Bodmer bewogen haben, dieses Buch zu erwerben. Wenn es ihm darum gegangen ist, Bücher in seine Bibliothek aufzunehmen, die die Welt in irgendeiner Weise bewegt haben, mag er hier daran gedacht haben, daß dieses kleine Erbauungsbuch für den »einfachen Menschen« kurz vor den großen Erschütterungen der Kirche durch die Reformation erschienen ist. Das wichtigste Buch der christlichen Kirche, die Bibel, konnten die Gläubigen nur auszugsweise in ihrer Muttersprache – durch Bücher wie die ›Biblia Pauperum‹ oder die ›Opera nova contemplativa‹ und viele andere Textauswahlen – kennenlernen. Die lateinische ›Vulgata‹ als allein von der Kirche zugelassene Bibelausgabe und die späteren landessprachlichen Übersetzungen erreichten meist nur den Kreis der Geistlichen und Theologen. Die italienische Ausgabe der ›Opera nova contemplativa‹ fand dagegen als kleinere volkstümliche Alternative größere Beachtung. H.W.

Lit.: Denis V. Reidy, Dürers Kleine Passion and a Venetian Block Book, in: German Books, 1450–1750. Studies presented to David L. Paisey in his retirement. London: British Library 1995, S. 81–93

II. Weltliteratur

Hans-Albrecht Koch
»Wir wissen viel Erlogenes zu sagen, das dem Wirklichen gleicht«

»Bei den Griechen war das eine Krankheit zu fragen, welche Zahl von Ruderern Odysseus gehabt habe, ob zuerst die Ilias geschrieben worden sei oder die Odyssee, ferner, ob sie vom selben Verfasser stamme, und anderes dergleichen mehr. Wenn du das für dich behältst, nützt es deinem stummen Gewissen nichts, tust du es aber kund, erscheinst du nicht gelehrt, sondern lästig.«
Lucius Annaeus Seneca, Über die Kürze des Lebens (XIII, 2)

»Wir wissen viel Erlogenes zu sagen, das dem Wirklichen gleicht«, so reden in der »Theogonie« des böotischen Dichters Hesiod, bald nach Homer, die Musen über sich selbst. Von diesem zweitältesten Epiker stammt die früheste erhaltene Lehrdichtung. Nicht mehr erzählt, sondern guter Rat erteilt wird in den ›Werken und Tagen‹ dem Landmann in hexametrischer Form, wie er sein »Tagewerk« im wiederkehrenden Lauf der Jahre am besten bestellen könne. Tritt sie im Gewand der Kunst auf, verbirgt die Didaxe, daß sie nackt nicht gut unter die Grazien zu zählen wäre. Ganz ohne die Musen kam der musische Theodor Fontane aus, als er anläßlich des Erscheinens der »Ahnen« von Gustav Freytag äußerte: »Ein Roman soll uns eine Geschichte erzählen, an die wir glauben.« Sagen wollte er damit ungefähr wohl das Gleiche wie Hesiod. Wer denkt, die Dichter belehrten ihn darüber, was eigentlich sie tun, wenn sie schreiben, sieht sich beide Male enttäuscht. Sie wissen es nicht, am wenigsten die unter ihnen, die ihr Handwerk am besten beherrschen. Oder sie wollen es nicht sagen.

Lassen wir sie also. Alles Belehrende, alle Theorie sollen hier fortan beiseite bleiben, wo von Büchern der Weltliteratur die Rede ist. Denn Weltliteratur kann man nicht wissenschaftlich betreiben, sondern nur – in des Wortes alter Bedeutung – als Dilettant,

21 Kopf des Homer, 1. Jh. v. Chr.. (Nr. 11)

sei es als Sammler, wie nur Martin Bodmer einer sein konnte, sei es als Leser, wie wir alle einer sein oder werden können.

Als der Protagonist in Voltaires kleinem philosophischen Roman ›Candide ou l'optimisme‹ nach schlimmen Schicksalsschlägen endlich im Venezianischen angekommen ist, entspinnt sich zwischen ihm und seinem altersweisen Begleiter Martin wieder einmal ein Disput über das Glück der Menschen. Candide meint, er habe es wenigstens bei den Gondolieri gefunden, denn sie sängen ohne Unterlaß.

»›Sie sehen sie nicht in ihrer Häuslichkeit, bei ihren Weibern und Murmeltieren von Kindern‹, sagte Martin. ›Der Doge hat seine Sorgen, die Gondelführer haben die ihrigen. Im großen und ganzen ist das Los eines Gondelführers dem eines Dogen vorzuziehen; aber meiner Meinung nach ist der Unterschied so gering, daß es nicht lohnt, darauf des näheren einzugehen.‹

›Es wird so viel vom Senator Pococurante gesprochen‹, sagte Candide, ›der in jenem schönen Palast an der Brenta wohnt; er soll Fremde recht zuvorkommend aufnehmen. Von ihm heißt es, er habe nie Kummer gehabt‹. – ›Solch seltenes Exemplar sähe ich gern einmal‹, sagte Martin.‹« (Übers. Ernst Sander)

Gleich für den nächsten Tag wird der Besuch bei dem gastfreundlichen Nobile arrangiert, dessen ironisch verballhornter Name ein zweifach sprechender ist: Bedeutet er doch »der um weniges Bekümmerte« und spielt zugleich auf das von Pflichten überladene Amt eines Procuratore der ruhmreichen Seerepublik an. Schon beim Empfang in der prächtigen Brenta-Villa zeigt sich jedoch, daß auch das Leben dieses großen Senators nicht ohne kleine Sorgen ist. Als Candide nämlich die Schönheit und Behendigkeit zweier Mädchen bewundert, die den Gästen Schokolade servieren, gesteht Pococurante, er leide an einem ennui de la galanterie: »›Es sind ganz gute Geschöpfe, manchmal lasse ich sie bei mir schlafen, denn der städtischen Damen mit ihrer Gefallsucht, ihren Eifersüchteleien, ihrer Zänkerei, ihren Launen, ihrer Kleinlichkeit, ihrem Hochmut, ihrer Dummheit, den Sonetten, die man immerfort für sie machen oder machen lassen muß, bin ich gründlich überdrüssig: indessen fangen auch diese beiden Mädchen allmählich an, mich zu langweilen.‹« Nach Musikdarbietung und vortrefflichem Mahl begibt sich die kleine Gesellschaft in die Bibliothek und stößt auf die Lieblingslektüre des Philosophen Leibniz, dessen Lehre von der besten aller möglichen Welten für den satirischen Roman des Franzosen die ungenannte Kontrastfolie bildet:

»Candide erblickte einen prachtvoll gebundenen Homer und lobte den Illustrissime seines guten Geschmacks wegen. ›Dieses Buch‹, sagte er, ›las der große Pangloß am liebsten, der bedeutendste Philososoph Deutschlands.‹ – ›Ich mag es nicht‹, sagte Pococurante kalt, ›früher wurde mir freilich eingeredet, diese Lektüre mache mir Vergnügen. Aber diese unaufhörliche Wiederholung von Kämpfen, die einander so ähnlich sind, diese Götter, die sich überall einmischen und doch nichts Entscheidendes tun; diese Helena, um die der ganze Krieg geführt wird; das alles langweilt mich sterblich. Ich habe zuweilen Wissenschaftler gefragt, ob sie sich bei dieser Lektüre genauso langweilen wie ich. Sofern sie aufrichtig waren, haben sie mir gestanden, das Buch falle ihnen aus der Hand; aber man müsse es nun einmal in der Bibliothek haben als Denkmal des Altertums, wie jene verrosteten Münzen, die nicht mehr im Umlauf sind.‹

›Über Vergil denken Exzellenz doch wohl anders?‹ sagte Candide. ›Ich gebe zu‹, sagte Pococurante, ›daß das zweite, vierte und sechste Buch seiner Aeneis vortrefflich sind; jedoch seinen frommen Aeneas und den tapferen Clyanthius und den Freund Achates und den kleinen Askanius und den schwachköpfigen König Latinus und das Bürgerweib Amata und die stupide Lavinia halte ich für das Frostigste und Peinlichste, was man sich denken kann. Da lobe ich mir den Tasso oder die Zaubermärchen Ariosts.‹«

Natürlich wollte Voltaire auch an dieser Stelle seine Position in der »Querelle des anciens et modernes« nicht unterdrücken, jenem Dauerstreit zwischen Traditionalisten und Avantgardisten der Literatur, den Charles Perrault mit seinem Plädoyer für den Vorzug der Neuen Ende des 17. Jahrhunderts in die Académie française getragen hatte. An Homer war die Querelle 1714 heftig wieder aufgeflammt, als Anne Dacier, die französische Übersetzerin von ›Ilias‹ und ›Odyssee‹, die Unantastbarkeit des griechischen Dichters gegen ihren ›modernistischen‹ Freund Antoine La Motte verteidigt hatte. Hätte Voltaire nicht dies alles im Sinn gehabt, hätte er Candide ja vielleicht an anderer Stelle ins Bücherregal des Pococuratore greifen lassen. Wäre dieser dort auf die ›Odyssee‹ gestoßen, hätte er darin wohl seine eigene Irrfahrt zu Wasser und zu

Lande durch die ganze Welt – einmal Amerika hin und zurück, Schiffbruch eingeschlossen – wie in einem Spiegel erblickt. Indes: Voltaire war ein Neuerer, wie hätte er einem Alten den Ruhm gönnen sollen, ihn nachgeahmt zu haben. Hätte Candide gar die ›Tausendundein Nächte‹ aufschlagen dürfen, die ein Pococuratore der Stadt Marco Polos und der Orientfahrer doch irgendwo zur Hand gehabt haben muß, so hätte ihm Scheherezade schon erklärt, daß es beim Erzählen um nichts Geringeres als ums Überleben geht.

22 Abfahrt des Aeneas von Troja. Vergil-Handschrift des 15. Jhs. (Nr. 17)

Erste Erinnerung: Heroische Untergänge – von den Troern zu den Nibelungen

»Eine Haupteigenschaft des epischen Gedichts ist, daß es immer vor und zurückgeht, daher sind alle retardierenden Elemente episch. Es dürfen aber keine eigentliche *Hindernisse* sein, welche eigentlich ins Drama gehören«, schrieb Goethe am 19. April 1797 an Schiller. Drei Tage später äußerte er sich gegen den Freund über die Retrogradation als einen Sonderfall des allgemeinen Gesetzes der Erzählkunst, »welches gebietet: daß man von einem guten Gedicht den Ausgang wissen könne, ja wissen müsse, und daß eigentlich das Wie bloß das Interesse machen dürfe«. Deshalb sieht er im Epos »den großen Vorteil, daß seine Exposition, sie mag noch so lang sein, den Dichter gar nicht geniert, ja daß er sie in die Mitte des Werks bringen kann.« Vordergründig scheinen diese Bemerkungen nichts als Goethes genaue Kenntnis der antiken Epen zu spiegeln, etwa die vielgerühmte homerische Technik des »medias in res«, doch standen sie 1797 bereits im Zusammenhang mit seinem damals gehegten Plan, den Tod Achills zum Gegenstand eines eigenen Versepos zu machen, in dem er den Untergang des Helden durch die Liebesbegegnung mit der trojanischen Königstochter Polyxena hinauszögern wollte. Die Dichtung sollte unmittelbar an das Ende der »Ilias« anknüpfen, die mit der zehntägigen Trauer um Hektor und der Verbrennung seines Leichnams aufhört. Acht Gesänge sollte diese ›Achilleis‹ umfassen, doch blieb das Werk Fragment, und Goethe veröffentlichte zu seinen Lebzeiten nur den ersten Gesang. Aus den erhaltenen Schemata ist jedoch der Plan der Dichtung erkennbar.

OSTQVAM RES ASIE
PRIAMIq; euertẽ gẽtem
IMMERITAM VISVM
SVperis cecidit q; supbũ.
ILLVM: ET OMNIS:
Humo fumat neptuĩa
troia :.

iuersi exilia: et desertas quęre terras
uguriis agimur diuũ classemq; sub ipsa
ntandro. & phrigię molimur mõtib; idę.
ncerti quo fata ferãt. ubi sistere detur
ontrahimusq; uiros. uix prima inceperat esta
pater Anchises dare fatis uela iubebat

»Auf denn! wer Troja beschützt, beschütze zugleich den Achilleus,
Und den übrigen steht, mich dünkt, ein trauriges Werk vor,
Wenn sie den trefflichsten Mann der begünstigten Danaer töten.«

Mit dieser Anrede stellt Zeus den olympischen Göttern noch einmal anheim, den Krieg um Troja zu dem einen oder dem anderen Ende zu führen und löst neue Geschäftigkeit unter ihnen aus. Bei den Menschen herrscht nach den langen Jahren des Krieges die Sehnsucht nach Frieden, und die Troer beratschlagen, wie sie die Griechen versöhnen könnten: Antenor als Anführer der Volkspartei tritt für die Auslieferung Helenas ein, doch durchkreuzt Paris den Plan und erreicht den Kompromiß, eine von zwei anderen Priamos-Töchtern anzubieten, entweder die Seherin Kassandra oder Polyxena. Bei den Griechen wirbt Odysseus für ein Ende der Kämpfe, während Aias und Achilleus widersprechen. Im Bewußtsein, daß nach dem Tode Hektors die Moiren auch über ihn das baldige Ende verhängt haben, rät Achilleus sogar davon ab, die angekündigte Gesandtschaft der Troer zu empfangen, dringt damit aber nicht durch. Die trojanischen Boten erscheinen und bringen beide Mädchen mit, bei deren Anblick sich Agamemnon in Kassandra und Achilleus in Polyxena verlieben: Mit Antenor verabredet Achilleus beim Abzug der Gesandten heimlich seine Hochzeit mit Polyxena. Nachdem er am nächsten Morgen die Zustimmung des Aias und der meisten Heerführer zu diesem Plan gewonnen hat, sieht alles nach einem glücklichen Ende aus; nur Odysseus wendet sich jetzt zusammen mit Diomedes gegen solchen Verrat an der Sache der Griechen. Beide intrigieren am Feiertag bis zuletzt gegen die Heirat; auch auf trojanischer Seite schmieden zwei Männer Ränke gegen das Fest: Im Heiligtum trifft Achilleus zum erstenmal mit Polyxena zusammen und bekennt ihr, welch Glück es ihm bedeute, aus Liebe zu ihr sein Heldentum aufzugeben. Beim vorbereitenden Opfer wird der Bräutigam jedoch hinterrücks von Paris und Deiphobos ermordet, und der Kampf entbrennt nach Entdeckung dieser Tat von neuem.

Goethes Fragment ist nicht nur ein Zeugnis der unmittelbaren Wirkung der ›Ilias‹. Denn für die Liebesgeschichte von der Besiegung des Heros durch den Eros und den Meuchelmord im Heiligtum griff der Dichter nicht auf Homer zurück, sondern zu der heute allenfalls noch Philologen bekannten, im 18. Jahrhundert aber noch vielgelesenen »romanhaft-›sentimantalischen‹ Version des Hellenismus, die er in dem kaiserzeitlichen Trojaroman des Dictys Cretensis vorfand« (Wolfgang Schadewaldt).

Dieser Dictys aus Kreta ist der angebliche Verfasser einer in spärlicher griechischer Überlieferung erhaltenen Darstellung des Trojanischen Krieges aus sehr hellenenfreundlicher Sicht und der Heimfahrten der Kämpfer. Beachtliche Verbreitung im Westen fand jedoch das ganze Mittelalter hindurch eine wohl im 4. Jahrhundert entstandene lateinische Bearbeitung in sechs Büchern unter dem Titel ›Ephemeris belli Troiani‹. In einem vorangestellten Brief beansprucht ein sonst nicht bekannter Lucius Septimius die Funktion des Übersetzers aus dem griechischen Original. Die Schrift ahmt stilistisch durch Anklänge an Caesar (Katalog Nr. 123) und Sallust den sachlichen Ton der Historiographie nach. Auch die frühen italienischen Humanisten hielten den Text noch in hohen Ehren – wohl gar ein wenig zum Schaden des Interesses am originalen Homer –, nachdem ihn der bedeutende Handschriftensammler Poggio Bracciolini erneut ans Licht gezogen hatte, dessen nicht immer ganz saubere Vorgehensweise beim Aufspüren und Erwerb von Codices Conrad Ferdinand Meyer (Katalog Nr. 91) in seiner köstlichen Novelle ›Plautus im Nonnenkloster‹ geschildert hat.

Ausdrücklich als Augenzeugenbericht gibt sich ein Pendant zu Dictys, die betont trojafreundliche ›Historia de excidio Troiae‹ eines Dares Phrygius. Wahrscheinlich liegt auch dieser um die Wende vom 5. zum 6. Jahrhundert entstandenen Prosaerzählung eine griechische Vorlage zugrunde. Der spätantike Autor führt sich unter dem Namen des Geschichtsschreibers Cornelius Nepos als Übersetzer ein und versieht sein Werk auch noch dreist mit einer Widmung an Sallust. Beide – Dictys, aber viel stärker noch Dares – haben das Trojabild des Mittelalters geprägt. Anstelle der »Lügen« Homers fand »die ›Wahrheit über Troja‹ reißenden Absatz« (Lodewijk J. Engels). War doch die beanspruchte Authentizität überaus nützlich, um nach dem Vorbild der Römer auch anderen Völkern ihre Abkunft von den Trojanern zu beglaubigen, wie dies für die Franken z. B. der Chronist Fredegar mit seiner Fortsetzung des Dares getan hat. Für ein christliches Publikum war der Text des Dares um so eingängiger, als darin die bei Homer so wesentliche Handlungsebene der olympischen Götter nicht mehr vorkommt.

Die Spätantike war beides zusammen: eine Epoche des Verlustes originaler Texte, aber auch eine Hochzeit der Auszüge (Epitomai) und der Übersetzungen aus dem Griechischen ins Lateinische. Seit dem ausgehenden 4. Jahrhundert nahm die bis dahin für breite gebildete Schichten selbstverständliche Zweisprachigkeit der Mittelmeerwelt rapide ab, die einst in Zeiten der Römischen Republik mit dem Brauch vornehmer Familien begonnen hatte, ihre Söhne durch griechische Sklaven erziehen zu lassen, und sich in der Kaiserzeit mit dem Studium zahlreicher Römer in Athen fortsetzte – ein anschauliches Beispiel dafür liefert etwa die Bildungsbiographie des Apuleius von Madaurus (Katalog Nr. 30). In der Liturgie der römischen Kirche wurde gegen Ende des vierten Jahrhunderts das Griechische durch Latein ersetzt – deutlichstes Zeichen der rückläufigen Sprachkompetenz. Schon der Heilige Augustinus (Katalog Nr. 103) klagte über seine schlechten Griechisch-Kenntnisse. Einem so einfachen wie raffinierten Gedanken dieses Kirchenvaters, der vor seiner Bekehrung noch selbst die typische Ausbildung zum Rhetor erhalten hatte, verdankt das christliche Mittelalter ein wichtiges Argument, mit dem die weitere Tradierung der antiken Bildungsgüter gerechtfertigt wurde: Wie die Kinder Israel beim Auszug aus Ägypten silbernes und goldenes Geschmeide und Kleider der Nilanwohner zum Gebrauch mitgenommen hätten, so sollten die Christen es mit den Schriften der heidnischen Philosophen, Geschichtsschreiber, Dichter und Redner halten. Ohne die bewußte Nutzung der Muster kunstvoller paganer Reden wäre es nicht zu der Entfaltung christlicher Predigtkultur mit ihren Höhepunkten bei den mittelalterlichen Bettelorden und im Barock gekommen. Auch die großangelegten Pläne zu den Übersetzungen des Platon und Aristoteles, die sich der gelehrte Boethius (Katalog Nr. 112) vorgesetzt hatte, sind aus solch augustinischen Argumenten gerechtfertigt, nicht minder die spätere Wende der Scholastik zu Aristoteles , wie sie sich im Denken des Thomas von Aquin (Katalog Nr. 105) manifestiert.

Es ist eine verblüffende Koinzidenz, daß in den Jahren 529/530 zwei Hauptereignisse der europäischen Bildungsgeschichte – das eine auf den Abbau antik-heidnischer Kultur, das andere auf deren Erneuerung hinauslaufend, das eine im griechischen Osten, das andere im lateinischen Westen – gleichzeitig eingetreten sind und einander gleichsam neutralisiert haben: Der oströmische Kaiser

Justinian, der – unter dem Einfluß der überaus begabten und ehrgeizigen, aus zwielichtigem Milieu aufgestiegenen Kaiserin Theodora – die Wiederherstellung des römischen Reiches in seiner alten Größe unter betont christlichen Vorzeichen betrieb, schloß die letzte Hochburg griechischer Studien, die Rhetorenuniversität zu Athen, und Benedikt von Nursia begründete mit dem Kloster Monte Cassino den einflußreichsten Mönchsorden, dessen Regeln stark von Augustinus beeinflußt sind. Im zweiten Bestandteil des Auftrags »Ora et labora« gründen sowohl der immense Fleiß, mit dem in den Klöstern die handschriftliche Tradierung der römischen Literatur betrieben worden ist, als auch die Unterrichtstätigkeit, die seit der karolingischen Renaissance, zunächst in den Klöstern elementare Kenntnisse, dann in den Kathedralschulen – ihre Pariser Variante wurde, neben der Bologneser Juristenschule, zu einer der beiden Wurzeln der europäischen Universität – höhere Bildung an die zum Klerikerstand bestimmten »litterati« vermittelte. Die des Lesens und Schreibens kundigen *litterati* übernahmen in einer Gesellschaft, in welcher der weitaus größte Anteil der *weltlichen* Eliten zu den *illiterati* gehörte, die stabilisierende Funktion des kollektiven kulturellen Gedächtnisses, dessen Folgen sich am treffendsten mit einer Formel charakterisieren lassen, die Ernst Robert Curtius für sein berühmtes Buch gewählt hat: *Europäische Literatur und lateinisches Mittelalter*. In technischer Hinsicht wurde die Weiterpflege antiker Bildung begünstigt von der Ersetzung der herkömmlichen Rollenform des Buches durch die uns vertraute Gestalt des Codex, die im griechischen Osten begonnen hatte, sich mit einigem Verzug aber auch im römischen Westen, zuerst im kirchlichen Gebrauch, in der Spätantike allmählich durchsetzte.

Während im byzantinischen Reich – freilich erst nachdem die Katastrophe des Ikonoklasmus überwunden war, der im 8. Jahrhundert aus den östlichen Themen (Verwaltungsbezirken) eingedrungen war und neben der bildlichen Darstellung auch die Zeugnisse der Literatur und Musik in Mitleidenschaft gezogen hatte – die Überlieferung der altgriechischen Literatur kontinuierlich gepflegt wurde, blieb diese im lateinischen Westen nur in den Reflexen von Werken der römischen Literatur gegenwärtig, soweit diese von den Mönchen abgeschrieben wurden. Die Auswahl orientierte sich zum Teil an der Eignung heidnischer Texte für eine allegorische christliche Auslegung, die sogenannte »interpretatio Christiana«, zum Teil gründete sie in krassen Mißverständnissen, denen gegenüber weniger die Verwunderung ob des Irrtums als die Bewunderung ob seiner fruchtbaren Folgen angebracht ist. So wurden Ovids »Metamorphosen«, von denen die Bodmeriana zwei Codices besitzt (Cod. Bodmer 124 und 125), als ein Kompendium der Naturerklärung genommen und eben deswegen auch im Unterricht gelesen. Vergil stand wegen seiner »messianischen« vierten Ekloge (Katalog Nr. 17) im Ruf eines gleichsam extrabiblischen Propheten – als solcher führt er in Dantes ›Comedia‹ (Katalog Nr. 19–23) den Wanderer durch das Inferno. Einen anderen römischen Dichter, den bedeutenden frühkaiserzeitlichen, aus Neapel stammenden Epiker Publius Papinius Statius († nach 96), macht Dante, indem er ihn ins Purgatorio (Canto XXI und XXII) versetzt, fast zu einem Christen. Statius, auch er in zwei Bodmerschen Codices überliefert (Cod. Bodmer 90 und 154), war im Mittelalter der nach Vergil und Ovid meistgelesene und -zitierte antike Autor und gehörte noch bis ins 18. Jahrhundert zum allgemeinen Gut höherer Lesebildung. Besonders beliebt waren seine Gelegenheitsgedichte ›Silvae‹, und Goethe rühmte gegen Ferdinand Gotthelf Hand 1813 die zwei ersten Bücher der Fragment gebliebenen ›Achilleis‹ des Statius, in denen die Jugend des Helden geschildert wird. Mit seinem vollendeten Epos ›Thebais‹ schuf der Neapolitaner ein tragisches Gegenstück zur ›Aeneis‹, das vom Streit der Brüder Eteokles und Polyneikes, die sich im Zweikampf gegenseitig töten, und dem Ende des Labdakidengeschlechts erzählt, am Schluß aber die Schrecken der Grausamkeit in der von Theseus gestifteten versöhnlichen Humanität des Gedächtnisses an die Toten aufhebt. Das mythologische Epos ›Thebais‹ spielt – schon indem der Mythos der feindlichen Brüder Eteokles und Polyneikes den Brudermord des Romulus an Remus allegorisiert – auch auf die seinerzeit noch unvergessenen Ereignisse des Bürgerkriegs der ausgehenden römischen Republik an, die rund drei Jahrzehnte zuvor Marcus Annaeus Lucanus zum Thema seines historischen Epos ›Bellum civile‹ (Cod. Bodmer 108) gemacht hatte, das bis zur Schlacht zwischen Caesar und Pompeius reicht und unter dem bekannteren Alternativtitel ›Pharsalia‹ gleichfalls in Mittelalter und Früher Neuzeit zu den vielgelesenen Werken der römischen Literatur gehörte. Zur Szene »Pharsalische Felder« in Zweitem ›Faust‹ – die Handschrift der Bodmeriana (Katalog Nr. 71) bezieht sich nicht auf diese Stelle – ist Goethe durch die Lucan-Lektüre angeregt worden.

Über tausend Jahre war Homer dem lateinischen Mittelalter nur aus indirekter Überlieferung vertraut. Zu den erwähnten großen Werken und den Romanen des Dictys und Dares kommt als wichtige Quelle noch die sogenannte ›Ilias Latina‹ (Katalog Nr. 14) hinzu, deren weite Verbreitung allein die zahlreichen Einträge unter »Homerus«, »Humerus« oder »Omerus« in den Katalogen der Klosterbibliotheken bezeugt. Die ›Ilias Latina‹ vermittelte zwar in erster Linie die Kenntnis des Stoffes der ›Ilias‹, doch gab sie auch Anregungen zu zahllosen kleinen Troja-Dichtungen, die aus dem Unterricht hervorgingen. Größeren Umfang hat die ›Ilias‹ des Simon Chèvre d'Or. Zur Hauptquelle für die mittelalterlichen Troja-Dichtungen, zunächst der lateinischen, dann der volkssprachlichen, wurde jedoch die Romanüberlieferung, vor allem Dares. Unter den Werken der Dares-Adepten ragt die ›Frigii Daretis Ylias‹ des Joseph von Exeter vom Ende des 12. Jahrhunderts heraus.

Auf Dares fußt auch der um 1165 geschriebene ›Roman de Troie‹ des Benoît de Sainte-Maure (Katalog Nr. 31). Er wiederum diente Guido de Columnis – seine noch durch alle Literaturgeschichten geisternde Identifizierung mit dem Dichter und Richter Guido Giudice (Guido delle Colonne) aus Messina, dem formbewußten Sänger der ersten Sizilianischen Schule des Trecento, erscheint neuesten Forschungen zufolge nicht haltbar – als Vorlage für eine in vielen Fassungen verbreitete ›Historia destructionis Troiae‹ in lateinischer Prosa. Den Erstdruck der von Filippo Ceffi besorgten italienischen Fassung dieser ›Historia‹ stellte Antonio della Paglia 1481 in Venedig her (Inc. Bodmer 78).

Aus der Troilo-Creseida-Episode bei Guido de Columnis machte um 1340 Giovanni Boccaccio (Katalog Nr. 24) die eleganten Oktaven seines »von der Liebe niedergestreckten« ›Filostrato‹. Aus manchen Übereinstimmungen im Detail erweist sich, daß schließlich Geoffrey Chaucer, der neben seinem Hauptwerk (Katalog Nr. 99) auch einen Versroman ›Troilus and Creseyde‹ verfaßt hatte, für diesen die Version Boccaccios herangezogen hat. Das Interesse für den von seiner Geliebten verratenen Troilus, der in den antiken Texten eine unwichtige Nebenfigur ist, liefert ein Beispiel für die inhaltlichen Umgestaltungen des geläufigen Mythos in den Troja-Romanen des Dares und Dictys. »Deren Darstellung der

Dinge hat auch dem Ruf mehrerer klassischer Helden im Mittelalter ernsthaft geschadet. Achilleus ist in der alternativen Tradition ein Antiheld, der den ritterlichen Ehrenkodex schändet, und ein Weibernarr« (L. J. Engels). Aeneas bricht nicht gegen seinen Willen und auf göttliches Geheiß, wie bei Vergil, aus Troja auf, sondern wird als Verräter aus der Stadt verjagt, nachdem er einen Umsturz gegen den neuen Herrscher Antenor geplant hat.

Literarische Beziehungen gleichen in ihrer Bewegung oftmals dem hin- und herfliegenden Schiffchen des Webstuhls. Mit dem Codex Bodmer 160 (Katalog Nr. 16) hat Bodmer eine überlieferungsgeschichtlich äußerst reizvolle Handschrift erworben: ein Zeugnis für die französische Übersetzung der ›Historia‹ des Guido de Columnis, die doch ihren eigenen Ursprung bei dem französischen Text des Benoît de Sainte-Maure genommen hatte. Welch Spiel von Umweg- und Rückübersetzung! Bodmers feinsinniges Gespür für solche Zusammenhänge, die enge Verbindung der Kompetenz des Sammlers mit genauester Kenntnis der Historie, dokumentiert aufs schönste sein Essay über ›Die Bedeutung der Textüberlieferung‹; er leitet die ›Geschichte der Textüberlieferung‹ (1961) ein, deren erster, der Antike gewidmeter und von Herbert Hunger, Hartmut Erbse, Karl Büchner, Hans-Georg Beck und Horst Rüdiger bearbeiteter Band noch immer ein Standardwerk ist. Der Codex Bodmer 160 enthält auch eine französische Version des mittelalterlichen ›Roman de Thèbes‹ (um 1150/60), dessen wichtigste Quelle das Epos von Statius ist.

In Frankreich hatte sich in der zweiten Hälfte des 12. Jahrhunderts eine Trias epischer Großformen herausgebildet. Zu ihr gehört die *chanson de geste*, Heldenepik also, wie sie in deutscher Bearbeitung das ›Rolandslied‹ des Pfaffen Konrad zeigt. Einen zweiten Block bildet der *roman antique*, der auf die Antike bezogene Versroman. Dem Troja-Roman des Benoît de Sainte-Maure folgte 1210/17 Herborts von Fritzlar ›Liet von Troie‹, Ende des 13. Jahrhunderts der ›Trojanerkrieg‹ Konrads von Würzburg. Es gibt aber auch Troja-Romane, die sich unmittelbar auf Vergil beziehen, so der ›Roman d'Enéas‹ (um 1150/60), das Vorbild für Heinrichs von Veldeke kurz vor 1190 entstandene frühhöfische Bearbeitung ›Eneide‹, von der sich in der Bodmeriana eine Handschrift aus dem letzten Drittel des 14. Jahrhunderts befindet (Cod. Bodmer 83).

Alle diese Werke formen aus antiken Heroen mittelalterliche

Ritter, wie es natürlich auch die allfällig beigegebenen Illuminationen tun. Neben den Sagen um Troja und Theben gehören zum roman antique noch die zahlreichen Werke, die aus den schon früh im Hellenismus zum Alexanderroman ausgewachsenen Legenden um den makedonischen Welteroberer schöpfen. Seine fiktiven Lebensbeschreibungen wurden in immer neuen Variationen – bald ist er Werkzeug Gottes, bald der verkörperte Antichrist – zu einem der beliebtesten Erzählsujets in nahezu allen europäischen Literaturen. In die mittelhochdeutsche Literatur fand der Alexanderstoff, der neben Unterhaltung auch eine vage Vorstellung von der »Weite des Orients« vermittelte, Eingang über die lateinische Version des griechischen Alexanderromans, den der Archipresbyter Leo übertragen hatte, sowie durch zahlreich anschließende lateinische und französische Bearbeitungen. Dem provençalischen Dichter Albéric von Besançon folgte um 1150 der Pfaffe Lamprecht mit einem ›Alexanderlied‹, von dem der frühhöfische ›Straßburger Alexander‹ (um 1180) abhängt. Aus der ›Historia de preliis Alexandri Magni‹ schöpften der Chronist Rudolf von Ems und das komprimierte spätmittelalterliche ›Alexander‹-Epos des Seifrit (1352), das verschiedentlich auf die Politik Kaiser Karls IV. Bezug nimmt. Seifrits ›Alexander‹ überliefert der 1402 geschriebene Cod. Bodmer 151. Ein noch wichtigerer Text ist jedoch der knapp hundert Jahre später verfaßte Alexanderroman (1444) von Johann Hartlieb (Cod. Bodmer 91). Hartlieb hatte nämlich eine Quelle zur Hand, die der ursprünglichen Übersetzung Leos sehr nahesteht. In dieser ausführlichen Version ist der Stoff in seiner ganzen Fülle greifbar: von der wunderbaren Zeugung des Protagonisten bis zu den geographischen Berichten, die der König aus Indien an seinen ehemaligen Lehrer Aristoteles richtet. Die Hartliebsche Bearbeitung, bereits im 15. Jahrhundert gedruckt, wurde zum Ursprung des beliebten Volksbuches.

Die dritte epische Gruppe bildet der *roman courtois*, der höfische Roman. Er handelt von der »matière de Bretagne«, den keltischen Sagen um König Artus und seine Tafelrunde. Diese Artusromane – und vermutlich war ihre Resonanz deswegen bei einem höfischen Publikum von verfeinertem Geschmack so groß – durchziehen viel süße Melancholie und wehmütiger Genuß, sie zeugen – von »Maienseligkeit« (Michael Curschmann) ebenso wie vom Herbst des Rittertums. Aus der großen Zahl der diesem Genre

seit der heunen diet hÿ hat daz mär
ein ende daz sint d' nibelunge geliet.

Abentewer von der klag

h Hye hebt sich ein mär daz ist vil
redbär und auch vil gut ze sagen
un daz ez ze klagen den lewten wär also
gezimet wer ez ze eine male v̄nÿmpt
d' muss ez iämerlichen klagen und vil
iämer da von sagen hett ich nu dy sinne
daz sÿ ez gar ze minne hetten dy es er=
funden ez ist von alten stunden ob ez
ÿmat missagt d' schol ez lassen an haz
und hör dy red fürbaz dise vil alte mär
hat ein schreiber zeweiln an eine buch
geschriben latein des ist ez nicht beliben
ez ensey auch da von noch bekant wy
dy von burgonden lant myt freuden
in iren zeiten in manchen landen weiten
zu grossem preys warn komen als ir
vil dick habt vernomen daz sÿ vil ern
mochten walten hetten sÿ ez seit be
halten euch ist nach sage wol bekant

23 ›Nibelungenlied‹, Schluß, und Anfang der ›Klage‹ (Nr. 25)

zugehörigen Texte ist in der Bodmeriana mit der gesamten Vulgata-Version des französischen Gral-Lancelot-Zyklus das »nobelste, reifste Werk ritterlichen Spätgefühls« (Max Wehrli) vertreten. Dieser Zyklus von fünf Prosaromanen stammt aus der ersten Hälfte des 13. Jahrhunderts, ist also jünger als der Versroman vom Karrenritter des Chrétien de Troyes (›Lancelot. Le chevalier de la charrete‹). Die Sammelhandschrift Cod. Bodmer 147 enthält die ›Estoire de Graal‹, die Legende des heiligen Gefäßes, in dem Joseph von Arimathia als heimlicher Jünger Christi das Blut des Heilands auffing, dazu die Erzählung vom Zauberer ›Merlin‹, der mit seinem Zögling Artus die Gründung der Tafelrunde betreibt, deren Ritter den Gral wiederzugewinnen suchen. Der Cod. Bodmer 105 (Katalog Nr. 33) überliefert die drei anschließenden Teile: das Leben des Lancelot du lac im ›Lancelot propre‹, die Suche von Galaad, Lancelots Sohn, nach dem Gral in der ›Queste del Saint Graal‹ und das Ende des Königs der Tafelrunde im ›Mort le roi Artu‹. (Dagegen sind die »Prophécies de Merlin« des Cod. Bodmer 116 ein historisches Dokument zur Kurienreform, das aus den achtziger Jahren des 13. Jahrhunderts stammt und als anekdotenreiches Pamphlet aufgemacht ist.) Der deutsche ›Prosa-Lancelot‹ ist eine fast wörtliche Übersetzung des dritten bis fünften Teils des französischen Zyklus.

Den schier unglaublichen »Glücksfall in der mittelalterlichen Literaturgeschichte, daß drei Romane Chrétiens de Troyes, des bedeutendsten französischen Artusepikers, in Deutschland von wirklichen Dichtern aufgegriffen wurden und daß ihre Werke uns erhalten sind« (Peter Nusser) – ›Erec‹ und ›Iwein‹ Hartmanns von Aue als Adaptionen der Werke ›Erec et Enide‹ und ›Yvain‹ des Franzosen, Wolframs von Eschenbach ›Parzival‹ als solche des ›Perceval (Conte du Graal)‹ – spiegelt die Bodmersche Sammlung nicht in einschlägigen Handschriften, auch wenn beide deutschen Dichter jeweils mit anderen gewichtigen Werken in zwei Sammelhandschriften vertreten sind: dem ›Gregorius‹ in der sogenannten Erlauer Sammelhandschrift Cod. Bodmer 62 und dem ›Willehalm‹ im Cod. Bodmer 170.

Vom Spätling des Heldengesangs aber, dem ›Nibelungenlied‹, das mit düsterem Gedächtnis an die Brutalität lange zurückliegender Untergänge gemahnt, findet sich in der Sammlung ein bedeutender Überlieferungsträger (Katalog Nr. 25): Die blutige Vernichtung der Burgunden durch die Hunnen, all die abstoßenden Züge menschlicher Perversionen darzustellen, bediente sich der Dichter des ›Nibelungenliedes‹ einer ähnlichen Ästhetik des Häßlichen, wie sie fast zweitausend Jahre zuvor Homer angewandt hatte, wenn er aufgeschlitzte Leiber schildert, aus denen die Gedärme der Sterbenden hervordringen.

Zweite Erinnerung: Menschliches Überleben – vom Heros zum Eros

Größere Kontraste sind nicht denkbar als zwischen der im wörtlichen Sinne ›exzessiven‹ Brutalität und der rasenden Gewalt der Protagonisten von ›Ilias‹ und ›Nibelungenlied‹ hie und dem übermächtigen Verlangen nach Heimkehr und endlich erlösender Ruhe da: in ›Odyssee‹ und Artusromanen, welche die Aufmerksamkeit ihrer Hörer darauf lenken, daß der immer bedrohte Mensch nicht dadurch überlebt, daß er äußere Feinde im Kampf überwindet – das natürlich auch, die Epen bestreiten es nicht, sondern zeigen es an Beispielen –, sondern dadurch daß er den aus seiner inneren Natur und seiner sozialen Existenz erwachsenden Irrungen und Wirrungen nicht unterliegt, auch wenn er nie den Sieg über sie davontragen kann. Literarische Werke, die solchergestalt die Sicht auf den Menschen komplizieren und problematisieren, entwerfen Bilder, Symbole und Visionen für ein Publikum, das die Welt nicht mehr direkt, sondern im Spiegel anschaut: die Wahrheit im Schein, das Große im Kleinen, das Leben im Tod, den Mut in der Angst, das Sentimentale in der Ironie, die Wirklichkeit in der Kunst.

Eines der eindrucksvollsten Zeugnisse für die starke Resonanz, die der ›Lancelot propre‹ bei einem mit ästhetischem Sinn begabten Publikum auslöste, das als städtisch-verfeinertes die Sensibilität späthöfischen Geistes aufnimmt, ist eine Anspielung Dantes auf den als bekannt vorausgesetzten Roman im fünften Gesang des »Inferno«, wo aus der langen Reihe der Liebessünder am Schluß das Paar Paolo und Francesca zwar nicht von der Höllenstrafe ausgenommen wird, aber beide als einzige unter allen Verdammten soviel Verständnis und Sympathie des Wanderers auf sich ziehen, daß dieser ihnen die »Entschuldigung« gewährt, die sie als Vergebung von der himmlischen Gerechtigkeit nicht erfahren: Beide haben sich ihre Liebe gestanden, als sie im »Galeotto« die Stelle lasen, wo Lancelot die Königin Guenièvre zum erstenmal küßt. Den Namen »Galeotto« zu nennen – der italienischen Form für Galehaut –, genügte, um bei den Hörern die Erinnerung an den ›Lancelot propre‹ zu wecken. Nicht um das Buch als Kuppler zu denunzieren – daran mag schon eher der frivolere Boccaccio gedacht haben, als er seinem ›Decamerone‹ später den Alternativtitel ›Galeotto‹ gab –, zitiert Dante das Buch mit dem Namen des Ritters, sondern um die Treue zu rühmen, die einzig Galehaut seinem Freund Lancelot auch dann bewahrte, als dieser, von Leidenschaft überwältigt, die Regeln des gesellschaftlichen Minnespiels zu mißbrauchen schien.

An der literarischen Wiederentdeckung Dantes im 19. Jahrhundert hatte Conrad Ferdinand Meyer, ein Großonkel Martin Bodmers übrigens, mit seinen Erzählungen aus der italienischen Renaissance einen herausragenden Anteil, vor allem mit der Novelle ›Die Hochzeit des Mönchs‹. Allein die Paradoxie des genialen Titels erweist, wie tief Meyer den Geist des Florentiner Humanisten verstanden hat, der sich zermartete, das Unmögliche zu vollbringen: im Gedächtnis alles Vergangene zu bewahren und zugleich kühn das ganz Neue nicht auszuschließen. Die Dante-Begeisterung des 19. Jahrhunderts war ein europäisches Phänomen; Bodmer hat dafür ein einziges Stück seiner Sammlung zum Symbol gemacht: Die in der berühmten Offizin des Aldus Manutius 1499 in Venedig hergestellte Inkunabel eines Grundbuchs der Renaissance, der ›Hypnerotomachia‹ des Francesco Colonna nämlich, trägt aus dem Jahre 1865 den Besitzvermerk des Italo-Engländers Dante Gabriel Rossetti, bei dem die Verehrung für den Florentiner bis zur Ergänzung des eigenen Namens ging (Inc. Bodmer 77). Im deutschen Sprachraum hat die – durch zahlreiche Übersetzungen, unter denen die des »Philalethes«, des sächsischen Königs malgré lui Johann, noch immer herausragt, auch einem breiteren Publikum ermöglichte – Lektüre des italienischen Dichters noch eine besondere Nebenwirkung gezeitigt und ein historisches Unrecht wiedergutgemacht, nämlich die Fixierung auf den »heiligen Homer« (Goethe), die der Humboldtsche Neuhumanismus noch verstärkt hatte, endlich gelöst und auch Vergil in die Rechte eines großen Dichters wiedereingesetzt: Auch hier ist noch einmal C. F. Meyer zu rühmen, der in seiner Novelle ›Der Heilige‹ die Stellen der Handlungsumschläge mit Vergil-Zitaten markiert – Michael von to muouersi/se prima non si muoue la ragione. Entrai per lo camino alto: cioe profondo/chome diciamo alto mare et alto fiume: perche el primo camino fu per linferno cioe per la cognitione de uitii: equali sono infimi: perche sempre consistono circa le chose terrene. ET SILuestro: perche chome dicemo nel principio epeccati nascono dalla selua cioe dalla materia che e/elcorpo.

CANTO TERTIO DELLA PRIMA CANTICA

p Er me si ua nella citta dolente
per me si ua nelletherno dolore
per me si ua tra laperduta gente
Iustitia mosse el mio alto factore
fecemi la diuina potestate
la somma sapientia el primo amore
Dinanzi a me nonfur chose create
se non etherne et io etherno duro
lasciare ogni speranza uoi chentrate
Queste parole di colore obscuro
udio scripte al sommo duna porta
perchio maestro el senso lor me duro.

s Ono alchuni equali credonoche edue primi capitoli sieno stati inluoghi di proemio: et questo terzo sia el principio della narratione. Ma se considerremo chon diligentia tutta la materia/facilmente si puo prouare che la narratione comincia nel primo capitolo: et nel uerso Io non ui so ben dire chomio uentrai. Imperoche Danthe narra in questa sua peregrinatione esser si ritrouato nella selua: et hauere smarrito la uia Essersi condecto appie del monte. Et dipoi essersi addirizato uerso el sole per erto camino elquale lo conduceua asaluamento se le tre fiere non lauessino ripincto al basso. Et finalmente ridecto quasi al fondo hauere hauuto el soccorso di Virgilio et dalle tre donne. Et p lesue parole esser psuaso lasciãdo el corto ãdare del mõte seguitarlo per linferno et purgatorio; laqual uia sanza sinistro intoppo lo puo conducere al cielo. Ilche significa quello che gia disopra habbiamo dimostro. Et se alchuno dicessi che in amendue questi canti molte chose scriue conle quali capta beniuolẽtia et attẽtione et docilita: Enon si uieta che ĩ ogni pte del poema non si possi fare questo. Anzi maximamẽte sirichiede allo scriptore che le capti douũque truoua occasione di poterlo fare Hora perche siamo gia al puncto chel poeta descende nellinferno. Giudico sia utile exprimere che chosa sia inferno: et in quanti modi si dica alchuno scendere allinferno. Inferno adunque e/linfima: et bassa parte del mondo/decto inferno da questa dictione infra che significa disocto: Ne solamente dal popolo di dio e/posto lonferno: Ma anchora da molti poeti: et maxime da Homero da Virgilio. Ouidio. Statio: et Claudiano: Et molto piu egregiamente dal principe de philosophi Platone/Costui incritone nel qual libro induce Socrate disputante della immortalita dellanimo/dimostra che lanime humane dopo la morte sono giudicate secondo le loro colpe: et nellonferno tormentate insino atanto che si purghino/se epeccati non sono stati molto graui. Ma quelle che hanno commesso scelerateze enorme: et sono impurgabili secondo lui/sono mandate in luogho piu profondo decto tartaro et quiui sono afflicte inetherno con grauissimi supplicii. La quale oppinione e/molto simile alla christiana fede: et abbraccia lonferno el purgatorio: Et la maggior pte

24 Kupferstich nach einer Zeichnung Botticellis zur Dante-Ausgabe von 1481 (Nr. 20)

Albrecht hat die Spuren dieser ganz und gar danteschen Huldigung eines Dichters an einen anderen im einzelnen offengelegt.

Zu der großen Vision der Höllenwanderung hat Dante die Anregungen aus der Unterweltsfahrt des Aeneas gewonnen. Vergil selbst hatte das Vorbild aus der ›Odyssee‹ bezogen, die lange Jahrhunderte des Mittelalters noch verschollener als die ›Ilias‹ gewesen war. Indes sind von der ›Odyssee‹, bevor sie in Vergessenheit geriet, soviele Impulse auf die Literatur ausgegangen, daß diese zweitälteste Dichtung Europas auch als abwesende allenthalben wirkmächtig geblieben ist.

An der ›Odyssee‹ – gleich ob man sie dem Dichter der ›Ilias‹ zuschreibt oder einem jüngeren Künstler – hat man immer die größere ›Modernität‹ gegenüber dem älteren Epos hervorgehoben. Zur Begründung genügt es schon, die formalen erzähltechnischen Elemente dieses Epos anzuführen: Da wechseln Er- und Ich-Erzähler, wird eine gewaltige Rahmenkomposition mit Binnenerzählungen aufgetürmt, mäandert die Handlung von einem Schauplatz zum nächsten, so daß sich ein großer geographischer Raum auftut. Erzählkunst kommt seitdem ohne weiträumige Topographie nicht mehr aus. Nicht zu reden vom listigen Spiel mit der Sprache, etwa wenn Odysseus den Polyphem daran hindert, Beistand zu holen: »Niemand« heiße er, hatte Odysseus auf Befragen gesagt, Niemand bedrohe ihn, rief Polyphem, als die anderen Kyklopen ihn fragten, warum er um Hilfe rufe.

Psychische Vorgänge werden bis in die Einzelheiten nachgezeichnet, etwa die vorsichtige Überwindung des Mißtrauens der von langer vergeblicher Hoffnung verzehrten Penelope. Als Trauernde Penelope wurde sie zum beliebten Motiv der Bildenden Kunst (Katalog Nr. 12), wie denn überhaupt in älterer Zeit Malerei und Plastik ihre Motive gern aus der Literatur bezogen, für den mittelalterlichen Kontext sei nur an die Fresken zu Hartmanns von Aue ›Iwein‹ auf Burg Rodenegg bei Brixen verwiesen. Penelopes Furcht vor Enttäuschung steigt in dem Augenblick am höchsten, da der ersehnte Gatte ihr endlich gegenübersitzt. Nur »über Eck« redend, indem beide den gemeinsamen Sohn Telemachos ansprechen, finden die Eltern allmählich zueinander. Wiedererkennung (Anagnorisis) ist für alle Zeit eines der wichtigsten Konstruktionsprinzipien epischer und dramatischer Dichtung geblieben.

Innere Vorgänge beschäftigen den ›Odyssee‹-Dichter so sehr,

daß er mit der Telemachie, der Geschichte von Odysseus' Sohn, sogar einen kleinen ›Entwicklungsroman‹ in sein Werk einlegt, der das Heranreifen des unselbständigen Kindes zum entscheidungskräftigen Mann vor Augen führt – zum Staunen der Mutter, die kaum begreift, warum Telemach plötzlich das Regiment im Hause übernimmt, zur Freude des Vaters, der – von allen anderen noch unerkannt als Bettler – unter den prassenden Freiern sitzt. Aber deren Ende ist nahe, denn der schäbige Bettler wird bald als einziger der Männer die Waffenprobe bestehen und den Bogen des längst verstorben geglaubten Odysseus spannen, alsdann aber die Schänder seines Hauses niederstrecken. Der Bettler als Held, der als Bettler verkleidete Held: nicht mehr, wie noch in der ›Ilias‹, entspricht die äußere Erscheinung dem wirklichen Status eines Menschen. Feste Kategorien sozialer Ordnung wirbelt die ›Odyssee‹ kräftig durcheinander: ausgerechnet der Niedrigste, der alte Sauhirt Eumaios, bewahrt seinem abwesenden Herrn die Treue und hätte es doch soviel besser haben können, wenn er sich mit den Freiern arrangiert hätte, die im Hause des Odysseus schmarotzen.

Mit erkennbarer Freude betont der Dichter der ›Odyssee‹ die Macht der Symbole. Sie sind nicht begleitende Zeichen dessen, was sie andeuten und bedeuten, sondern beglaubigende Siegel. Wenn die Amme Eurykleia – welch sprechender Name: die »weithin Berühmte« – den Heimgekehrten an der verborgenen Ebernarbe erkennt, ist Odysseus mit dieser Anagnorisis wieder ein Stück weiter auf dem Weg zur Besitznahme des eigenen Hauses. Noch einmal kommt solch Symbol vor – Beispiel der Technik steigernder Wiederholung in diesem Epos –, wenn Odysseus das Mißtrauen der Gattin überwindet, indem er das nur von diesen beiden Menschen geteilte Geheimnis des ehelichen Lagers erzählt, das aus einem gekappten Baumstamm gefertigt ist und daher von niemandem von der Stelle gerückt werden kann.

Symbolik erstreckt sich in der ›Odyssee‹ auch auf die Zeit als Lebenszeit, die wesentlich differenzierter behandelt wird als in der ›Ilias‹. Nicht nur der Tod als Ende der von Leben erfüllten Zeit des einzelnen beschäftigt den Dichter, sondern auch der Wandel der Existenz in der vergehenden Lebensspanne. In der Telemachie einfach ausgebreitet, wird das Thema mit Blick auf das Altern symbolisch aufgeladen und auf das Verhältnis der Geschlechter bezogen. Denn das Motiv der nicht alternden Gattin, die nach zwanzig Jah-

25 *Eurykleia und Odysseus, sog. Campana-Relief (Nr. 12.2)*

ren der Abwesenheit – zehn Jahren vor Troja, zehn Jahre der Irrfahrt – dem Mann so reizvoll wie in der Jugend erscheint, redet im Verschweigen um so lauter: davon, daß Sehnsucht anders sehen läßt als der kalte Blick des neutralen Beobachters, aber auch von Treue, als deren Symbol Penelope von eh und je gedeutet worden ist. Wie hier ganz märchenhaft die zerstörende Kraft der Zeit überwunden wird, erinnert an einen »dieser sehr ernsten Scherze« der ›Zauberflöte‹, wo der lockere Papageno die junge schöne Vogelfrau Papagena erst sehen darf, nachdem er der häßlichen Alten die Ehe versprochen hat. Daß man allgemein die Sache so symbolisch verstanden hat, belegt e contrario der drastische Spott eines apulischen Vasenmalers, der auf einem Szenenbild zur subliterarischen Phlyakenposse Odysseus und Penelope als verwachsene und verkrümmte Alte einander gegenübersitzend dargestellt hat, beide mit so häßlichen Kugelnasen, als hätte der Maler das Gesicht des Sokrates, der so gern über die Schönheit philosophierte, zum Modell genommen. Erst jüngst betont man allerdings auch den – aus der Gesellschaftsordnung der Entstehungszeit des Werks so gut wie psychologisch erklärbaren – ambivalenten Zug stärker, daß nämlich Penelope, die sich längst Witwe wähnt, angesichts des erwachsen gewordenen Sohnes eine neue Bindung zu einem der Freier ernsthaft ins Auge faßt, sollte denn einer den Bogen des Odysseus spannen können.

Während Penelopes Treue absolut ist, gehören zu den Abenteuern des Odysseus auch solche der Liebe, die sich zu einem ganz stattlichen Leporello-Katalog summieren. Ihren poetischen Sinn im Gefüge dieses Epos von der Entdeckung des Ichs durch die Entdeckung der Welt haben die Liebesepisoden darin, daß sie die Spielarten der erotischen Anziehung auffächern: von der Leidenschaft der Nymphe Kalypso, die zugleich viel Fürsorgendes einschließt, über die gestaltvernichtende Sinnlichkeit Kirkes – als einziger, auch dies symbolisch, wird Odysseus in der Begegnung mit ihr nicht zum Schwein –, die betörende und gedächtnislöschende Schönheit des Gesangs der Sirenen bis hin zu der schwirrenden Zartheit in der Begegnung mit der erblühenden Nausikaa, die als einzige aus dem Kreis der spielenden Mädchen keine Angst vor dem »wilden Mann« zeigt, als welcher der Schiffbrüchige sie am Ufer überrascht. Kein Wunder, daß die potentielle Unerschöpflichkeit dieser Szenen immer wieder die Künstler, Musiker, Dichter, ja auch Philosophen zu je neuer Fortgestaltung herausgefordert hat – in der Antike und wieder in der Neuzeit, sobald die Welt des Odysseus wieder in den Blick gekommen war.

Für das Mittelalter hatten die Kirchenväter die Gestalt des Odysseus durch rigide Allegorese um alles Lebendige gestutzt: Das Idealbild eines Dulders – Hiob mit stoischem Bildungshorizont gleichsam – war er den frühen christlichen Interpreten, noch lieber sahen sie in ihm die »navicula animae«, das Seelenschiffchen, »denn auch die Seele ist, wie Odysseus zwischen Ithaka und Hades, in Gefahr, den Heimweg zu verlieren, und wie *er* verlangt auch *sie* sehnlichst danach, in den Hafen des Friedens und der Ruhe einzulaufen. Die Sirenen, die weltlichen Mächte und Lüste, bedrohen die Seele, den Menschen [...]. Es ist aber die weise Seele, die sich ebenso wie der kluge und weise Odysseus aus eigenem Entschluß und Willen am Mastbaum des Kreuzes festbinden läßt [...] und mit Hilfe des himmlischen Windes, des heiligen Pneumas, des Wehens des Heiligen Geistes, der tödlichen Gefahr der Sirenen entrinnen kann« (Heinz Hoffmann). Mehr wußte das lateinische Mittelalter von der ›Odyssee‹ nicht, das für die Diadaxe zugrundeliegende Quantum Stoff nahm es sich von Dares. Ganz anders deuteten die Episode Max Horkheimer und Theodor W. Adorno im Sirenenkapitel der ›Dialektik der Aufklärung‹, wo sie Odysseus zum ersten Anwender der instrumentellen Vernunft machen, der dank seiner überlegenen Erfindung das Schöne des Gesangs genießen kann, ohne das Leben zu riskieren.

Allein die Anführung der Rezeptionszeugnisse der Neuzeit könnte ganze Bücher füllen, darum nur dies: Vor gut 40 Jahren entdecke man in der sogenannten Grotte des Tiberius zu Sperlonga mehrere Großplastiken aus der frühen römischen Kaiserzeit, unter denen das wohl häufigste odysseische Bildmotiv, die Blendung des Kyklopen Polyphem, nicht fehlt. Ihr ist auch eines der beiden Fresken zur ›Odyssee‹ gewidmet, die Pellegrino Tibaldi 1554/56 für den Palazzo Poggi zu Bologna gemalt hat. Aus der langen literarischen Tradition der Neuzeit, die berühmte Namen wie Du Bellay, Shakespeare, Calderón, Charles Lamb, Tennyson, D'Annunzio und Nikos Kazantzakis einschließt, seien nur Goethes ›Nausikaa‹-Fragment genannt, welches das bei Homer nur eben als Möglichkeit angelegte Motiv des zur Frau erwachenden Mädchens sentimentalisch ausführen sollte, und jener im großstädtischen »Irrgarten der Liebe« als Kleinbürger herumtorkelnde Odysseus alias Leopold Bloom im ›Ulysses‹ von James Joyce, der die Kirke-Begegnung in einen Bordellbesuch, die Hadesfahrt in einen Gang über den Friedhof verwandelt. In der Geschichte der Oper sind die Odysseus-, Ulysses-oder Kirke-Titel Legion, von Claudio Monteverdi bis zu Luigi Dallapiccola und Rolf Liebermann, wie denn ja überhaupt die Oper in ihren Anfängen seit Ottavio Rinuccini und Jacopo Peri gar nichts anderes sein wollte als die Wiederbelebung der griechischen Tragödie, in der Text, Musik und Tanz eine untrennbare Einheit gebildet hatten – freilich mit dem Unterschied, daß die Funktionen von Dichter, Komponist, Choreograph, Regisseur und Impresario in der athenischen Polis in ein und derselben Hand gelegen hatten.

So sehr der moderne Mensch, seit die humanistische Wende zur griechischen Literatur (vgl. Katalog Nr. 95f.) die homerischen Dichtungen wieder zugänglich gemacht hatte, die ›Odyssee‹ auch als Spiegel seiner Welt benutzt hat, noch weit über das Mittelalter hinaus stand sie im Urteil der Kritiker hinter der ›Aeneis‹ (Katalog Nr. 17) zurück. Literatur erzeugt nicht nur stets wieder neue Literatur, sie verdrängt auch andere, nicht immer so gründlich, wie dies die ›Aeneis‹ mit der ›Odusia‹ des Livius Andronicus aus dem dritten vorchristlichen Jahrhundert getan hat. Im Schulunterricht hatte Vergil diese erste lateinische Übersetzung der ›Odyssee‹ in schwergängige saturnische Verse noch selbst gelesen, bis auf ein paar Fragmente hat sich von ihr nichts über die Zeiten erhalten.

Liebe und Trennung, Abenteuer und Seemannsgarn, fremde Länder und Sehnsucht – das sind die Stoffe, aus denen die Romane zuerst geträumt und dann gemacht werden. Eher zaghaft hat die zünftige Philologie der Einsicht Platz gegeben, daß auch dieses literarische Genre seinen Ausgang bei der ›Odyssee‹ nimmt. Romane, das sei doch Prosa und nicht Versdichtung, könne also hohe Kunst nicht sein und befriedige allenfalls das Unterhaltungsbedürfnis. Ganze Bibliotheken sind darüber geschrieben worden, was das Versepos vom Roman, den Roman vom Versepos noch unterscheide außer eben der metrisch gebundenen Sprache hie, der »ungebundenen« da, wie man ganz unzutreffend gemeint hat. Denn antike Prosa war niemals ungebunden, sondern als »Kunstprosa« streng gebunden – an und durch die Anwendung rhetorischer Regeln. Der Endreim, den Laien oft für ein Kriterium metrisch gebundener Sprache halten, entstammt den reimenden Klauseln der langen Satzperioden antiker Kunstprosa und diente dazu, dem Hörer ein leichteres Verständnis der syntaktischen Strukturen zu ermöglichen. Dem Hörer – damit ist ein zweites Unterscheidungskriterium hinfällig, demzufolge das Versepos vom Roman sich dadurch unterscheide, daß das eine gehört, der andere gelesen werde. Wenn im 2. Jahrundert n. Chr. Apuleius dem Käufer seines Romans ›Metamorphosen oder Der goldene Esel‹ (Katalog Nr. 30) gleich zu Beginn verspricht: »lector, intende, laetaberis« – »Leser, paß auf, du wirst deinen Spaß haben« –, dann war das ein Leser, der auch die Versepen längst schon genausogut lesend als Buch verschlingen konnte, wie er sich ihren Vortrag anhören mochte, war aber immer ein Leser, der auch für sich allein laut las, also all die rhetorischen Kunststücke auch mit dem Ohr ganz sinnlich genoß.

Für die mittelalterliche Epik hat Max Wehrli das Entscheidende in der Gegenüberstellung der versifizierten Artus-Romane und des ›Prosa-Lancelot‹ und in Abgrenzung zu den vereinfachenden Prosaauflösungen der Romane in den spätmittelalterlichen Volksbüchern bündig einmal so ausgedrückt: »Prosa ist so gut eine Kunstform wie der Vers, ganz besonders für die an akustische Vermittlung gewöhnte mittelalterliche Literatur. Es geht um die Pflege rhetorischer Formen, vorab des Rhythmus, der im Zusammenhang mit einer reicher und logisch genauer werdenden Syntax steht, wie sie der Vers kaum erlaubt; es geht um eine verfeinerte, beweglichere Stilisierung des Details gerade auch bei der Schilderung seelischer Regungen, und um die Sicherung eines ruhigen und doch gespannten Gangs der Erzählung über größere Strecken und weiter verzweigte Handlungen hin.«

Das alles läßt sich auch, zwar nicht auf die Dutzendware, aber sehr wohl auf die wenigen Werke der Kaiserzeit beziehen, die uns aus einer großen Zahl antiker Romane überkommen sind, neben dem ›Goldenen Esel‹ des Apuleius strahlen, mit ganz anderem Licht, aber nicht minder hell, die ›Aithiopika‹ (Äthiopische Geschichten) des Heliodor. Seine tiefste Wurzel hat der griechische Roman in der ›Odyssee‹. Die »Romanform« hat als erster der mit Martin Bodmer vielfach verbundene Rudolf Borchardt in seinem nachgelassenen Aufzeichnungen zu einem geplanten Homer-Buch dargelegt, aus dessen Fertigstellung ihn die nationalsozialistischen Häscher Ende 1944 in seinem italienischen Versteck bei Lucca aufstörten. Aus der novellistischen Geschichtsschreibung Herodots, aus den Schwänken der sogenannten Milesischen Geschichten zog der antike Roman weitere Nahrung, bot sich die kurze Novelle doch nachgerade als Einlage in eine Rahmenkomposition an.

Gleich, ob man die Linie vom Schelmenroman avant la lettre des Apuleius zu Cervantes und Grimmelshausen zieht, ob man sich daran erinnert, daß Balzac den Homer »verschlungen« hatte, immer bleiben die Fäden sichtbar, die den Roman des Altertums mit dem modernen so eng verbinden, wie das neuere Theater mit dem antiken verknüpft ist. Als Produkt des Hellenismus weist der antike Roman in der Vielfalt der Gestalten, aber auch im räumlichen Ausgreifen die gleiche Welthaltigkeit auf wie der moderne Gesellschaftsroman als sein legitimer Nachfahre. Eine erzählte Geschichte braucht einen oder mehrere Orte, denn der Hörer oder Leser erzeugt sich ›seinen‹ Roman in der Vorstellung nicht zuletzt kraft räumlicher Anschauung. Irgendwo spielen sie daher alle, die großen Romane, bemerkenswert oft in Metropolen wie Alexandria, Karthago, Mailand, Paris, London oder St. Petersburg, eher selten in den gar nicht so unkonkreten Phantasieorten Utopia oder Seldwyla.

In einem Punkt hat sich der moderne Roman allerdings vom antiken Schema gelöst: Er ist nicht mehr auf den guten Ausgang verpflichtet – er kann tragisch wie die ›Ilias‹ oder glücklich mit der Rettung des Helden wie die ›Odyssee‹ enden. Als Regelfall bewahrt hat sich das gute Ende jedoch ein letzter hier noch zu erwähnender Abkömmling der ›Odyssee‹, die Gattung des Märchens.

Als die Romantiker gegen die kalten Maßstäbe der Vernunft das Reich der freien Phantasie, des bis ins Unendliche gesteigerten Subjektivismus neu begründeten, wo das Konkrete durch vorgetäuschte Flüge, die sich rationaler Stringenz entziehen, erreichte die Schätzung des Märchens einen Höhepunkt. Den Romantikern galt das Märchen gar als identisch mit der reinen Poesie, und die Unterscheidung von Volks- und Kunstmärchen, war – wie die neueren Forschungen zu den ›Kinder- und Hausmärchen‹ der Brüder Grimm gezeigt haben – recht eigentlich nur eine Falle, aufgestellt von Literaten für ahnungslose Literarhistoriker. Denn die von den Grimms veröffentlichten Volksmärchen sind in Wahrheit ihre eigenen Kunstmärchen (Katalog Nr. 101).

In einem echten Märchen soll nach Novalis alles wunderbar, geheimnisvoll, fern jedem logischen Zusammenhang sein; Natur und Geist sollen in ihm verschmelzen und ein Reich entstehen lassen, das eine Gegenwelt zur Wirklichkeit, d. h. zur Geschichte, bildet und gerade deswegen ihr so verwandt ist wie das Chaos dem Kosmos. Solchem Geist entstammte schon das ›Märchen‹, das Goethe in die ›Unterhaltungen deutscher Ausgewanderten‹ eingelegt und für das er den bloßen Gattungsnamen als Titel gewählt hat. Als Hofmannsthal den Stoff seiner Operndichtung ›Die Frau ohne Schatten‹ (Katalog Nr. 78) zu einer auf »Friedensstiftung im Geschlechterkampf« (Lorenz Jäger) zielenden Erzählung von Liebe, Ehe, Abtreibung und Kindern umgestaltete, berief er sich auf Novalis und erwähnte die Prosafassung gegenüber Dritten fast immer nur als das »Märchen«.

So sehr die Märchen für Kinder taugen, denen zum Wunderbaren in den Märchen der Zugang noch nicht durch Rationalität erschwert ist, erfüllen sie dem erwachsenen Leser den oft unausgesprochenen Wunsch, sich ab und zu in eine ferne und unbekannte Welt einzuschleichen, sich dahin vorzuwagen, wo es möglich wird, eigene Unruhe und Spannung in den Figuren einer Phantasiewelt zu spiegeln, die selbst natürlich nicht frei von »unheimlichen« Momenten ist; im Gegenteil, sie steigert sogar die Angst vor dem Unbekannten, dem Geheimnisvollen, dem Grauen- und Halluzinationserregenden. Märchen sind voll von Kindern, die sich in phantasmagorischen Wäldern verlieren, die von allen möglichen Geistern bewohnt und von Menschenfressern und Hexen beherrscht sind; am Ende aber finden die Kinder doch immer den Weg nach Hause zurück. Märchen erzählen von mißhandelten Mädchen, denen nach aufwühlenden Abenteuern Glück und Reichtum durch die Heirat mit einem Prinzen zuteil wird. Das Märchen ist eine Metapher jener Reise, die man hin zum eigenen Selbst unternimmt, um sich zu verstehen und sich selbst anzunehmen. Das Schreckliche, das im Märchen so oft überrascht, ist das im tiefsten Inneren des Individuums vorhandene unüberschaubare Chaos, das so beängstigt, weil es der Vernunft nicht zugänglich ist, aber gerade deshalb, weil es unberechenbar und undurchschaubar ist, zugleich auch so verlockend und anziehend wirkt. Als Bild des Weges, auf dem man sich selbst findet, führt das Märchen über unerwartete Hindernisse jeder Art. Glücklich ans Ziel gelangt nur, wer den Weg der Leiden bis zu Ende gegangen ist. Ja, in diesem Sinne gehören sie zur erbaulichen Provinz der Literatur, wollen Zuversicht und Lebensbejahung vermitteln, laden dazu ein, sich selber mutig für einen Rhabdomanten zu halten, dem es durch unfehlbaren Spürsinn, Anstrengung und Selbstaufopferung gelingt, das köstliche Metall aus dem Schoß der Erde, aus der Tiefe des eigenen Ich hervorzuholen.

Die Märchen erinnern uns daran: Es gibt im Leben dies alles, die Menschenfresser und Hexen, die gefährlich verwirrenden Augenblicke, in denen man sich in dunklen Wäldern verliert und in giftige Äpfel beißt; es gibt aber auch gütige Zwerge und wohltätige Feen: Begegnet man denen, dann können sich die unscheinbarsten Dinge, wie ein Paar alte Schuhe, in einen Quell dauernder Glückseligkeit verwandeln, genauso wie sich hinter einem abscheulichen Frosch ein liebenswürdiger, zarter Prinz verstecken kann. Die Märchen mahnen uns, nie auszuschließen, daß sich früher oder später ein Wunder ereignen kann. Wo nur Logik herrscht, hat das Wunder keinen Platz, aber ohne Wunder gibt es kein Leben – allenfalls Langeweile.

Gegen Langeweile hilft nur die Neugier. Daher ist alle Literatur durchzogen von der Frage, die auch dem Odysseus immer wieder gestellt wird »Wer bist du Fremder und woher?« Der Fremde kann man selbst sein, den die Werke der Literatur mit der Frage: »Wer bist du Fremder und woher?« aufstören: Und wie man nicht zu allen Menschen das Gleiche redet, werden die dem Buch zu›geneigte‹ Leserin oder der ihm zu›geneigte‹ Leser im unbelauschten Zwiegespräch auch je verschiedene Antworten geben. Denn die großen Werke der Weltliteratur fragen ja auch je ganz anders, etwa so: Die ›Odyssee‹: Bist du Kirke oder Penelope? »La femme de trente ans«: Liebst du den anderen oder eigentlich nur dich selbst im anderen? ›Der Reigen‹: Wie überlebst du, wenn du nicht liebst?

Epos
Martin Bodmer: Homer

Am Anfang von Bodmers »innerem Aufbau und Inhalt einer ›Bibliothek der Weltliteratur‹« steht die Antike, an deren Beginn wiederum Homer. Bodmer führt darüber folgende allgemeinen Bemerkungen aus:

»Homer ist ein Doppeltes: Die späte Frucht einer versunkenen Entwicklung, von der wir wenig wissen und der früheste Anfang der Kunstpoesie, den wir kennen. Für uns ist und bleibt er der Vater der Dichtung, und in der Tat ist im Zauber, der von den homerischen Epen ausgeht, schon das innerste Wesen der Antike lebendig. In ihnen berühren uns zum erstenmal die jahrtausendealten Kulturströme kretisch-mykenisch-kleinasiatisch-nordischer, d. h. vordorischer Herkunft, aber bereits verwandelt von jenem Neuen, Wunderbaren, mit dem schon das griechische Heroenzeitalter ins Licht der Geschichte tritt, und das noch heute nicht aufgehört hat, in den besten Geistern zu wirken – das Humane.

So stellen wir denn über jenen Teil der Sammlung, der die griechisch-römische Antike umfaßt, den Namen Homers. Homer selbst ist in rund 90 Ausgaben vertreten [...] Selbst bei einem sammlerisch so heiklen, d. h. schwer zu erfassenden Gebiet wie diesem konnte die Idealregel einigermaßen eingehalten werden.«

Bodmer, Weltliteratur, S. 48

11 **Homeros (8. Jahrhundert v. Chr..)**

Kopf, grobkörniger Marmor, Anfang des 1. Jahrhunderts v. Chr. (Abbildung, s. S. 90)

GESAMTHÖHE: *23 cm; Höhe von Scheitel bis Bartansatz: 19 cm; Breite: 14,5 cm*

PROVENIENZ: *Ars Antiqua, Luzern, 7. Dezember 1962*

Die ältesten überlieferten Bildwerke mit dem Bildnis Homers stammen aus dem 4. Jahrhundert v. Chr. Die Vorstellung Homers als eines greisen blinden Sängers geht nicht zuletzt auf eine Anspielung in der ›Odyssee‹ zurück. Rembrandt hat mit seinem ergreifenden Gemälde von 1653 ›Aristoteles vor der Büste Homers‹ (New York, Metropolitan Museum), wesentlich zur Verbreitung eines Bildtypus beigetragen, der zwar in mindestens 25 Repliken bekannt ist, dessen Urbild jedoch verloren ist. Er dürfte jedoch – darin sind sich alle Autoren einig – wegen der naturalistischen Behandlung von Blindheit und Alter – nicht vor der Zeit Alexanders des Großen entstanden sein.

Der Homer-Kopf weist alle Charakteristika dieses »hellenistischen Blindentypus« auf: Ein bärtiges, vom Alter zerfurchtes Gesicht, das Haupt mit einer Stirnbinde bekränzt, mit der im Altertum verdiente Männer ausgezeichnet wurden. Die Blindheit der tief eingesunkenen Augen vermittelt ein leerer, pupillenloser Blick. Der Mund ist leicht geöffnet. Trotz starker Verwitterung und Fehlen der Nase geht von Homers Kopf eine starke Ausstrahlung aus. Abgeklärtheit und innere Ruhe drückt das Gesicht eines am Ende seines Lebens stehenden Menschen aus. Seines Augenlichts beraubt, vermag er aber noch sehr wohl Visionen seiner inneren Schau mit schmerzlich geöffnetem Mund zu vermitteln.

Während bis auf zwei Ausnahmen alle bekannten Repliken lebensgroß sind und in ihren Ausmaßen nur gering variieren, ist das Exemplar der Bibliotheca Bodmeriana etwa ein Drittel kleiner. Eine gewisse Ähnlichkeit kann man mit dem Homer-Kopf in Neapel (Museo Nazionale, ehem. Sammlung Farnese) feststellen, der jedoch lebensgroß ist. Im Profil weist der Kopf (mit Ausnahme der Ohren) dieselben Proportionen auf, und beiden eignet eine Tendenz zur Eiform des Kopfes. Der »Farnesische Homer« erfreute sich einiger Berühmtheit und prägte die Vorstellung nachhaltig, die man sich von Homers Aussehen machte. Goethe hat einen Gipsabdruck dieser Fassung nach Weimar mitgebracht.

Eine gewisse Ähnlichkeit kann auch zwischen der Neapler Replik und der Skulptur, die Rembrandt malte, festgestellt werden. Rembrandts Sammeleifer hat 1657 zu seinem finanziellen Ruin geführt. Im Inventar der freiwilligen Versteigerung vom 25./26. Juli 1656 werden neben den Büsten des Sokrates und Aristoteles auch eine des Homer aufgeführt. Aller Wahrscheinlichkeit nach handelte es sich jedoch dabei nicht um ein antikes Original, sondern um einen Abguß, und zwar in natürlicher Größe. So muß (leider) darauf verzichtet werden, im Homer-Kopf der Bodmeriana das Urbild von Rembrandts Nachguss zu sehen, wie José Doering vorgeschlagen hatte. G.B.

Lit.: Robert und Erich Boehringer, Homer. Bildnisse und Nachweise. Bd. 1, Breslau: F. Hirt 1939 – Gisela Marie Augusta Richter, The portraits of the Greeks. Bd. 1, London: Phaidon 1965, S. 52, Nr. 22, Abb. 85–86 – José Doerig, Art antique. Collections privées de Suisse romande. Ausstellungskatalog. Genève: Éditions Archéologiques de l'Université de Genève 1975, Nr. 6 – Bernard Andreae (Hrsg.), Odysseus. Mythos und Erinnerung. Mainz: Philipp von Zabern 1999

12 **Die Rückkehr des Odysseus nach Ithaka**

1. Die trauernde Penelope – 2. Eurykleia und Odysseus

2 Platten. 1. Jahrhundert v. Chr., rotbrauner Ton, sog. Campana-Reliefs

HÖHE: *35 cm; Breite: 36 cm (bzw. 42 cm); Tiefe: 2,5/4,5 cm*

PROVENIENZ: *Ars Antiqua, Luzern, 7. Dezember 1962. Biblioteca Barberini, Rom*

Die trauernde Penelope und die Erkennung des Odysseus durch seine alte Amme gehören zu den berühmtesten Szenen in Homers ›Odyssee‹. Die beiden Platten mit Flachreliefs, die von derselben Zierleiste mit Palmetten bekrönt sind, waren Bestandteil eines Frieses, der Teil einer architektonischen Verkleidung war. Die Bezeichnung »Campana-Relief« geht zurück auf den Sammler Giovanni Pietro Campana (1808–1880) in Rom, der eine bedeutende Sammlung antiker Terrakottareliefs besaß. Diese zumeist als Verkleidung von Außenfassaden verwendeten Platten wurden in der Umgebung Roms mit Hilfe von Modeln in der Zeit vom 1. vorchristlichen bis zum 2. nachchristlichen Jahrhundert hergestellt.

Auf der linken Platte sieht man Penelope auf einem Schemel sitzend, den Kopf in tiefer Trauer auf die rechte Hand gestützt. Der Wollkorb unter ihrem Schemel weist sie als die treue Gattin des Odysseus aus, die jeweils ihr gewobenes Tagwerk abends wieder auflöste, um so die Freier hinzuhalten. Vom Alter gebeugt nähert sich ihr von hinten eine Dienerin. Zwei junge Mädchen stehen vor Penelope und tuscheln miteinander. Die Heimlichkeit ihres Gesprächs wird bei einem der Mädchen durch die mit dem Mantel vor den Mund gehaltene Hand betont. Kokett hat es seine Schulter entblößt und hält in der Rechten einen Blattfächer, während seine Gespielin eine Blume oder Frucht in der Linken hält. Diese Szene ist von José Doerig als getreue Illustration der Stelle in der ›Odyssee‹ gedeutet worden, da Penelope der Dienerin Eurynome befiehlt, die Mägde Autonoe und Hippodameia zu rufen, um sie zu den Freiern zu begleiten: »Aber laß mir Autonoe gleich und Hippodameia kommen; sie sollen mich in den Saal hinunter begleiten, Denn es ziemet mir nicht, allein zu Männern zu gehen.« (Odyssee, 18, 181–184, nach der Übersetzung von Johann Heinrich Voß)

26 Die trauernde Penelope, sog. Campana-Relief (Nr. 12.1)

Nicht von der Hand zu weisen ist dagegen eine andere Interpretation der Darstellung, daß es sich nämlich bei der Alten um die Amme Eurykleia handle, die Penelope die Nachricht von der Ankunft des Odysseus bringe. Die beiden tuschelnden Mädchen wären dann die ungetreuen Mägde, die sich zum Umgang mit den Freiern geschmückt haben und sich belustigen. Bei solcher Auffassung würde der Künstler das Verhalten der tugendhaften Penelope dem Fehlverhalten der leichtsinnigen Mägde gegenüberstellen und sie moralisch werten, statt die Szene objektiv zu erzählen.

Die Szene der anderen Platte ist weit eindeutiger zu interpretieren. Mit dem Bettelstab dargestellt ist Odysseus, dem die Amme Eurykleia die Füße wäscht. Er ist sitzend wie Penelope dargestellt und wendet ihr den Rücken zu. Der vor Freude aufschreienden Amme Eurykleia, die ihn soeben an seiner Narbe erkannt hat, hält er die Hand auf den Mund und zieht sie an sich: »Aber Odysseus faßte schnell mit der Rechten die Kehle der Alten, Und mit der andern zog er sie näher heran und sagte: Mütterchen, mache mich nicht unglücklich!« (Odyssee, 19, 479–482). Getreu dem Text wird sogar die umgestürzte bronzene Wanne festgehalten. Die beiden weiteren Protagonisten dieser Platte sind, obwohl nicht bei der Fußwaschung anwesend, wichtige Zeugen der Rückkehr des Odysseus: der Schweinehirt Eumaios, dem sich der Heimkehrende offenbart hat, und der treue Hund Argos, der seinen Meister sofort erkannt hatte und danach gestorben ist. Die Identifikation des Eumaios ergibt sich eindeutig aus einer früheren Darstellung der Szene, da sein Name neben der Figur eingeschrieben wurde.

Die einzelnen Vorbilder dieser beiden Platten, von denen insgesamt fünf Exemplare bekannt sind, gehen bis ins 5. Jahrhundert zurück. José Doerig hat den Bildhauer der Sitzfigur der Penelope mit dem Bildhauer Thrason (5. Jh. v. Chr.) identifiziert. Im Verismus der Odysseusplatte erkennt er den Geschmack des Hellenismus des 2. Jahrhunderts v. Chr. Nach von Rohden/Winnefeld sind die Formen der Reliefs der Bodmeriana und eines zweiten Abdrucks in der Kircheriana in Rom in augusteischer Zeit oder wenig später hergestellt worden. G.B.

Lit.: Hermann von Rohden / Hermann Winnefeld, Architektonische römische Tonreliefs der Kaiserzeit (Reinhard Kekulé-von Stradonitz, Die antiken Terrakotten, Bd 4/1) Berlin [u. a.]: Spemann 1911, S. 110, Nr. 2 – Hilde Hiller, Penelope und Eurykleia, in: Archäologischer Anzeiger (= Beiblatt zum Jahrbuch des Deutschen Archäologischen Instituts, 87) 1972, S. 74ff – José Doerig, Art antique. Collections privées de Suisse romande. Ausstellungskatalog, Genève: Éditions Archéologiques de l'Université de Genève 1975, Nr. 2A und B – Bernard Andreae (Hrsg.), Odysseus. Mythos und Erinnerung. Mainz: Philipp von Zabern 1999

13 **Homeros (8. Jahrhundert v. Chr.)**

›Ilias II-XXIV‹

Ms. Konstantinopel (?), um 1300, griechisch. Pergament und Papier 29,1 x 21 cm, 206 Bll. Text mit Glossen CB 85

BUCHSCHMUCK: *Einige Initialen und Verzierungen in rot*

EINBAND: *Lederband des 17./18. Jahrhunderts*

PROVENIENZ: *Kraus, New York, Juni 1962*

»Den Zorn singe, Göttin, des Peleus-Sohnes Achilleus,
Den verderblichen, der zehntausend Schmerzen über die Achaier brachte
Und viele kraftvolle Seelen dem Hades vorwarf
Von Helden, sie selbst aber zur Beute schuf den Hunden
Und den Vögeln zum Mahl [. . .]«
(Übers. Wolfgang Schadewaldt)

Das erste Wort des Epos, noch vor der Anrede an die Musengöttin, bezeichnet das Thema des ältesten Großepos der europäischen Literatur. Es handelt nicht vom ganzen trojanischen Krieg, den die Griechen nach dem Raub der spartanischen Königin Helena gegen die »heilige Ilios« geführt haben, sondern von einem Ausschnitt, der aus den letzten der zehn Kriegsjahre lediglich 51 Tage umfaßt, von denen wiederum nur über fünfzehn Tagen und fünf Nächte tatsächlich erzählt wird. Das Ganze ist komponiert nach einem strengen, im ersten Gesang entwickelten Handlungsplan, der »in einem durchaus tragischen Sinn durchgeführt« wird: »Der Tod erscheint in tausend Gesichtern: entsetzliche Verwundungen, furchtbare Verstümmelungen, die ganze Fülle des Sterbens und Untergehens in hartem Realismus in den Gesängen, die die wechselvollen Schlachten mit Vordringen und Rückschlägen beschreiben«. Das zeigt auf von unzähligen Toden zu dem großen Tod der beiden Hauptgestalten des Hektor und des Achilles [...], der dem Wort der Mutter: ›bald nach Hektor ist auch dir der Tod bereit‹ im Wissen seines Todes lebt« (Wolfgang Schadewaldt). Denn wovon das Epos erzählt, ist ausgelöst und zu seinem tragischen Ende getrieben durch den Zorn des Achill, dem der oberste griechische Heeresführer Agamemnon sein Ehrengeschenk, die erbeutete Jungfrau Briseïs, wieder fortgenommen hat. Der in seiner Ehre tief Gekränkte verweigert die weitere Teilnahme am Kampf der Achaier, und seine

Mutter Thetis vermag Zeus zu bewegen, die Troer zu begünstigen. Überwältigt von den Nöten seiner unterlegenen Mitkämpfer erreicht Achills Freund Patroklos, daß er in der Rüstung des grollenden Heroen in den Kampf ziehen darf, in dem er von Hektor erschlagen wird. Erst da – zu spät – gibt Achill seinen Zorn auf und gelobt, den Tod des Freundes zu rächen, den er durch sein Beiseitestehen selbst verursacht hat. In neuer Rüstung, die ihm Hephaistos auf Bitten der Thetis schmiedet, verfolgt er Hektor, der den Kampf mit dem Stärkeren zu meiden sucht, erschlägt ihn, schleift seine Leiche ins Lager und mißhandelt sie tagelang. Erst nach der Bestattung des Patroklos und seiner Ehrung in aufwendigen Leichenspielen findet Achill aus rasender Leidenschaft zu Menschlichkeit zurück und erfüllt die Bitte des greisen troischen Königs Priamos, der den Griechen anfleht, ihm den geschändeten Leichnam des Sohnes herauszugeben. Ein zweites Mal Totenklage, Scheiterhaufen und Bestattung als versöhnlich-ausgleichender Schluß, doch ohne daß die Tragik aufgehoben wird, denn die seinerzeitigen Hörer des Epos wußten natürlich, was im trojanischen Sagenkreis danach folgt: der Tod Achills und das Ende der »heiligen Ilios«, das etwa 300 Jahre später der attische Dichter Euripdes (vgl. Nr. 53) aus der Sicht der Frauen zum Vorwurf seiner ›Troerinnen‹-Tragödie machte.

27 Homer, Ilias-Handschrift, um 1300 (Nr. 13)

Der Krieg ist in dem rund 16 000 Verse umfassende Epos – die Einteilung in vierzundzwanzig Bücher haben erst die alexandrinischen Gelehrten vorgenommen – lediglich der Hintergrund, vor dem in der ›Ilias‹ Verhalten und Handeln der Helden geschildert werden. Den ersten Tragödienschreiber der Griechen hat Platon im ›Staat‹ den Epiker genannt. Der tragische Sinn der homerischen Dichtung bedeutet indes nicht, daß man sie als Ausdruck einer pessimistischen Haltung zur Welt verstehen dürfte. In Gegenteil: Die Epen ›Ilias‹ und ›Odyssee‹ gründen beide in einer Renaissance der griechischen Adelskultur im 8. vorchristlichen Jahrhundert: Nach der ersten Blüte der seit Heinrich Schliemann lange als »mykenisch«, heute meist mit dem homerischen Ausdruck als »achäisch« bezeichneten bronzezeitlichen Schriftkultur mit ihren Palästen auf der Peloponnes und auf Kreta, wo die neuen Herren die Minoer abgelöst hatten, sind die »dunklen Jahrhunderte« von 1200 bis 800 v. Chr. von Verfall und Niedergang in allen Lebensbereichen gekennzeichnet, als deren Ursache eine in den zugehörigen Details noch immer stark hypothesengeschüttelte Geschichtswissenschaft

die Angriffe der sog. Seevölker auf die frühgriechischen und hethitischen Siedlungen annimmt. Neuerlicher Fernhandel, Eisenimport, Kolonisation an der kleinasiatischen Westküste sind einige der Merkmale der Renaissance des 8. Jahrhunderts. Sie ist von einer aristokratischen Oberschicht geprägt, die durchaus in einer gewissen Kontinuität mit dem frühgriechischen Adel gestanden hat, auf dessen Burgen der Sänger (Aoidos) von Heldenliedern bereits einen festen Platz gehabt haben dürfte. Nicht anders als sich die höfische Kultur des Mittelalters mit dem Nibelungenlied (vgl. Nr. 25) an einer lange zurückliegenden Katastrophe erbaute, suchte die jüngere griechische Adelskultur im tragischen Heldengesang der Tradition »Selbstvergewisserung und Halt« (Joachim Latacz).

Verschiedene Details der ›Ilias‹, so die lange Reihung des Schiffskatalogs im zweiten Gesang, erinnern noch an die Herkunft aus der »oral poetry«. Großräumige Komposition und Umfang von ›Ilias‹ und ›Odyssee‹ aber gründeten nicht mehr im mündlichen, durch Versatzstücke und routinierte Improvisation bestimmten Vortrag des Sängers, der sich zur Phorminx begleitete, sondern in schriftlicher Fixierung des Textes, auf die sich der mit dem Stab (Rhabdos) auftretende Rhapsode zur Vorbereitung seiner Rezitation stützen konnte. Ein solcher Rhapsode ist der Dichter Homer gewesen, dessen Name »Geisel« oder »Bürge« bedeutet. Daß er bei vornehmen Familien verkehrt, dort wahrscheinlich auch im Auftrag von Mäzenen gearbeitet hat, lassen die Stammbäume alter Geschlechter wahrscheinlich erscheinen, die der Dichter wiedergibt: den der Aeneaden in der südlichen Troas, die Vergil (vgl. Nr. 17) später in der ›Aeneis‹ zu Ahnherren der Römer macht. Von Homers Glanz kündete eine ins 7. Jahrhundert zurückreichende Legende, die viel Anekdotisches überliefert. Sieben Städte Kleinasiens wetteiferten um die Ehre, der Geburtsort des in allen griechischen Landen vom Ruhm umstrahlten Mannes zu sein, dessen Werke an zahlreichen Orten abgeschrieben wurden und, nach freilich umstrittenen Zeugnissen, im 6. Jahrhundert auf Anordnung des athenischen Tyrannen Peisistratos einer Redaktion unterzogen worden sein sollen, auf jeden Fall aber bald auch in den Schulunterricht Eingang fanden. Der Gesamtvortrag der Epen anläßlich großer Feste verteilte sich auf mehrere Tage; an Stellen, wo sich die Nacht über das Geschehen der Dichtung senkt, hatte auch der Rhapsode ein Tagespensum beendet.

Die Epen sind in einer ionisch-äolischen Kunstsprache verfaßt und weisen manche Merkmale auf, die der ursprünglichen Mündlichkeit des Heldenlieds entstammen: etwa formelhaft wiederholte Verse zu Beginn gleicher Vorgänge. Nahezu alle Verfahren raffinierter Erzählkunst aber sind bereits voll entfaltet: die Verklammerung des Textes durch Vor- und Rückverweise, Retardierungen und Steigerungen, die anschauliche Darstellung eines Vorgangs mit Hilfe der Gleichnisse oder die Ersetzung von nüchterner Beschreibung durch lebendige Schilderung – das berühmteste Beispiel dafür ist die Anfertigung des neuen Schildes für Achill: Was an Bildern auf dem Schild zu sehen ist, wird dem Hörer nicht als etwas Fertiges vorgestellt, sondern so, daß er Szene um Szene unter den Händen des Schmiedes Hephaistos entstehen sieht, die Inhalte der Bilder werden als Ereignisse wiedergegeben: »Mit wenigen Gemälden machte Homer seinen Schild zu einem Inbegriff von allem, was in der Welt vorgeht«, rühmte Lessing in einer Fußnote zum ›Laokoon‹.

Episoden dienen häufig der nachgeholten Exposition, so z. B. in der später von den Dramatikern übernommenen Teichoskopie (»Mauerschau«), die aus der Literatur, bis hin zum Telefonanruf mit gleicher Funktion im modernen Theaterstück, nicht mehr verschwunden ist. Wechsel der Schauplätze werden oft in Gesprächsszenen vorbereitet, zu denen Hektors Abschied von seiner Gattin Andromache und dem kleinen Sohn Astyanax gehört.

Die Stelle im sechsten Gesang zeigt das kunstvolle Spiel mit wechselnden Stimmungen und Situationen. Hektor, das künftige Unglück seiner Frau nach dem Fall der Stadt vor Augen, ist hier für einen Augenblick nicht der gehetzte Verteidiger Trojas, sondern ganz der liebende Vater und tröstende Gatte. Der kleine Astyanax erschrickt vor dem schwankenden Helmbusch auf Hektors Kopf:

»Der aber bog sich zum Bausch der wohlgegürteten Amme
Schreiend zurück, erschreckt vom Anblick des eigenen Vaters,
Denn er fürchtete sich vor dem Erz und dem Busche von Roßhaar,
Den er sah, wie er furchtbar nickte von oben am Helme.
Und da lachte sein Vater heraus und die Mutter, die hehre.
Und gleich nahm er den Helm von dem Kopfe der strahlende Hektor,
Setzte den strahlend blinkenden nieder vor sich auf den Boden;
Aber nachdem das Kind er geküßt und gewiegt auf den Armen,
Sagte er betend so zu Zeus und den anderen Göttern:

›Zeus und ihr anderen Götter, gebt, daß dieser mein Sohn hier
Auch so ausgezeichnet werde wie ich vor den Troern,
Auch so trefflich an Kraft, und mächtig in Ilion herrsche,
Und einst sage da einer: ›Der übertrifft noch den Vater‹,
Wenn er vom Kampf kommt; er trage die blutige Rüstung
Seines getöteten Feindes; dann freue im Sinn sich die Mutter.‹
Also sprach er und legt' in die Arme der Gattin, der lieben,
Seinen Sohn; und die nahm ihn an ihren duftenden Busen,
Unter den Tränen lächelnd; ihr Gatte sah es voll Mitleid,
Streichelte sie mit der Hand und sprach zu ihr mit den Worten:
›Ärmste, du mußt nicht zu sehr dich grämen in deinem Herzen,
Gegen das Schicksal wird kein Mann mich zum Hades entsenden.‹«
(Übers. Roland Hampe)

Das erste Kind in der Literatur, das zwei Erwachsene verbindet; Vergil hat der homerischen Erzählung im vierten Buch der »Aeneis« die Gestalt des kleinen Sohns Ascanius nachgebildet, der die Liebe zwischen Dido und Aeneas knüpft. Schiller hat sich von diesen Versen zu seinem Gedicht ›Hektors Abschied‹ anregen lassen.

Nie glorifiziert Homer die Heroen. Nicht immer aber stellt er sie zum Ausgleich so menschlich liebenswürdig dar wie Hektor als Vater. Auch die Gestalt des Thersites, des häßlichsten aller Griechen, eines rechten Gegenbilds zu allem Heldischen, dient solcher Relativierung. Mit seinen Schmähungen der Fürsten hätte Thersites beinahe den Erfolg der »Durchhalterede« zunichte gemacht, mit der Odysseus die zur Aufgabe des Krieges bereiten Achaier zur Fortsetzung des Kampfes umstimmt. Der Dichter der ›Aithiopis‹, eines nur aus indirekten Zeugnissen faßbaren Werks aus dem nachhomerischen epischen Zyklus, nahm an dem unheldischen Thersites gleichfalls Anteil: Achill verspottet dort den in die Amazonenkönigin Penthesilea Verliebten; als Thersites aber dem Leichnam der Königin ein Auge ausschießt, tötet Achill ihn mit einem Faustschlag. Als Hofnarr schmäht Thersites in Shakespeares Tragikomödie ›Troilus and Cressida‹ den untätigen Achill, der sich über die Frechheiten amüsiert. In seinem frühen Drama ›Tersites‹ hat Stefan Zweig den Stoff ins Psychologische gewendet: Nicht die Liebe Achills zu der schönen Feindin, wie in Kleists Tragödie, steht im Mittelpunkt, sondern das Leiden eines Mannes, dessen Häßlichkeit keine Frauenliebe zu erwecken vermag.

Ganz deutlich ist schließlich die höchst antiheroische Ironie, mit der die ›Ilias‹ überhaupt erst anhebt: Der Zorn des Achill bricht über dem Raub einer erbeuteten Frau aus – genauso wie der trojanische Krieg. Zeichen dies alles von genauestem Hinschauen, Durchschauen und Überschauen. Und dennoch: »Homerus caecus fuisse dicitur« – Homer soll blind gewesen sein. Diese in der Legende überlieferte Aussage – für Generationen von Gymnasiasten war der Satz eine quälende Übung, den lateinischen nominativus cum infinitivo zu erlernen – dürfte den Tatsachen kaum entsprechen, zeugt aber von höchster Weisheit. Was scheinbar paradox anmutet – daß ausgerechnet ein Blinder in seinem Werk jedes Ding der äußeren Welt bis in die kleinste Einzelheit mit höchster Genauigkeit beschreibt –, erweist sich als die großartige Vorstellung vom Dichter als Seher, der für das Fehlen des Augenlichts mit der Kraft erleuchteter innerer Schau begabt ist. Wie der berühmte gleichfalls als Blinder gedachte Seher Teiresias, wird der Dichter als Wahrsager verstanden, buchstäblich als ein Künder des Wahren.

Die aus Pergament und Papier gemischte Handschrift der Bodmeriana ist um 1300, wahrscheinlich in Konstantinopel, entstanden. Sie beginnt erst mit dem zweiten Buch, das die Versuchung des Achaier-Heeres, die Thersites-Episode und den Schiffskatalog enthält. Der Text ist zum Teil zweispaltig angeordnet, an einigen Stellen finden sich rote Initialen und Verzierungen. Im 18. Jahrhundert gehörte die Handschrift dem Engländer Sir George Shuckburgh; Martin Bodmer erwarb sie 1962 auf einer Auktion des Hauses Christie's. Das Manuskript überliefert den Text mit sog. Scholien, auf die alexandrinischen Philologen zurückgehenden Erklärungen schwer verständlicher Ausdrücke der epischen Kunstsprache, deren Erläuterung für den Unterricht unentbehrlich war. (Sie stellen auch den Ursprung der Lexika dar.) Aus solchen Handschriften haben die italienischen Humanisten durch byzantinische Gelehrte im 14. und verstärkt im 15. Jahrhundert den griechischen Originaltext kennengelernt. Am frühesten setzte die Beschäftigung mit dem griechischen Homer in Süditalien am Hof des Königs Robert von Neapel ein; Boccaccio stützt sich darauf bereits in seinen nach 1350 entstandenen ›Genealogie deorum gentilium‹, einer Enzyklopädie der Mythen.

1489 erschien der auf den 9. Dezember 1488 datierte erste Druck bei Bernardus und Nerius Nerlius, die eine Vorrede beisteuerten, und Demetrius Damilas in Florenz. Den Druck der Editio princeps hatte Demetrius Chalkondylas überwacht – auch er einer der Griechen in Italien. Die Inkunabel, von der die Bodmeriana ein vollständiges Exemplar besitzt, ist eine der wichtigsten Wegmarken in der neuzeitlichen Wendung zu Homer, der – trotz der Verehrung, die ihm allenthalben, so auch schon von Dante, gezollt wurde – noch einige Zeit hinter Vergil zurückstehen mußte. Diese Reihung betonte anhand des Florentiner Erstdruck noch der Philologe und Dichter Julius Caesar Scaliger in seiner ›Poetik‹ (1561), die bis zu Martin Opitz und Klopstock (vgl. Nr. 29) fortwirkte. Als »plebeia, inepta, muliercula« bezeichnete Scaliger die ›Ilias‹ im Vergleich zur ›Aeneis‹. Eine vollständige Umkehr der Wertung, die allerdings in den romanischen Kulturen nie soweit ging wie in der Germania, trat durch Alexander Popes Übersetzungen der homerischen Epen ins Englische (1715) ein und durch die These vom Originalgenie Homers, die Robert Wood 1769 in seinem ›Essay on the Original Genius of Homer‹ vortrug. Lessing und Goethe als Kritiker und Dichter, der Göttinger Christoph Gottlob Heyne als Philologe beförderten die – in der Kunstgeschichte durch Johann Joachim Winckelmann vorbereitete – Griechenbegeisterung so nachhaltig, daß der deutsche Humanismus des 19. Jahrhunderts ganz und gar hellenisch orientiert war, bis hin zu den Schwerpunkten, die der Gymnasialunterricht nach dem Bildungskonzept Wilhelm von Humboldts setzte. Größten Anteil an der Ausrichtung auf die Griechen hatte Johann Heinrich Voß mit seinen metrischen Übersetzungen: Welche Geschmeidigkeit Voß dem sperrigen deutschen Hexameter verliehen hat, läßt ein Vergleich mit der durchaus achtbaren Übertragung seines Zeitgenossen Friedrich Leopold Graf zu Stolberg erkennen. Die Zeugnisse literarischer Nachwirkung sind zahllos: Einen Homer macht Lotte dem jungen Werther zum Geschenk. Nachdem Goethe mit ›Reineke Fuchs‹ sowie ›Hermann und Dorothea‹ bereits hexametrische Epen geschrieben hatte, begann er 1799, nach regem Austausch mit Schiller, eine Fragment gebliebene ›Achilleis‹-Dichtung, welche die Lücke zwischen dem Ende der ›Ilias‹ und dem Beginn der ›Odyssee‹ schließen sollte.

Bereits im 5. Jahrhundert v. Chr. bezweifelte man aufgrund vermeintlicher inhaltlicher Widersprüche und sprachlicher Unterschiede vereinzelt, daß ›Ilias‹ und ›Odyssee‹ vom selben Verfasser stammen. Auf seiner Unterweltfahrt begegnet Odysseus auch dem Schatten des Achill; lieber wäre er auf Erden ein Knecht als der König im Hades, läßt der größte Kämpfer vor Troja den Besucher wissen. Warum sollte man nicht auch eine solche Wendung dem älter gewordenen Dichter der ›Ilias‹ zutrauen?

Während Klopstock, Herder, Lessing oder Goethe die homerischen Epen als poetische Texte lasen, benutze Heinrich Schliemann sie gleichsam als archäologischen Baedeker auf der Suche nach der historischen Wahrheit hinter den Dichtungen, die dann eine Zeitlang selbst zum bevorzugten Objekt textanalytischer Zergliederung wurden, ehe nach dem Zweiten Weltkrieg Altertumswissenschaftler von ausgeprägt künstlerischer Begabung ›Ilias‹ und ›Odyssee‹ wieder als große Kunstwerke zu verstehen lehrten, nicht zuletzt dadurch, daß sie ihre wissenschaftliche Arbeit durch Übersetzungen krönten. So verfuhren der Archäologe Roland Hampe und der Klassische Philologe Wolfgang Schadewaldt. Ihn hatte sich Martin Bodmer, als er eine Zeitlang ein eigenes Periodikum der Bibliotheca Bodmeriana unter dem Titel ›Tradition‹ zu gründen gedachte, neben Fritz Ernst, T.S. Eliot, Arnold Toynbee , Karl Kerényi und Rudolf Pannwitz zum regelmäßigen Beiträger gewünscht. Die jüngsten, 1988 begonnenen und erst kürzlich ausgesetzten Troja-Grabungen unter der Leitung des Prähistorikers Manfred Korfmann haben den Blick nun unerwartet wieder auf die Zusammenhänge zwischen Dichtung und historischer Wirklichkeit gerichtet und Ergebnisse gezeitigt, welche die Gemüter nicht minder erregen als im 19. Jahrhundert der »Schatz des Priamos«, den Schliemann einst auf dem Hügel Hissarlik gefunden zu haben meinte: So scheinen in der ›Ilias‹ zahlreiche Reflexe hethitischer Kultur enthalten, finden sich topographische Beschreibungen der zu Homers Zeiten längst unter Trümmern verborgenen sechsten Schicht Trojas, die mit den Ausgrabungsbefunden aufs genaueste übereinstimmen. Woher ist solche Kenntnis dem Dichter über Jahrhunderte hinweg zugekommen? Staunenerzeugende Fragen allenthalben: Der erste europäische Dichter bleibt ein »Stupor mundi«, der den Griechen nach ihrem eigenen Urteil Götterwelt und Geschichte gestiftet hatte. H.-A.K.

Lit.: Wolfgang Schadewaldt, Von Homers Welt und Werk. 4. Aufl. Stuttgart: Koehler 1965 – Ders., Der Aufbau der Ilias. Strukturen und Konzeptionen. Frankfurt a.M.: Insel 1975 – Homer, Ilias. Neue Übertragung von Wolfgang Schadewaldt. Frankfurt a.M.: Insel 1975 – Homer, Ilias. Neue Übersetzung, Nachwort und Register von Roland Hampe. Stuttgart: Reclam 1979 – Joachim Latacz, Homer. Der erste Dichter des Abendlands. 2. Aufl., München; Zürich: Artemis 1989 – Uvo Hölscher, Die Odyssee. Epos zwischen Märchen und Roman 2. durchges. Aufl., München: Beck 1989

28 Ilias latina, 14. Jh. (Nr. 14)

14* ›Ilias latina‹ (1. Jahrhundert n. Chr.)

Ms. Fragment. Italien (Neapel ?), erste Hälfte des 14. Jahrhunderts, Latein, mit Interlinear- und Marginalglossen.
Papier
30,2 x 20,2 cm, 13 Bll.
CB 86, Bodmeriana, Mss. latins, S. 157–158
EINBAND: *Pappband in Etui*
PROVENIENZ: *Sotheby's, London, November 1966. Phillipps, Teil von Ms. 3542*

Das Manuskript überliefert eine im Mittelalter weit verbreitete »Kurzfassung« der homerischen ›Ilias‹ in 1070 lateinischen Hexametern. Das Werkchen enthält Zitate aus der ›Ilias‹-Übersetzung des römischen Dichters Gnaeus Matius, der zu Anfang des ersten vorchristlichen Jahrhunderts gelebt hat. Der Beginn des Textes lautet in großer Nähe zum Original »Iram pande michi Pelide diva superbi«.

Es handelt sich um einen anlaßbedingten Text von großer Disproportion, dessen Wirkung gleichwohl erheblich gewesen ist, da er im lateinischen Mittelalter des Westens, wo im Gegensatz zur sorgsamen Homer-Pflege durch die Byzantiner die frühgriechischen Epen jahrhundertelang nicht mehr in der Originalsprache gelesen wurden, wenigstens die Erinnerung an den Namen Homer zu bewahren half. Daß in den Werken Dantes und Petrarcas, die beide des Griechischen nicht mächtig waren, Homer dennoch als großer Dichter erscheint, ist auch der Tradition der ›Ilias Latina‹ zu verdanken, die im scholastischen Unterricht als typisches Auszugswerk (Epitome) verwendet wurde. Erst seit dem 15. Jahrhundert lernten die italienischen Humanisten von den oft als »Griechlein« (Graeculi) verspotteten oströmischen Gelehrten die Sprache des ›Ilias‹-Dichters systematisch.

Infrascripta liber ... Adsit pri(ncipio) virgo maria meo.

Iram pande michi pelide diua superbi
Tristia q(ue) miseris iniecit funera grays
Et animos fortes heroum tradidit orco
Latratibusque canum dedit et rostris volucrumque trahendos
Illorum exangues inhumatis ossibus artus
Conficiebat enim summi sententia regis
Protulerant ex quo discordi pectore pugnas
Sceptiger atrides et bello clarus achilles
Quis deus hos ira tristi contendere iussit
Latone et magni proles iovis ille pelasgum
Infestus regi pestem in precordia misit
Implicuitque gravi danaorum corpora morbo
Nam quondam crises solempni tempora vitta
Implicitus rapte flevit solacia nate
Invisosque dies invisaque tempora noctis
Egit et assiduis implevit questibus auras
Postquam nulla dies animum merore levabat
Nullaque lenibant patrios solacia fletus
Castra petit danaum genibusque affusus atride
Per superos regnique decus miserabilis orat
Ut sibi causa sue reddatur et nata salutis
Dona simul prefert. iunguntur precibus eius
Mirmidones reddique patri criseyda censent
Sed negat atrides. crisenque excedere castris
Despecta pietate iubet. ferus ossibus imis
Heret amor. spernitque preces dampnosa libido
Contemptus repetit phebeia templa sacerdos
Squalidaque infestis merens secat unguibus ora
Dilaceratque comas. annosaque tempora plangit
Vox ibi deposuit gemitus lacrimeque gerunt
Fatidicis sacras appellat vocibus aures
Quid coluisse michi tua numina delphice prodest
Aut castam vittam multos duxisse per annos
Quid ve iuvat sacros posuisse altaribus ignes
Si tuus externo iam spernor ab hoste sacerdos
En hec veste redduntur dona senecte
Sic gratus tibi sim sic te sub iudice tutus
Quod si quid ut lueres sub acerbo crimine penam
Inscius admisi cur o tua dextera cessat
Posce sacros arcus. in me tua dirige tella.

Die Hälfte der Verse reicht bis zum fünften Buch, zwei Drittel dieser Version decken das homerische Epos bis zum achten Gesang ab. Der Autor des sprachlich von Vergil und Ovid beeinflußten Textes wollte freilich selbst nicht als Epitomator angesehen werden, sondern beanspruchte mit den zahlreichen Abweichungen, vor allem mit Gleichnissen ohne Entsprechung bei Homer, als eigenständiger Dichter zu gelten.

29 Homer. Erstausgabe, 1488; mit einer Bleistiftskizze für die Initiale, fol. 43r (Nr. 15)

Die mehrmalige Erwähnung des Aeneas, für den Nero nach dem Bericht des Tacitus (›Annalen‹ 12, 58, 1) eine besondere Vorliebe hatte und der als mythischer Stammvater des julisch-claudischen Kaiserhauses angesehen wurde, ferner ein Lobpreis auf diese Dynastie, vor allem aber eine Anspielung auf den Kaiser als Kitharoiden lassen vermuten, daß es sich um eine Huldigung an den »kunstsinnigen« Nero handelt, dem sogar der Brand Roms ein willkommener Anlaß zu musikalischen Deklamationen war. Reflexe aus Tragödien Senecas schließen zumindest eine Datierung in vorneronische Zeit sicher aus. Die lange als abwegig eingestufte Zuschreibung an einen Baebius Italicus gewinnt neues Interesse, seit ein Träger dieses Namens bekannt ist, der unter Kaiser Vespasian seine Ämterlaufbahn begann und im Jahre 90 Konsul wurde.

Der aus Italien, womöglich aus Neapel, stammende Papiercodex des 14. Jahrhunderts mit gotischer Halbkursive weist zahlreiche Interlinear- und Marginalglossen sowie Bordürenschmuck und farbig kolorierte Initialen auf; die I-Initiale wird auf dem ersten Blatt von einer gekrönten Muse mit Sternenkleid dargestellt. Der englische Sammler Sir Thomas Phillipps kaufte die von Napoleons Finanzminister nachgelassene Handschrift Anfang der dreißiger Jahre des 19. Jahrhundert bei dem Londoner Buchhändler Longman. Martin Bodmer erwarb sie 1966; ein paar Jahre zuvor schon hatte er einen 1469 in Arezzo entstandenen Codex mit der ›Ilias Latina‹ gekauft.

H.-A.K.

Lit.: Baebii Italici Ilias Latina. Introd., ed. critica, trad. italiana e commento a cura di Marco Scaffai. 2. ed. Bologna: Patron 1997

ΥΠΟΘΕϹΙϹ ΤΗϹ Α ΟΜΗΡΟΥ ΡΑΨΩΔΙΑϹ·

ρύσης ἱερεὺς τοῦ ἀπόλλωνος παραγίνεται ἐπὶ τὸν ναύσταθμον τῶν ἑλλήνων βουλόμενος λυτρώσασθαι τὴν θυγατέρα αὐτοῦ χρυσηίδα· οὐκ ἀπολαβὼν δὲ, ἀλλὰ καὶ μεθ' ὕβρεως ἀποδιωχθεὶς ὑπὸ ἀγαμέμνονος, ηὔξατο τῷ ἀπόλλωνι κατὰ τῶν ἑλλήνων· λοιμοῦ δὲ γενομένου καὶ πολλῶν ὡς εἰκὸς διαφθειρομένων, ἐκκλησίαν ἀχιλλεὺς συνήγαγε· κάλχαντος δὲ διασαφήσαντος τὴν ἀληθῆ αἰτίαν, καὶ κελεύσαντος ἀχιλλέως ἐξιλάσκεσθαι τὸν θεὸν, ἀγαμέμνων ὀργισθεὶς, διηνέχθη πρὸς τὸν ἀχιλλέα· καὶ αὐτοῦ τὸ γέρας ἀπέσπασε τὴν βρισηίδα· ὁ δὲ ὀργίζεται τοῖς ἕλλησι· θέτις δὲ τοῦ υἱοῦ δεηθέντος εἰς ὄλυμπον ἀνελθοῦσα, ᾐτήσατο παρὰ τοῦ διὸς, ὅπως τοὺς τρῶας ἐπικρατεστέρους τῶν ἑλλήνων ποιήσῃ· ἥρα δὲ ἀγνοοῦσα τοῦτο, διηνέχθη πρὸς τὸν δία ἕως αὐτοὺς διέλυσεν ἥφαιστος οἰνοχοήσας ἐν ἐκπώματι χρυσέῳ· οἱ δὲ τὸ λοιπὸν τῆς ἡμέρας εὐωχηθέντες εἰς ὕπνον τρέπονται·

ΙΛΙΑΔΟϹ Α ΟΜΗΡΟΥ ΡΑΨΩΔΙΑϹ·

Ἄλφα λιτὰς χρύσου λοιμὸν στρατοῦ, ἔχθος ἀνάκτων·

ῆνιν ἄειδε θεὰ πηληϊάδεω
ἀχιλῆος,
οὐλομένην· ἣ μυρί' ἀχαιοῖς
ἄλγε' ἔθηκεν·
πολλὰς δ' ἰφθίμους ψυ-
χὰς ἄϊδι προΐαψεν
ἡρώων· αὐτοὺς δὲ ἑλώρια τεῦ-
χε κύνεσσιν,
οἰωνοῖσί τε πᾶσι· διὸς δὲ
τελείετο βουλή·
ἐξ οὗ δὴ τὰ πρῶτα διαστήτην ἐρίσαντε
ἀτρείδης τε ἄναξ ἀνδρῶν καὶ δῖος ἀχιλλεύς·
τίς τάρ σφωε θεῶν ἔριδι ξυνέηκε μάχεσθαι·
Λητοῦς καὶ διὸς υἱός· ὁ γὰρ βασιλῆϊ χολωθεὶς,
νοῦσον ἀνὰ στρατὸν ὦρσε κακὴν, ὀλέκοντο δὲ λαοί,
οὕνεκα τὸν χρύσην ἠτίμασ' ἀρητῆρα
ἀτρείδης· ὁ γὰρ ἦλθε θοὰς ἐπὶ νῆας ἀχαιῶν
λυσόμενός τε θύγατρα, φέρων τ' ἀπερείσι' ἄποινα,

15 **Homeros (8. Jahrhundert v. Chr.)**

[Werke, griechisch]. Herausgeber: Demetrius Chalcondylas. Florenz: Bernardus und Nerius Nerlius und Demetrius Damilas, 9. Dezember 1488, [nicht vor 13. Januar 1489]. Erste griechische Ausgabe

2°, Bd. 1: 250 nn. Bll. Die leeren Bll. 42 und 440 fehlen (Bd. 2 nicht ausgestellt)

Inc. Bodmer 126. Bodmeriana, Ink., S. 95

EINBAND: *Leder des 19. Jahrhunderts mit Rücken- und Deckelvergoldung. Goldschnitt*

PROVENIENZ: *unbekannt. Nicht bestimmtes Supralibros mit Wappenstempel und Wappen. Exlibris Robert Curzon*

16 **›Histoire de Thèbes‹, ›Histoire de Troie‹**

Ms. Frankreich, 1469. Papier. Dritte französische Prosa-Übersetzung der ›Historia Trojana‹ von Guido delle Colonne »escript par la main de Jacotin de Lesplus« (fol. 245)

27,6 x 19,2 cm, 2 nn. Bll., 247 Bll., 2 nn. Bll.

CB 160. Bodmeriana, Mss. franç. du MA, S. 79–85

BUCHSCHMUCK: *Kapitelüberschriften in rot und Initialen in rot und blau. 128 Federzeichnungen mit Wasserfarben koloriert*

EINBAND: *Marmoriertes Kalbsleder des 18. Jahrhunderts. Goldschnitt*

PROVENIENZ: *Kraus, New York, nach 1962. Supralibros mit Wappenstempel Louis de Gand (1687–1767).*

Die ›Geschichte von Troja‹, ein französischer Prosatext aus dem Spätmittelalter, der die Zerstörung der legendären Stadt erzählt, zeigt in exemplarischer Weise die Veränderung eines literarischen Stoffes durch die verschiedenen Etappen einer Erzähltradition und damit unserer Kulturgeschichte. Eine Reihe früherer Werke beeinflußte die Entstehung dieses Textes.

Martin Bodmers Sammlung besitzt wichtige Werke dieser Erzähltradition: neben dem griechischen Text Homers den französischen Roman des Benoît de Sainte-Maure, dessen lateinische

Rückübertragung durch Guido delle Colonne und deren französische Übersetzung. Da Griechischkenntnisse im Mittelalter kaum vorhanden waren, konnten Homers Epen nicht in der Originalsprache gelesen werden. Bekannt waren nur Homers Name und Ruhm. Eine kurze Zusammenfassung der ›Ilias‹ in lateinischen Versen wurde im 1. Jahrhundert n. Chr. verfaßt. Die beiden spätlateinischen Prosakompilationen durch Dictys (4. Jh.) und Dares (6. Jh.) können als wesentliche Vermittler der trojanischen Sagen angesehen werden.

Im Mittelalter war man der Auffassung, Homer habe mehr als ein Jahrhundert nach dem trojanischen Krieg gelebt und seine Berichte seien poetische Fiktion ohne Wahrheitsgehalt. Dares hingegen behauptete, selbst am Krieg teilgenommen zu haben: tagsüber habe er gegen den griechischen Feind gekämpft, nachts die Geschehnisse aufgezeichnet. Aus diesem Grund wurde dem »Augenzeugen« Dares mehr Glauben geschenkt. Dares und Dictys sind die Hauptquellen von Benoît de Sainte-Maure, der den Troja-Stoff Mitte des 12. Jahrhunderts zum ersten Mal in französischer Sprache formulierte. Die französische Fassung wurde Ende des 13. Jahrhunderts ins Lateinische zurückübersetzt, in Form eines Prosaromans von Guido delle Colonne. Seine Version hatte beachtlichen Erfolg und bewirkte eine neue Verbreitung des Trojastoffes in ganz Europa. Mehr als zweihundert Handschriften seiner ›Historia Trojana‹ sind erhalten; mehr als 70 stammen aus dem 14. Jahrhundert. Von 1475 an wurde der Text oft gedruckt. Der Prosaroman spielte für die Erziehung von Rednern eine wichtige Rolle, wurde er doch allgemein als Mustersammlung für rhetorische Formen empfohlen.

Der lateinische Text wurde in verschiedene Sprachen übersetzt und ist in mehreren französischen Versionen überliefert. Diejenige der Sammlung Bodmer aus dem Ende des 15. Jahrhunderts gehört zu einer Gruppe von Handschriften burgundischer Herkunft. Der Schreiber datiert sie zum Schluß: »Hier endet die besonders ausgezeichnete und edle Geschichte von Troja, geschrieben von der Hand des Jaquotin de Lespluc im Jahre 1469. Betet für ihn.« Farbige Federzeichnungen schmücken die Handschrift; einfache Federstriche sowie eine rasche Farbgebung verleihen ihnen Lebendigkeit. Die Handschrift dürfte aus dem Skriptorium des Jean d'Ardenay stammen.

Comment andromacha ot en vision la mort dector
son mary pour quoy elle le volloit retenir et destourner
de aler ce iour a la bataille getta son enfant a ses
pies pour pitie que ce iour nalast contre ses ennemis
aussy len prierent la royne hecuba sa mere et la
royne helaine mais le dit hector ne creut mie leur
conseil ains y ala et y fu ochis

Entre ces choses diomedes souffroit tirant
mesaise de brisayda et ne povoit mengier

30 Andromache beschwört Hektor, nicht in die Schlacht zu gehen. ›Histoire de Troie‹, Handschrift von 1469 (Nr. 16)

Zum Erfolg des Troja-Stoffes trägt der Umstand bei, daß mehrere europäische Völker und Städte im Mittelalter ihren Ursprung von Troja ableiten wollten. Die Handschrift aus der Sammlung Bodmer erwähnt im zweiten Epilog die Nachkommenschaft der Trojaner im Abendland: Antenor gründet Venedig; Aeneas läßt sich in Italien nieder, wo nach mehreren Generationen Romulus Rom gründet, während Brutus das Land Albion erobert, das er nach seinem eigenen Namen »Britannien« nennt. Coremus, ein Gefährte des Brutus, erhält einen Teil Großbritanniens und nennt ihn nach seinem Namen »Cornwall«. Von Franco, dem Sohn des Anchises, stammen die Franken in Deutschland ab, von dem der Stammbaum bis zu König Pippin, Karl Martell und Karl dem Großen reicht, »der König von Frankreich und Kaiser von Rom war«.

S.M.

Lit.: Marc-René Jung, La légende de Troie en France au Moyen Age. Basel, Tübingen: Francke 1996

17 **Publius Vergilius Maro (70–19 v. Chr.)**

[Opera, lateinisch].

Ms. Italien, nach 1459. Pergament

26,2 x 16,5 cm, 1 nn. Bl., 243 Bll., 1 leeres Bl.

CB 185. Bodmeriana, Mss. latins, S. 442–445

Familienbesitz

BUCHSCHMUCK: *Buchüberschriften in rot und teilweise in Gold, Initialen in Gold. Zu Beginn jedes Werkes und jedes Buches mehrere reiche Schmuckbordüren im Weißrankenstil (»bianchi girari«) mit Putti, Tieren, Musikinstrumenten und Wappen. Zwei Bordüren und Miniaturen sind unvollendet. Einige halbseitige oder kleinere Miniaturen, u. a. Dido und Aeneas darstellend*

EINBAND: *Maroquin um 1575. Deckelvergoldung*

PROVENIENZ: *Sotheby's, London, Juli 1946. Phillipps, Ms. 3506. Supralibros mit Wappenstempel des Kardinals Michele Bonelli (1541–1598), eines Neffen von Papst Pius V., später im Besitz von Rev. Theodore Williams (1785–1875), Pfarrer in Hendon*

1930 erschien in der von Martin Bodmer herausgegebenen ›Corona‹ zum wiederkehrenden Gedächtnis an Vergil ein Porträt, dem sein Verfasser Rudolf Borchardt mit kraftvollen Strichen auch die Wirkung einzeichnete, die der vor damals zweitausend Jahren geborene Dichter aus Mantua einst auf seine Zeitgenossen ausgeübt hatte: »Ein Leidender, mit schlechtem Magen und empfindlichen Schleimhäuten, brustschwach trotz seines Gliederbaus, höchst reizbar gegen Lärm, Menge und Popularität, wenn er, bei ohnehin seltenstem Passieren über Straßen erkannt, dem Publikum jenen von Horaz so unbefangen geschätzten Zoll der Berühmtheit erlegen sollte. Ein immer jungfräulich Gebliebener, der sich das Rotwerden nicht abgewöhnen konnte, und dem das Neapler Spottvolk auf griechisch nachrief, was heut etwa klänge *Mam'zell'Nitouche*. Ein wortkarger Mann mit lahmer Zunge, der in der üblichen Rednerkarriere nach dem ersten Auftreten versagt hatte, – weil, wer nicht gewußt hätte, daß es Vergil war, ihn für einen stotternden Analphabeten hätte nehmen müssen, – und dazu seit seiner Jugend von Ekel gegen diese lehrbaren Literatenkünste des Tribünenjournalismus und der Freigelassenen der Publikumsprosa erfüllt: und dieser Stotterer und ungelenke Bauer, kaum daß er seine Poesie vorlas, ein solcher Erschütterer der Herzen [. . .] daß, als er Augustus und Octavia den sechsten Gesang mit dem *Tu Marcellus eris* vorlas, das Schluchzen des hohen Paares die Lesung abzubrechen drohte, wenn der Dichter nicht, aufstehend, gesagt hätte, er sei ohnehin zu Ende.«

Die denkwürdige Lesung fand im Jahre 23 v. Chr. statt, seinen Ruf als Dichter hatte Vergil aber bereits knapp zwanzig Jahre zuvor mit den ›Bucolica‹ begründet. Nach erstem Unterricht in Cremona und Mailand hatte er in Rom die eben erst eingeschlagene Anwaltslaufbahn aufgegeben, sich in Neapel dem Philosophen Siro angeschlossen und von ihm gelernt, daß man auf die Unbilden der Wirklichkeit nicht nur mit dem harten Pflichtentrotz der Stoiker, sondern auch mit dem geschmeidigeren Ausweichen nach epikuräischer Lehre reagieren könne. Bürgerkriege und Landenteignungen und alle sonstigen Wirren der republikanischen Endzeit hat Vergil noch erlebt, ehe nach der Schlacht von Actium, der Kapitulation Alexandrias und dem Selbstmord von Marcus Antonius und Kleopatra am 11. Januar 29 v. Chr. endlich die Tore des Janus-Tempels in Rom geschlossen wurden, zum Zeichen des Frie-

31 Aeneas verläßt das brennende Troja mit Vater und Sohn. Vergil-Handschrift des 15. Jhs., fol. 59. (Nr. 17)

59
ILle ego qui quõdã gracili modulat9 auena
Carmen. et egressus siluis uicina coegi
Vt quãuis auido pareret arua colono
Gratum opus agricolis. At nũc horrẽtia martis
ARMA VIRVq; cano. troiae
qui primus ab oris
ITALIAM fato profugus.
Lauiniaque uenit
LITtora multum ille terris
iactatus et alto

dens nach Jahrzehnten des Schreckens der inneren Auseinandersetzung. Als Vergil in den Jahren 42 – 39 v. Chr. seine ›Bucolica‹ schrieb, erfand er bewußt eine der Realität kontrastierende Gegenwelt, in der nichts als Frieden, Liebe sowie Musik und Dichtung herrschten, und nannte dieses Utopia Arkadien. Dorthin versetzte er die sizilischen Hirten aus den ›Eidyllia‹ des Bukolikers Theokrit; schuf eine künstliche Distanz zum rauhen Alltag allein schon durch die Übernahme der originalen Namen der Hirten, etwa Tityrus und Meliboeus, die im Griechischen des Syrakusaners Theokrit ganz vertraut klangen, im Lateinischen jedoch befremden mußten – und sollten. In den ›Bucolica‹ gründet alle seit Petrarcas ›Bucolicum Carmen‹ erneuerte Hirten- und Schäferpoesie im Europa der Frühen Neuzeit, deren Schauplatz immer das Arkadiens Vergils als geistige Landschaft gewesen ist, auch wenn ringsum der Lärm von Kanonen und Gewehrsalven zu hören war.

Unter den ›Eklogen‹, wie die Hirtenlieder als ausgewählte Gedichte auch genannt werden, nimmt die vierte einen besonderen Platz ein. In ihr fließen zwei Überlieferungen zusammen, die von einer durch Kämpfe zerrissenen und gequälten Welt begierig aufgenommen wurden: ein verbreitetes Orakel der cumäischen Sibylle, daß nach soviel Not unter der Herrschaft Apollos das Goldene Zeitalter Saturns zurückkehren werde, und die in einem altägyptischen Theologumenon gründende Erwartung, die Geburt eines göttlichen Knaben werde den Beginn des neuen Aion anzeigen. In der vierten Ekloge sind diese Ankündigungen auf die Geburt eines Sohns von Vergils Gönner Gaius Asinius Pollio bezogen, ohne daß dessen Name genannt wird, da er als Mensch für ein göttliches Kind nur der Nährvater sein durfte. Pollio hatte Vergil dem Octavian vorgestellt und ihn in den Kreis um Maecenas eingeführt. Später war es ein Leichtes, dieses Gedicht von seinem tatsächlichen Anlaß zu lösen und darin die Prophezeiung der Pax Augusta zu sehen. Einzigartig war jedoch die Wirkung eines noch größeren produktiven Mißverständnisses: Seit der Zeit Konstantins des Großen las man die vierte Ekloge als Verkündigung der Geburt Christi. Diese Deutung begründete die Hochschätzung Vergils im Mittelalter, das ihn gern als gütigen Zauberer und Wundertäter verstand, vor allem aber als einen Propheten des Erlösers – in äußerster Überhöhung in Dantes ›Commedia‹ (vgl. Nr. 19–22), wo der Mantuaner zum Führer durch das Inferno wird. Als Visionär der »messianischen« oder, wie man auch gesagt hat, der »marianischen« vierten Ekloge hat der Dichter seinen Platz auch im Bilde neben den Kirchenvätern gefunden, so in Luca Signorellis Domfresko zu Orvieto.

Hatte Vergil mit den ›Georgica‹ in Thema und hexametrischer Form an das archaische Lehrgedicht ›Erga kai hemerai‹ (Werke und Tage) des Griechen Hesiod gerührt, so wagte er mit der ›Aeneis‹ eine Erneuerung des ganzen Homer. Der Aufbau des Werks läßt sich in grober Näherung als eine Verschränkung von ›Odyssee‹ und ›Ilias‹ verstehen. In den ersten sechs Büchern sind längere Abschnitte der Handlung nach dem Vorbild der ›Odyssee‹ gestaltet: vom Beginn des Seesturms vor Sizilien bis zur Landung der Troer in Karthago; die Irrfahrten von Troja bis Sizilien, deren Verlauf Aeneas seiner Gastgeberin Dido erzählt; schließlich der Abstieg in die Unterwelt der Toten. Enger noch als die »Errata« sich der ›Odyssee‹ anschmiegen, folgen die »Bella« der Bücher 7 – 12 der ›Ilias‹ bis hin zum Sieg über den einheimischen Ruteler-Fürsten, nach dessen Überwindung der trojanischen Landnahme in Latium nichts mehr entgegensteht. Die in der »Heldenschau« der Hadesfahrt vorausgesagte Gründung Roms erfüllt sich aber für Aeneas, wie für Moses die Sicht des Gelobten Landes, nur im Vorausblick. Das Tun der Menschen wird in der ›Aeneis‹, wie bei Homer, von den Ratschlüssen und Handlungen der Götter angestoßen, doch tragen die Menschen allein die Verantwortung dafür, ihr Geschick gemäß den ihnen bestimmten »fata« zu vollenden. Wer sich dagegen auflehnt, geht unter wie Dido, die Aeneas anders als ihre Präfiguration in der ›Odyssee‹, die Nymphe Kalypso, nicht nach Italien ziehen lassen will, obwohl die fata es so verfügt haben.

Doch nicht nur die homerischen Dichtungen hat Vergil der ›Aeneis‹ eingeschmolzen, er tat dies auch mit dem hellenistischen Epos des Apollonios Rhodios über die Fahrt der Argonauten, dazu mit älteren römischen Erzählwerken von Naevius und Ennius. Ahnen läßt sich hinter der ›Aeneis‹ »die Krisis ihres Werdens: Auftrag und Wagnis am Ausgangspunkt, unendliches Ringen mit dem Übergroßen durch immer neue Gefährdungen, Skrupel und Anfechtungen, das Erreichen des Ziels, ohne daß der Gründer noch seiner eigenen vollendeten Leistung innewerden darf« (Ernst Zinn). Sein antiker Biograph Aelius Donatus schreibt, Vergil habe seine Verse, wie die Bärin ihr Neugeborenes, erst durch Lecken zur Form gebracht. Manche nicht zu Ende geführten Hexameter lassen erkennen, daß der Dichter damit noch nicht überall fertig geworden war. Die Verfügung des todkranken Vergil, das von ihm als unvollkommen betrachtete Werk zu verbrennen, blieb auf Geheiß des Princeps Augustus unbefolgt.

So rettete der Kaiser der Welt ein Weltgedicht, welches das Kleinste wie das Größte, das Fernste wie das Nächste umgreift: Sein Raum spannt sich von Troja über Kreta, Afrika und Sizilien bis nach Latium. Was die Erinnerung aus entlegener Vergangenheit an Leiden und Zerstörungen bewahrt, wird zur Sinnstiftung künftigen Aufbauens: nicht nur in der Sendung des Aeneas, der – als Flüchtling, mehr als ein Christophorus avant la lettre, mit dem greisen Vater Anchises auf den Schultern und dem kleinen Sohn Ascanius an der Hand – ein Symbol der über Zeiten und Generationen gespannten Brücke ist –, sondern ebenso in der aus Phönizien vertriebenen Dido, die zur Gründerin Karthagos wird. Nichts bedeutet in diesem Werk nur, was es zu bedeuten scheint: Mit der karthagischen Königin Dido hat Vergil das Urbild des Schmerzes der verlassenen Frau gefaßt; die Operndramatik hat darin später ein unerschöpfliches Sujet gefunden, vor allem aber die Maler sind dem Epiker, an dessen Dichtkunst selbst soviel Malerisches ist, daß man ihn immer wieder mit Raffael verglichen hat, darin gefolgt, unter vielen besonders eindrucksvoll Claude Lorrain. Für Vergils Zeitgenosssen aber ist hinter dem Selbstmord der karthagischen Königin unschwer die Geschichte der Kleopatra erkennbar gewesen, deren Untergang die ›Aeneis‹ in schwebender Ambivalenz sowohl historisch notwendig wie menschlich erbarmenswürdig erscheinen läßt. Überall erweist sich der Dichter auch als raffinierter Psychologe: etwa wenn er Didos Liebe zu ihrem troischen Gast den Gott Amor dadurch entfachen läßt, daß dieser die Gestalt des Kindes Ascanius annimmt, oder wenn er Aeneas im Schattenreich der Verlassenen noch einmal begegnen läßt.

Gegenüber der uns so geläufigen Ansicht, alles Bedeutende sei dies nur, insofern es auch Kritik an irgendetwas ist, gilt festzuhalten, daß Vergil rühmen und preisen wollte. Nichts anderes wollten auch seine größten Nachfolger in der Romania: Der Römer Statius stellt sein Epos über die punischen Kriege selbst in die Schuld der »göttlichen Aeneis«. Torquato Tasso beginnt die ›Gerusalemme liberata‹: »Canto l'arme pietose e 'l capitano / che 'l gran sepolcro liberò di Cristo« (»Ich singe die frommen Waffen und den Feldherrn, der das hohe Grabmal Christi befreite«); ungleich selbstgewisser als der skrupulöse Italiener, dessen Werk zunächst gegen seinen Willen an die Öffentlichkeit gelangt war, hatte ein knappes Jahrzehnt zuvor der Portugiese Luis de Camões mit hochfahrendem Gestus beansprucht, seine antiken Vorbilder weit hinter sich zu lassen. Künftig zu schweigen von Griechen und Trojanern, von Alexander und Trajan verlangt er in seinen »Lusiaden« (1572) – und zu hören auf seine Ruhmesgeschichte des Vasco da Gama, vor dessen Taten alle eitlen Fabeln des Homer und Vergil verblassen.

Der Codex der Bodmeriana enthält alle drei Hauptwerke Vergils, überliefert jedoch nicht die sogenannte »Appendix Vergiliana« mit den Jugenddichtungen; der Schreiber hat die Handschrift in Rot auf Blatt 243 unter dem Datum des 23. November 1459 (alter Zeitrechnung) signiert: »Ego Iacobus de Verona finiui hunc librum Die XXIII Nouembris 1459.« Noch 1561 stellte Julius Caesar Scaliger in seiner ›Poetik‹ Vergil deutlich über Homer. Zu dieser Bevorzugung des Mantuaners, in dessen ›Georgica‹ eine der frühesten »Laudes Italiae« steht, hat auch der italienische Kopist sein Teil beigetragen; »aber Deutschland«, so noch einmal Rudolf Borchardt in der ›Corona‹, »hat gefrevelt, als es das Licht Vergils« für geborgt von der Sonne Homers hielt:

Denn Vergil ist in Borchardts Augen »der Stifterahn der gesamten höheren Poesie Frankreichs und Hollands, Spaniens und Portugals, zu mächtigen Teilen, innerhalb von Geschichtsgrenzen und über sie hinaus, Englands und Deutschlands, wie er Träger und Ausdruck der Charte Italiens, seiner dichterischen Nationalurkunde ist. Es gibt wirklich einen geistigen Begriff Europas, der, stärker als Rassen, Staaten, Völker, Zeiten und Geschichte, mit dem Namen Vergils entweder zusammenfällt, oder an ihm sich gegen einen konkurrierenden Begriff des Erdteils abgrenzt. Es dürfte schwer fallen, einen anderen Namen der Geschichte zu finden, von dem ohne Verwegenheit das Gleiche sich sagen ließe.« H.-A.K.

Lit.: Michael von Albrecht, Geschichte der römischen Literatur. 2., verb. und erw. Aufl. München: Saur 1994, Bd. 1, S. 531 – 564 mit einer Fülle von Nachweisen – Ders., Rom: Spiegel Europas. Heidelberg: Lambert Schneider 1988 – Georg Nikolaus Knauer, Die ›Aeneis‹ und Homer. Studien zur poetischen Technik Vergils. Göttingen: Vandenhoeck & Ruprecht 1964 – Werner Suerbaum, Vergils ›Aeneis‹. Stuttgart: Reclam 1999

Martin Bodmer: Dante

Im Kapitel »Innerer Aufbau und Inhalt« seiner ›Bibliothek der Weltliteratur‹ widmet Bodmer einen längeren Abschnitt dem Dichter Dante, der dritten Säule seiner Sammlung:

32 Sandro Botticelli, Dante Alighieri, Porträt. Öl auf Leinwand (Nr. 18a)

»Noch bleibt Italien. Hier aber wollen wir uns auf den Einen beschränken, in dem die gewaltige Welt des Mittelalters wie in einem Brennspiegel zusammengefaßt ist – Dante. So wie der Name Homers über den antiken Stoffkreis gesetzt war als ihr Anfang und ihre Verheißung, so stehe der Dantes über dem Ende des Mittelalters als seine Krönung.

Es ist hier nicht der Ort, sich über die Bedeutung des Florentiners auszulassen. nur dies sei gesagt, daß er zu den wenigen Menschen gehört, denen es gegeben war, eine weltgeschichtliche Epoche zu verkörpern, und daß er damit auch als Dichter ein Vertreter der Weltliteratur im hohen Sinne ist. Antike, Christentum und germanische Welt verbinden sich in ihm zu einer eigenwilligen, höchst persönlichen, ja sogar zeitbedingten, aber doch zu einer Synthese, die selbst wieder in ein Neues hinüberleitet. Wir sehen nicht, wo eine derartige Situation ein zweites Mal Wirklichkeit geworden wäre. Gewiß, das Gewand, die Form, der Rahmen Dantes sind noch reines Mittelalter, beherrscht von aristotelischer Philosophie, geozentrischem Weltbild, Scholastik und Feudalismus – und doch ist es schon der Neue Mensch, der gleichsam ›der alten Hülle sich entrafft‹. Shakespeare war vielleicht der größere Dichter, Michelangelo die titanischere Seele, Goethe der umfassendere Geist, aber in Dante allein sind zwei Zeitalter für Augenblicke eins geworden.

Es ist bei der früher entwickelten Idee der Sammlung klar, daß Dante darin eine entscheidende Rolle zukommt [...]. Bedeutet Homer eher ein Symbol als eine Gestalt, ist Vergil für uns mehr ein elysischer Schatten als ein Mensch von Fleisch und Blut, und trennt uns von der Antike die Unüberbrückbarkeit des endgültig Vergangenen, so gut wie dies für die barbarisch-großartigen Gebilde unserer eigenen Frühzeit der Fall ist, so hebt mit Dante etwas an, das noch immer dauert. Er ist der erste große Dichter unserer Welt. Und wenn wir uns dabei auch nicht verhehlen, daß diese Welt eine relative ist, daß sie sich zu dem, was vorher war und was außerhalb ihrer ist, keineswegs im Gleichgewicht befindet oder ihm gar

überlegen wäre, so ist es doch jene, die uns zunächst angeht und von der aus allein wir urteilen können.

Dante also bildet von solchem Standort aus einen Mittelpunkt. Wiederum lag uns nicht daran, dies durch die Menge als vielmehr durch die Bedeutung der Dokumente zum Ausdruck zu bringen. Es sind beiläufig 110 Ausgaben Dantescher Texte vorhanden, während die Literatur über den Dichter rund 60 Nummern umfaßt [...] Das Hauptwerk, die ›Commedia‹, die seit Boccaccio den Beinamen »divina« führt, ist umfassend vertreten. An der Spitze steht eine illuminierte Handschrift aus dem Jahr 1412. Sie ist gefolgt von der fast lückenlosen Serie der Inkunabelausgaben – 11 von den 12 existierenden – angefangen mit der Editio princeps von Foligno (1472) bis zur sog. Novemberausgabe von 1491, [...] die achte, 1481 in Florenz erschienen, die erste illustrierte und erste kommentierte Ausgabe. Es gibt im ganzen vier illustrierte Dante-Inkunabeln. Diese jedoch ist dadurch bedeutsam, daß sie den ersten Versuch darstellt, ein Buch durch Kupferstiche zu bebildern. Und zudem sind diese Kupferstiche nach Zeichnungen Botticellis ausgeführt. Die interessante Neuerung mißlang jedoch, weshalb die meisten Exemplare nur zwei, in seltenen Fällen drei von den damals hergestellten neunzehn Kupfern enthalten. [...]

Neben den italienischen Ausgaben stehen die Übersetzungen. Die früheste ist diejenige des ›Inferno‹ ins Spanische (Burgos 1515). Es folgt diejenige des ganzen Gedichts ins Französische (Paris 1596–97), die erste deutsche von Bachenschwanz in Prosa (Hamburg 1767–69) und die erste englische des ›Inferno‹ (London 1782). Man sieht, daß die romanischen Länder schon zwei bis zweieinhalb Jahrhunderte früher Dante übersetzten als die germanischen, und daß – wo nicht das ganze Epos übertragen – die Hölle bevorzugt wird. Diese »Popularität« der Hölle hat sich bis heute erhalten, und es ist auch bemerkenswert, daß die Deutschen den zeitlichen Vorsprung anderer Nationen eingeholt haben, sind doch sie es, die sich seit bald anderthalb Jahrhunderten am intensivsten um die Aneignung des göttlichen Gedichts bemühen. [...]

Dieser kleine Exkurs mag immerhin dartun, daß die Behauptung von der Sprödigkeit, mit der Dante im deutschen Sprachgebiet aufgenommen wurde, eine Legende ist.

Bodmer, Weltliteratur S. 71–76.

33 Sandro Botticelli, Dante Alighieri, Porträt. Öl auf Leinwand. Kopie 16. Jh. (Nr. 18b)

18 **Sandro Botticelli (1444–1510)**

Dante Alighieri. Porträt

a) Öl auf Leinwand, gerahmt*

54,7x47,5 cm

PROVENIENZ: *vor 1947; Sammlung Seymours of Knoyle, Lady Alfred Seymour (bis ca 1920), Langton Douglas, Mrs Walter Burns, Hatfield, Hertfordshire*

Privatbesitz

b) Kopie des 16. Jahrhunderts. Öl auf Leinwand, gerahmt

29,5 x 24,8 cm

PROVENIENZ: *unbekannt*

Martin Bodmer rechnete Dante zu einer der fünf Säulen seiner »Bibliothek der Weltliteratur«. Das Original von Dantes Porträt von Botticelli zählte er zu seinem besonders kostbaren Besitz. Die Fondation Martin Bodmer verwahrt eine vorzügliche, bisher noch nie publizierte Kopie nach dem Original.

Der Linie, hier speziell der Umrißlinie, kommt im Porträt, das Botticelli von Dante schuf, eine große Bedeutung zu. Hart geschnitten, wie auf einer antiken Münze, erscheint der Dichter in einem gemalten steinernen Rahmen, der die Strenge des Profils wiederaufnimmt und dem zudem noch die Funktion zukommt, ihn von der Umwelt abzuheben. Dante ist hier der Inbegriff des Dichters schlechthin. Als Poeta laureatus steht er in der Tradition der antiken lorbeerbekrönten Dichter und wird, einem steinernen Monument gleich, der Nachwelt überliefert (das Inkarnat tendiert bei Tageslicht ins Gräuliche). Mit dieser Überhöhung, die ganz der platonischen Idee der reinen Schönheit folgt, hat Botticelli gleichsam ein Andachtsbild geschaffen. Man mag in diesem Zusammenhang auf die fast religiöse Verehrung Platos verweisen, vor dessen Büste in der neuplatonischen Akademie Marsilio Ficinos in Florenz ein ewiges Licht brannte.

Der Lorbeerkranz, den die Musen Apollo verliehen haben, verweist auf die Bedeutung der Inspiration, die, wie der Humanist und Neuplatoniker Cristoforo Landino im Vorwort der ›Divina Commedia‹ von 1481 schreibt, der Schlüssel jeglicher Dichtung und einer solchen wie der ›Commedia‹ im besonderen sei. Der Kommentar, den Landino in toskanischer Sprache für diese Ausgabe verfaßte, erwies sich als überaus einflußreich. Zusätzliche Bedeutung sollte diesem Werk die geplante erstmalige (alle bisherigen gedruckten Ausgaben der ›Divina Commedia‹ waren nicht illustriert) Ausschmückung durch Kupferstiche des Stechers Baccio Baldini nach Vorlagen von Botticelli verleihen. Leider sind von den hundert Gesängen der ›Commedia‹ nur deren neunzehn illustriert worden; in einer weiteren Ausgabe desselben Jahres sogar nur zwei (Canto I und II mit einer Wiederholung bei Canto III im »Inferno«). Die Frage, ob diese Stiche zur Zeit des Erscheinens des Buches entstanden sind, oder ob sie erst nachträglich zwischen 1482 und 1487 eingefügt worden sind, muß offen bleiben. Die verlorenen Vorzeichnungen stellen jedoch eine wichtige Vorstufe für das monumentale Werk dar, das von Botticellis erneuter Auseinandersetzung mit Dantes wichtigster Dichtung zeugt: Die großformatigen Zeichnungen, die er im Auftrag von Lorenzo di Pierfrancesco Medici für die Handschrift der ›Commedia‹ schuf (größtenteils im Kupferstichkabinett Berlin; ein kleiner Teil im Vatikan). Der Cousin von Lorenzo il Magnifico stand dem Kreis um Ficino nahe und war ebenfalls Auftraggeber von Botticellis berühmtesten Gemälden, ›Frühling‹ und ›Geburt der Venus‹ (beide Florenz, Uffizien). Zu diesen Kreisen mag auch der Auftraggeber des Dante-Porträts gehört haben.

Botticelli hat zwar mit diesem Porträt eine neue Formel für die Verbildlichung seiner Verehrung für den Dichter gefunden, neu sind die einzelnen Elemente jedoch keineswegs. Giotto (ca. 1267–1337), der Dante kannte, schuf im Bargello in Florenz ein Fresko mit dem Bildnis des Dichters, das Dantes Äußeres mit Adlernase, hoher Stirn und kräftigem Kinn in den wesentlichen Zügen festhält. Wie die Nachzeichnungen und das stark restaurierte Fresko zeigen, hat Giotto den Dichter als sensiblen Jüngling dargestellt, eine Erscheinung, die zum Verfasser der ›Vita nuova‹ passen mag, nicht jedoch zu der Vorstellung, die man sich gemeinhin vom Schöpfer des ›Inferno‹ macht. Dieser »milde Dante« hat sich in der Tat nicht durchgesetzt, sondern ein Typus, der einen streng blickenden Dichter zeigt. Das Porträt, das Taddeo Gaddi (gest. 1366) für die Baroncelli-Kapelle in der Kirche Santa Croce in Florenz geschaffen hat, wie es in einer Federzeichnung im Kodex Palatinus erhalten ist (Florenz, Biblioteca Nazionale), bestätigt die Physiognomie, die Giotto Dante verliehen hat, gibt ihn jedoch wesentlich älter und mit strengem Gesichtsausdruck wieder. Zur weiten Verbreitung dieses Dante-Typus mag beigetragen haben, daß Gaddis Fresko in der stark besuchten Kirche wesentlich leichter zugänglich war, als dasjenige Giottos im Stadtpalast.

Als einer der ersten hat Domenico di Michelino (1417–1491) Dante mit einem Lorbeerkranz bekrönt. Auf dem Gemälde für den Dom von Florenz malt er ihn frontal, in voller Figur mit der Kulisse der Stadt und den Verbildlichungen des ›Inferno‹ und des ›Purgatorio‹. Wie bereits bei Giotto und Gaddi trägt er eine lange Robe, die traditionelle Kleidung der Gelehrten und Würdenträger seiner Zeit, während sein Kopf mit einer Haube sowie einer weißen Unterkappe bedeckt. So stellt ihn auch Botticelli dar, und zwar sowohl auf den Stichen der Ausgabe von 1481, den Zeichnungen für Lorenzo di Pierfrancesco Medici als auch auf dem Gemälde.

Mit seinem Brustbild des Dichters im reinen Profil, den klaren Gesichtszügen und dem schlichten Lorbeerkranz, hat Botticelli Wesentliches dazu beigetragen, das Porträt des Dichters zu überliefern. Nach diesem Vorbild erscheint es fortan in vielen mit einem Dante-Porträt versehenen Ausgaben, stets mit kleinen Veränderungen. Der Titelholzschnitt, der Dantes ›Amoroso convivio‹ von 1521 beigegeben ist, verdient besonderes Interesse, bildet er doch ein wichtiges Bindeglied zwischen dem Porträt Botticellis und dessen Kopie in der Bodmeriana. Wie bei Ersterem wird eine monumentale Wirkung angestrebt. Kleidung, Gesichtszüge und Verhältnis von Person zu Bildträger stimmen mit diesem weitgehend überein. Allein der Lorbeerkranz des Holzschnitts wirkt wesentlich naturalistischer; auf der Stirn des Dichters ist er mit vier Blättern recht üppig ausgefallen. Dieses Detail jedoch erscheint identisch auf der Kopie des Dante-Porträts. Der anonyme Kopist von Botticellis Gemälde muß das Original vor Augen gehabt haben, ist doch der komplizierte Übergang von Haube und Lorbeerkranz im Nacken des Dichters – im Gegensatz zum Holzschnitt – genau wiedergegeben. Offenbar wandte er sich bewußt von der Stilisierung des Originals zugunsten eines Naturalismus ab, der auch bei der Behandlung der Gesichtszüge zutage tritt. So hat der pessimistische Gesichtsausdruck des Porträtierten auf der Kopie weit mehr gemeinsam mit dem Dichter auf dem Holzschnitt als mit dem über allen Anfechtungen der Temperamente stehenden Dante des Originals. G.B.

Lit.: Wilhelm von Bode, Sandro Botticelli. Berlin: Propyläen-Verlag 1921, S. 110 – Frank Jewett Mather, The portraits of Dante compared with the measurements of his skull and reclassified. Princeton monographs in art and archaeology, 10. Princeton: Princeton University Press 1921 – Ronald Lightbown, Sandro Botticelli. II: Complete catalogue. London: Elek 1978, Nr. B75, S. 83–84

19 Dante Alighieri (1265–1321)
›La Divina Commedia‹ (sog. ›Codex Severoli‹)

Ms. Italien. 30. September 1378. Pergament

30,1 x 22,7 cm, 82 Bll. Kolophon in roter Tinte, signiert und datiert vom Schreiber Franciscus M[agister?] de Cesena

CB 57

BUCHSCHMUCK: *Zu Beginn jedes Buches reiche Schmuckbordüren mit Putti, Tieren, Masken, Blumen und Ranken, drei historisierte Initialen stellen u. a. Dante und Vergil dar*

EINBAND: *Maroquin des 20. Jahrhunderts mit Blindstempel*

PROVENIENZ: *Sotheby's, London, 12. Juli 1948; Stempel auf Tbl.: »Ex Bibl. Ios. Ren. Card. Imperialis«*

Der von Martin Bodmer sehr geachtete Rudolf Pannwitz (1881 bis 1969) sah in Dante Alighieri nicht nur, wie viele andere Kenner auch, ein unübertroffenes Vorbild in poetischer, sondern auch in philosophischer Hinsicht und nannte die ›Divina Commedia‹ (ihr Urheber selbst spricht immer nur von der ›Comedia‹) »eine Welt- und Werkwerdung der Zahl 3 durch sie selbst und ihr Vervielfachen«.

Das Hauptwerk des Florentiners ist als ein Triptychon gestaltet: Seinen drei Teilen – Hölle, Läuterungsberg und Paradies – ist in strenger Symmetrie je eine Cantica von jeweils 33 Gesängen (Canti) gewidmet, deren Summe ein einleitender Gesang auf hundert erhöht. Sie bestehen aus Terzinen von elfsilbigen Versen, deren Strophen einen verketteten Reim aufweisen, so daß jeder Reim mit Ausnahme des ersten eines Canto dreimal vorkommt. Daß Dante die Symbolik der Dreizahl nicht nur im geläufigen religiösen Sinn anwendet, sondern sie geradezu magisch-kabbalistisch mit Bedeutung auflädt, zeigt die strenge äußere und innere Struktur des Werks in jedem Detail. Auf seiner kathartischen Reise durch die drei Reiche des christlichen Jenseits – ein »itinerarium mentis in

Deum« – wird Dantes Wanderer von drei Führern geleitet: Hinunter in die Hölle und hinauf ins Fegefeuer bis zur Spitze des Läuterungsbergs mit dem irdischen Paradies Eden schreitet neben ihm der römische Dichter Vergil als die auf irdisches Wissen gerichtete Vernunft. Er hatte im VI. Buch der ›Aeneis‹, nach dem Vorbild der ›Odyssee‹, ebenfalls einen Gang durch das Totenreich als Mittel aufrichtender Erbauung beschrieben. Durch das Paradies bis zum Empyreum steht Dante Beatrice als Gnade des göttlichen Wissens zur Seite. (Diese Frau hatte er in seinem aus verschiedenartigen Gedichten im »dolce stil nuovo« und Prosa um 1293 komponierten Jugendwerk ›Vita Nuova‹ aus einer irdischen Erscheinung zur weiblichen Symbolgestalt verheißender Seligkeit Gottes verklärt und in dem Werk auch versprochen, ihre Verherrlichung mit einer Dichtung zu erneuern, wenn er sagen könne, »was von keiner je zuvor gesagt worden«.) Zur mystischen Kontemplation Gottes schließlich, mit der die ins Jahr 1300 gelegte fiktive Reise und das Werk enden, leitet ihn der Heilige Bernhard.

34 Dante Alighieri, ›La Divina Commedia‹, sog. Codex Severoli, 1378. In der Initiale Vergil und Dante zu Schiff (Nr. 19)

Die symbolische Bedeutung der Drei wird in der Neun als dem vollkommensten Vielfachen, das für die göttliche Trinität steht, noch einmal gesteigert: Alle drei unterirdischen Reiche sind nach der ptolomäisch-thomistischen Kosmologie aufgefaßt: Die Hölle (Inferno) vertieft sich unterhalb der heiligen Stadt Jerusalem als Folge des Sturzes von Luzifer wie ein Trichter in neun sich verengenden ringförmigen Stufen hinab in die Erde; das Fegefeuer (Purgatorio) erhebt sich als Berg der Reinigung wie ein gipfelloser Kegel, der Hölle gegenüber, in neun sich erweiternden ringförmigen Simsen bis zum Garten Eden empor; und das Paradies umkreist die beiden vorigen Teile der Welt in neun immer heller werdenden Himmelssphären, die vom Empyreum mit den Seligen umschlossen werden.

In Triaden sind auch nach aristotelisch-scholastischen Vorstellungen die Verdammten in der Hölle verteilt, in der die Strafen immer grausamer werden, je tiefer man steigt. Ganz unten, in der engsten Gruft, sitzt Luzifer, der mit seinen drei Mündern die drei Verräter schlechthin voller Gier zermalmt: Brutus und Cassius, die sich an Caesar vergingen, und Judas, der Christus gefangennehmen ließ. Denn die größte Sünde ist für Dante der Angriff gegen die Institutionen der weltlichen und religiösen Obrigkeit: Kaisertum und Kirche.

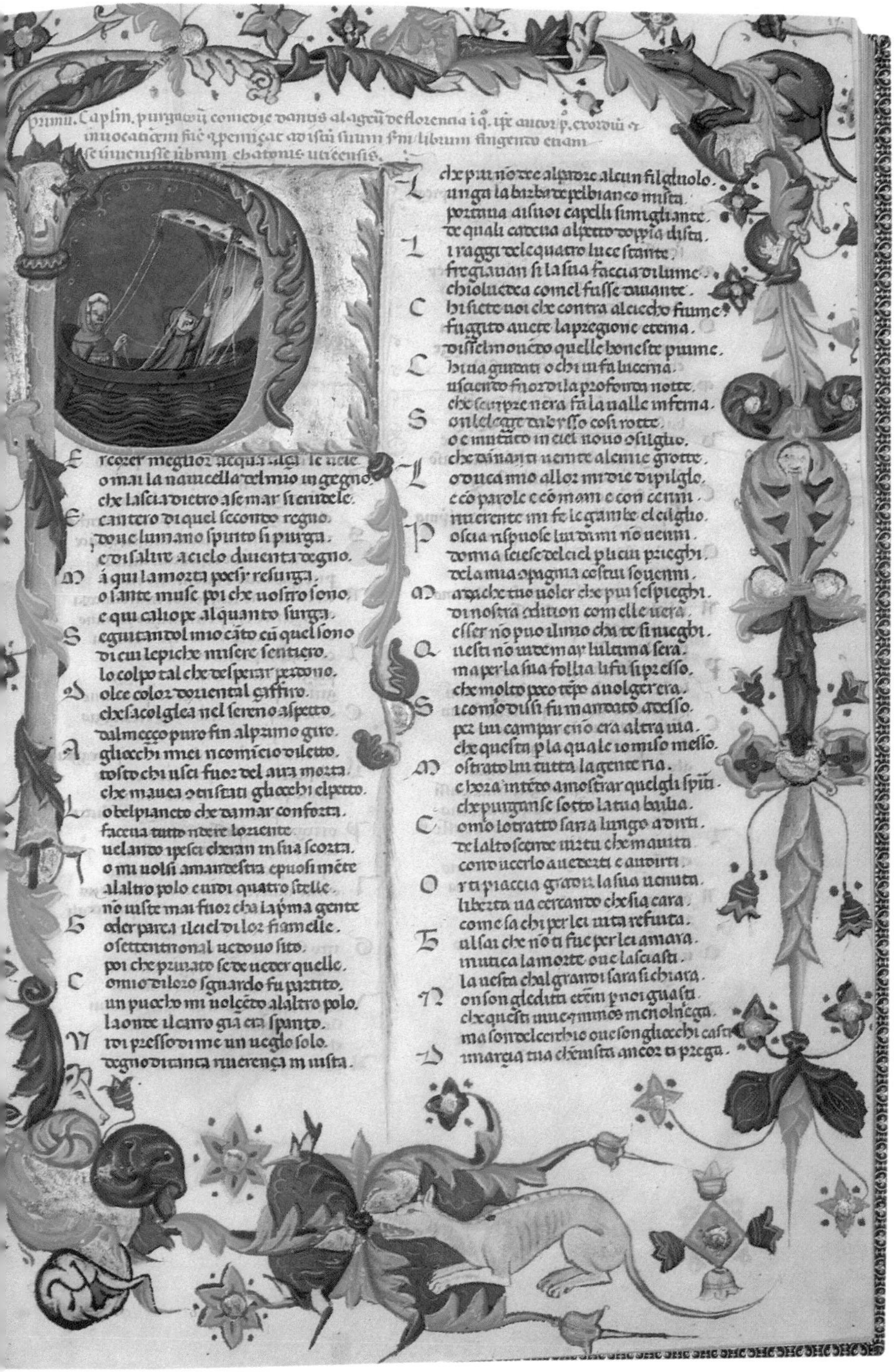
primu. Caplm. purgatorij comedie dantis alagerij de florentia i q. ipse autor p. exordiu &
inuocatione sue q. peruenigat ad istu sinum fm librum fingento etiam
se inuenisse ibidem chatonis uticensis.
rcozer meglioz acqua algi le uele
omai la nauicella del mio ingegno
che lascia dietro a se mar si crudele
cantero di quel secondo regno
doue lumano spirito si purga
e di salire acielo diuenta degno
Ma qui la morta poesi resurga
o sante muse poi che uostro sono
e qui calliope alquanto surga
Seguitando il mio cato cu quel sono
di cui le piche misere sentiero
lo colpo tal che desperar perdono
Dolce color doriental zaffiro
che sacolglea nel sereno aspetto
dal mezzo puro fin al primo giro
Agliocchi mei ricomicio diletto
tosto chi usci fuor del aura morta
che mauea contristati gliocchi el petto
Lo bel pianeto che damar conforta
faceua tutto ridere loriente
uelando i pesci cherano in sua scorta
I mi uolsi a man destra e puosi mete
al altro polo e uidi quatro stelle
no uiste mai fuor cha la pma gente
Goder pareua il ciel di loz fiamelle
o settentrional uedouo sito
poi che priuato se de ueder quelle
Com io da loro sguardo fu partito
un puocho mi uolgedo al altro polo
la onde il carro gia era sparito
Vidi presso di me un ueglo solo
degno di tanta riuerenza in uista
che piu no dee al padre alcun figluolo
Lunga la barba e di pel biancho mista
portaua ai suoi capelli simigliante
de quali cadeua al petto doppia lista
Li raggi delle quatro luce sante
fregiauan si la sua faccia di lume
chio ludea come il fusse dauante
Chi siete uoi che contra al cieco fiume
fuggito auete la pregione eterna
disse el mouendo quelle honeste piume
Chi ua guidati o chi ui fu lucerna
uscendo fuor di la profonda notte
che sempre nera fa la ualle inferna
Son le legge dabisso cosi rotte
o e mutato in ciel nouo consiglio
che dannati uenite ale mie grotte
Lo duca mio allor mi die di piglio
e co parole e co mani e con cenni
reuerente mi fe le gambe el ciglio
Poscia rispuose lui da mi no uenni
donna scese del ciel p li cui prieghi
de la mia copagnia costui souenni
Ma da che tuo uoler che piu sespieghi
di nostra condition com ella uera
esser no puo il mio cha te si nieghi
Questi no uide mai lultima sera
ma per la sua follia li fu si presso
che molto poco tep a uolger era
Si com io dissi fu mandato a esso
per lui campar e no cera altra uia
che questa p la quale io mi so messo
Mostrato li o tutta la gente ria
e hora intendo amostrar quelgli spiti
che purgan se sotto la tua balia
Com io lo tratto sara lungo a dirti
de lalto scende uirtu che maiuta
conducerlo a uederti e a udirti
Or ti piaccia gradir la sua uenuta
liberta ua cercando che si cara
come sa chi per lei uita refiuta
Tu sai che no ti fue per lei amara
in utica la morte oue lasciasti
la uesta chal gran di sara si chiara
Non son gli editti eterni p noi guasti
che questi uiue e minos me no lega
ma son del cerchio oue son gliocchi casti
Di marcia tua che in uista ancor ti priega

Spiegelbildlich ist die Struktur des Läuterungsbergs angelegt, in dem nicht die begangenen Sünden, sondern die sündigen Neigungen gebüßt werden, allerdings auf sieben Ebenen, die den Todsünden (Hochmut, Neid, Zorn, Trägheit, Geiz, Schlemmerei und Wollust) entsprechen. Nach unten wird dieser Berg vom Vorpurgatorium, nach oben vom Irdischen Paradies (Eden) abgeschlossen. Wie in der Hölle werden die Büßenden auch im Läuterungsberg nach dem von Dante selbst sogenannten Gesetz der Wiedervergeltung (»legge del contrappasso«, Inf. XXVIII 142) behandelt: In der Art und Schwere ähnelt die Strafe den Sünden oder ist ihnen ganz entgegengesetzt, ihr Maß spiegelt die Schwere des Lasters.

Nach der Stärke ihres guten Willens sind die Seelen auf die neun Stufen des Paradieses verteilt; auf der neunten werden die neun Engelshierarchien vorgestellt. Auf der zehnten aber, im Empyreum, wohnen die Seligen, alle von gleichem Rang, auch wenn sie in der räumlichen Anschauung der Vision auf verschiedenen Plätzen wie in einem Amphitheater sitzen: auf der einen Seite die Seelen derjenigen, die vor Christi Geburt lebten wie Maria, Eva, Rachel, Ruth, auf der anderen Johannes der Täufer, die Heiligen Franziskus, Benedikt, Augustin usw. Zusammen formen sie die »weiße Himmelsrose«. Alles Materielle ist aufgehoben: Als reine Wesen haben die Seligen genausowenig eine physiognomische Identität, wie die landschaftliche Wirklichkeit geschildert wird, in der sie schweben. Hier gibt es keine Flüsse, keine Städte, keine Täler mehr, sondern nur das Licht, das symbolische Gestalten annimmt. Im Empyreum erfährt Dante die Schau Gottes als »fulgorazione«, als Blitzschlag, der jedes Wort verstummen läßt. Mit diesem mystischen Erlebnis des Unsagbaren ist das Ziel der Wanderung erreicht, die vollkommene Läuterung, nach der jedes Menschenleben zu streben hat.

Deswegen nannte Dante sein Werk eine ›Komödie‹ (Inf. XVI 127–28), weil der hier durchgeführte – symbolisch sieben Tage, wie die Erschaffung der Welt mit dem Ausruhen Gottes, dauernde – Prozeß der Selbstaufklärung zwar mit Furcht anfängt, sich der Vielfalt des Bösen nicht entzieht, aber dann glücklich mit der Erfahrung des Erhabenen endet. Die Gattungsbezeichnung rechtfertigte Dante jedoch nicht nur inhaltlich, sondern auch formal mit der »demütigen« Entscheidung für die Sprache, das vom Volk verstandene »volgare«. Im Gegensatz dazu steht freilich die Wahl des »stolzen« elfsilbigen Verses für ein Werk, das wahrhaft als »celeberrimum carmen« gelten kann, wie es dem Dichter schon in dem theoretischen Traktat »De vulgari eloquentia« (III, V 5) vorschwebte.

Abgesehen von der historischen Distanz, die für den heutigen italienischen Leser das Verständnis vieler Wendungen und Situationen erschwert, hat Dantes Sprache durch ihre bewußte Ambivalenz schon an den aufmerksamen Exegeten seiner Zeit höchste Ansprüche gestellt. Das bezeugen die zahlreichen Erklärungswerke: Schon in den zwanziger Jahren des 14. Jahrhunderts verfaßte Iacopo della Lana einen Kommentar, und Boccaccio behandelte das Werk sogar in öffentlichen Vorlesungen. In den Frühdrucken überwuchern die Erläuterungen den Text der Dichtung oft um ein Vielfaches; die Bodmeriana besitzt Inkunabeln der berühmten humanistischen Kommentare von Martino Paolo Nidobeato, der im wesentlichen Lana folgt, und des Platonikers Cristoforo Landino.

Neben dem strengen architektonischen Aufbaus und der rigiden formalen Gesetzmäßigkeit weist die ›Comedia‹ die andeutungserfüllte Vielschichtigkeit des großen Kunstwerks auf. Trotzdem wurde sie sogar zu einer Art von Biblia pauperum: Von ihrem Erfolg auch bei Laien und einfachen Leuten zeugen die über 600 bis heute bekannten, oft illuminierten Codices des Textes, dessen Autograph nicht erhalten ist. Die editio princeps erfolgte 1472; unter den zahlreichen nachfolgenden Drucken fügte der 1555 von Ludovico Dolce in Venedig herausgebrachte dem Werktitel zum erstenmal das Adjektiv »göttlich« hinzu.

In der Bibliotheca Bodmeriana sind drei Handschriften der ›Comedia‹ vorhanden, die alle aus der Mitte des 14. Jahrhunderts stammen. Die erste wurde in Pisa oder Lucca hergestellt und enthält zahlreiche von der Forschung lange übersehene Glossen und Kommentierungen. Das zweite Manuskript stammt aus Florenz. Die dritte Handschrift, der sogenannte Codex Severoli, trägt eine Datierung vom 30. September 1378. Zur Provenienz des noch unerforschten Manuskripts läßt sich nur sagen, daß es norditalienischer Herkunft sein muß. Der Text ist in einen mit Blumen, Früchten und Blättern geschmückten, farbigen Rahmen gefaßt, dessen ornamentale Technik schon dem Geschmack der Renaissance entspricht.

35 L'inferno, Holzschnitt, in: Dante Alighieri, ›La Commedia‹, 1487 (Nr. 21)

Angesichts der historischen, politischen, philosophischen, theologischen Komplexität von Dantes Gedankenwelt nimmt es nicht wunder, daß sie zur unerschöpflichen Inspirationsquelle nicht nur für Dichter und Denker der folgenden Zeiten geworden ist, sondern immer wieder auch Bildende Künstler angeregt hat. Im 15. Jahrhundert ist der berühmteste Illustrator der »Komödie« der Maler Sandro Botticelli gewesen. Wahrscheinlich hat Botticelli seinen Dante-Zyklus als Auftragsarbeit für Lorenzo di Pierfrancesco de' Medici vor 1481 begonnen, denn schon der 1481 erschienene Druck des Kommentars von Landini enthält zuweilen bis zu 19 Illustrationen zum Inferno von Baccio Bandini nach den Vorlagen Botticellis. Nach längerer Unterbrechung der Arbeit infolge politischer Ereignisse – dazu gehören der Tod von Lorenzo de' Medici und der Italien-Feldzug des französischen Königs Karl VIII. – scheint der Künstler die Arbeit an den Silberstift-Zeichnungen zu Dante erst nach der Hinrichtung Savonarolas im Jahre 1498 – die wahrhaft Dimensionen einer ›Comedia‹-Episode gehabt hat – erneut aufgenommen zu haben. Von den Zeichnungen sind diejenigen, welche die schwedische Königin Christine besessen hat, in den Vatikan gelangt, andere hat Anfang des 19. Jahrhunderts der englische Schriftsteller und Sammler William Beckford in Italien erworben, von dessen Tochter sie 1882 Friedrich Lippmann für das Berliner Kupferstich-Kabinett erworben hat.

Die Bodmeriana besitzt auch den schönsten Druck mit Holzschnitten, die mit ihren sicheren, ausdrucksvollen Zügen von einer mystischen Tiefe zeugen, die derjenigen Dantes kommensurabel ist. Die Bevorzugung bestimmter Themen bei den Illustratoren – u.a. Dante und Vergil vor der Höllenstadt, die beiden Dichter vor dem Aufstieg zum Läuterungsberg, der Triumph der Kirche, Dante und Beatrice im Paradies – hatte später auch eine Rückwirkung auf die selektive Lektüre einzelner Episoden des Textes, wie etwa der bis zu Brecht und Celan reichenden Wirkung der Paolo-Francesca-Szene.

Botticelli ist wohl nur der vielleicht berühmteste unter den vielen Künstlern, die auch später und auch außerhalb von Italien, sich mit Dante konfrontierten. Weitere herausragende Beispiele sind die Zeichnungen von Gustav Doré (1833-1883) und die Skulpturen zum Höllentor von Auguste Rodin (1840-1917); unter den Künstlern des 20. Jahrhunderts hat Salvador Dali sich zu Dante besonders hingezogen gefühlt.

Auf den folgenden Seiten:
36 Stefan George, Übersetzung von Dantes ›Divina Commedia‹, 30. Gesang, vor 1909 (Nr. 22)
37 Rudolf Borchardt, aus seiner Übersetzung von Dantes ›Vita Nova‹, 1922 (Nr. 23)

DREISSIGSTER GESANG:

Sobald des ersten Himmels Siebensterne
Stillstanden denen wachen oder schlafen
Und trübung ausser der durch sünde ferne
Die jeden hier der pflichten die ihn trafen
Erinnern wie ihr bild auf erden lehre
Des steuermannes bahnen nach dem hafen:
Da sah ich wie sich die wahrhaftigen heere
Die zwischen diesen und dem greifen kamen
Zum wagen wandten wie zur schönsten ehre (als)
Und Einer rief als ob in himmels namen
Dreimal: ›Komm Braut vom Libanon‹ im sange
Und alle andren drauf ihn nachzuahmen.
Wie die Erwählten bei dem lezten zwange
Empor aus ihren erdenhöhlen ragen
Mit neu erlangter stimme jubelklange:
So hoben sich auf Gottes siegeswagen
An hunderte ›ad vocem tanti senis‹
Sie die des ewigen Lebens würden tragen.
Wo jeder ›Benedictus‹ sang ›qui venis‹
Indem er rings und aufwärts blumen streute
Und ›Manibus o date lilia plenis‹.
Ich schaute einst als sich der tag erneute
Den teil gen Osten hin ganz rot verschattet
Indess den andern heitre helle freute.
Der sonne antlitz hob sich wie ermattet
Es wurde durch der feuchten dämpfe brüten
Dem aug uns licht zu schauen lang gestattet

VILLA MANSI
MONSAGRATI
LUCCA

Ehgestern da ich weges war geritten
In sinnen ob der Fahrt, die mich nicht freute,
Fand ich den Minnen Gott in Pfades Mitten
Mit losem angethan wie Pilgersleute.

Er deuchte mich so jämmerlichen Sitten
Also ihm verlorner herrlichkeit gereute;
Seufzend in sinnen tief kam er geschritten
Und hing die stirne, nicht zu sehn die leute.

Da er mein ansah, rief er mich bei namen,
Und sprach, von fernem ziele komm ich gangen
Dein herze hiessu sein an diesem ziel
Und trage zu dienen in ein neues Spiel –"
Da machte er mich sein also viel empfangen,"
Dass er verschwand, eh mir die Sinne kamen.

Dies Sonett hat drei stücke: im ersten stücke sage ich, wie ich ihn fand und wem er geleich sah; im andern sag ich das er mir sagete, wiewol nicht völliglich, um der Sorgen willen die ich het, nicht zu vereden meine heimlichkeit. Im dritten sag ich wie er vor mir schwand. Das ander stück hebet sich hie: » da er mein ansah «, das dritte hie: » Da machte er mich «. X

Nach meiner heimkehr stellte ich mein trachten auf diese frauen die das herre mein mir genannt het auf der Seufzer strassen; und auf dass meiner Rede kürzer werde: so spreche ich dass in einer kurzen frist ich sie mir also zu schirme gestaltete, dass all zu viel leute es beredten über aller sitte maassen, das mir offte und harte beschwerete. Und um dieser ursachen willen, « das ist, der üppigen gerüchtes, das mich dem ansehen nach in niedern verruf brachte: so wollte diese Edelste, die war Zerstörerinne aller niedern und ein Königinne aller hohen Kräfte, dass sie für mir über gieng, mich ihres eher süssesten grüssens weigern, dar inne all mein seligkeit bestund. Und ein wenig bei seit tretend aus meinem Fürhaben, so will ichs zu verstehn geben, das ihr grüssen in mir würkete. XI

Ich sage: dass von wannen sie mir ja erschiene, durch nichts denn hoffnung auf ihren wundervollen gruss: so blieb mir keiner dem ich noch feind hat mögen sein, viel mehr es kam in mich eine liebes flamme die mich machte vergeben, wer immer mich hätte beleidiget; und wer mich dann eines dinges hätte gebeten: mein antwort waere ihm gewisses nicht waers: » Minne « und das Antlitz in das demütig tracht. Und wenn sie eben nahe am grüssen war, so geschahe mirs, dass ein Minnen geist, zerstoerend all die andern empfindende geist, hinaus verdrang die unmächtigen sinne des gesichtes, und ihn gebot: » geht hin eur Frauen ihre bieten «, und er verblieb an ihrer statt. Und wer hätte wollen Minne erkennen der hätte es mögen thun, an schende das zittern der augen mein. Und wenn diese Edelste grüssete: ‹ nicht als waere Minne solch ein mittel das mir hätte mögen verschatten die seligkeit untragbar › sondern sie ward als durch übermass der süsse in mir also, dass mein Leib, der war all die weile unter ihr gewalt, offt malen sich regete wie ein schwere sache unbeseelet. Also dass offenbar erscheinet, das in ihrem grüssen bestund meine seligkeit, die offt war all meinen Begriff übergehende überfliessende. XII

Nun sprich ich wiederum kehrend zu meinem fürhaben: dass da mir da verweigert war meine seligkeit, kam (er) mich ein solche schmerzesfan, dass ich mich schied von leuten und an einsamer stätten gieng die erden zu netzen mit bitterlichen thränen. Und wann mir das thränen ein weniges versieget war, beschloss ich mich in meine kamern da ich wehklagen mochte ohn dass ichs vernommen waere. Und dort um Erbarmen rufend zu der Frauen der Höfelichkeit und all sagend: » Minne Minne hilf dem getreuen dein: « entschlief ich als ein geschlagen kind in thränen. Es traf ungefähr in der mitten meines schlummers, dass mich deuchte sehn in meiner kamern hart an mir gesessen einen Jüngeling, angethan mit licht weissen kleidern und tief in sinnen, dem ansehen nach. Er sahe mein an da ich lag und da er ein weniges mich het angesehen, so deuchte mich, dass er all seufzende mich riefe und mir dagabe diese wort: » Fili mi, tempus est ut praetermittantur simulacra nostra. Darnach deuchte mich also kennte ich ihn, darum dass er mich also riefe, als er genüger malen in meinen träumen mich ehe dieser het gerufen, und all die weil er mich ansahe, so deuchte er mich weinen durch erbarmen, und da bei gewärtig sein eines wortes von mir; darum ich mir ein herze faste und began also: » Herre

Die Inschrift auf dem Höllentor, eine der berühmtesten Stellen des Werks überhaupt, soll den Blick noch auf eine andere Form der künstlerischen Auseinandersetzung mit Dante lenken, die in der Bodmerschen Sammlung dokumentiert ist, auf die Übersetzung.

Wie sehr jede Übertragung auf vorab getroffenen hermeneutischen Entscheidungen beruht, läßt sich am Vergleich zweier berühmter deutscher Versionen der wenigen Höllentor-Verse vorzüglich bemerken. Dante und deutscher Dante: aber welcher? Das bleibt die Frage. Will man sie beantworten ohne die üblichen theoretischen Ausflüchte, denen zufolge poetische Texte a priori unübersetzbar sind (denn Poesie ist schon Übersetzung, wie Novalis meinte, oder untransponierbare Hieroglyphe, wie Baudelaire behauptete), so muß man nach sinnlichen Kriterien verfahren und wählen, und daher ist die Entscheidung letzten Endes immer auch eine subjektiv ästhetische, ob man das Original angemessener »vertreten« findet durch das künstlich erzeugte Oberdeutsch – mit den zweisilbig zu sprechenden Kombinationen von Umlaut und Vokal (»entstü-ende«) – von Rudolf Borchardt, mit dem er ex post eine Lücke in der Geschichte der deutschen Literatursprache »heilen« wollte, oder durch die kristallenen Verse Stefan Georges, der auf »mass, klang, form« zielte und übertragene Poesie bedenkenlos für seine eigene hielt.

Borchardt

»Bei mir hin ein gehts in die leiden gassen,
Bei mir hin ein gehts in ewiges leid,
Bei mir hin ein gehts zu den gottverlassen.
Dass ich entstüende, riet Gerechtigkeit;
Schaffen hat mich selbdritt mit Urzeit-Minne
Und Weisheit höhester Gott-Allmächtigkeit.
Nicht dinges ward eh meinem anbeginne
Denn ewigs; des bin ich ewiger dauer:
Schlagt euch hinfüro hoffnung aus den sinne!«

George

»Durch mich geht man hinein zur stadt der trauer
Durch mich geht man hinein in der verlornen zelle
Durch mich geht man zum leiden ewiger dauer.

Aus recht gab mir der Schöpfer meine stelle
Die göttliche Gewalt hat mich geweitet
Die erste Liebe und die höchste Helle.

Vor mir war kein geschaffnes ding bereitet
Nur ewige – wie auch ich ewig stehe.
Lasst jede hoffnung die ihr mich durchschreitet.«

G.R.

Lit.: Dante Alighieri, Die Göttliche Komödie. Übers. und Kommentar von Hermann Gmelin. 6 Bde. Stuttgart: Klett 1949–1957 – Rudolf Pannwitz, Das Werk des Menschen. Stuttgart: Klett 1968 – Antonio Altomonte, Dante. Eine Biographie. Deutsch von Ingrid Koch-Dubbers. Reinbek bei Hamburg: Rowohlt 1994 – Enrico Malato, Dante. Roma: Salerno 1999 – Lutz S. Malke (Hrsg.), Dantes ›Göttliche Komödie‹. Drucke und Illustrationen aus sechs Jahrhunderten. Leipzig: Faber & Faber 2000 – Hein-Thomas Schulze Altcappenberg (Hrsg.), Sandro Botticelli als Erzähler. Der Bilderzyklus zur Göttlichen Komödie von Dante. Ostfildern–Ruit: Hatje Cantz 2000

20* **Dante Alighieri (1265–1321)**

›La Commedia‹

Mit Kommentar von Christophorus Landinus. Florenz: Nicholo di Lorenzo, 1481

2°, 370 Bll. Zwei Kupferstiche (1. cantica: Primo canto, secondo canto – canto terzo: Wiederholung des 2. Stiches) nach Zeichnungen von Botticelli

Inc. Bodmer 87. Bodmeriana, Ink., S. 71

EINBAND: *Leder des 19. Jahrhunderts mit Rückenvergoldung. Goldschnitt*

PROVENIENZ: *vor 1947. Bodmer, Weltliteratur, S. 73. Supralibros des George Granville Leveson-Gower*

21 **Dante Alighieri (1265–1321)**

›La Commedia‹

Mit Kommentar von Christophorus Landinus. Brescia: Boninus de Boninis, 31. Mai 1487

2°, 309 Bll. Erste Dante-Ausgabe mit Holzschnitten

Inc. Bodmer 89. Bodmeriana, Ink., S. 72

EINBAND: *Maroquin des 20. Jahrhunderts über Holz. Blindstempel. Goldschnitt*

PROVENIENZ: *vor 1947*

38 Giovanni Boccaccio, ›Des cas des nobles hommes et femmes‹ (Nr. 24)

22* **Stefan George (1868–1933)**

›Dreissigster Gesang‹ aus Dantes ›Divina Commedia‹

Ms. autogr., unsigniert, [vor 1909]. Übersetzung eines Gesangs aus dem ›Purgatorio‹. Stilisierte Letternschrift mit mehreren Korrekturen in normaler Schrift

Etwa 23,1 x 18,2 cm, 1 Doppelbl., 4 S. Text

PROVENIENZ: *vor 1947. Bodmer, Weltliteratur, S. 75*

23* **Rudolf Borchardt (1877–1945)**

›Dantes Vita nova‹

Ms. autogr., unsigniert, [1922]. Übersetzung mit wenigen Streichungen und Verbesserungen. Alle Bll. tragen den eingedruckten Briefkopf »Villa Mansi Monsagrati Lucca«

Etwa 28,5 x 22,3 cm, 30 Bll. (6–35 n.) einseitig beschrieben. Es fehlen die ersten 5 Bll.

PROVENIENZ: *Willy Wiegand, München, Oktober 1960*

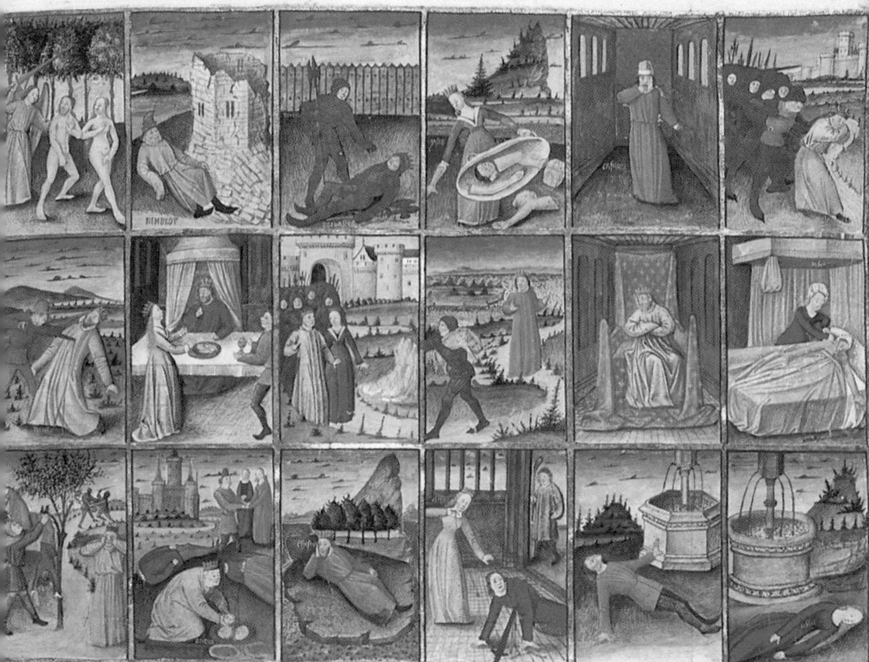

uant je conside
re et pense en
diuerses ma
nieres les plou
rables malen
tetez de noz pre/
decesseurs . dcelle fingne du
grant nombre dentr eulx qui par
fortune ont este tresbuches je
premisse au commancement
de ce liure aucun prince tresbien
assez digne de estre premier entre
les maleureux. Et vecy deux
vieillars qui se arresterent de
uant moy. si tres aagez et si
ancians quil sembloit quilz
ne peussent trainner leurs
membres tramblans. lun de
ces deux vieillars cest assauoir
adam me raisonna et dist. Jean
nepueu Jehan boccasse qui cer
ches et enquiers lequel tu
mettes premier au rant des
maleureux. Je vueil que tu

saiches comme vray est que
ainsi comme nous deux qui
sommes les premiers homme
et femme faiz a lymaige de
dieu. qui par le moyen et la
croissement de lui auons pre
miers aucun et empli les sieges
de paradis par le merite de la
mort de jhesucrist. aussi nous
auons premiers esprouue par
lamonnestement du deable
le trebuchet de fortune. Et
pource aucun homme fors nous
ne donnera a ton liure plus
conuenable commancement
. Je feuz moult esbay et tom
mencay merueilleusement
regarder ces deux vieillars
qui a paine pouoient parler
qui auoient este faiz sans
ouuraige de nature et qui se
disoient peres de tous les
hommes mortelz et qui ha
bitoient en paradis terrestre

24 **Giovanni Boccaccio (1313–1375)**

›Des cas des nobles hommes et femmes‹

Ms. Frankreich, 15. Jahrhundert. Pergament. Übersetzung von Laurent de Premierfait.

4,12 x 2,90 cm, 2 nn. Bll., 338 Bll., 2 nn. Bll.

CB 174. Bodmeriana, Mss. franç. du MA, S. 141–45

Familienbesitz

BUCHSCHMUCK: *Kapitelüberschriften rubriziert. Initialen (ein- bis fünfzeilige) auf Goldgrund in rot und blau. Die größeren Initialen haben eine Schmuckbordüre mit Blumen und Ranken, in Gold, in roter oder blauer Farbe. Auf fol. 2d eine Miniatur (8,5 x 9,5 cm): Boccaccio zwischen Adam und Eva. Der Textbeginn der neun Bücher ist durch Miniaturenfolgen gerahmt*

EINBAND: *Maroquin des 18. Jahrhunderts. Rücken mit sechs Bünden, Ornamentstempeln und zwei Rückenschildern*

PROVENIENZ: *Robinson, London, 1950. Phillipps, Ms. 3111*

1353/56 schrieb Giovanni Boccaccio seinen Fürstenspiegel ›De casibus virorum illustrium‹ (›Über das Schicksal berühmter Menschen‹), den er 1373 wesentlich erweiterte. Der italienische Dichter erzählt Lebensgeschichten, um die Unbeständigkeit der Fortuna zu zeigen. Adam und Eva sind die ersten, deren Glück durch einen »casus«, einen Fall zerstört wird. In chronologischer Reihenfolge erzählt der Autor gleichgeartete Schicksale: von Oedipus mit den ausgestochenen Augen, vom geschorenen Samson, von Sardanapal im Feuer und dem viergeteilten Metius Saffetius. Das Werk endet mit dem Tod Philipps des Schönen, der von einem Wildschwein verletzt worden war, und mit der Gefangennahme Johanns des Guten, der 1356 in der Schlacht von Poitiers in englische Gefangenschaft geriet. Boccaccio erzählt diese Geschichten, um den Fürsten Weisheit und Mäßigung vor Augen zu halten. Seit dem Sündenfall im Paradies ist der Mensch Schicksalsschlägen ausgesetzt; es ist folglich besser, an das ewige Leben zu denken, und die Gebote der Heiligen Schrift zu befolgen.

Boccaccios moralisches Werk hatte in ganz Europa beachtlichen Erfolg; es wurde nicht nur oft abgeschrieben, sondern seit 1473 mehrfach nachgedruckt und bis 1550 in alle wichtigen Sprachen Europas übersetzt. Die erste Übertragung verfaßte Laurent de Premierfait († 1418) aus Avignon in der Champagne. Später war er am Hof in Paris tätig, wo der gelehrter Humanist als Verbreiter lateinischer Texte wirkte. Premierfait übersetzte lateinische Texte von Cicero, Titus Livius und Pseudo-Aristotelisches, und er verfaßte eigene lateinische Dichtung. Aus dem Italienischen übersetzte er Boccaccios ›Decamerone‹, wodurch er dem Dichter Ruhm und Anerkennung bei der französischen Aristokratie des beginnenden 15. Jahrhunderts sicherte. Die französische Übersetzung des Werkes ›De casibus‹ hatte den gleichen Erfolg wie das lateinische Original. Heute noch sind 68 Handschriften erhalten; der erste Druck erfolgt 1476 bei Colard Mansion in Brügge.

Im Gegensatz zum lateinischen Text ist die französische Version reich an Illustrationen. Laurent de Premierfait hat wahrscheinlich selbst das erste ikonographische Programm festgelegt, das sich jedoch im Laufe der Überlieferung veränderte. Diese Veränderungen trugen der gewandelten Rezeptionshaltung Rechnung, denn das ursprünglich als moralische Exempelsammlung verfaßte Werk erfreute sich größerer Beliebtheit als eine Legendensammlung.

Die Handschrift der Bibliotheca Bodmeriana enthält neun ganzseitig bemalte Blätter, jeweils am Anfang eines Buches. Auf jedem dieser Blätter findet sich eine Folge kleiner Darstellungen der Lebensschicksale, die im Text erzählt werden, so daß gleichsam ein bildliches Inhaltsverzeichnis entsteht. Die Bildchen zeigen die Figuren im Moment ihres Unglücks: Adam und Eva bei der Vertreibung aus dem Paradies durch den Engel, Isis beim Sammeln der Körperteile ihres in Stücke gerissenen Mannes, der sterbende Narzissus am Brunnen usw. Der Künstler hatte ausreichende Gelegenheit, Grausamkeit in allen Erscheinungsformen darzustellen.

Beachtlich ist die Darstellung von Jokastes Schicksal anhand der vier Höhepunkte im Leben ihres Sohns Oedipus: Aussetzung als Kind, Vatermord, Selbstmord seiner Mutter und seine Blendung. Der Künstler vereinigt auf diese Weise verschiedene Momente in einem einzigen Bild, so wie er alle kleinen Bilder in eine Miniatur konzentriert. S. M.

Lit.: Tutte le opere di Giovanni Boccaccio, a cura di Vittore Branca. Milano: Mondadori, Bd. 9, 1983. A cura di P. G. Ricci und V. Zaccaría – Laurent de Premierfait's ›Des cas des nobles hommes et femmes‹. Book I, translated from Boccaccio. A critical edition based on six manuscripts, by Patricia May Gathercole. Chapel Hill: University of North Carolina Press 1960

39 *Drei »Fälle« (8, 9 und 10) aus Boccaccios ›Cas des nobles hommes et femmes‹ (Nr. 24)*

Titelblatt des 1. Buches (fol.3 recto) – Gleich einem Inhaltsverzeichnis faßt der Maler, in freier Folge, mit je einer Miniatur die Höhepunkte aller Geschichten des folgenden Buches zusammen:

1. Der Engel vertreibt die ersten Menschen Adam und Eva aus dem Paradies
2. Nimrod erbaut den Turm von Babel
3. Zoroaster, der Erfinder magischer Künste, wird von Ninus getötet
4. Isis bringt den Aegyptern das Schreiben und Pflügen bei. Als ihr Mann Apis getötet und zerstückelt wird, sammelt sie seine Körperteile
5. In Thessalien herrscht Hungersnot; der reiche Eristhion gibt seinen ganzen Reichtum aus, verkauft seine Tochter als Sklavin und muß endlich seine eigenen Körperteile essen
6. König Gelanor von Argos wird von seinen Mitbürgern verbannt
7. Nachdem 49 der 50 Töchter des Danaus 49 der 50 Söhne von dessen Bruder in ihrer Hochzeitsnacht getötet haben, wird der König von seinem Schwiegersohn Linceus ermordet
8. Thereus, der König von Thrakien, schändet Philomena, die Schwester seiner Frau, und schneidet ihr die Zunge ab. Sie teilt

aber den Sachverhalt in einer Stickerei mit. Thereus' Frau tötet ihren Sohn, den sie dem König vorsetzt.

9. Kadmos, Gründer und König von Theben, wird mit seiner Frau Harmonia verbannt
10. König Oetha von Kolchos hält man für den Sohn der Sonne. Mit der Hilfe seiner Tochter Medea raubt Jason Oethas Reichtum, den Widder mit dem goldenen Vlies.
11. Minos, der König von Kreta, bringt seinem Volk das Gesetz; seine Frau Pasiphae betrügt ihn mit dem Sekretär Tauros, deren Kind Minotauros wird. Minos' Tochter Ariadne wird von Theseus verlassen, obwohl sie ihm den Weg aus dem Labyrinth gezeigt hat. Minos' zweite Tochter Phaedra liebt ihren Stiefsohn Hippolytos.
12. Sisera, Führer des kanaanitischen Heers, unterdrückt das jüdische Volk. Seine Frau Jabet tötet ihn, indem sie ihn mit Milch einschläfert und ihm mit einem Pflock die Schläfe einschlägt.
13. Jokaste ersticht sich, als sie erfährt, daß ihr Sohn Oedipus seinen Vater getötet und mit ihr als seiner Mutter geschlafen hat. Oedipus sticht sich die Augen aus.
14. Thyestus schläft mit der Frau seines Bruders Atreus. Dieser tötet die drei Kinder seines Bruders und setzt sie ihm zur Mahlzeit vor, der endlich die Köpfe seiner Kinder entdeckt.
15. Als Eroberer des goldenen Vlieses vermehrte Theseus den Ruhm Athens. Nach dem Selbstmord seiner Frau Phaedra verbannen ihn die Athener.
16. Der Königin Althea wird prophezeit, daß ihr Sohn Meleager so lange lebt, wie ein bestimmtes Stück Holz nicht verbrennt. Meleager tötet seinen Onkel, worauf Althea das Holz ins Feuer legt. Meleager ersticht sich, und seine Mutter bringt sich ebenfalls um. – Im Hintergrund des Bildes Herkules mit dem Fell des Nemeischen Löwen.
17. Narzissus verliebt sich in die Nymphe Echo, die sich ihm verweigert. Im Brunnen sieht er sein Spiegelbild, in das er sich verliebt. Aus Schmerz über die Verhöhnung durch Echo ertränkt er sich.
18. Biblys liebt ihren Bruder und verfolgt ihn, bis sie an einem Brunnen stirbt.

19. Evander, König von Archadia, rauft sich die Haare vor der Leiche seines Sohnes Pallas, der im Krieg des Aeneas gegen Turnus fiel.
20. Akelei und Blätter.
21. Myrra empfängt einen Sohn (Adonis) von ihrem eigenen Vater (Cinara) Als dieser die Wahrheit erfährt, ersticht er seine Tochter.
22. Orpheus bezaubert mit seinem Gesang die Tiere, indem er den Verlust seiner Eurydikes beklagt, die er in der Unterwelt zurücklassen mußte.
23. Orest tötet Pyrrhus in Apollos Tempel, weil er seine Frau Hermione entführte. Dem Orest hilft der Priester Machareus, der mit seiner eigenen Schwester einen Sohn gezeugt hatte.
24. Samson der Starke, der einen Löwen tötete und tausend Philister mit der Kinnlade eines Esels erschlug, wird durch Dalilas Verrat gefangen und geblendet.
25. König Agamemnon von Mykene wird nach seiner Rückkehr als Sieger von Troja durch seine Frau Klytämnestra und ihren Liebhaber Ägisth ermordet.
26. König Priamos von Troja wird, neben seiner Frau Hekuba, von Pyrrhus ermordet.
26. Die Amazonen Menalipe (ihre Schwester Orithia ist die Anführerin) und Hippolyte werden vom Heer des Herkules entführt.

25 ›Das Nibelungenlied‹ und ›Klage‹ (Hs. Maihingen a)

Maihingen, 2. Viertel des 15. Jahrhunderts. Papier

26,8 x 19,5 cm, 1 nn. Bl., 260 Bll., 1 nn. Bl.

CB 117. Bodmeriana, Dt. Hss. des MA, S. 155–158

BUCHSCHMUCK: *Initialen und Rubrizierung*

EINBAND: *Pergament auf Pappdeckeln des 20. Jahrhunderts. Drei einfache Bünde. Aus demselben Leder wie die Bünde, auch vier Lederriemen für das Zubinden des Kodex. Rückentitel in gotisierender brauner Schrift. Rot eingefärbte Schnitte*

PROVENIENZ: *Antiquariat Georg Karl (Karl & Faber), München, September 1934. Seit 1829 in der Bibliothek der Fürsten von Oettingen-Wallerstein, seit 1841 auf Schloß Maihingen*

»Die Nibelungen ausgerechnet auf dem Mond anzusiedeln, das kann nur einem ziemlich durchtriebenen Autor einfallen«, wie Arno Schmidt einer war, der 1960 in dem Roman ›KAFF auch Mare Crisium‹ (1960) »seinen lunaren Ausflug in die Sage aber ganz irdisch [vorbereitet hatte], mit einem Kuß von Held und Heldin vor Heidelandschaft« (Johannes Saltzwedel), die »schtumm nebeneinander [...] fleißich Nebl (Niebelungn Neebljungn)« machten. Parodie mag beim ›Nibelungenlied‹ nach 1945 – als den Lesern alter Heldendichtung eher der Sinn nach der Geschichte des Kriegsheimkehrers Odysseus stand – die einzig mögliche Form der Wiederannäherung an einen Text gewesen sein, der rund hundert Jahre für martialische Propaganda hatte herhalten müssen. Kaum hatte Joseph Victor von Scheffel in seinem ›Ekkehard‹ noch frech »dumme Jungen« auf »Nibelungen« gereimt, da feuerte 1859 der damals noch nicht im ›Kampf um Rom‹ erprobte Felix Dahn auf das bloße Gerücht hin, Frankreich, Italien und Rußland hätten Deutschland den Krieg erklärt, seine Landsleute an: »Kämpft bis der letzte Streich geschlagen ins letzte deutsche Herzblut rot, / Und lachend, wie der grimme Hagen, springt in die Schwerter und den Tod / [...] Brach Etzels Haus in Glut zusammen, als er die Nibelungen zwang, / So soll Europa stehn in Flammen bei der Germanen Untergang!« Die Verkünder der Dolchstoßlegende, allen voran der spätere Reichspräsident Hindenburg, erkannten Deutschland nach dem Ersten Weltkrieg im Bild des Recken Siegfried wieder, den ein Verräter von hinten getroffen habe. Während Fritz Lang seinen Nibelungen-Film in Amerika als die europäische Westernvariante vorstellte, sollte ihn das deutsche Volk nach den Worten der Drehbuchautorin Thea von Harbou »empfangend erleben« als »das Hohelied von bedingungsloser Treue«. In genau diesem Sinne strapazierte Hermann Göring das ›Nibelungenlied‹ 1943 in seiner Berliner Sportpalastrede, als er von Offizieren und Soldaten burgundische Gefolgschaftstreue einforderte und den Kampf der dem Untergang schon preisgegebenen 6. Armee vor Stalingrad mit den Ereignissen in Etzels Halle verglich.

40 ›Nibelungenlied‹, Textseite mit Initiale, 15. Jh. (Nr. 25)

Es ist viel Merkwürdiges um dieses Heldenepos: Im Gegensatz zu den höfischen Versromanen des hohen Mittelalters, deren selbstbewußte Verfasser sich allenthalben zu erkennen geben, ist das ›Nibelungenlied‹ anonym überliefert. Indizien sprechen für den Hof des Passauer Bischofs Wolfger von Erla, des Förderers Wolframs von Eschenbach, als Entstehungsort. Für die Abfassungszeit bietet ein Zitat in Wolframs ›Parzival‹, der zwischen 1200 und 1210 zu datieren ist, einen terminus ante quem, während die entwickelte Reimtechnik der Nibelungenstrophe eine Entstehung vor 1190 höchst unwahrscheinlich macht. Den ersten Teildruck des zuletzt Anfang des 16. Jahrhunderts abgeschriebenen Epos veranstaltete 1757 der Schweizer Johann Jakob Bodmer, der in dem Rachemotiv des Werks eine Analogie zum Zorn des Achill in der ›Ilias‹ erkannte. 1782 zum erstenmal vollständig ediert, 1802/03 von August Wilhelm Schlegel in seinen Berliner ›Vorlesungen über schöne Literatur und Kunst‹ ausführlich gewürdigt, wurde das ›Nibelungenlied‹ für ein breites Publikum, das niemals die 39 Aventiuren mit ihren 2376 Strophen, gar noch im mittelhochdeutschen Original, ganz gelesen hatte, zum kulturellen Ausweis nationaler Identität, während nicht wenige Köpfe ebendieser Nation sich daran stießen: Goethe galt es als Zeugnis einer längst überschrittenen »Bildungsstufe«, und Hegel vermochte, wie Clemens Brentano berichtet, die Verse nur zu »genießen«, wenn er sie sich beim Lesen sogleich ins Griechische übersetzte. In allen Künsten hat die Nibelungen-Begeisterung aber auch Anstöße zu neuen Schöpfungen gegeben: So fertigte der gebürtige Zürcher Johann Heinrich Füssli einen bedeutenden Illustrationszyklus, und Friedrich Hebbel schrieb zwischen 1855 und 1860 eine ›Nibelungen‹-Trilogie, die mit der Übergabe der Krone durch König Etzel an Dietrich von Bern – »im Namen dessen, der am Kreuz erblich« – endet und dennoch ganz ambivalent in der Schwebe bleibt zwischen pessi-

DA mam zalt vom christ gepurde Sibem
Hunderett Iar darnach Jm dem dietzistem iar
da was pipanus vom franckreich romisch
Augostus der hueb Sich ze Ram vnd sazt
Sich gem constantinapell vom ugeharsam der Romär
vnd verswuer das er nim mer dar chäm Auch Sazt er zee
vogt am seiner statt herdietreich chunig zw gottlamitt dem
Man die zeitt nennt herdietreich vom perm pey dem zeite
lebt der weis römer Boetzius dem herdietreich vieng vmb
das daz er die Romär vast vor Jm freyst mit seiner weishaitt
vnd lag gevangen vmitz am Seinem tod Pem herdietrichs
zeittem der Romischem vogtz vergieng sich die auentteur
dez puches vom dem Reckhem vnd vom kreymhilldem
Es was gesessem ein chungin vber See irm geleich west — Strophe 325 (A.)
mam nit mer die was vnmassem schöne vill michell was — Vers 1317 (B.)
ir chraft Sy schos mit gleich gesptem degenn vmb ir minne
dem ger si schos dem stain warff Sy ferre darzue sy weitten
Sprang wer am sy wenden wollde seinem gedanckh dreu
spill mues er am behabem der frauem wolgeporem
geprach am ir ainem er hiett daz haubt verlorem dez heett
die chungin am masse vill getann da zefriesch pey dem

mistischer Geschichtsdeutung und der Möglichkeit christlicher Erlösung aus heidnischen Katastrophen.

Mit dem 1876 uraufgeführten ›Ring der Nibelungen‹ überdeckte Richard Wagner für lange Zeit nicht nur Hebbels Dichtung, sondern alle anderen Reflexe des mittelhocheutschen Epos. Dabei hatte das ›Nibelungenlied‹ für die neue Form der Oper nur das Publikum aufgeschlossen gestimmt, ihrem Schöpfer aber nicht als Quelle gedient. Griff Wagner doch, am ›Nibelungenlied‹ vorbei, auf altnordische Quellen zurück, auf die Götter- und Heldenlieder der ›Edda‹ und auf die Prosa der ›Völsunga-Saga‹. Er durfte sie noch für älter halten als das Epos; spätere Forschung hat erwiesen, daß ihre schriftliche Fixierung erst nach der Mitte des 13. Jahrhunderts erfolgt ist. Vieles, was Wagner für besonders ›archaisch‹ angesehen haben mochte, etwa die vom Flammenwall umgebene schlafende Jungfrau, zu der nur der auserwählte Held gelangen kann, ist junge Hinzufügung zu alten Mythen. Auch die Akzente verschob Wagner in modernem Sinn, wenn er etwa an der Figur des Schatzhüters Alberich sinnfällig macht, daß Reichtum und Liebe einander ausschließen. Gottfried Keller, dessen Werk diese Überzeugung ebenfalls spiegelt, hat Wagners ›Ring‹-Dichtung deswegen wiederholt gerühmt.

Resigniert gesteht 1990 der Mediävist Joachim Bumke die Hilflosigkeit auch der Forschung in seiner ›Geschichte der deutschen Literatur im hohen Mittelalter‹: »Eine durchgehende Sinnstruktur, wie in den Epen Chrétiens de Troyes und seiner deutschen Bearbeiter« Wolfram von Eschenbach oder Gottfried von Straßburg, »gibt es im ›Nibelungenlied‹ nicht. Daher sind den Bemühungen um ein Gesamtverständnis enge Grenzen gesetzt.« So gehen die Deutungen weit auseinander: Bald wird der Widerspruch von Schein und Sein, wie er sich in dem Kontrast von höfischem Gebaren und unlauteren Motiven der Handelnden zeigt, zum zentralen Thema erklärt, bald das Geschehen als Voraussage des Untergangs der höfischen Welt oder umfassender als ein großes Gleichnis des heraufziehenden Untergangs einer Welt verstanden, in der Haß und List immer aufs neue vernichtende Rache gebären: Siegfried, der Kriemhild, die Schwester der Burgundenkönige Gunther, Gernot und Giselher erst freien darf, nachdem er mittels der Tarnkappe die isländische Königin Brünhild für Gunther gewonnen hat, fällt der Rache seiner Schwägerin zum Opfer.

Nachdem diese im Streit der beiden Frauen um den Vortritt auf der Treppe des Wormser Doms von Kriemhild die doppelte Demütigung erfahren hat, die ihr von Siegfried und Gunther widerfahren ist, stiftet sie Hagen, den Waffenmeister der Könige, zum Mord an Siegfried an. Von Hagen wird Kriemhild des Hortes und damit der Möglichkeit zum Handeln beraubt. Erst als der Hunnenkönig Etzel die zum Schein längst mit den Burgunden versöhnte Witwe Siegfrieds zur Frau begehrt, bietet sich dieser endlich die Gelegenheit zur Rache: Mit der Einladung zu einem Fest lockt Kriemhild ihre Brüder an Etzels Hof. Nach langer Donaufahrt mit Hagen, den man trefflich mit dem antiken Totenfährmann Charon verglichen hat (Giorgio Dolfini), kommt es in Ungarn zu der berühmten Saalschlacht, in der die Burgunden getötet werden. Als Kriemhild mit eigener Hand Hagen das Haupt abgeschlagen hat, wird dieser im Tod noch einmal zum Todesbringer: Entsetzt ob der furchtbaren Frau, durchbohrt Hildebrand, der Waffenmeister Dietrichs von Bern, auch Kriemhild. Neuere Interpretationen betonen, daß die Schilderung des grausigen Geschehens vielfach mit ironischen und lächerlichen Einschlägen durchwoben ist, so in der Episode, da die dominante Brünhild ihren königlichen Gatten Gunther in der Hochzeitsnacht an den Nagel hängt.

Von staunenswerter Rätselhaftigkeit bleibt, daß auch hier – wie in den antiken Epen und im modernen Roman – Dichtung zugleich Erinnerungen an Ereignisse – an den Untergang des burgundischen Reiches und den Tod Attilas – beschwört, die im Nebel längst vergangener Zeiten zu verschwimmen drohen.

Vollständig oder nahezu vollständig ist das ›Nibelungenlied‹ in 35 Handschriften zusammen mit der ›Klage‹ überliefert, einer Fortsetzung, die den abrupten Schluß durch versöhnliche Ausblicke (Bestattung der Toten, Krönung von Gunthers und Brünhilds Sohn) aufhellt. Zahlreiche weitere erhaltene Textfragmente zeugen von der großen Resonanz des Werks.

Die aus Hohenems stammende Handschrift A (die Siglen A, B und C hat Karl Lachmann im 19. Jahrhundert eingeführt) wird heute in München verwahrt, die (den meisten modernen Ausgaben zugrundegelegte) Handschrift B in St. Gallen, die (Hohenems-Laßbergische) Handschrift C aus der Fürstlich Fürstenbergischen Hofbibliothek zu Donaueschingen ist zur Zeit Gegenstand von Verkaufsverhandlungen, an deren Ende wohl der Übergang in staatliches Eigentum stehen wird. A und B repräsentieren die sogenannte »nôt«-Gruppe der Überlieferung, d.h. Handschriften, in denen der Schluß lautet: »daz ist der Nibelunge nôt«. C vertritt die »liet«-Gruppe, deren Text endet: »daz ist der Nibelunge liet«. Zur zweiten Gruppe gehört auch die in der Bodmeriana verwahrte Handschrift von ›Nibelungenlied‹ und ›Klage‹ (in den Ausgaben mit a sigliert). Von drei Schreiberhänden weist die erste am deutlichsten bairisch-österreichische Mundartmerkmale auf und deutet auf einen Schreibort in Mittelbayern oder Bayrisch-Schwaben hin. Die Schrift ist eine kalligraphische deutsche Bastarda, in der dritten Hand mit kursiven Tendenzen. Die etwa im 2. Viertel des 15. Jahrhunderts entstandene Handschrift weist als Buchschmuck rote Lombarden auf. Der Text beginnt erst in der 6. Aventiure mit der 329. Strophe, eine Prosaeinleitung faßt den Inhalt der ersten fünf Aventiuren knapp zusammen. H.-A.K.

Lit.: Das Nibelungenlied. Hrsg., übers. und mit einem Anhang versehen von Helmut Brackert. Bd. 1.2. Frankfurt a.M.: Fischer-Taschenbuch-Verlag 1970–71 – Joachim Heinzle, Das Nibelungenlied. München: Artemis; Neuausg. Frankfurt a. M.: Fischer Taschenbuch Verl. 1996. 1987 – Otfrid Ehrismann, Nibelungenlied: Epoche, Werk, Wirkung. München: Beck 1987 – Werner Hoffmann, Nibelungenlied. 6., überarb. und erw. Aufl.; Stuttgart, Weimar: Metzler 1992 – Ein Lied von gestern? Wormser Symposium zur Rezeptionsgeschichte des Nibelungenliedes. Hrsg. von Gerold Bönnen und Volker Gallé. Worms: Stadtarchiv 1999

26 **Abû l-Qâsim Mansûr Firdausî (um 941–1021)**

›Schâhnâmeh‹ [›Buch der Könige‹]

Ms. Persien, 16. Jahrhundert, persisch

2°, 530 nn. Bll.

CB 513

BUCHSCHMUCK: *60 z. T. blattgroße Miniaturen*

EINBAND: *Leder der Zeit mit Goldprägung*

PROVENIENZ: *unbekannt*

Im 7. Jahrhundert wird das sasanidische Iran von muslimischen Arabern erobert und unterworfen. Das ehemalige Großreich wird, in einzelne Provinzen aufgeteilt, der Herrschaft der Kalifen unterworfen und verliert damit nicht nur seine Unabhängigkeit, sondern auch seinen Namen: »Iran« ist nur noch ein historischer Begriff. Anstelle des Zoroastrismus mit seinem dualistischen Weltbild tritt mehr und mehr der monotheistische Islam. Mit der neuen Religion kommt auch das mit ihr untrennbar verbundene Arabisch, nicht nur als Sprache der Religion, sondern auch als Sprache von Verwaltung, Wissenschaft und Literatur. Somit wird das Mittelpersische (Pahlawî) zunehmend an den Rand gedrängt.

Trotz der ungünstigen Bedingungen überlebt die persische Sprache nicht nur, sondern erweist sich als höchst vital: das Neupersische entsteht, zuerst lediglich als gesprochene Sprache. Als sich beim Zerfall des Abbasidenreiches im Osten Irans lokale iranisch-islamische Dynastien etablieren, können sie auf diese Sprache, die jetzt auch geschrieben wird (in arabischer Schrift) zurückgreifen. Aus dem Zusammenspiel von Persisch und der nie wirklich versiegten kulturellen Tradition entsteht im ständigen Dialog mit der arabischen Sprache und Literatur im 9. Jahrhundert von neuem eine persische Literatur. Ihr erster Höhepunkt und zugleich Ausdruck des neuerwachten iranischen Selbstbewusstseins ist das iranische Nationalepos, das ›Schâhnâme‹ (›Buch der Könige‹) von Firdausî (940 – 1020).

Auf den folgenden Seiten: 41–42 Miniaturen aus Firdausî, ›Buch der Könige‹ (Nr. 26)

Firdausî, aus dem grundbesitzenden Landadel stammend, hat zum Ziel, das alte Iran wiederaufleben zu lassen. Dabei kann er aus einem reichen Fundus schriftlicher und mündlicher Quellen schöpfen, die aus mittelpersischer Zeit überlebt haben. So berichtet er des öfteren zu Beginn einer Geschichte, daß er sich auf die

بگو برگ گویا چه گوید همی
که چندین سکندر چه جوید ز دهر
سکندر ز دیده ببارید خون
سخن گوی شد برگ دیگر درخت

که دل را بخوناب شوید همی
که بردار و از نیکویی هاش بهر
دلش گشت پردرد از آن رهنمون
دگر پرسید از آن نیکبخت
چنین داد پاسخ کز این ماده شاخ

چنین داد پاسخ که ای نیکبخت
ز شاهیش چون سال شد بر دو هفت
وز آن پس بکس نیز نگشاد لب
چه گوید همی این دگر شاخ گفت
همی گوید اندر جهان فراخ

همی گوید این برگ شاخ درخت
ز تخت بزرگی بباید ش رفت
پر از غم همی بود تا تیره شب
سخن گوی بگشاد راز از نهفت

[illegible]آز گرد جهان گشتن است
بپرسید از آن ترجمان پادشا[illegible]
همی تا برخ برکشد چادرم

ز آز فراوان برنجی همی
که از جهان پادشا کشتن است
که ای مرد روشن دل پارسا
مگر زنده بیند مرا مادرم

روان را چو ابر شکنجی همی
نماند بگیتی فراوان درنگ
یکی باز پرسش کر باشم بروم
چنین گفت با شاه گویا درخت

مکن روز بر خویشتن تار و تنگ
که پیش آید این گردش روز شوم
که کوتاه کن روز و بر بند رخت

بدو گفت کسری سخن راست گوی — مکن چاره و هیچ کژی مجوی
پراسپر سخن راست زو راز گفت — نهفته بدید آورید از نهفت
چو آمد بدان بارگاه بلند — بپرسید ازو رزم کاری گزند
چو آمد بدان بارگاه بلند — بپرسید آنگاه شاه ارجمند
جهود از جهاندار زنهار خواست — که پیدا کند راه نیرنگ راست
جهاندار بشنید خیره بماند — ز دو موبد و مرزبان را بخواند
بفرمود پس تا دو دار بلند — فرو هشته از دار پیچان کمند
یکی دار زوران دیگر جهود — کشنده بر آویخت شد بی نمود

که کژی نیارد مگر کار بد — دل نیک بد گردد از …
کنه یک پسر افکند سوی جهود — تن خویش اگر د پر درد …
فرستاد نزد شعبد جهود — دو اسپه سواری بگر …
که این کار چون بود با من بگوی — ز دست دروغ آنچه …
بگفت آنچه زوران بدو گفته بود — سخن هر چه اندر نه …
دگر باره گرد آن سخن خواستار — به پیش روان داد دگر سه …
بزد مرد در خشم پیش درش — برد بر نظاره همه …

جهان را نباید سپردن به بد — که از بد کنش بی گمان بد رسد
یکی دختری یافت پوشیده روی — به مرد گرانمایه نامجوی
روانش ز مهبود بریان بدی — شب تیره تا روز گریان بدی
بدرویش بخشید بسیار چیز — ز بازار از آفرین داشت نیز
وگر چند بد گرد آسیان بود — بفغفر جام ازو هم سرپیان بود

بیاران پلنگ و بیاران تیر — بداد نیز پسرها نیز …
ز خویشان مهبود چندین نجست — کز ایشان نباید یکی تن …
همه گنج زوران بدیشان نمود — همه هر چه بد زان مرد جه …
ز یزدان همی خواستی زینهار — همی ریختی خون دل …
که یزدان گناهش ببخشید مگر — ستمگر نخواندش …
اگر با دل سنگ خارا شود — نماند نهان آشکا …

دگر چه

Erzählungen eines Dehqân (Angehöriger des Landadels) oder eines Môbed (zoroastrischer Priester) stützte.

35 Jahre hat die Abfassung des ›Schâhnâme‹ gedauert, wie Firdausî selbst am Ende seines Werkes berichtet. In rund 60 000 Versen entrollt er die Geschichte Irans von den mythischen Anfängen bis zum Zusammenbruch des Sasanidenreiches. Der Stil ist einfach und dennoch eloquent, von archaischer Wucht und doch elegant, frei von Arabismen und vor allem von den in späteren Zeiten überhandnehmenden rhetorischen Schnörkeln.

Das Epos beginnt mit der Schaffung des Universums. Gut kämpft gegen Böse, die Menschen lernen den Gebrauch verschiedenster Kulturtechniken wie Ackerbau und Viehzucht, die Kunst des Schreibens und vieles mehr. Auf diese mythologische Epoche folgt die Heldenepoche Irans, der eigentliche Kern des Nationalepos. Im immerwährenden Kampf gegen den Erzfeind Tûrân kämpfen Heldengestalten unter Einsatz ihres eigenen Lebens für ihr Land. Mit der Schilderung der Niederlage Dareios' gegen Alexander den Großen beginnt die historische Epoche. Sagenmotive und Heldengestalten treten in den Hintergrund. Das Epos nimmt die Züge einer Chronik an, in der historische Persönlichkeiten und reale Begebenheiten die Hauptrolle übernehmen, wenn auch immer noch in einer stark legendenhaften Darstellung. Das Ende ist erreicht mit dem Eindringen der muslimischen Heere.

Bis heute ist das Werk für die Iraner von großer Bedeutung – so zeigt zum Beispiel das staatliche iranische Fernsehen regelmäßig Ausschnitte daraus. – Das reich mit Miniaturen versehene Manuskript der Bodmeriana wurde noch nie wissenschaftlich gewürdigt und wäre eine eingehende Untersuchung wert.

E.v.d.Sch.

27 **Dschâmî (1414–1492)**

›Yûsuf und Zuleika‹

Ms. Persien, um 1570–1580, in Nastalik, Papier

14,6 x 7,8 cm, zweispaltig, 166 Bll.

BUCHSCHMUCK: *6 Miniaturen im arabischen Stil, ornamentale Verzierung in Gold und Farben zu Beginn und am Ende der Abschnitte. Kopfstücke in Gold mit Arabeskenmuster und Schrift in Weiß. Der Text ist auf goldgesprenkeltem Papier montiert*

EINBAND: *Leder der Zeit*

PROVENIENZ: *Maggs, London, Dezember 1955, Bibliothek des Kaisers Jahangir*

Nach den Zerstörungen des 14. Jahrhunderts, in dem Iran unter einem zweiten Mongolensturm, demjenigen Timurs, zu leiden hatte, kommt es im 15. Jahrhundert noch einmal zu einer kurzen Blüte. Die Nachfolger Timurs, die ursprünglich turksprachigen Timuriden, iranisieren sich rasch und sind großzügige Förderer von Architektur, Wissenschaft, Geschichtsschreibung, Buchmalerei und Literatur.

In Herat wird der Hof zum Mittelpunkt einer neubelebten persischen Literatur. Einer der herausragenden Mäzene ist der Wesir Alî Schîr Nawâ'î, brillanter Vertreter der tschagataischen Literatur und Verfasser einer Schrift (›Muhâkamat al-lugatain‹), die den Vorrang der Tschagataischen, also einer Turksprache, gegenüber dem Persischen postuliert. Dies war zur damaligen Zeit eine ziemlich extravagante Ansicht, denn Persisch galt als die Sprache der Dichtung schlechthin. Sein stolzes Selbstbewußtsein als Türke hindert ihn allerdings nicht, Freund und Mäzen des persischsprachigen Dichters Dschâmî zu sein.

Dieser war einer der fruchtbarsten Dichter des 15. Jahrhunderts, der alle Spielarten der klassischen Poesie beherrschte. Zu seinen bekanntesten Werken gehört das ›Haft aurang‹ (›Sieben Throne‹, gleichzeitig der Name des Sternbildes des Bären), eine Sammlung von sieben Epen, Masnawîs. Eines davon, und das meistgelesene, ist eben ›Yûsuf und Zuleika‹.

Auf den folgenden Seiten: 43/44 Miniaturen aus dem Dschâmî, 16. Jh. (Nr. 27)

Die biblische Geschichte von Joseph und dem Weib Potiphars wird auch im Koran erzählt, in der 12. Sure, der Sure von Yûsuf.

گروهی دید گرداگرد یوسف
پی تعلیم دین شاگرد یوسف

بتان بشکسته و بگسسته زنار
ز سبحه یافته پرستش کار

زبان گویا بتوحید خداوند
میان با عهد خدمت تازه پیوند

یوسف گفت ای ز فرق تا پای
دل آشوب و دلارام و دل آرای

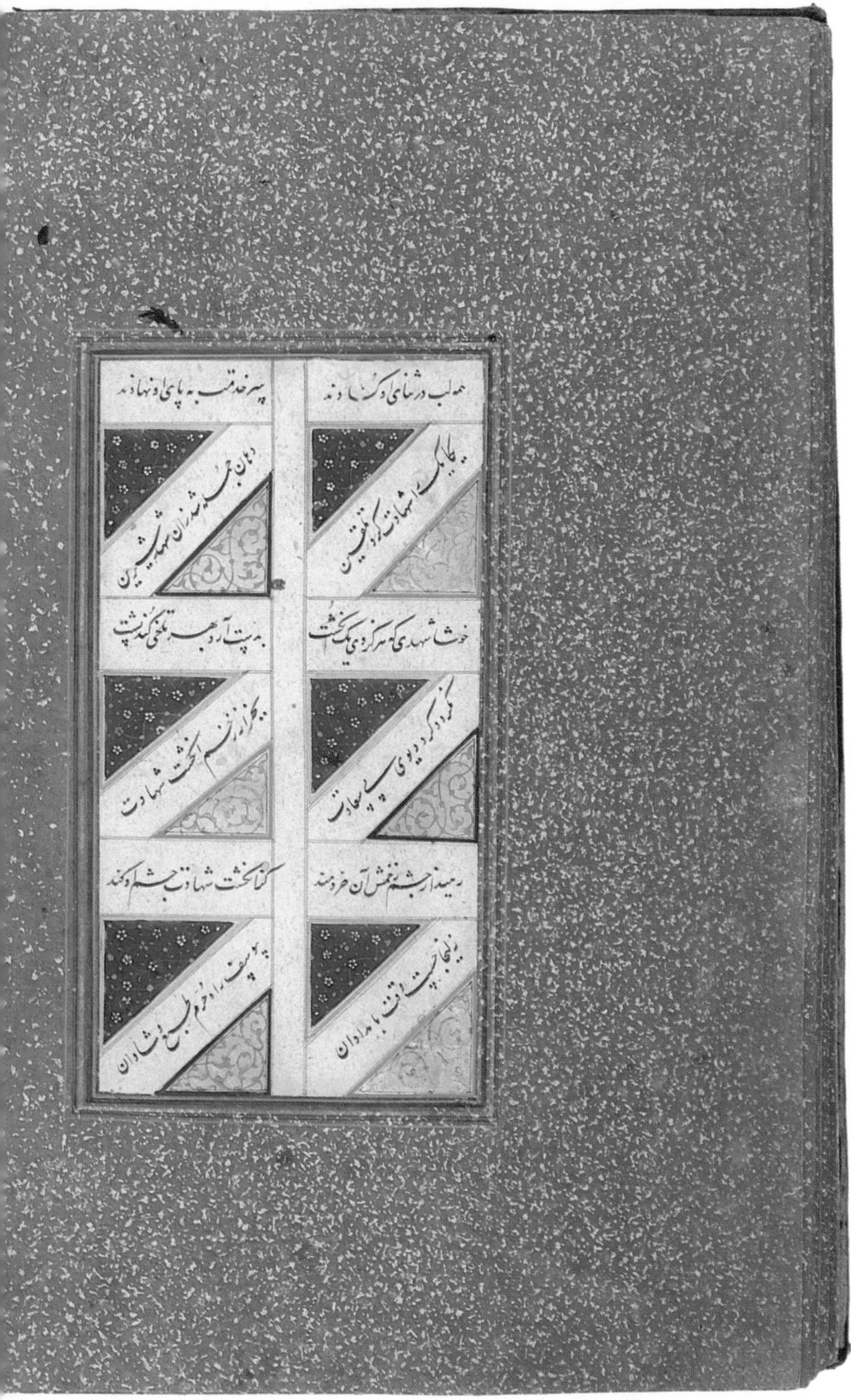
همه لب در ثنای او گشادند
سپر خدمت به پای او نهادند

In der Folge wird sie zu einem der beliebtesten Themen in der persischen und türkischen Literatur, allerdings in einer von der religiösen Vorlage stark abweichenden Form. Im Koran, wo die Frau keinen Namen trägt, nimmt die Verführungsgeschichte lediglich einen kleinen Teil der gesamten Geschichte Josephs ein. In der literarischen Rezeption dagegen tritt die Liebesthematik ganz in den Vordergrund, Josephs Verhältnis zu seinen Brüdern und die Geschichte seines Aufenthalts in Ägypten sind nur Beiwerk. Statt dessen entfaltet sich jetzt ein ganzer Bilderbogen über das Entstehen gegenseitiger leidenschaftlicher Anziehung, tragischer Trennung und zuletzt der Vermählung der beiden Geliebten. Unter allen romantischen Epen, die den Titel ›Yûsuf und Zuleika‹ tragen, gilt das des Dichters Dschâmî (1414 – 1492) als das beste.

E.v.d.Sch.

28 **John Milton (1608–1674)**

›Paradise lost. A Poem written in Ten Books‹

London: Peter Parker, 1667. Erstausgabe, beigebunden die Varianten der Titelblätter 1668 und 1669

8°, 180 nn. Bll.

EINBAND: *Maroquin mit Goldprägung, modern*

PROVENIENZ: *vor 1947. Bodmer, Weltliteratur, S. 94*

»Es ist hier ein Hr. Bodmer [...], welcher des verrühmten Miltons Carmen heroicum ... übersetzt, es hat sollen hier gedruckt werden, die geistlichen Censores aber sehen es für eine allzu Romantische Schrift in einem so heiligen themate; es ist extra Hohes und Pathetisches, aber nicht recht, daß man es nicht gestattet hat, in druk zu geben«, berichtete 1725 ein Zürcher über die Schwierigkeiten, auf die Johann Jakob Bodmer stieß, als er seine deutsche Prosaversion von Miltons Blankvers-Epos ›Paradise Lost‹ veröffentlichen wollte.

In London warb damals Joseph Addison in seiner Moralischen Wochenschrift ›The Spectator‹ für das englische Werk, doch war der Schweizer Übersetzer nicht durch die Zeitschrift, von der er nur die um zahlreiche Beiträge gekürzte französische Ausgabe kannte, auf das Epos aufmerksam geworden, sondern durch einen italienischen Freund, den berühmten Historiker und Quelleneditor Ludovico Antonio Muratori. Unter großen Mühen konnte er »das einzige Exemplar zwischen dem oberen Rhein und der Reusse« auftreiben und machte sich in seinem Landhaus in Greifensee mit Hilfe eines lateinisch-englischen Wörterbuchs an die Übertragung. Er begann mit dem achten Buch, in dem Adam dem Erzengel Raphael sein Leben erzählt. Zwar war die Arbeit 1724 abgeschlossen, aber infolge des Widerstands der Geistlichkeit verzögerte sich der erste Druck bis 1732. (Wesentlich veränderte, aber weiterhin in Prosa gehaltene Fassungen brachte Bodmer 1742 und 1754 heraus. Später zählte er sie als die »schweizerische«, die »deutsche« und die »poetische« Übersetzung.)

»Als vollends Milton, den ich ohne ihre [sic!] Übersetzung viel zu spät kennen gelernt hätte, mir unversehens in die Hände fiel, da blies er in meinem Innern das Feuer an, das Homer schon entzündet hatte, und hob meine Seele zum Himmel und zur religiösen Dichtung empor«, bekannte Klopstock zu Bodmer, eben als er über den Druck der ersten Gesänge des ›Messias‹ in den ›Bremer Bei-

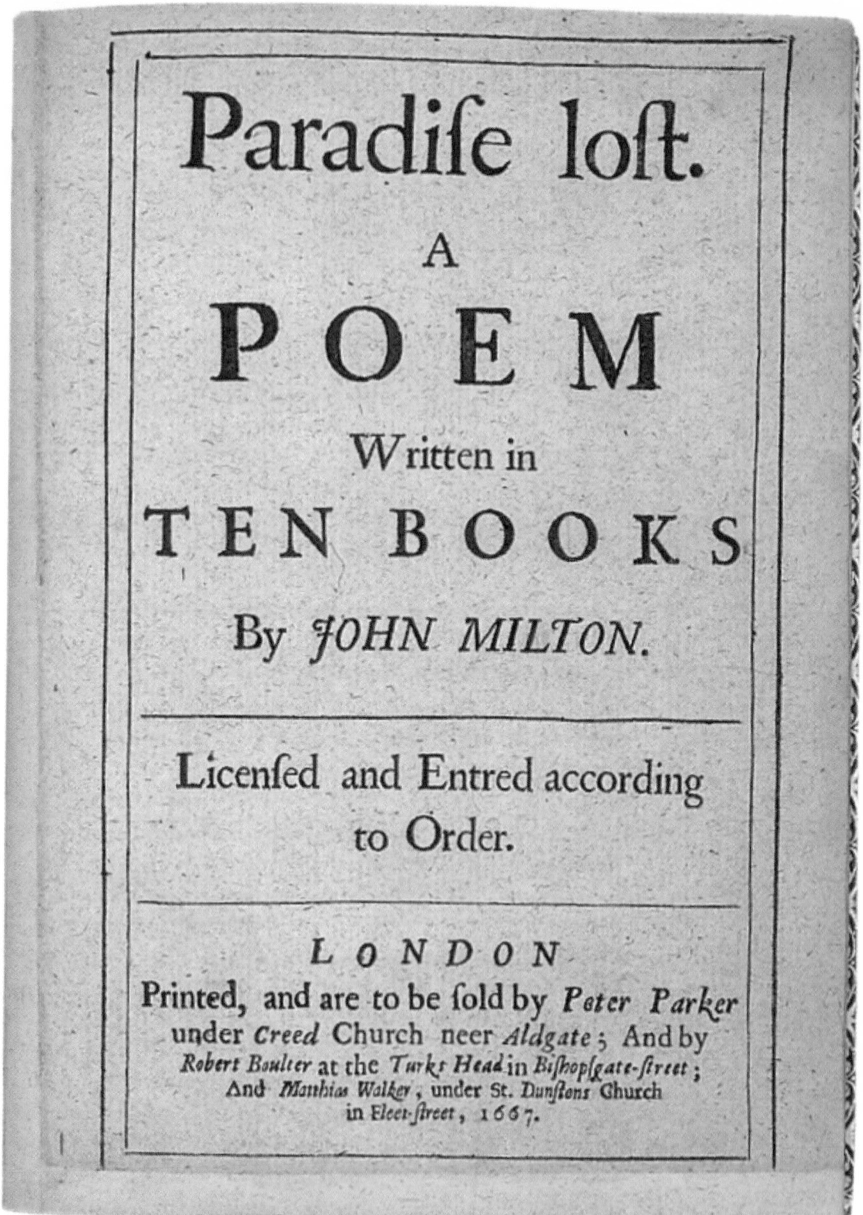

Paradise lost.

A

POEM

Written in

TEN BOOKS

By *JOHN MILTON.*

Licensed and Entred according to Order.

LONDON

Printed, and are to be sold by *Peter Parker* under *Creed* Church neer *Aldgate*; And by *Robert Boulter* at the *Turks Head* in *Bishopsgate-street*; And *Matthias Walker*, under St. *Dunstons* Church in *Fleet-street*, 1667.

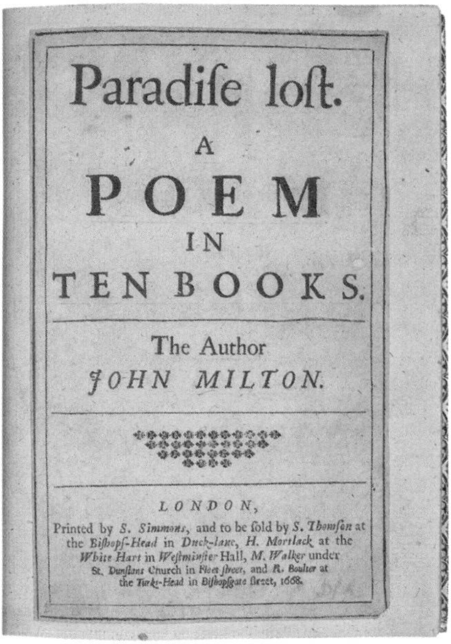
Paradiſe loſt.
A
POEM
IN
TEN BOOKS.
The Author
JOHN MILTON.
LONDON,
Printed by S. Simmons, and to be ſold by S. Thomſon at the Biſhops-Head in Duck-lane, H. Mortlack at the White Hart in Weſtminſter-Hall, M. Walker under St. Dunſtans Church in Fleet-ſtreet, and R. Boulter at the Turks-Head in Biſhopſgate-ſtreet, 1668.

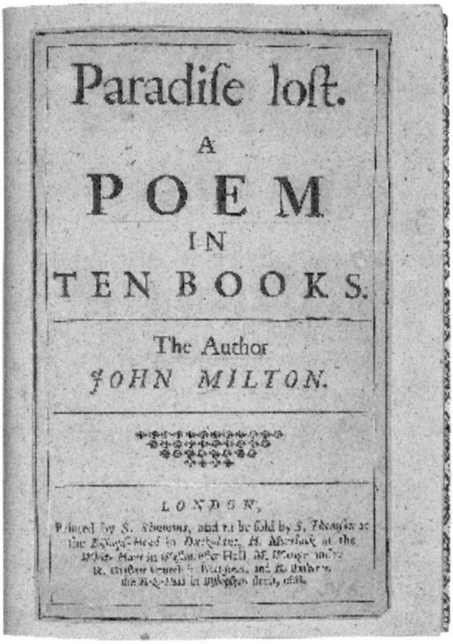
Paradiſe loſt.
A
POEM
IN
TEN BOOKS.
The Author
JOHN MILTON.
LONDON,

45 John Milton. Titelblattvariante 1667 (Nr. 28)

46 John Milton. Titelblattvariante 1668 (Nr. 28)

47 John Milton. Titelblattvariante 1669 (Nr. 28)

trägen‹ verhandelte. Klopstock, der bei seinen Zeitgenossen bald der »deutsche Milton« hieß, erzählt im ›Messias‹ von der Erlösung als vollendeter Heilsgeschichte, während sie in ›Paradise Lost‹ nur als Prophetie des Erzengels Michael an den trauernden Adam verkündet wird. Gerade dafür hatten sogar seine Anhänger Addison und Bodmer den englischen Dichter getadelt, daß die Erlösung in seinem Epos nur als Zukunft in den Blick kommt. So konnte Klopstock als Vollender dessen erscheinen, was Milton begonnen hatte.

Erst um die Mitte des 18. Jahrhunderts wurde der Ruhm des ›Paradise Lost‹ in England allgemein – erst über den Umweg der aus Italien angestoßenen Begeisterung im deutschen Sprachgebiet und die Nachfolge des ›Messias‹. Von einzelnen Ausnahmen abgesehen, zu denen vor Addison noch John Dryden zählt, standen von Miltons Werken seine Prosaschriften zu Kirchendisziplin, Ehescheidung und Religionsfreiheit in höherem Ansehen als seine Dichtung.

Begonnen hat der 1608 als Sohn eines musisch begabten Notars in wohlhabenden Verhältnissen geborene Puritaner und poeta doctus die Arbeit an ›Paradise Lost‹ 1658, abgeschlossen 1663, als er schon vollkommen erblindet war. Der Verlust des Lichts rückte Milton für die deutschen Literaten, die sich an Homer zu begeistern begannen, in mythischer Erhöhung neben den griechischen Sänger, welcher der Legende zufolge ebenfalls ein Blinder gewesen sein soll, wie ihn auch die antiken Idealbildnisse darstellen. Wahrhaft mit inneren Augen sind die Visionen des ›Paradise Lost‹ geschaut. Durch gewählte Sprache, mythologische Ausgriffe, häufige Szenenwechsel, zahlreiche Schlachtenschilderungen, auch durch den Musenanruf ist das Epos zuallererst am Maß der Vergilschen ›Aeneis‹ ausgerichtet, auch wenn weitere literarische Anregungen aus der Literatur mit dem großen Vorbild in Fülle zusammenströmen, wie der ›Lucifer‹ Joost van den Vondels, der ›Adamo‹ von Giambattista Andreini und der ›Adamo caduto‹ von Serafino della Salandra. Zur fortgeschrittenen Naturwissenschaft seiner Zeit steht das Weltbild des Epos quer, das noch ganz den ptolemäischen Vorstellungen entspricht, die seit dem Mittelalter mit der theologischen Kosmologie harmonisierten – und dies, obwohl Milton auf seiner Italienreise mit Galilei zusammengetroffen war. H.-A.K.

Lit.: Lawrence Marsden Price, Die Aufnahme englischer Literatur in Deutschland 1500–1960. Ins Deutsche übertr. von Maxwell E. Knight. Bern, München: Francke 1961 – W. E. Baxter, Milton's Paradise Lost, in: The Bibliographer 2 (1908), 2, S. 73–90

29* **Friederich Gottlieb Klopstock (1724–1803)**

›Der Messias‹

1. Band der ersten Gesamtausgabe Halle: Carl Hermann Hemmerde, 1751 (Bde. 2–4 nicht ausgestellt)

8°, 6 nn. Bll., 184 S.; gestochenes Frontispiz, Titelvignette und 5 Kupfer

EINBAND: *Halbleder 19. Jh.*

PROVENIENZ: *Antiquariat Fritz Eggert, Stuttgart, 1964. Exlibris W. Wittke*

Goethes Vater hatte das Buch in seinem Hause verboten. Wie konnte Poesie sein, was sich nicht einmal reimte, war die entschiedene Meinung des Kaiserlichen Rats, der sich seinen Begriff von Dichtung aus der Lektüre Friedrich von Hagedorns, Christian Fürchtegott Gellerts oder Albrecht von Hallers gebildet hatte. Die Mutter jedoch »hielt es heimlich, und wir Geschwister bemächtigten uns desselben«. Eines Samstagabends im Winter – so erzählt Goethe im ersten Teil von ›Dichtung und Wahrheit‹ zu Ende des zweiten Buches weiter –, als der Barbier, schon bei Licht, den Vater zur Rasur vorbereitete, saß er mit seiner Schwester Cornelia auf einem Schemel hinter dem Ofen. Beide Kinder konnten von ihrer Gewohnheit nicht lassen, immer wieder »das wilde verzweifelte Gespräch zwischen Satan und Adramelech« aus dem zehnten Gesang des ›Messias‹ zu rezitieren. »Wir murmelten, während der Barbier einseifte, unsere herkömmliche Flüche ziemlich leise. Nun hatte aber Adramelech den Satan mit eisernen Händen zu fassen; meine Schwester packte mich gewaltig an, und rezitierte, zwar leise genug, aber doch mit steigender Leidenschaft:

> Hilf mir! ich flehe dich an, ich bete, wenn du es forderst,
> Ungeheuer, dich an! Verworfner, schwarzer Verbrecher,
> Hilf mir! ich leide die Pein des rächenden ewigen Todes!
> Vormals konnt' ich mit heißem, mit grimmigem Hasse dich hassen!
> Jetzt vermag ich's nicht mehr! Auch dies ist stechender Jammer!

Bisher war alles leidlich gegangen; aber laut, mit fürchterlicher Stimme rief sie die folgenden Worte:

O wie bin ich zermalmt! …

Der gute Chirurgus erschrak und goß dem Vater das Seifenbecken in die Brust. Da gab es einen großen Aufstand, und eine strenge Untersuchung ward gehalten, besonders in Betracht des Unglücks, das hätte entstehen können, wenn man schon im Rasieren begriffen gewesen wäre. Um allen Verdacht des Mutwillens von uns abzulehnen, bekannten wir uns zu unseren teuflischen Rollen, und das Unglück, das die Hexameter angerichtet hatten, war zu offenbar, als daß man sie nicht aufs neue hätte verrufen und verbannen sollen.«

Nicht nur die ironische Distanz des Alters, auch der innere Abstand, den Goethe zu Klopstock gewonnen hatte, spiegelt sich in der scherzenden Passage. Als Erneuerer der deutschen Dichtersprache hatten Johann Gottfried Herder in Straßburg und Johann Heinrich Merck in Darmstadt ihm den 1724 zu Quedlinburg geborenen Sänger von Hymnen und Dichter von Oden in antiken Maßen nähergebracht, und das Stürmisch-Drängende in Goethes Gedichten mit freien Rhythmen – ›Wandrers Sturmlied‹ etwa, ›Ganymed‹ oder ›An Schwager Kronos‹ – lassen die produktive Aufnahme von Klopstock erkennen. Selbst die schon bei ihrem Erscheinen 1774 von den meisten Zeitgenossen abgelehnte ›Gelehrtenrepublik‹ Klopstocks verteidigte Goethe heftig. Um diese Zeit war seine Verehrung für den Norddeutschen grenzenlos, er nannte Klopstock einen »lieben Vater«, ja er wäre, wie er mit empfindsamem Enthusiasmus schwärmte, sogar zu dessen Grab gewallfahrtet. Er teilte Klopstocks Begeisterung für das »Schrittschuhlaufen« auf dem Eis und war beeindruckt von dessen Eislauf-Gedichten, in denen erstmals wieder seit Pindar sportliches Tun zum Anlaß gedankenvoller Lyrik geworden war. An der zitierten Stelle in ›Dichtung und Wahrheit‹ bemerkt Goethe mit anzüglichem Spott auch: »Im Anfang wunderte man sich, wie ein so vortrefflicher Mann so wunderlich heißen könnte; doch gewöhnte man sich bald daran und dachte nicht mehr an die Bedeutung dieser Silben.« Mit dieser Bemerkung ironisiert der Autor der ›Leiden des jungen Werthers‹ den seinerzeitigen Einfall, daß die Liebenden in dem Roman sich allein durch die Nennung des Namens Klopstock wechselseitig ihre Herzen aufschließen. Der Kontakt zwischen den Dichtern brach ab, als der Ältere öffentlich an dem transgressiven Lebenswandel Anstoß nahm, den Goethe in seinen Augen zu Weimar führte.

Den Plan zum ›Messias‹ hatte Klopstock bereits als Schüler in Pforta gefaßt, in Leipzig bedrängten die dort unter dem Namen der »Bremer Beiträger« vereinigten Freunde ihn zur Veröffentlichung der ersten drei Gesänge in ihrer Zeitschrift. Rund fünfzig Jahre arbeitete der Dichter an dem Werk, sukzessive vollendete er bis 1773 die Gesänge IV-XX, parallel dazu faßte er bereits fertige Teile immer wieder neu, zuletzt revidierte er den Text noch einmal gründlich für die Gesamtausgabe, wenige Jahre vor seinem Tod. Tausende Bürger aus dem benachbarten Hamburg geleiteten 1803 den verstorbenen »Sänger« des ›Messias‹ zu Grabe.

Nur wenige von ihnen noch dürften das ganze Epos gelesen haben. Es gab begeisterte Rühmer des ›Messias‹. Unter den Zeitgenossen Klopstocks war Christian Friedrich Daniel Schubart sein eifrigster Prophet; er führte das Buch ständig bei sich und las daraus vor einfachen Leuten so gern wie vor Literaten. Andere waren skeptischer: In seinem Epigramm hatte schon Lessing antizipiert, daß der ›Messias‹ künftig eher eine Existenz in den Literaturgeschichten denn im literarischen Bewußtsein führen würde: »Wer wird nicht einen Klopstock loben? / Doch wird ihn jeder lesen? – Nein.« Der Teufel in Christian Dietrich Grabbes Literaturkomödie ›Scherz, Satire, Ironie und tiefere Bedeutung‹ spricht sich deutlicher aus: »Ich brauche nur drei Verse darin zu lesen, dann bin ich müde wie der Daus.«

Die Tatsache, daß der ›Messias‹ nie ein kanonisches Werk der deutschen Literatur geworden ist, darf indes nicht dazu verleiten, seine historische Funktion in der Literaturgeschichte zu übersehen. Johann Heinrich Voß hat für die Homer-Übersetzungen seinen deutschen Hexameter in der Auseinandersetzung mit Klopstocks Verskunst entwickelt und z. B. den am ›Messias‹ beobachteten übermäßigen Gebrauch des Enjambements vermieden. Klopstock hat mit seiner Orientierung an Miltons ›Paradise Lost‹ (vgl. Nr. 28) wesentlichen Anteil daran, daß sich die deutsche Literatur des 18. Jahrhunderts von den bisherigen französischen Vorbildern abkehrte und den englischen zuwandte. Früh hat Klopstock in den Literaturstreit zwischen Johann Christoph Gottsched und den Schweizern Johann Jakob Bodmer und Johann Jakob Breitinger eingegriffen und sich gegen Gottscheds unpoetischen Rationalismus gestellt, der aus der Dichtung alles Wunderbare ausgeschlossen und Shakespeare und Milton zu schwulstigen Phantasten erklärt hatte. Wenn aber das Übernatürliche nicht Gegenstand der Dichtung sein darf, kann es keine Bibeldichtung geben. Gerade ein Epos von »der sündigen Menschen Erlösung« sollte der ›Messias‹ jedoch werden, den Klopstock seinen »ersten Beruf« genannt hat, noch dazu ein Bibelepos mit dem Anspruch, durch seine Sprache die nationale Identität der Deutschen zu befördern, deren Symbolgestalt Klopstock 1769 in dem Drama ›Hermanns Schlacht‹ verkündet hatte. Indes: Die Nation wurde indes nicht durch den ›Messias‹ geprägt, sondern durch politische Entwicklungen, die aus Frankreich kamen; und der von Klopstock als solcher begrüßte Republikanismus führte eine so kräftige Säkularisierung herauf, daß sich beim bürgerlichen Publikum die Empfänglichkeit für die theologischen Gehalte der ›Messias‹-Dichtung verlor. So liegt über dem Lebenswerk Klopstocks eine gewisse heroische Tragik der Vergeblichkeit, die zugleich den Grund bildet, daß sich später vor allem Solitäre wie George oder Bobrowski zu ihm hingezogen fühlten. H.-A.K.

Lit.: Friedrich Gottlob Klopstock, Der Messias. Gesang I-III. Studienausg. Hrsg. von Elisabeth Höpker-Herberg. Stuttgart: Reclam 1986

30* **Lucius Apuleius** (um 125 – um 190 n. Chr.)

›Metamorphoses‹ (›Asinus aureus‹)

Venedig: Johannes Tacuinus, 1516. Erstausgabe mit Kommentar von Philippus Beroaldus

2°, 14 nn. Bll., 168 Bll.

BUCHSCHMUCK: *36 Textholzschnitte, 6 größere und zahlreiche kleinere Holzschnitt-Initialen*

EINBAND: *Maroquin des 19./20. Jahrhunderts*

PROVENIENZ: *unbekannt*

Die ›Metamorphosen‹ des Apuleius aus dem zweiten nachchristlichen Jahrhundert sind der älteste vollständig überlieferte Roman der Antike. Ihr fehlt für diese Art der Erzählung die Begrifflichkeit, da der Roman als Erfindung des hellenistischen Zeitalters in der von Aristoteles entwickelten und im wesentlichen unverändert gebliebenen Gattungstheorie noch keinen Platz gehabt hat. Seine Kennzeichen sind Fiktion und Prosa. Manche Elemente – so die Ich-Form oder die Rahmentechnik – gehen bis auf die homerischen Epen zurück, nicht selten wird auf ältere Werke der Erzählkunst parodistisch angespielt.

In literatursoziologischer Hinsicht ist das Werk ein herausragendes Zeugnis für den wachsenden Anteil solcher Autoren an der römischen Literatur, die aus den Provinzen an den Rändern des Imperium Romanum gekommen sind, zunächst aus Gallien und Spanien. Wie Apuleius stammte auch der Kirchenvater Augustinus aus Afrika, der den Eselsroman seines Landsmannes außerordentlich geschätzt, ja vielleicht den Paralleltitel ›Der Goldene Esel‹ aufgebracht hat. Angesichts der eigenen Metamorphose des Augustinus vom jugendfrischen Lebemann zum altersweisen Bischof dürfte er das Werk nicht nur als Allegorie gelesen, sondern auch die pikanten Partien genossen haben.

Leitmotive des Romans sind bestrafte Neugierde, der Widerspruch von Sein und Schein, auch die Unmöglichkeit, sich selber von einem Übel zu erlösen. Der Ich-Erzähler Lucius besucht einen Gastfreund und tötet in der Trunkenheit drei Männer, deren wahre Identität sich dem Mörder erst bei der Gerichtsverhandlung herausstellt: Dem nächtlichen Blutbad sind drei gefüllte Weinschläuche zum Opfer gefallen. Nachdem er beobachtet hat, wie sich die Frau seines Gastgebers durch Zauberkünste in einen Vogel verwandelt, bittet er deren Dienerin, zu der er ein Liebesverhältnis angesponnen hat, den Zauber auch an ihm vorzunehmen. Sie verwendet jedoch eine falsche Salbe, und Lucius nimmt die Gestalt eines Esels an: Da er sein menschliches Bewußtsein behält, wird er – »wie später in Max Frischs ›Gantenbein‹ der scheinbar Blinde – [ein] scharfer Beobachter seiner Umwelt« (Kurt Steinmann). Räuber bringen ihn als Lasttier an sich. Aus dem Munde der Räubermutter vernimmt er das Märchen von Amor und Psyche. Sein wechselndes Eselsglück läßt ihn in die Hände verschiedener Eigentümer geraten, bei denen er es bald besser, bald schlechter antrifft und eine Reihe von Schwänken zu hören bekommt. Sein letzter Herr bringt ihm sogar Tischzucht bei, und er genießt die Liebe einer vornehmen Korintherin. Als jedoch eine Giftmischerin dazu verurteilt wird, öffentlich im Zirkus mit dem Esel Beilager zu halten, gelingt es Lucius, sich der sodomitischen Schaustellung durch die Flucht zu entziehen. Mitternachts betet er am Strand zur Königin des Himmels um Erlösung und erhält von der Göttin Weisung, wie er sich am folgenden Tage bei der Isis-Prozession zu verhalten habe. In dem Augenblick, da er an den Rosen in der Hand eines Priesters knabbert, wird er in Menschengestalt zurückverwandelt. Nach der Einweihung in die Mysterien von Isis und Osiris tritt er selbst in den Tempeldienst der Göttin ein.

Als Vorlage für die Eselsgeschichte hat dem Autor sehr wahrscheinlich ein griechischer Roman ohne religiösen Schluß gedient, von dem eine Kurzfassung unter den Schriften Lukians überliefert ist, die aber nicht von ihm stammt. Viele der zwanzig Einlagen dürfte Apuleius aus der Novellistik und den Schwänken der ›Milesischen Geschichten‹ bezogen haben. Mit der griechischen Literatur und Philosophie war der im numidischen Madauros geborene Verfasser ungewöhnlich gut vertraut, da er sich nach einer Ausbildung zum Rhetor in Karthago längere Zeit zu Studien in Athen und in Kleinasien aufgehalten hatte. Der zweisprachige Apuleius hatte auch Platons ›Phaidon‹ übersetzt und Bücher über den Daimon, den Sokrates in sich spürte, und über Platons Lehre geschrieben. Viel Autobiographisches spiegelt sich in den Passagen zu Magie und thessalischen Zauberkünsten (auf Thessalien als Heimat der antiken Hexen spielt noch Goethe in der ›Klassischen Walpurgisnacht‹ in ›Faust II‹ an): 158 n. Chr.. hatte sich Apuleius gegen den Vorwurf der mit Todesstrafe bewehrten Magie vor Gericht verantworten müssen; Neider hatten ihn beschuldigt, er hätte sich die Neigung einer wesentlich älteren reichen Witwe, die er geehelicht hatte, durch Zauberkünste erschlichen. Seine Verteidigungsrede ›De magia‹ ist erhalten. Auch das Isis-Buch hat einen »Sitz im Leben«, da der Autor selber Isis-Priester gewesen war.

Im Mittelalter als Platoniker geachtet, wurde Apuleius als satirischer und burlesker Erzähler erst von den Humanisten neu entdeckt. Boccaccio hatte sich einen – heute in der Bibliotheca Laurentiana zu Florenz verwahrten – Codex des 11. Jahrhunderts aus dem Kloster Monte Cassino besorgt, der den Text der ›Metamorphosen‹ enthält. Die zweite Erzählung des siebten Tages im ›Decamerone‹ folgt haarklein dem Ehebruchschwank im neunten Buch des ›Goldenen Esel‹. Die kurze Inhaltsangabe, wie sie Boccaccio seinen Novellen nach Art der antiken Argumenta voranstellt, faßt zugleich den Text des Apuleius zusammen. Nur tragen die drei Personen im antiken Roman keine Namen: »Petronella versteckt, als ihr Gatte plötzlich nach Hause kommt, ihren Geliebten in einem Weinfaß. Der Mann sagt ihr, er habe das Faß verkauft, sie antwortet aber, daß sie den Handel schon mit einem anderen abgeschlossen habe, der eben hineingekrochen sei, um seine Festigkeit zu prüfen. Nun kommt dieser heraus, läßt das Faß noch vom Gatten ausschaben und dann in sein Haus tragen« (Übers. Karl Witte). Mit dem Sinn für zurückgehaltene Pointen verschweigt der italienische Erzähler, was sich außerhalb des Fasses abspielt, während der gehörnte Ehemann die Innenreinigung besorgen muß.

Der weitgestreckte Einfluß des ›Goldenen Esel‹ auf den neuzeitlichen Schelmenroman reicht vom anonymen ›Lazarillo de Tormes‹ über den ›Don Quixote‹ des Cervantes bis zu Grimmelshausens ›Simplicissimus‹. Unbemerkt geblieben ist dagegen lange, daß Emanuel Schikaneder, der den Apuleius in der schönen Übersetzung des Diplomaten August Rode (1783) kennengelernt hatte, für das Libretto von Mozarts ›Zauberflöte‹ zahlreiche Anregungen zur Gestaltung der ägyptischen Atmosphäre aus dem abschließenden Isis-Buch des Romans entnommen hat; auch die

Erscheinung der Königin der Nacht folgt bis in die Einzelheiten der antiken Quelle.

Die längste und berühmteste Einlage ist das Märchen von Amor und Psyche: Psyche, eine Königstochter von solcher Schönheit, daß man sie wie eine Göttin verehrt, erregt die Eifersucht der Venus, die ihren Sohn Amor auffordert, die Mutter zu rächen und Psyche in Liebe zu dem niedrigsten und gemeinsten Manne entbrennen zu lassen. Die Eltern setzen Psyche auf ein Orakel hin auf einem hohen Berg aus, von dem aber der Zephyr-Wind sie sanft zu Boden trägt. Amor, ihrer ansichtig geworden, vergißt augenblicklich seinen Auftrag und ist von Psyches Schönheit so bezaubert, daß er sie in seinen Palast aufnimmt, wo beide glückliche Liebesnächte verbringen. Allerdings ist Psyche einem Neugier-Verbot unterworfen: Ihr nächtlicher Geliebter bleibt unsichtbar, und sie darf ihn nie in seiner wahren Gestalt sehen. Ihr Glück spricht sich herum, und ihre neidischen Schwestern machen Psyche besorgt, ihr Geliebter könnte ein Scheusal sein, und überreden sie, das Verbot zu brechen. »Psyche, sich selbst oder vielmehr allen Furien der Hölle überlassen, schwankt auf einem Meere von Sorgen hin und her. Alle ihre Entschlossenheit ist dahin, da jetzt der Augenblick zur Ausführung des vorher so festgefaßten Vorsatzes näherkommt. Sie ist ein Raub sich widerstreitender Affekte. Ungeduld und Scheu, Mut und Furcht, Zweifel und Wut wechseln unaufhörlich in ihr ab. Was sie am meisten ängstigt, ist: ein und derselbe Gegenstand ist ihr als Ungeheuer verhaßt und zu gleicher Zeit unaussprechlich teuer als Gemahl« (Übers. A. Rode). Endlich greift sie, als Amor eingeschlafen ist, zur Öllampe und wird des anmutigen Cupido gewahr, der mit einem Schrei auffährt, da ein Tropfen heißen Wachses ihm die Schulter verbrannt hat. Amor muß Psyche bestrafen, indem er davonfliegt; ein schwatzhafter Vogel unterrichtet Venus, daß sie sich um ihren verletzten Buben kümmern müsse. Venus, endlich darüber aufgeklärt, was aus ihrem Auftrag geworden ist, putzt den Knaben herunter und erlegt Psyche zur Strafe vier unlösbar scheinende Aschenputtelaufgaben auf. Wunderbar unterstützt – beim Körnersortieren etwa helfen die Ameisen – besteht Psyche alle Prüfungen. Köstlich der Einfall, daß Venus sich über alle Maßen empört, da sie erfährt, Eros habe sie zur Großmutter gemacht.

Das Märchen ist schon in der Spätantike als Allegorie der Einweihung in die Isis-Mysterien gedeutet worden; die moderne Tiefenpsychologie sieht darin die Aufgabe symbolisiert, Seele und Sexualität, für welche die beiden Namen stehen, zu erfüllter Liebe zusammenzuführen. So statthaft ein solch unhistorischer Zugriff auf das alte Märchen, das immerhin nur aus dem Munde einer schwatzhaften Räubermutter kommt, auch sein mag, Apuleius hat ihn bereits im voraus ironisiert, denn das gemeinsame Kind von Psyche und Eros bekommt den Namen »Voluptas«. Gegenüber seinem ursprünglichen Kontext verselbständigt, hat die Geschichte von Amor und Psyche in allen Künsten zahlreiche Spuren der Anregung und Wirkung hinterlassen: Zu ihnen gehören neben vielen anderen Zeugnissen Raffaels Deckenfresko von 1518 in der römischen Villa Farnesina, Canovas Plastik (1793) im Louvre, ein Ballett (1671) und eine Oper von Jean-Baptiste Lully (1678), zu der Thomas Corneille, der jüngere Bruder des berühmten Tragödiendichters, das Libretto verfaßt hat, die Oper ›Psiche‹ von Alessandro Scarlatti (1683), Conrad Ferdinand Meyers Gedicht ›Die gegeißelte Psyche‹ (Autograph in der Bibliotheca Bodmeriana) und die Novelle ›Psyche‹ von Theodor Storm (1875). – Martin Bodmer rechnete Apuleius zu den großen Autoren des Altertums; seine Sammlung enhält nicht nur die vorliegende erste kommentierte und illustrierte Ausgabe der ›Opera‹, sondern auch die prachtvolle, in Rom 1469 bei Konrad Sweynheym und Arnold Pannartz gedruckte Erstausgabe. H.-A.K.

Lit.: Apuleius, Der goldene Esel. Metamorphosen. Lateinisch und deutsch. Hrsg. und übers. von Edward Brandt und Wilhelm Ehlers. Mit einer Einführung von Niklas Holzberg. 4., bearb. Aufl.; München, Zürich: Artemis 1989

31 **Benoît de Sainte-More (12. Jahrhundert)**

›Roman de Troie‹

›[Roman de] Thèbes‹

Ms. Frankreich, Ende des 13. Jahrhunderts. Pergament. Liniierung der Seiten mit Tinte

30 x 20 cm, 2 nn. Bll., 268 nn. Bll., 2 nn. Bll.

CB 18. Bodmeriana, Mss. franç. du MA, S. 40–45

BUCHSCHMUCK: *Mehrere Federinitialen in rot und blau. Eine neunzeilige historisierte Initiale (Jason darstellend) und eine zehnzeilige Fleuronné-Initiale in rot und blau*

EINBAND: *Marmoriertes Kalbsleder des 18. Jahrhunderts. Sechs Bünde mit Goldprägung. Rückenschild aus hellem Leder*

PROVENIENZ: *Robinson, London, Dezember 1954/Februar 1955. Ursprünglicher Besitz der Abtei Notre-Dame de Tongerloo (Cambrai) bis zu ihrer Aufhebung, verkauft 1828; Richard Heber (1773–1833), verkauft 1836; Sir Thomas Phillipps, Ms. 8384*

Um 1150 werden die beliebtesten antiken Epen von der lateinischen in die altfranzösische Sprache übersetzt. Diese Übertragungen sind Teil einer »humanistischen« Bewegung, mit der die Kultur allmählich aus Klöstern und kirchlichen Schulen in die aristokratische Welt überführt wird. Der Hof König Heinrichs II. in England, an dem sich die gehobene Schicht der Gesellschaft seit Wilhelm dem Eroberer auf französisch ausdrückte, diente als kulturelles Zentrum dieser »Renaissance des 12. Jahrhunderts«.

Von den Übersetzungen in eine romanische Sprache hat der »Roman« seinen Namen bekommen. Die ersten »Romane« sind Übertragungen von Statius (›Thebenroman‹, um 1152–54), Vergil (›Aeneasroman‹, um 1156) und von spätlateinischen Homer-Kompilationen (›Trojaroman‹, um 1160–65). Wesentlich erscheint dabei, daß sich der Roman als neue literarische Form zum Überlieferungsträger einer antiken Tradition macht, und damit seine Existenz legitimiert. Die Schöpfungstat *ex nihilo* übernimmt der Schriftsteller nicht. Die Literatur entsteht aus der Literatur.

Die mittelalterlichen Texte bieten keine wörtlichen Übersetzungen, sondern freie Bearbeitungen ihrer literarischen Quellen. Das Auftreten von Frauenfiguren sowie die Einführung der Lie-

48 Ende des ›Roman de Troie‹ und Anfang des ›Roman de Thèbes‹, 13. Jh. (Nr. 31)

185

usamble o lui un an et plus
e ses plaies le fist garir
nes ot bons a son plaisir
nus se fist ele novel
lus preus plus sage ne pl' bel
ot cunuil lui ce sai devoir
issirent de lui tel oir
mlt' finent de lui proisie
el siecle mlt' ensaucie
le li dona a son plaisir
et argent au departir
li bailla tel compaignie
onc loial v mlt' se fie
nsi revint en son pais
ntes sa mere o le cler vis
t longement plaint et plore
si li estoit dit et conte
onfaitement lo evre ert alee
onte savoit la destinee
n mort telogonus fust mors
e bn ne ioie ne confors
avoit eu puis que le sot
nt ele un gnt ioie en ot
onte en oublia sa dolor
nt ene p ne nes q ior
lives ne li pesast
q cascun ior ne plora
ists uesqui telogonus
cinquante ans tint lempire et pl
le ot mlt tint et mlt valut
le se hauca et mlt se tint
i ferons fin bn et mesure
nqs tient li livres et dure
e q dit dares et ditis
avons si retrait et mis
sil plaisoit as iongleors
de ce sont amuseors
nantes ont fait et repenans
arrestos biens ennuians
e qua nen naura honor

q l manent ire et dolor
c ise poroient il bn taire
d el oevre blasmer et retraire
c ar tels i poroit afaitier
q tost i poroit empirier
c elui gart diu et tiegne en ioie
q l bn savante et moulteploie
i cil ne na mie arens
q de ment na al desus
m als valt eurs et esprance
e q en diu a sa creance
n e li puet pas mesavenir
s i esruet le conte fenir
i et fenist la mendre estoire
q onques fust en nul memoire
j e nen sai plus ne plus nen dist
b enois soit q lestoire fist
A . M . E . N .

Chest dit

Hu-
mai-
nes
est-
nel
doit
celer
ains
doit
pour chou son sens moustrer.
d av quant sera del siecle ales
t ous tans en soit plus ramenbres
d e dans omers et dans platons
e t dudel et chy chevons
l our sapiense celisant
n e fust iamais p le avant
p our ce ne voel mie ses taisir
m a sapiense retenir
a ins me delit a raconter
c ose digne a ramenbrer
d e des voiler de touz metiers.

besthematik Ovidscher Art unterscheidet – neben formalen Neuerungen – den Roman vom altfranzösischen Heldengedicht und vom antiken Epos. Die Übertragung von einer Sprache in eine andere wird von einer kulturellen Verschiebung begleitet.

Die Handsschrift der Bibliotheca Bodmeriana enthält zwei der frühesten französischen Romane. Der ›Trojaroman‹ von Benoît de Sainte-Maure erzählt den trojanischen Krieg bis zum Fall der Stadt und die unglückliche Rückkehr der griechischen Führer. Der ›Thebenroman‹ berichtet von der brudermörderischen Rivalität von Oedipus' Söhnen sowie von der Zerstörung Thebens.

In beiden Texten führt der Haß – persönlich zwischen den thebanischen Brüdern sowie kollektiv zwischen zwei Völkern – zum Fall einer bedeutenden Stadt, die als ein Zentrum der Zivilisation galt. Die Romane versuchen eine Erklärung für solche Zerstörung zu geben. Der ›Thebenroman‹ verbindet das Epos des Statius mit der Geschichte von Oedipus. Benoît de Sainte-Maure seinerseits greift auf einen ersten Zug gegen Troja zurück, da die Frauen der Stadt vergewaltigt und die Schwester von Priamus entführt wurden. Das Urereignis, das in Haß und Krieg mündet, ist ein Vergehen, dessen Facetten Vatermord und sexuelle Gewalt sind. Der Roman versucht ein Gegengewicht zu dieser Dunkelheit zu bieten. Ein höfisches Modell zeichnet sich in den Texten ab, das den Menschen aus dem Kreis seiner Familie versteht und auf der wahre Liebe zwischen Frau und Mann basiert.

Beide Romane sind in der Handschrift nur durch eine blau-rot Initiale »K« (Kui) voneinander getrennt. Die Schlichtheit der Initiale bindet die Texte eng aneinander. Sie läßt auch die aufwendige Arbeit des Kopisten deutlich hervortreten. Dieser brauchte Monate, um die 30 000 Verse des ›Trojaromans‹ abzuschreiben. Mit dem ›Thebenroman‹ beginnt ein zweiter Kopist seine Arbeit. Der unmerkliche Unterschied zwischen den Schriften zeigt die Zurückhaltung des Abschreibers, der seiner Arbeit kaum individuellen Zügen verleiht. Der letzte Vers des Romans drückt diese aus:

> Benois soit q(ui) l'estoire fist
> Amen
> (Gesegnet sei, wer die Geschichte machte / Amen)

Die Anfangsverse des ›Thebenromans‹ bilden ebenfalls den Topos mitelalterlicher Prologe:

Kui saiges est nel doit celer,
Ains doit pour chou sen sens monster
(Wer weise ist, darf es nicht verbergen
Sondern muß deswegen seinen Verstand zeigen)

Am Buchrand liest man in roter Tinte: »Chest teb[es] (Es ist Theb[en])«. Dieser zusätzliche Hinweis auf den Romananfang wurde beim Binden abgeschnitten. S.M.

Lit.: Benoît de Sainte-Maure, Le Roman de Troie. Hrsg. v. Leopold Constans. Paris: Firmin Didot 1904- 1913, 6 Bde – Le Roman de Thèbes, hrsg. von Guy Raynaud de Lage: Paris: Champion 1966 und 1968, 2 Bde – Le Roman de Thèbes, hrsg. von Leopold Constans. Paris: Firmin Didot 1890. 2 Bde. (darin die Fassung der Handschrift der Bodmer Sammlung) – Marc-René Jung, La légende de Troie en France en Moyen Age, Basel, Tübingen: Francke 1996

Pongnoit l'erbe fresche et drue
Aussint i pouist on sa drue
Couchier comme sus une coute
Car la terre iert moiste et douce
Por les fontaines i venoit
Tant d'erbe comme i convenoit
Mais mult embelissoit l'afaire
Li lieus qui estoit de tel aire
Qu'il i avoit tous iors plente
De flors et yver et este
Violete i avoit trop bele
Et parvenche fresche et novele
Flors i ot iaunes et vermeilles
Des blanches i ot merveilles
Trop estoit cele terre cointe
Si pelotee estoit et pointe
De fleurs de diverses colors
Dont mult estoit bone l'odors
Ne vous dirai pas longuement
Du plaisant lieu et delitant
Orendroit m'en convendra taire
Car ie ne porroie retraire
Du vergier toute la biaute
Ne la grant delitablete
Tant fui a destre et a senestre
Que i'oi l'afaire et tout l'estre
Du vergier cerchie et veu
Et li dieu d'amors m'a seu
Endementieres agaitant
Com li veneres qui atant
Que la beste en bon lieu se mete
Por lessier aler la saiete
En i. trop biau lieu m'arestai
Au derrenier ou ie trouvai
Une fontainne sous un pin
Mais puis Charles le roi Pepin
Ne fu aussi biau lieu veuz
Et si estoit si haut creuz
Qu'ou vergier n'ot si haut arbre
Dedens une pierre de marbre
Ot nature par grant mestrise
Sous le pin la fontainne assise
Sot desus la pierre escriptes
Ou bort amont letres petites
Qui disoient qu'iluec desus
Se mourut li biau Narcisus

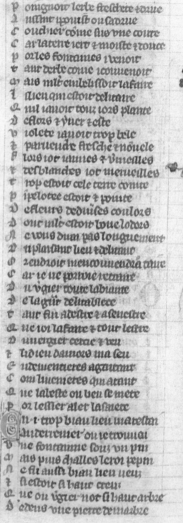

Narcisus fu i. biaus damoisiaus
Que amors tint en ses roisiaus
Et tant le sot amors destraindre
Et tant le fist plorer et plaindre
Que il li estoit a rendre l'ame
Car Equo une bele dame
L'amoit plus que riens nee
El fu par lui si mal menee
Qu'ele dist qu'el li donroit
S'amor ou ele se morroit
Mais cil fu por sa grant biaute
Plain de desdaing et de fierte
Si ne li vout otroier
Ne pour plorer ne por proier
Quant ele se soi escondire
Si en ot tant grant duel et ire
Et le tint en si grant despit
Qu'ele morte fu sans nul respit
Mais ainçois qu'ele se morist
Ele pria dieu et requist
Que Narcisus au cuer sauvage
Qu'ele ot trouve d'amer si rage
Fust aproiez de tel amor
Eschaufez encore i. ior
Dont il ne porroit ioie atendre
Si porroit savoir et entendre
Quel duel ont li loial amant

32 **Guillaume de Lorris (12./13. Jh.) et Jean de Meung (gest. 1305)**

›Roman de la Rose‹

Ms. Frankreich, 1308. Pergament

26,3 x 17,6 cm, 4 nn. Bll., 137 Bll., 3 nn. Bll.

CB 79. Bodmeriana, Mss. franç. du MA, S. 153–156

BUCHSCHMUCK: *Kapitelüberschriften in rot; zahlreiche Fleuronné-Initialen in rot und blau; 24 figürliche Initialen auf Goldgrund*

EINBAND: *Maroquin des 18. Jahrhunderts mit Goldprägung. Goldschnitt*

PROVENIENZ: *1935. Denis Guyon de Sardières, verkauft 1759, Exlibris Bibliotheca Suchtelen, verkauft 1836, vermutlich Bibliothek St.Petersburg, von den Sowjets verkauft.*

Mehr als 250 Handschriften des altfranzösischen ›Rosenromans‹ haben sich erhalten. Vergleicht man ihre Zahl mit den acht Handschriften des ›Karrenritter-Romans‹ von Chrétien de Troyes oder der einzigen erhaltenen Handschrift von Berouls ›Tristan‹, so ist sie ein Indiz für die große Beliebtheit des Romans im Mittelalter.

Der um 1230 von Guillaume de Lorris verfaßte Roman ist eine »art d'amour« – so heißt es im Anfang des Textes –, eine »Liebeskunst«, die hier durch das Motiv des Traums verschleiert wird, und in der die personifizierten Gefühle und höfischen Verhaltensweisen den Text zu einem fein gesponnenen allegorischen Werk werden lassen.

Der Dichter erzählt einen Traum: Als er im Mai einen Fluß entlang geht, entdeckt er einen mit hohen Mauern umschlossenen Garten. Oiseuse (Muße), eine schöne junge Frau, hilft ihm, den Garten zu betreten, wo er auf eine vornehme Gesellschaft trifft. Der Besitzer des Gartens ist Plaisir (Lust); mit ihm tanzen Freude, Liebe, Schönheit, Großzügigkeit, Jugend und andere mehr. Im Augenblick, als der Erzähler eine Rosenknospe kurz vor ihrem Erblühen erblickt, schießt ihm Liebe einen Pfeil durch sein Auge ins Herz. Der Dichter hat keine Ruhe mehr, bevor er die Rose pflücken kann. Liebe lehrt ihn ihre Gebote; Hoffnung, Sanftes Denken, Sanftes Sprechen, Sanfter Blick und Schöner Empfang stehen ihm in seinem Wunsch nach der Rose bei. Gefahr, Angst, üble

49 ›Roman de la Rose‹, Initiale auf Goldgrund mit Darstellung des Narzissus, 1308 (Nr. 32)

Nachrede und Scham bewachen jedoch die Blume, die sich auf Verlangen der Keuschheit im Garten befindet, und sie hindern den Liebhaber daran, mehr als einen Kuß zu bekommen. Nach dieser gewagten Tat wird die Rose von Eifersucht in einen Turm gesperrt.

Löst man diese Allegorie auf, so findet man die Geschichte eines jungen Mannes, der sich verliebt, und auf eine konkrete Belohnung hofft. Der Text spiegelt die verschiedenen Etappen der Verführung und erwähnt sowohl die äußeren wie die psychologischen Hindernisse. Die ständige Verweigerung der Allegorese, der Sinnerklärung, hält das Interesse des Lesers wach, zumal die allegorische Deutung ambivalent angelegt ist. Hinter der Nichtvollendung der Verführung wird eine Kunstliebe sichtbar, deren Höhepunkt im Begehren des Begehrens liegt. Die Parallele zwischen Aufschiebung der Sinnerklärung und Vollendung der Verführung ist die Parallele zwischen Schreibkunst und Liebeskunst: Schreibkunst ist Liebeskunst.

Vierzig Jahre nach dem Tod des ersten Verfassers, so sagt es wenigstens der Text, nimmt Jean de Meung das unvollendete Gedicht wieder auf und führt die Geschichte zu Ende, indem er den Stoff erheblich erweitert. Den 4 000 Versen des Guillaume de Lorris fügt Jean 18 000 Verse hinzu, die aber von ganz anderer Färbung sind. Das ursprünglich höfische Gedicht wird angereichert mit enzyklopädischem Wissen, das Gelehrsamkeit, Philosophie und Theologie mit scharfer Satire, z.B. gegen Frauen und gegen die Bettelorden, verbindet. Zahlreiche Reden und Gespräche gehen der Erstürmung des Turmes voran. Nur die Vermittlung von Natur und Genius, welche die Eroberung der Rose mit der Notwendigkeit der Erzeugung von Nachkommenschaft rechtfertigen, erlaubt es dem Liebhaber, die Rose zu erreichen.

Die Handschrift enthält im Titel die Angabe, sie sei im Jahr 1308 (»l'an. IIIc. et VIII.«) abgeschrieben worden, somit etwa dreißig Jahre nach der Abfassung des zweiten Teils des ›Rosenromans‹. 22 Miniaturen mit goldenem, blauem oder rotem Hintergrund schmücken die Handschrift, besonders im ersten Textteil, der auf Guillaume zurückgeht. Häufig tauchen bildliche Motive auf, die das Künstlertum selbst thematisieren. So sieht man auf dem ersten Blatt den träumenden Dichter. An der Stelle, an der Jean de Meung das Werk fortsetzte, sitzt ein Schreiber an seinem Pult. Auf die äußeren Gartenmauern sind die Figuren gemalt, die den höfischen

Ort nicht betreten dürfen, wie z. B. Haß, Begierde, Neid, Traurigkeit, Armut. Bei diesen Abbildungen stellt der Buchmaler Personifizierungen bildlich dar, die schon im Text als gemalte Bilder erscheinen.

Das komplexe Verhältnis zwischen Wort und Sinn, Kunst und Liebe, Text und Bild wird besonders nachhaltig in einer Miniatur mit Abbildung des Liebhabers sichtbar: Beim Blick in den Brunnen des Narzissus sieht er in seinem Spiegelbild zum ersten Mal die Rose. S.M.

Lit.: Guillaume de Lorris/Jean de Meung, Le Roman de la Rose, hrsg. von Félix Lecoy. Paris: Champion 1969–1970, 3 Bde – Guillaume de Lorris und Jean de Meung, Der Rosenroman, übersetzt und eingeleitet von Karl August Ott. München: Fink 1976–1979, 3 Bde

33 ›Lancelot propre‹. ›Queste del Saint Graal‹. ›Mort le Roi Artu‹

Ms. Frankreich, 15. Jahrhundert, Papier mit Wasserzeichen

38,3 x 27,5 cm, 3 nn. Bll., 352 S., 3 nn. Bll., 2 Bll. in Pergament; Bd. 4 (von 4 Bänden)

CB 105 1–4. Bodmeriana, Mss. franç. du MA, S. 67–71

BUCHSCHMUCK: *Kapitelüberschriften in rot. Zahlreiche Initialen in rot und blau. 45 Federzeichnungen mit Wasserfarben koloriert, in Gold und Silber geprägt*

EINBAND: *Maroquin des 18. Jahrhundert (Paris, um 1780) mit Goldprägung, Goldschnitt*

PROVENIENZ: *Galerie Charpentier, Paris, 20. Januar 1957. Erster Besitzer: Guyot de Peley in Troyes (gestorben 1485); Bibliothèque du docteur Lucien-Graux (1878–1944), verkauft 1957*

Noi leggiavamo un giorno per diletto
di Lancialotto come amor lo strinse;
(Wir lasen eines Tages zum Vergnügen
über Lanzelot, wie ihn Liebe drückte)
(Dante, ›Inferno‹, V, 127f.)

Die berühmte Szene in Dantes ›Inferno‹, als Paolo und Francesca da Rimini ihre Liebe entdecken, indem sie von Lanzelots Leidenschaft zu Ginevra in einem Buch lesen, bezeugt die große Beliebtheit Lanzelots am Ende des Mittelalters. Sie erklärt wahrscheinlich auch, warum Martin Bodmer, als Bewunderer des italienischen Dichters, diese Handschrift in vier Bänden aus dem 15. Jahrhundert erwarb.

Die ersten drei Bände enthalten den umfangreichen Prosaroman ›Lancelot Propre‹. Dieser zwischen 1215 und 1230 in mehreren Etappen verfaßte Text erzählt Lanzelots Kindheit und seine ersten Abenteuerfahrten. Als kleines Kind wird er von einer Fee entführt; später weilt er als Ritter am Hof von König Artus. Alle Heldentaten der Ritter der Tafelrunde werden erzählt. Berühmt wird Lanzelot durch seine Liebe zu Ginevra, der Ehefrau von König Artus. Sie behindert ihn bei der Suche des Grals. Der Zugang zum Gefäß, das Christi Blut am Kreuz auffing, wird erst seinem Sohn Galhaad gestattet. ›Die Suche nach dem heiligen Gral‹ (La Queste del saint Graal) schildert der vierte Band. Die Handschrift schließt mit ›La Mort de roi Artu‹, der Erzählung vom Tod des Königs Artus und der Vernichtung der Artuswelt, nachdem der König den Ehebruch seiner Frau entdeckt hat.

Die ersten zwei Bände sind mit zahlreichen aquarellierten Federzeichnungen versehen, die mit Gold und Silber gehöht sind. Der letzte Band ist besonders prächtig ausgestattet: zwei große Miniaturen auf Pergament – der Text ist auf Papier geschrieben- eröffnen die beiden Romane. Zu Beginn von ›La mort de roi Artus‹ wird die Befreiung der Königin durch Lanzelot dargestellt. Artus hat den Ehebruch seiner Frau erfahren und verurteilt Ginevra zum Scheiterhaufen, während Lanzelot auf der Flucht ist. Die Königin wird von Gawains Brüdern zur Hinrichtung geführt. Es gelingt aber Lanzelot und seinen Verbündeten, die drei Brüder und fast alle begleitenden Ritter zu töten und Ginevra zu entführen. Mordred, ein Überlebender dieses Kampfes, überbringt Artus die Nachricht.

Die Miniatur stellt manches Element des Textes bildlich dar: Im Hintergrund bereitet ein Mann den Scheiterhaufen für Ginevra vor. Im Vordergrund liegen zwei gefallene Ritter auf dem Boden. Der Mann ohne Helm und mit gespaltenem Schädel ist Gawains Bruder Gahariet. Bild und Text stimmen hier genau überein: Hektor schlug Gahariet so heftig, daß er seinen Helm verlor. Lanzelot erkennt ihn nicht und spaltet ihm den Kopf. Lanzelot ergreift die Königin, die man an ihrer Krone erkennt. Artus' Männer, mit wenig schmeichelhaften Gesichtszügen, versuchen Ginevra zu halten. Die Flucht des Ritters rechts schafft eine diagonale Bewegung aus dem Bild hinaus.

Der Buchmaler hat eine Episode gewählt, die Vergangenheit und Zukunft der Artuswelt zusammenfaßt. Lanzelots ritterliche Taten sowie seine ehebrecherische Beziehung zur Königin werden auf dem Bild deutlich. Außerdem erscheint die Fortsetzung der Geschichte auf indirekte Weise: Der Tod seiner Ritter verunmöglicht Artus jedes Verzeihen. Mordreds Überleben ist Hinweis auf seinen späteren Verrat, der zur Schlacht führen wird, von der kein Ritter der Tafelrunde zurückkehrt. S.M.

Lit.: The Vulgate Version of the Arthurian Romances edited from manuscripts in the British Museum by H. Oskar Sommer: Bd III und IV, Le livre de Lancelot del Lac, Washington: Carnegie Institution 1910 und 1912. Band VI, Les aventures ou la Queste del saint Graal. La Mort le Roi Artu. Washington: Carnegie Inst. 1913 – Lancelot, roman en prose du XIIIème siècle, ed. par Alexandre Micha. 9 Bde. Genève: Librairie Droz 1978–1983

34 **René duc d'Anjou I. (1409–1480)**

›Le mortifiement de vaine plaisance‹

Ms. Frankreich, 15. Jahrhundert. Pergament

24 x 15,5 cm, 1 nn. Bl., 70 Bll., 1 nn. Bl.

CB 144. Bodmeriana, Mss. franç. du MA, S. 173–175

BUCHSCHMUCK: *rote Kapitelüberschriften; zahlreiche Initialen in Gold, rot und blau. 8 ganzseitige Miniaturen, Jean Colombe zugeschrieben*

EINBAND: Maroquin des 18. Jahrhunderts, Deckelvergoldung. Goldschnitt

PROVENIENZ: 1951. Bibliothek Wilhelm Georg von Hohendorf, verkauft in Amsterdam 1720; vom Staat Brabant gekauft und als Geschenk Kaiser Karl VI. überreicht; aus der Wiener Bibliothek gestohlen um 1825; »Donné à Madame Agathe Odilon Barrot par son amie Zoé de Valuzé 1840«.

›Le Mortifiement de vaine Plaisance‹, zu deutsch ›Die Abtötung eitler Lust‹, der Titel eines Prosatextes von René d'Anjou von 1455, spricht für sich. In der Tradition von Boethius' ›Consolatio Philosophiae‹ soll der Mensch in seiner Vergänglichkeit auf irdisches Gut verzichten und sich Gott zuwenden. René d'Anjou formuliert diese Idee in einer allegorischen Darstellung: Die menschliche Seele in Gestalt einer Frau klagt über ihr lüsternes Herz. Zwei andere Frauen, Gottesfurcht und Zerknirschtheit, tragen das Herz auf einen Berg, wo es von Glaube, Liebe, Hoffnung und Gottesgnade gekreuzigt wird. Mit dem Blut tropft die schnöde Lust aus dem Herzen, das der Seele gereinigt zurückgegeben werden kann.

Gottesfurcht erzählt der Seele drei Gleichnisse (»similitudes«). Das zweite betrifft die abgebildete Miniatur: Ein ganzes Jahr arbeitet eine alte Frau auf ihrem Feld. Sie pflügt, sät Weizen, jätet das Unkraut, beseitigt die Steine, bringt die Ernte ein und drischt das Getreide. Schließlich macht sie sich mit ihrem Sack auf den Weg zur Mühle. Sie kommt zu einem Fluß und findet endlich eine Brücke, die jedoch so morsch ist, daß sie sich vor dem Einstürzen und Ertrinken fürchtet. Endlich nähert sich ihr ein Mann, der sie lehrt, vorsichtig Brett um Brett zu prüfen. Die Frau erreicht die Mühle und bekommt Mehl in Hülle und Fülle.

50 Beginn von ›La mort le roi Artu‹: Lanzelot befreit Ginevra, die zum Scheiterhaufen geführt wird. (Nr. 33, Bd. IV, zwischen fol. 165 und 166)

Nach der Erzählung der Geschichte erscheint in der Handschrift die Miniatur, die den ersten Schritt der alten Frau auf die Brücke zeigt. Schwerbeladen mit ihrem Sack ist sie auf dem Weg zur Mühle. Unter dem Bild ist in goldenen Buchstaben geschrieben: »or reveno(n)s a declairer la vroie subst[ance] et effet de la similitude« (Jetzt wollen wir den wahren Inhalt und die Wirkung des Gleichnisses erleuchten). In systematischer Weise liefert der Erzähler selbst die Deutung seines Gleichnisses, das die Beziehungen des Menschen zu Gott darstellt:

Die alte Frau, die immer arbeitet, stellt das Bemühen des Menschen dar; der Weizensack das Verdienst; die Brücke das Gewissen; das Holz die Gedanken; der Fuß der Frau den Verstand; der Fluß den Gotteszorn; die Mühle die Herrlichkeit des Paradieses. Durch sein beharrliches Bemühen will der Mensch die Tugend erreichen. Stete Wachsamkeit lenkt seine Schritte, so daß er den Zorn Gottes vermeidet und die Herrlichkeit des Paradieses erreicht.

Die Miniatur zeigt den religiösen Kern des Gleichnisses durch manche Einzelheit: Das Kreuz auf der Mühle ist ein Zeichen religiöser Bedeutung. Das Schaufelrad weist auf das menschliche Leben hin. Die Gärten vor der Mühle erscheinen von weitem wie Gräber. Die drei Städte auf den Felsen im Hintergrund lassen an das himmlische Reich und die Trinität denken. Die realistische Landschaft verankert die Geschichte in der zeitgenössischen Wirklichkeit. Die vertikale Konstruktion des Bildes versinnbildlicht das Streben nach Gott. So ist die Miniatur die bildliche Darstellung einer Geschichte, die selbst die literarische Darstellung einer religiösen Vorstellung ist. In diesen komplexen Verbindungen stellt René d'Anjou, der selber genau auf das Abschreiben und Illustrieren seiner Texte achtete, die Frage der allegorischen Übertragbarkeit abstrakter Glaubensinhalte. S. M.

51 René d'Anjou, ›Le mortifiement de vaine plaisance‹: Eine alte Frau geht über eine morsche Brücke zur Mühle. (Nr. 34)

Lit.: Frédéric Lyna, Le mortifiement de vaine plaisance de René d'Anjou. Etude du texte et des manuscrits à peinture. Bruxelles: C. Weckesser, Paris: M. Roussear 1926 – Bernard Gagnebin, Un manuscrit du mortifiement de vaine plaisance retrouvé à Genève, in: Scriptorium 26 (1972), S. 51–53

35 **Morasaki shikibu (975 ? – 1016 ?)**

›Genji monogatari‹

Ms. Tokyo, um 1711 – 1736. Papier (Hishi [Torinoko]-kami)

23,6 x 17,8 cm, 133 nn. Bll., 34. von 54 Bänden

BUCHSCHMUCK: *250 Miniaturen, aufgeklebt auf weißen Blättern*

EINBAND: *Seide mit Arabesken*

PROVENIENZ: *Schwarz, Beverly Hills, 1956*

36 **›Ise monogatari‹**

Ms. Textredaktion aus der Heian-Periode (Heian E Hon: 800–1200 n. Chr.) 17. Jahrhundert. Papier

Etwa 24,2 x 18 cm, 1. von 2 Bänden; 57 nn. Bll., davon 2 leer, 61 nn. Bll., davon 2 leer

Schrift: Hiragana

BUCHSCHMUCK: *50 ganzseitige Miniaturen aus der Tosa Schule in Gold und Farben*

EINBAND: *Bezug in Seide mit vergoldeten Arabesken. Original-Holzschachtel in Paulownia, schwarz lackiert mit Pinselzeichnungen in Gold*

PROVENIENZ: *Schwarz, Beverly Hills, September 1957*

Um das ›Genji monogatari‹ (Die Geschichten von Genji) der Hofdame Murasaki shikibu zu würdigen – sie lebte vor tausend Jahren am japanischen Kaiserhof in Heian-kyo (heute Kyoto) – muß sich der Leser kurz auf die verschiedenen Arten der Wahrnehmung von Zeit einlassen.

Objektiv ist Zeit eine der zwei Konstituanten des expandierenden Universums. Mit dem Werden von Zeit erweitert sich der Raum; mit der Erweiterung des Raums entsteht Zeit. Für einen Physiker ist Zeit neutral, ihr fehlt moralische oder psychische Qualität. Solch sekundäre Eigenschaften werden ihr vom Menschen beigelegt – eine Folge der bewußten Wahrnehmung seines befristeten Lebens. Menschliche ist endliche Zeit, und im religiösen Kontext kann sie als Probefrist gedeutet werden. Somit rückt auch die Zukunft, die noch nicht ins Dasein getretene Zeit, in den Schatten der Vergänglichkeit.

Im jüdischen und christlichen Kontext dominiert die Wahrnehmung der Zeit als vergehende, als Tod in Raten. Die Klagen des Predigers Salomo haben Jahrhunderte abendländischen Lebensgefühls geprägt. Wir richten uns in der Zeit, die uns zur Verfügung steht, ein wie in einem Raum, dessen Spiegelwände jede unsrer Handlungen zurückwerfen. Und hinter den Spiegeln wacht das Auge des Richters. Morgen schon werden wir das Zimmer verlassen und Rechenschaft ablegen müssen. Die Zeit wird für oder gegen uns zeugen. Und die nach uns kommen, sollen wissen, daß ihre Zukunft in Kürze Vergangenheit sein wird: »Frères humains qui après nous vivez, / N'ayez les coeurs contre nous endurcis, / Car, si pitié de nous pauvres avez, / Dieu en aura plus tôt de vous merci« (François Villon, L'Epitaphe).

Ganz anders wird die Zeit in China wahrgenommen, dessen Lebensformen und Staatsstrukturen seit dem 3. Jahrhundert v. Chr. vom hiesig-praxisbezogenen Weg der konfuzianischen Tugenden geordnet werden: gegenseitige Liebe (Verehrung), Rechtschaffenheit, Weisheit, Sittlichkeit, Aufrichtigkeit. Die großen Klagen des Du Fu im 8. Jahrhundert sind Klagen über das Zerbrechen solcher Ordnung. Die Zeit ist eine ewig sich erneuernde Ressource, vor deren Unerschöpflichkeit die persönliche Lebensstrecke des einzelnen wenig ins Gewicht fällt.

Gegen solche Entwertung entwickelt der Taoismus, der mit dem Namen Lao-tse verknüpft ist, eine revolutionäre Umwertung der Zeit. Im Tê (»Tugend«, Entfaltung und Erhaltung des Geschaffenen) ist dem Geschöpf die Möglichkeit gegeben, durch Nichthandeln zurückzufinden aus dem So-sein seiner Existenz ins Tao (»Weg«), den Grund oder ruhenden Punkt vor aller Geschaffenheit. Die konfuzianisch-pragmatisch zum Besten der Allgemeinheit zu nutzende Frist wird umgedeutet in eine innerweltlich zu transzendierende Dimension. Im Moment des erfüllten Augenblicks, des erleuchteten Einsseins mit der Schöpfung ist der Mensch Teilhaber und unvergänglich. »Da flogen Vögel hoch / am Himmel und flogen fort./ Da zog eine Wolke still / und einsam zum fernen Ort. // Da waren wir beide allein / und sahen einander an / Und wurden nicht müde dabei:/ ich und der Ging-ting-schan« (Li Bo, ›Am Berge Ging-ting-schan einsam sitzend‹; Übersetzung Günter Debon).

Auf den folgenden Seiten: 52/53 ›Genji monogatari‹, 34. Kapitel (Wakana) und Textseite (Nr. 35)

やまさとにゆくし花のかけにゐるとまとふの
しもつけ
あとるけんふくもまよふの
劉ましつ
わけしやきしく
こちまれ
るゝ

Zeit ist – neben der Liebe – auch das Thema von Murasakis ›Genji monogatari‹, doch nicht, naiv und ausschließlich, als Vergänglichkeit, als »Ballade des dames du temps jadis« (um einen Gedichttitel aus Villons ›Testament‹ zu zitieren). Was Murasaki darstellt, ist der subjektiv kaum merkliche, objektiv jedoch unaufhaltsame Fluß, das Vorrücken des irdischen Zeigers: Existenz von Augenblick zu Augenblick, im Glück, in Tränen, in Sehnsucht. Die vom kaiserlichen Prinzen Genji umworbenen, geliebten und verlassenen Damen, der Hof und seine Intrigen, die meist als Groteske wahrgenommene soziale Wirklichkeit außerhalb dieses magischen Zirkels und die Jahreszeiten der Natur treiben, auf- und wegtauchend, im Zeitfluß. Somit fließt die Zeit durch sie hindurch. Murasakis Werk stellt trotz aller Klagen und Trauer über Liebesverlust und Tod letztlich die objektivierende Diagnose unsrer Zeitlichkeit. Gleich dem Jahr durch Frühling, Sommer, Herbst und Winter wandelt der Mensch durch Geburt und Tod – und doch unwiederholbar, so und nicht anders. »Ukiyo-e«. Die Reflexion und Darstellung Murasakis kümmert sich wenig um irgendein nach unserem Verständnis moralisches Gebot oder gar um ein richtendes Jenseits. Zwar *sind* die Menschen wie Blätter im Wind, und ihre Hinfälligkeit verursacht Schmerz und Kummer, doch sie genügen sich selbst ohne Frage.

Zeit wird von Murasaki in erster Linie ästhetisch, als eine Folge von Momenten ästhetischer Erfüllung oder ästhetischen Versagens, wahrgenommen. Ein Triumph von Zeremoniell und Etikette. Selbst die Religion rechtfertigt sich nur dann, wenn sie ästhetisch makellos in glänzenden Tempelfesten zelebriert wird. Das Schöne ist – und es macht gut.

Als europäischer Leser steht man oft fassungslos vor etwas, das man herzlosen Schönheitskult schelten möchte. Jeder Wert, sei es Würde, Frömmigkeit, Adel, Tapferkeit, dichterische Gabe, wird an seiner Schönheit gemessen. So findet Yûgiri seine tote Stiefmutter, eine von Genjis Geliebten, schön wie nie in ihrem Leben, und in ihm wird ein »irrer Wunsch« wach, selbst tot neben ihr zu liegen. Auch in der westlichen Literatur begegnet der Topos vom verklärten Antlitz der Toten; angedeutet wird damit jedoch ein Vorschein des Paradieses. Bei Murasaki bleibt die Feststellung streng innerweltlich: Nun erst, im Tod, hat die Arme es fertiggebracht, so schön zu sein, wie sie es ein Leben lang hätte sein sollen. Tod als höchste, weil finale Erscheinungsform. Wiederum befreit das zeremoniell unveränderliche Äußere ein beinahe unfaßbares Sensorium für die Introspektion, die im Kompositionsprinzip des Romans, Thema Liebe mit Variationen, zwanglos Raum für die Darstellung der Irrungen und Wirrungen liebender Seelen und für die psychologischen Erkenntnisse und Entdeckungen der Autorin findet.

Soweit man es überblicken kann, gibt es in der europäischen Literatur nur ein Werk, das sich in der räumlichen Beschränkung, in Zahl und sozialem Status der Personen, in der Wahrnehmung der Zeit, im ästhetischen Gehalt und im psychologischen Raffinement mit dem ›Genji monogatari‹ vergleichen lässt; es trägt den bezeichnenden Titel ›A la recherche du temps perdu‹. Verloren sind bei Marcel Proust weniger die Bewohner der Zeit (»les dames du temps jadis«), welche ja im Werk »aufgehoben« werden: die Zeit selbst ist es. Jeder irdischen Vergänglichkeit voraus geht das Vergehen der Zeit. Nicht verwunderlich demnach, daß für Proust Erinnerung *und* Wahrnehmung, so etwa der Duft der *madeleines,* zentrale Voraussetzungen des Schaffensprozesses sind – und bemerkenswert ist es, daß Düfte in Murasakis Buch eine gefühlsentscheidende Rolle spielen. Ja, Kaoru, zusammen mit Genjis Sohn Yûgiri eine der Kultfiguren unter der *jeunesse dorée* am Kaiserhof, strömt seinen nur ihm eigenen Körperduft aus.

›Genji‹ ist der erste, der paradigmatische, der monumentalste Roman der japanischen Literatur. Vorstufen sind auszumachen. Wichtig scheint die von Frauen gepflegte höfische Tradition des Tagebuchs, auf die auch Murasaki zurückgreift. Zum andern sind Zwischenformen zwischen Gedicht und Prosa erhalten. So das ›Ise monogatari‹ (Die Geschichten von Ise), das dem Aristokraten Ariwara Narihira (825–880) aus der Kokinshu-Zeit zugeschrieben wird oder doch um ihn seine Liebesgedichte und -geschichten versammelt. Im Wechsel von Gedicht und Erzählung deutet sich hier ein weiteres konstituierendes Element des kommenden Romans an. Das Verstummen des Gedichts verlangt offenbar nach einer vertiefenden Erzählung oder erklärenden Überbrückung der dem Schweigen überantworteten Zeit. Murasaki nun leistet mit dem Mittel des Erinnerungsstroms ihres erzählenden Ichs die Verknüpfung der aneinandergereihten Episoden zum Roman.

Auf den folgenden Seiten: 54/55 Zwei ganzseitige Miniaturen aus ›Ise-monogatari‹ (Nr. 36)

Logisch (und doch beinahe unbegreiflich) ist, daß die Autorin

bereits eine Theorie des Romans vorlegt. Wer anders als Genji könnte sie formulieren? Lächelnd sagt er zur Dame Tamakazura, die er in alte Erzählungen vertieft vorfindet, die Kunst bestehe nicht einfach darin, »etwas als die wirklichen Erlebnisse eines bestimmten Menschen aufzuzeichnen. Sondern man bringt einfach eine Sache, wie man sie, mag sie nun gut oder schlecht sein, in unserer Welt immer wieder sehen und hören kann und die man der Nachwelt unbedingt überliefern möchte, deswegen zu Papier, weil man sie in der eigenen Brust nicht länger mehr verschließen kann« (Band 1, S. 727).

Die verfeinerte, dekadente Welt des Genji-Romans ist ein knappes Jahrhundert nach Murasaki (ihre Lebensdaten werden auf 975–1013/1025 angesetzt) zerbrochen und mit der Zerstörung der Hauptstadt Heian hinweggefegt worden. In den folgenden Jahrhunderten der Bürgerkriege mutierten die dichtenden, musizierenden und den Verwicklungen in erlesenste Liebesabenteuer frönenden Hofleute zu Trägern einer ebenso gnadenlosen wie ästhetischen Kriegerkultur. Doch der Roman blieb ein Horizont der Sehnsucht nach einer besseren Welt.

Als unter dem Shogunat der Tokugawa nach 1600 allmählich landesweit Friede einkehrt, wird das Buch immer neu aufgelegt und illustriert; die gegen sein Ende fast zufällig verschwindenden, von *mononoke* (etwas wie Schwermut) und weiteren, kaum bestimmbaren Todesarten hinweggerafften Figuren sind unvergessen. Das Vorbild der Introspektion hat u. a. mit Yasunari Kawabata und Yukio Mishima bis tief ins 20. Jahrhundert nachgewirkt.

E.H.

Lit.: Die Geschichte vom Prinzen Genji. Vollständige Ausgabe, aus dem Original übersetzt von Oscar Benl. 2 Bde. Zürich: Manesse 1966

37 **François Rabelais (1494–1553)**

›La vie inestimable du grand Gargantua‹

Lyon: François Juste, 1537. Dritte Ausgabe

12°, 119 Bll. Titelblatt mit Holzschnitt-Bordüren; zwei Vignetten (S. 1 und 5)

EINBAND: *modernes Maroquin*

PROVENIENZ: *P. Berès, Paris, August 1951*

Ein Meisterwerk der Weltliteratur, mit einem würdigen Platz in Bodmers Bibliothek, erweist sich als ein bescheidenes Buch in kleinem, billigen Format, für schnelle Lektüre und Verbrauch produziert. Das vorliegende Exemplar von 1537 erschien drei Jahre nach der Erstausgabe, es ist ihr nachgebildet und vermittelt eine genaue Vorstellung der Bedingungen, unter denen Rabelais seine Werke produziert hat.

Seine beiden ersten Romane, die in Lyon 1532 und 1534 erschienen, ›Pantagruel‹ und ›Gargantua‹, veröffentlichte er in einem Fall anonym, im andern unter dem Pseudonym Alcofrybas Nasier. Die Romane nehmen eine narrative Tradition auf, die auf den Ritterroman zurückgeht; sie berichten von fabelhaften Abenteuern erfundener Helden, in diesem Fall von Riesen. Für Rabelais und seine Verleger ging es darum, vom Erfolg dieser populären Volksliteratur zu profitieren, die man auf den Jahrmärkten der Städte feilbot. In der Vorrede zum ›Gargantua‹ stellt sich der Erzähler als Marktschreier vor, der sich an sein Publikum wendet, um es zu einem üppigen Trinkgelage einzuladen. Verfasser wie Leser sollen Freunde sein, die sich an einem Buch ebenso wie an einem guten Schmaus ergötzen. Im Verlauf der weiteren Erzählung trifft man immer wieder auf diese festliche und gesellige Stimmung. Für die Gesellen des Gargantua bezieht sich Wohlbefinden immer sowohl auf den Körper wie auf den Geist. Das Fest, bei dem man spricht, ißt und trinkt, auf dem man mit Freunden scherzt, ist stets ein Höhepunkt der rabelaisschen Lebenshaltung.

Das äußerlich einfache, beinahe vulgäre kleine Buch ist aber auch ein subtiles und ganz komplexes Werk, in welchem sowohl Volkstradition und Gelehrtheit der Zeit eingegangen sind, das Heiteres und Ernstes miteinander verbindet und das heute noch heftige Diskussionen auslöst. Man kann es als ein Zeugnis der Renaissance lesen, auf der Suche nach einem weitläufigen System von

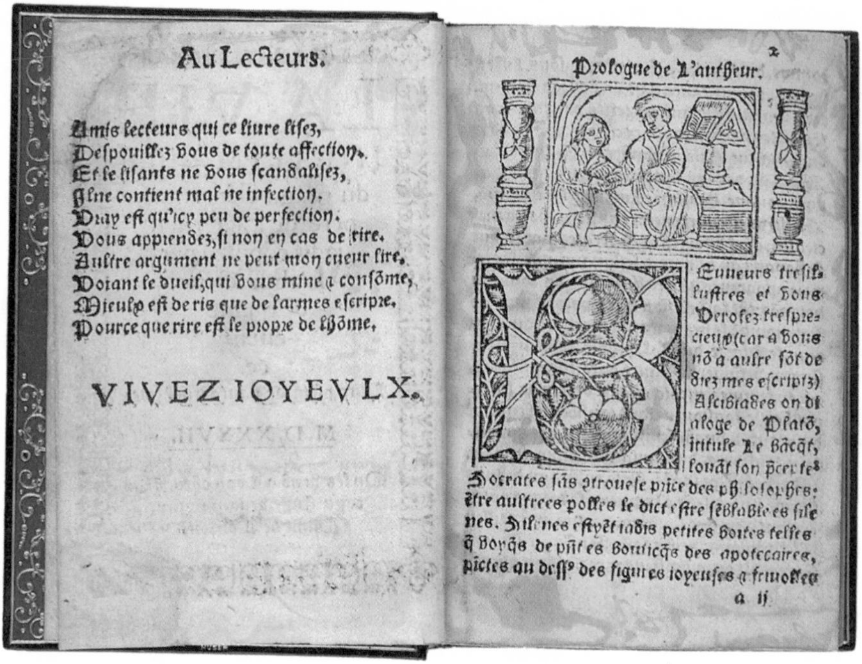
Au Lecteurs.

Amis lecteurs qui ce liure lisez,
Despouillez vous de toute affection.
Et le lisants ne vous scandalisez,
Il ne contient mal ne infection.
Vray est qu'icy peu de perfection.
Vous apprendez, si non en cas de rire.
Aultre argument ne peut mon cueur lire.
Voiant le dueil, qui vous mine & consõme,
Mieulx est de ris que de larmes escripre.
Pource que rire est le propre de l'hõme.

VIVEZ IOYEVLX.

2

Prologue de l'autheur.

Beuueurs tresillustres et vous verolez tresprecieux (car a vous nõ a aultre sõt dediez mes escriptz) Alcibiades on dialoge de Platõ, intitule Le bãcqt, louãt son precepteur Socrates sãs cõtrouerse prĩce des philosophes: entre aultres polles le dict estre sẽblable es silenes. Silenes estoyẽt iadis petites boites telles q̃ voyõs de pñt es bouticq̃s des apotecaires, pinctes au dess9 des figures ioyeuses & friuolles

a ij

56 *François Rabelais, ›Gargantua‹, 1537 (Nr. 37)*

mehr oder minder eindeutigen Anspielungen auf zeitgenössische Fragen. Man kann darin aber, dank seiner durch die Situation bedingten Stichhaltigkeit eine außergewöhnliche literarische Leistung sehen, einen Einfallsreichtum und eine Phantasie, welch die geschichtliche Bedingtheit bei weitem übersteigen.

Der Anfang der 1530er Jahre nimmt eine Schlüsselstellung in der französischen Renaissance ein. Die mannigfachen Kontakte mit Italien, hauptsächlich über Lyon, wo Rabelais sich damals als Spitalarzt aufhielt, haben der Kultur, dem Denken und der Kunst seiner Zeit neuen Auftrieb verliehen. Die Loireschlösser, die Schaffung des *Collège des lecteurs royaux* durch König François I. zur Verbreitung neuer Kenntnisse, sind Zeugen eines neuen Aufbruchs. Der Einfluß eines Martin Luther, vor allem aber eines Erasmus von Rotterdam verbreiten sich unter den Gelehrten, die für eine Restauration des Glaubens kämpfen, der sich endlich von der Schwerfälligkeit und dem Mißbrauch der traditionellen Kirche befreit hat. Einige schließen sich der Reformation Calvins an, die sich zu dieser

Zeit von Genf aus verbreitet. Im ›Gargantua‹ verfaßt Rabelais eine Satire auf katholische Vorurteile, er sympathisiert mit dem Geist der Erneuerung und der Restauration des Evangeliums, ohne sich gleichwohl dem protestantischen Lager anzuschließen, wo sich auch schon die bedrohliche Gefahr eines neuen Dogmatismus am Horizont abzeichnet. Ob es sich um den Glauben oder die Verbreitung des Wissens handelt: die französischen Gelehrten erweisen sich als Optimisten, die an den Fortschritt glauben. Die Erziehung des Gargantua findet in zwei Etappen statt: im finsteren Mittelalter, als der Geist noch vegetierte, und in der intellektuellen Dynamik der Renaissance, die, dank des Zugangs zu neuen Kenntnissen ein besseres Leben verspricht. Gargantua wird ein guter Christ, ein guter Prinz, ein guter Kämpfer, indem er humanistischen Fragen nachgeht. Der Humanismus ist genau diese Solidarität des Denkens und Handelns, des Wissens und der Erfahrung, zugleich die Liebe des Menschen in christlicher Vermittlung.

Aber ›Gargantua‹ ist zugleich weit mehr als nur ein geschichtliches Dokument, geboren aus dem Geist der Zeit. Er ist auch ein Experimentalroman, der die Literatur in die Enge treibt. Er erkundet in hervorragender Weise die Geschmeidigkeit der französischen Sprache, die im 16. Jahrhundert noch reichlich formbar war. Die deutsche Adaptation durch Johann Fischart, die 1575 unter dem Titel ›Geschichtklitterungen‹ erschien, gibt die verbale Originalität und den erfindungsreichen Schwung der Rabelaisschen Sprache gut wieder, einzigartig in seiner Überschwenglichkeit und seiner Komik innerhalb der gesamten französischen Literatur. Das Problem des Sinns kompliziert die Lektüre ebenfalls. Rabelais handelt von sehr ernsthaften Dingen, von Religion, Moral, Politik – und zugleich amüsiert er sich darüber, er lacht und entzieht sich dem Verständnis allzu ernsthafter Leser. Fragen der Interpretation und des Verständnisses werden ständig gestellt und nie ganz beantwortet. Viele verschiedene mögliche Bedeutungen überkreuzen sich, die sich nie auf ein fixes System reduzieren lassen. Weit entfernt, seinen Leser in eine strenge Ideologie einsperren zu wollen, reizt Rabelais vielmehr die Neugier und bietet dem Leser fragmentarische Zeichen, die entziffert werden sollen. Die Freiheit der Forschung, die Freude des Geistes, die eine Komplexität von Ideen und die Vielfalt der Welt entdecken, sind wichtige Bestandteile der Rabelaisschen Ethik.

Die Zensoren fanden aber ›Gargantua‹ nicht amüsant. Unter dem Druck der Sorbonne, die die kirchliche Autorität repräsentierte, mußte Rabelais verschiedene obszöne Stellen seines Romans streichen und seine Angriffe auf die Kirche mildern. Von nun an mußte er mit der Versteifung des konfessionellen Konflikts und mit der Unterdrückung seines freien Geistes rechnen. Nach langem Stillschweigen veröffentlichte er noch das Dritte und das Vierte Buch (›Tiers et Quart Livres‹ 1546–1552), die sich weniger vergnüglich, geheimnisvoller, eher beunruhigend lesen. Die Bibliotheca Bodmeriana besitzt zahlreiche Ausgaben, die noch zu Lebzeiten von Rabelais erschienen, die meisten von größter Seltenheit.

M. J.

57 ›Lazarillo de Tormes‹, Titelblatt der Erstausgabe (Nr. 38)

38 **[Diego Hurtado de Mendoza] (1503–1575)** ›La vida de Lazarillo de Tormes‹

[Burgos: Juan de Junta, 1554]. Erstausgabe

8°, 47 Bll., 1 leeres Bl. fehlt. Titelholzschnitt, 5 Textholzschnitte

EINBAND: *Maroquin des 19. Jahrhunderts*

PROVENIENZ: *Christie's, London, 30. Juli 1958 (Fleming). Exlibris Chatsworth*

»Die spanische Literatur ist knapp, das heißt nur in ihren bedeutendsten Namen dokumentarisch vertreten«, schreibt Bodmer 1947 in seiner *Weltliteratur* (S.85). Gerade in der Auswahl und in der Beschränkung zeigt sich hier aber der Meister. Es gelang ihm, das einzig komplette Exemplar der ›Celestina‹ des Fernando de Rojas, Toledo 1500, zu erwerben. Es handelt sich dabei nicht nur um »eines der genialsten Dramen der nachantiken Literatur, sondern um ihr erstes«. Spanische Lyrik, Drama, Roman – sind ausnahmslos mit erstklassigen, ausgesuchten Exempeln vorhanden.

Das kleine, unscheinbare Bändchen über das Leben des Lazarillo de Tormes, eines liebenswürdig-dreisten Schelms, markiert – zusammen mit dem ebenfalls im Erstdruck vorhandenen ›Guzman de Alfarache‹ – einen Neubeginn europäischer Romanliteratur, ein halbes Jahrhundert vor Cervantes ›Don Quixote‹ veröffentlicht. Es steht am Anfang einer Entwicklungslinie, die insbesondere in

¶ La vida de Lazarillo de Tormes: y de sus fortunas y aduer sidades.

1554.

Deutschland (durch die Vermittlung über französische Übersetzer) direkt von Grimmelshausen, später bis zu Thomas Manns ›Felix Krull‹ und Günter Grass' ›Blechtrommel‹ reicht.

Der Pikaro Lazarillo, der immer in Ich-Form erzählt, entstammt der einfachsten Bevölkerungsschicht; dank seiner Intelligenz und Schläue, dank seiner Jugend gehört ihm und seinen Abenteuern stets die Liebe des Lesers. Der kleine Roman hat bis heute nichts von seiner Frische und seiner Attraktion verloren. M.B.

58 ›Don Quixote de la Mancha‹, Titelblatt der Erstausgabe (Nr. 39)

39 **Miguel de Cervantes Saaverda (1547–1616)**

›El ingenioso Hidalgo Don Quixote de la Mancha‹

Madrid: Juan de la Cuesta, 1605–1615. Erstausgabe

4°, Bd. 1: 8 nn. Bll., 280 Bll., 4 nn. Bll., mit Titelvignette und mehreren Holzschnittinitialen (Bd. 2 nicht ausgestellt)

EINBAND: *Maroquin des 19. Jahrhunderts. Goldschnitt. Mit Goldprägung*

PROVENIENZ: *vor 1947. Bodmer, Weltliteratur, S. 87. Exlibris Henry Labouchere*

Er hat sich selbstständig gemacht, dieser Don Quixote, er ist seinem Roman entwischt und führt seit langem schon ein Leben in der schwer greifbaren, aber wirkungsmächtigen Sphäre jener Allgemeinplätze, mit deren Hilfe wir uns im Alltag leichtfüßig verständigen. Mit der leisen Kraft seiner so offensichtlichen Schwächen hat er die anderen, auch sehr schönen Werke seines Autors verdunkelt: Allenfalls nickt hier und da noch einer wissend mit dem Kopf, wenn der sprechende Hund Berganza genannt wird. Für den spanischen Ritter gilt der paradoxe Spruch »The child is father of the man«: Don Quixote ist der Erzeuger des Dichters und Romanschriftstellers Miguel de Cervantes. Was war der vorher schon? Ein glückloser Mensch, Soldat, Sklave, Steuereintreiber, schließlich erfolgloser Autor eines Schäferromans, von Theaterstücken und Zwischenspielen. Don Quixote hat ihn zur Gründerfigur der Moderne gemacht. Wie Heine bündig schreibt, »müssen wir in Cervantes den Stifter des modernen Romans verehren«. Und nur eben drei Stifterfiguren läßt Heine überhaupt gelten, neben Cervantes sind es Shakespeare für das Drama und Goethe für das

EL INGENIOSO HIDALGO DON QVI-XOTE DE LA MANCHA.

Compuesto por Miguel de Ceruantes Saauedra.

DIRIGIDO AL DVQVE DE BEIAR, Marques de Gibraleon, Conde de Barcelona, y Bañares, Vizconde de la Puebla de Alcozer, Señor de las villas de Capilla, Curiel, y Burgillos.

Año, 1605.

Con priuilegio de Castilla, Aragon, y Portugal.

EN MADRID, Por Iuan de la Cuesta.

Vendese en casa de Francisco de Robles, librero del Rey n̄ro señor.

Lied. Zum Schöpfer des neuen Romans in seiner liederlichen, bedenkenlosen, lebendigen Gestalt hat den Cervantes sein Geschöpf gemacht, der Don.

Im sechsten Kapitel des ersten Teils, taucht Cervantes auf, indirekt, aber mit Namen. Er gehört zu den durch das Buch selbst der Lese-Ewigkeit überantworteten Figuren. Der Barbier und der Pfarrer misten nämlich die Bücherhöhle des Don Quixote aus und übergeben nach kurzer Prüfung die meisten Scharteken dem Feuer. Der Pfarrer räsoniert ein wenig abfällig über ›Das Buch der Lieder des López Maldonado‹, dann fragt er: »›Allein, was ist das für ein Buch, das daneben steht?‹ ›Die Galatea des Miguel de Cervantes‹, sagte der Barbier. ›Seit vielen Jahren schon bin ich mit diesem Cervantes sehr befreundet, und ich weiß, daß er im Unglück mehr daheim ist als im Versemachen. Sein Buch hat einiges, das gut erdacht ist; allein er fängt oft etwas an und kommt damit nicht zu Ende. Man muß darum auf den zweiten Teil warten, den er ankündigt, vielleicht wird er dank der Verbesserung ganz die Nachsicht erlangen, die man ihm jetzt verwehrt. Bis dahin haltet ihn bei euch unter Verschluß.‹ ›Das will ich gern tun, Gevatter‹, erwiderte der Barbier« (Übers. Anton Rothbauer).

Spiegelungen sind das, mit denen gescherzt und getäuscht wird, das ganze lange Werk hindurch. Nachdem zum Beispiel der erste Band des ›Don Quixote‹ im Januar 1605 erschienen war, hatte sich ein anderer Autor, Avellaneda, erdreistet, 1614 eine Fortsetzung auf den Markt zu werfen. Der tief verärgerte Cervantes parierte die Unverschämtheit elegant in seinem zweiten Teil, der 1615 erschien. In dessen 59. Kapitel hört Don Quixote durch die dünne Trennwand eines Wirtshauszimmers, wie sich nebenan zwei Herren über den falschen zweiten Band unterhalten. Voll Empörung vernimmt der Don, er sei darin so dargestellt, als sei seine Liebe zu Dulcinea erloschen. Er protestiert laut, die erstaunten Edelleute kommen in sein Zimmer, einer schlingt erfreut seine Arme um Don Quixote und bekennt, daß Aussehen des Umarmten allein beweise ihm, daß dieser der wahre Don Quixote sei. Aber es geht weiter. Der Ritter nimmt das falsche Buch – und macht sofort dessen Fehler namhaft.

Der unterhaltungssüchtige Leser braucht die fein ausgetüftelte Mechanik gar nicht zu durchschauen, wenn er sich dem Erzählspiel anvertraut. Nützen und erfreuen will Cervantes nach den Regeln der horazischen Poetik mit handfesten Alltagsweisheiten und Sprichwörtern, die jeden Leser zu seinen eigenen Erwägungen anregen sollen, und mit ständig wechselnden Kaleidoskopbildern des Sprachspiels. Es gibt aber noch eine andere Dimension, in der sich das Verhalten des durch die Ritterromane liebenswert verkorksten Don als die Haltung des modernen Menschen schlechthin offenbart. Hier liegt vielleicht das Geheimnis der nie nachlassenden Anziehungskraft dieser Geschichte, der Grund dafür, daß wir sie mit Rührung, Heiterkeit und Melancholie immer wieder neu lesen können. Don Quixote tritt der Wirklichkeit in der Rüstung der aus seinen geliebten Ritterromanen geborgten Wörter, das heißt: Handlungsanweisungen, entgegen. Dies aber tun wir auf unsere Weise anders und unauffälliger alle, gehen etwa als Christen im Rüstzeug biblischer Weisheiten durch die Welt – und wundern uns, wie tückisch intelligent das andere Prinzip, der Diabolos, der Durcheinanderschmeißer, unserer Güte immer wieder ein Bein stellt. Kurz: Don Quixote lehrt uns, daß wir der Wirklichkeit immer mit Konstruktionen gegenübertreten – daß wir die Wirklichkeit selbst konstruieren. Die Genialität dieses Romans liegt darin, daß er sich nicht naiv von einer dieser Konstruktionen einfach leiten läßt, sondern daß er eben dieses Konstruktionssspiel selbst offenlegt. Noch knapper: Der ›Don Quixote‹ ist der Roman, der die Geschichte der Wahrheit erzählt.

Wieder einmal über den Don Quixote räsoniert, wieder einmal ungerecht gewesen gegenüber seinem Verfasser. Freilich, wer ein so ungeheures Buch schreibt, darf sich nicht wundern, wenn er in dessen Schatten unsichtbar wird. Aber wenn wir, wie Don Quixote an seinem Ende, aus wohlbegründeter Begeisterung aufwachen und wieder ganz alltäglich vernünftig werden, dann geziemen sich schon ein paar Daten über diesen erstaunlichen Menschen, der geboren wurde, man weiß nicht genau an welchem Tag. Getauft worden aber ist er am 9. Oktober des Jahres 1547 in Alcalá de Henares. Einer der wichtigsten Tage seines Lebens war ihm der 7. Oktober 1571, als er als tapferer Soldat in der Schlacht von Lepanto an der linken Hand verletzt wurde. Diese Verstümmelung war sein Ruhmeszeichen, lebenslang. Im September 1575 wurde er, immer noch Soldat, von algerischen Seeräubern gefangen, die ihn fünf Jahre als Sklaven hielten, ohne seinen Stolz brechen zu können. 1580 freigekauft, schlug er sich in der Heimat in verschiedenen Berufen durch – und schrieb. Er kannte ja das Leben. Anfangs war er als Schriftsteller glücklos, mit dem ›Don Quixote‹ kam der Erfolg, der ersehnte Reichtum jedoch nicht. 1616 vollendete er sein letztes Werk, den herrlichen Abenteuerroman ›Die Mühen und Leiden des Persiles und der Sigismunda‹, ein Gewoge von Liebe, Verzweiflung, Gefahr und endlich geglückter Vereinigung. Cervantes starb am 22. April 1616, am selben Tag, an dem auch William Shakespeare die Bühne des trügerischen Lebensspiels verließ.

Als der Tod kommt, da wird auch Don Quixote vernünftig. Den treuen Sancho bittet er um Verzeihung, weil er ihn zu dem Irrglauben verführt hatte, »daß es je auf Erden fahrende Ritter gegeben habe und gibt«. Und, doch recht zweideutig, wendet er sich an alle: »Ich war verrückt und bin jetzt bei Vernunft. Könnte mir doch meine Reue und meine Aufrichtigkeit bei euch, Señores, wieder die Achtung verschaffen, die ihr mir sonst gezollt habt!« Damit schlägt dieser unbeugsame Wahrheitssucher seine letzte Kapriole: Er erfleht Achtung für das vernünftige Dasein, das sein Ende ist, eine Achtung, die er als Narr erfahren hat. Wir aber achten ihn im Leben und im Sterben und danken seinem Schöpfer, weil bis auf unsere Tage Quixotes Narrheit sich auf Wahrheit reimt K.P.

Lit.: Martin Franzbach, Cervantes. Stuttgart: Reclam 1991 – Christoph Strosetzki, Miguel de Cervantes: Epoche – Werk – Wirkung. München: Beck 1991

40 **[Hans Jacob Christoffel von Grimmelshausen] (1622–1676)**

›Neueingerichteter und vielverbesserter Abentheurlicher Simplicissimus‹

Mompelgart (=Frankfurt/M.: Georg Müller), 1669.

12°, 618 S. Mit Titelkupfer

EINBAND: *Pergament, modern*

PROVENIENZ: *vor 1947. Bodmer, Weltliteratur, S. 100*

»Es eröffnet sich zu dieser unserer Zeit (von welcher man glaubt, daß es die letzte seye)...«: Mit diesen Worten, geprägt von Weltuntergangsängsten und einer Spur Hoffnung, führte Hans Jakob Christoffel von Grimmelshausen (ca. 1621–1676) die Leser auf die Bühne des Lebens im Dreißigjährigen Krieg. Als 46jähriger Bürgermeister von Renchen hatte er diesen barocken Schelmenroman verfaßt, der von den Romantikern wiederentdeckt, von den Expressionisten neu gelesen und erst von den gebrannten Nachkriegsliteraten und -forschern in seiner ganzen Intellektualität, Virtuosität und Authentizität aufgeschlüsselt wurde.

Weniger als ein Dutzend Exemplare der Erstausgabe sind heute bekannt. Das ist fast viermal weniger, als etwa von Gutenbergs Bibel oder anderen, die Welt verändernden Werken erhalten geblieben sind. Wer von den Zeitgenossen sollte auch dieses kleine, ephemer wirkende Buch geschätzt und bewahrt haben, das seinen Autor verschwieg, auf eine kluge Vorrede verzichtete und statt dessen mit einem satirischen Titelkupfer seine Leser irritierte und provozierte? Dieses anspruchsvolle Werk kam in ganz anspruchslosem Gewande daher. Es wollte mit Lachen die Wahrheit sagen, nicht mehr, aber auch nicht weniger. Mit seinem untrüglichen Gespür versäumte es Martin Bodmer nicht, diesem unscheinbaren Büchlein, ja gleich allen Erstausgaben Grimmelshausens, einen Ehrenplatz in seiner »Bibliothek der Weltliteratur« einzuräumen. Welcher Roman des deutschen Sprachgebiets konnte die traumatischen Erlebnisse der Dreißigjährigen Krieges besser beschreiben, welche Prosa die menschlichen Schwächen auf scheinbar einfältige Weise kurzweiliger entlarven, welche Zeilen konnten mit dem Schöpfergott anmutiger versöhnen als die des Nachtigallenlieds, »Komm, Trost der Nacht, o Nachtigall«?

Abenteuerlicher Simplicissimus.

Ich ward gleich wie Phoenix durchs Feuer geboren
Ich flog durch die Lüffte? ward doch nicht verloren
Ich wandert im Wasser ich streiffte zu Land,
in solchem Umbschwermen macht ich mir bekant
was offt mich betrübet und selten ergetzet.
was war das? Ich habs in dies Buch hier gesetzt
Damit sich der Leser gleich wie ich itzt thu,
entferne der Torheit, und Lebe in Ruh.

Neueingerichter und vielverbesserter
Abentheurlicher
SIMPLICISSIMUS
Das ist:
Beschreibung deß Lebens eines seltzamen Vaganten genant Melchior Sternfels von Fuchshaim / wie / wo und welcher gestalt Er nemlich in diese Welt kommen / was er darin gesehen / gelernet / erfahren und außgestanden / auch warum er solche wieder freywillig quittiret hat.
Uberauß lustig / und männiglich nützlich zulesen.
An Tag geben
Von
German Schleifheim
von Sulsfort.
Mompelgart /
Gedruckt bey Johann Fillion /
Im Jahr M DC LXIX.

59 ›Simplicissimus Teutsch‹, Frontispiz und Titelblatt (Nr. 40)

Bis heute bleibt das Lachen dem Leser gelegentlich im Halse stecken, etwa wenn er Grimmelshausens Beschreibungen des Kriegs mit den aktuellen Bildern und Nachrichten der neuen Kriegsschauplätze vergleicht. Tatsächlich verfehlt der ›Abentheurliche Simplicissimus Teutsch‹ seine Wirkung nicht, er ist lebendig geblieben und in seiner europäischen Ausrichtung einer der wenigen deutschen Beiträge des 17. Jahrhunderts zur Weltliteratur.

Das Frontispizkupfer zeigt den Satyr, der die menschlichen Eitelkeiten im Buch des Lebens aufdecken und den Lesern die Masken vom Gesicht reißen will. Die monströse Mischgestalt des Fabelwesens stimmt den Betrachter auf den ironisch-satirischen Erzählgestus ein. Und weil die »ernstlichen Schrifften« rascher zur Seite gelegt werden als diejenigen, die ein »kleines Lächlen« herauspressen, möge sein Buch wie eine überzuckerte, aber heilsame Pille geschluckt werden: »damit sich der Leser gleich wie ich itzt thue, / entferne der Thorheit und lebe in Rhue.« T.B.

41 **Honoré de Balzac (1799–1850)**

›La femme de trente ans‹

Ms. autogr., unsigniert, 1832. Mit Streichungen und Korrekturen. Eine der sechs Novellen, von denen die Bodmeriana zwei im Autograph besitzt; Marquise de Castries gewidmet.

4°, 25 S.

Bodmeriana, Mss. & autogr. français, S. 8

EINBAND: *Maroquin*

PROVENIENZ: *Schab, New York, 1947. Supralibros mit Wappenstempel des Barons d'Aldenburg*

Eben an der Sorbonne zum Bachelier en droit graduiert, entschied sich der in Tours geborene Balzac im Alter von 22 Jahren gegen den elterlichen Willen für die Schriftstellerei als Beruf. Um seinen Unterhalt zu erwerben, verdingte er sich an eine Art »Romanfabrik«, wo er pseudonym die trivialen Texte anderer zu verkäuflicher Unterhaltungsware herrichtete. Erfolglos versuchte er sich kurze Zeit als Verleger und Drucker und stürzte sich nur tiefer in Schulden, die schließlich jene Hektik der Produktion auslösten, mit der Balzac zeitlebens mit der neuerfundenen Schnellpresse um die Wette schrieb: »Immer derselbe qualvolle Kreislauf: schreiben, um nicht mehr schreiben zu müssen; Geld raffen, viel Geld und noch immer mehr Geld, um nicht mehr genötigt zu sein, an das Geld zu denken«, wie sein Biograph Stefan Zweig sagt, auch er ein gehetzter, sich selbst hetzender Graphomane.

1830 begann Balzac die Arbeit an den ›Scènes de la vie privée‹. Der Ausdruck »Scènes« verdeutlicht das dramatische Moment, das diesen kurzen Erzählungen, Novellen recht eigentlich, innewohnt. Sie wurden zur Keimzelle des gigantischen Plans der ›Comédie humaine‹. Balzacs Ehrgeiz ging darauf, gleichen Ruhm zu erwerben, wie ihn Walter Scott als Romancier genoß. Am Ende stand ein Werk, das die Leistungen des Schotten weit übertraf. Schon der Titel legt den Vergleich mit Dantes Dichtung nahe (vgl. Nr. 19–22), die von Victor Hugo und anderen Romantikern gerade neu entdeckt worden war. Die ›Divina Commedia‹ lenkt den Blick nach oben, die ›Comédie humaine‹ richtet ihn in die horizontale Weite der Existenzen; Dante entwirft Heilsgeschichte der Seele, Balzac schreibt Naturgeschichte der menschlichen Gesellschaft, doch beide Werke sind Weltepen, die nach Totalität streben, und beide bedienen sich dazu ähnlicher Mittel und haben einen verwandten Ursprung: eine »ungeheure eruptive Kraft« der »Produktion, die ständig und pausenlos feurige Massen herausschleudert, Menschen, Gestalten, Schicksale, Landschaften, Träume und Gedanken«, so noch einmal der emphatische Zweig. Hofmannsthal nannte die ›Comédie humaine‹ in der Einleitung zur Insel-Ausgabe 1908 die »vollständigste Vision, die seit Dante in einem Menschenhirn entstand«, nur daß sie die Welt »nicht statisch, sondern dynamisch erfaßt«, um die »Menschen zu schildern, die aufblühen und hinschwinden, wie die Blumen der Erde. Nichts anderes tat Homer.«

›La femme de trente ans‹: Ursprünglich bezog sich der Titel nur auf eine der sechs später eher notdürftig zu dem kleinen Roman verbundenen »Szenen«. Er galt Sainte-Beuve als ein Meisterwerk, André Gide dagegen nannte den Text das schlechteste Buch des Autors. Wie immer die Urteile auseinandergehen mögen, es war der Beginn von Balzacs Ruhm. Nach Vorabdrucken in den Zeitschriften ›Revue de deux mondes‹ und ›Revue de Paris‹, erschien das Werk vollständig zuerst 1834/35 in den ›Scènes de la vie privée‹ und 1842 in überarbeiteter Fassung. Es erzählt die Geschichte der Marquise Julie d'Aiglemont, die »mal-mariée« mit einem ungeliebten alten General, von diesem eine Tochter namens Hélène hat. Als sie zum erstenmal eine wahrhafte Neigung faßt, die ihrem englischen Arzt Lord Grenville gilt, verbietet sie sich und dem jungen Mann aus Rücksicht auf Kind und Gatten diese Liebe und nimmt Grenville das Versprechen ab, in seine Heimat zurückzukehren. Doch ihre Gedanken sind nur bei dem Geliebten, den sie in England wähnt. Obgleich das Ausbleiben jeder Nachricht ihrer eigenen Anordnung entspricht, quält sie eine wachsende Unruhe; und in der Hoffnung, in den Zeitungen etwas über Grenville zu lesen, lernt die Marquise die englische Sprache. Der Arzt ist jedoch, um ihr nahe zu sein, in Paris geblieben und hat sie unbemerkt täglich gesehen. Julie erfährt davon erst, als sich der verzehrte und todkranke Grenville ungefragt zu einem letzten Lebewohl einfindet, während ihr Gatte zur Jagd außer Haus weilt. Da der Besucher ungeschickt eine Pistole aus dem Rock verliert, durchschaut die Marquise seinen verzweifelten Plan, gemeinsam in den Tod zu gehen: Sie führt ihn ans Bett des Kindes, wo beide beinahe von dem heimkehrenden Gatten überrascht worden wären. Der Geliebte begreift, daß die Frau für die kleine Tochter am Leben bleiben will, kann mit knapper Not aus dem fremden Haus entkommen und tötet sich, um der Marquise zu erhalten, »was die Gesellschaft die Ehre einer Frau nennt«. Madame d'Aiglemont verfällt darauf in einen lange anhaltenden melancholischen Stupor. Zur Rückkehr aus solchem Egoismus kann sie ein alter Priester bewegen; die Marquise, der durch Aufklärung und Revolution religiöse Empfindungen fremd geworden waren, hatte ihn zunächst mehrfach abgewiesen, ehe sie hinter seinem scheinbar fröhlichen Charakter die Spuren eines noch größeren Leidens erkennt: Als Witwer hatte der spätgeweihte Geistliche vor Waterloo seine drei Söhne verloren. Die wieder in die Gesellschaft Zurückgekehrte erliegt dem Werben des jungen Diplomaten Charles de Vandesse: »In dem schönen Alter von dreißig Jahren, auf diesem poetischen Gipfel des Frauenlebens« dringen auf die Frauen »Unentschlossenheit, Schrecken, Ängste, Sorgen und Stürme ein, die man nie in der Liebe eines jungen Mädchens findet«, und sie können »jeden Weg übersehen und sowohl in die Vergangenheit wie in die Zukunft schauen. Die Frauen kennen dann jeden Preis der Liebe und erfreuen sich ihrer mit der Angst, sie zu verlieren; ihre Seele ist noch schön durch die Jugend, und ihre Leidenschaft erstarkt immer durch das Vorausahnen einer Zukunft, die sie ängstigt« (Übers. Erich Noether). Aus der neuen Liebe, die der Gatte stillschweigend duldet, gehen ein Sohn und die Tochter Moina hervor. Die ältere Tochter Hélène, unbewußt von Eifersucht über den ihr nun vorgezogenen Knaben ergriffen, tötet ihn durch einen Sturz ins Wasser, der äußerlich als Unfall erscheint; später verläßt sie das Elternhaus aus Liebe zu einem Mörder. Die altgewordene Marquise stirbt an dem Schmerz über den Verlust der Achtung durch die jüngere Tochter und an der Schuld, daß sie diese nicht vor der Leidenschaft für einen jungen Mann bewahren kann, der ein legitimer Sohn des Diplomaten ist, also ihr Halbbruder.

Die Vorzüge des Buches liegen bei den ersten drei Kapiteln. In den Schilderungen der Balzac wohlvertrauten Landschaft Touraine, wo sich die Marquise und Grenville ihre Liebe bekennen, gilt das Wort: »Le paysage est un état de l'âme«. Mit feiner psychologischer

Einfühlung wird die Spannung zwischen erotischer Anziehung und hemmender Mutterliebe sichtbar gemacht, unter der die Protagonistin leidet; das Gespür dafür mag Balzac im Umgang mit der 22 Jahre älteren Laure de Berny entwickelt haben, die ihm Mätresse und Mutter zugleich geworden war. Vor allzu sentimentaler Überzeichnung wird die Figur des Arztes durch die objektive Ironie bewahrt, daß ausgerechnet dem Heilkundigen die Liebeskrankheit zu einer »Krankheit zum Tode« wird, dazu durch ans Schwankhafte grenzende Züge, die für den Leser die Trauerstimmung aufheitern, wenn der versteckte Grenville mit in die Tür gequetschtem Finger lange lautlos ausharrt. Dagegen gleitet die zweite Hälfte des Buches durch die Häufung greller Motive – zwei Morde, ein Inzest – ins Kolportagehafte ab: An die Stelle subtiler Gesellschaftskritik tritt unterhaltende Schauerromantik, welche seit der tumultuarischen Aufführung von Victor Hugos Drama ›Ernani‹ zu Paris im Jahre 1830 dem Zeitgeschmack besonders entsprach. Konzession an Modisches ist auch die Anglomanie, die den Roman durchzieht.

60 Honoré de Balzac, ›La femme de trente ans‹, 1832, Autograph (Nr. 41)

Die Bodmeriana besitzt die Handschriften zum zweiten und dritten Kapitel (»Souffrances inconnues« und »A trente ans«). Die Geschichte der Manuskripte ist selbst ein kleiner Roman: Balzac hat sie der von ihm verehrten Marquise Henriette de Castries übereignet, deren Leiden eine gewisse Ähnlichkeit mit demjenigen der Hauptgestalt des Romans aufweist. Von der Marquise de Castries sagte man in der Gesellschaft, daß sie als jugendliche rothaarige Schönheit, wenn sie in einer inkarnatfarbigen Robe mit entblößten, eines Tizian würdigen Schultern einen Festsaal betrat, buchstäblich das Licht der Kerzen überstrahlte. Das Unglück kam aber bald dreifach über sie: Durch die Heirat mit einem ungeliebten Mann, durch einen Reitunfall, der sie fast gehunfähig machte und durch den Tuberkulose-Tod ihres Liebhabers Viktor von Metternich. Mit seinen zahlreichen Manuskript-Geschenken, zu denen auch die Handschrift des ›Colonel Chabert‹ gehörte, warb Balzac um ihre Gunst. Aus den Händen ihres Sohnes Roger Baron d'Aldenburg gelangten sie in den Besitz des Staatsmanns Klemens von Metternich, dessen Bibliothek 1907 nach Paris ging. Dort kaufte der New Yorker Buchhändler William H. Schab die Handschriften, von dem sie 1957 Martin Bodmer erwarb. H.-A.K.

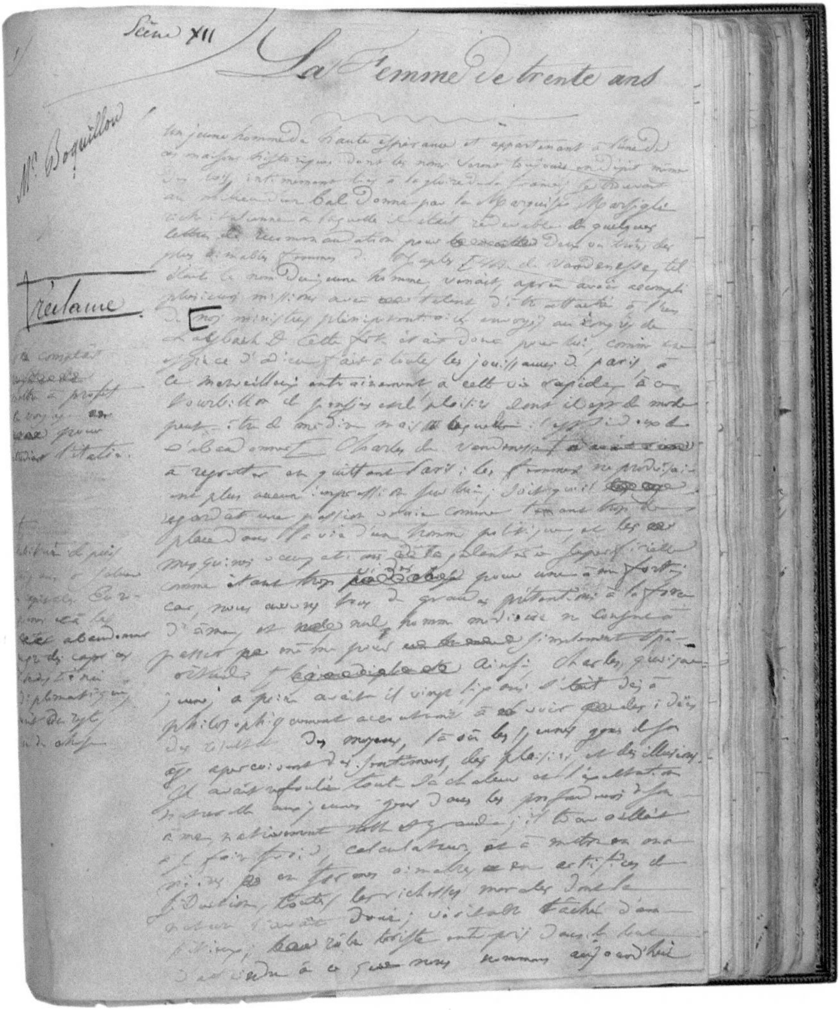

Lit.: Honoré de Balzac, La Comédie humaine. II: Etudes de moeurs: Scènes de la vie privée. Éd. publ. sous la direction de Pierre-Georges Castex avec … la collaboration de … Bernard Gagnebin, … René Guise. Paris: Gallimard 1976 – Pierre Barbéris, Le monde de Balzac. Paris: Komé 1999 – Pierre Sipriot, Honoré de Balzac. Paris: Archipel 1999

42 **Gustave Flaubert (1821–1880)**

›Skizzen für Madame Bovary: Escompte. L'heureux. Affaires d'argent. Attitude. Cadavre. Orfila.‹

Ms. autogr., unsigniert [vor 1857]

Verschiedene Papierformate 26–29,3 x 21,1–23,3 cm, auf Falz geklebt, 9 nn. Bll.

Bodmeriana, Mss. & autogr. français, S. 22

EINBAND: *Halbleder des 20. Jahrhunderts*

PROVENIENZ: *Bibliothèque Lucien-Graux, Paris, Juni 1957*

43 **Gustave Flaubert (1821–1880)**

›Madame Bovary‹.

Paris: Michel Lévy, 1857. Erstausgabe

18,8 x 12 cm, 2 Bände

EINBAND: *zwei broschierte Bände in Maroquinumschlag*

PROVENIENZ: *unbekannt*

Flaubert sprach zu Beginn der Arbeit an ›Madame Bovary‹ gegenüber seiner Muse Louise Colet von den zwei grundverschiedenen Leutchen (»bonshommes«), die in ihm vorhanden seien: der eine versessen auf Wortschwelgerei, Lyrismen, Adlerflüge und Gipfelhöhen des Gedankens; der andere stöbernd nach Kräften im Wahren und Wirklichen, von einer Schwäche für die kleinen Dinge, die er handgreiflich spüren machen möchte, zum Lachen aufgelegt und mit Wohlgefallen an der Tiernatur des Menschen. Mag an dieser oder jener Arbeit Flauberts bald der eine, bald der andere seiner beiden inneren Bonshommes den größeren Anteil tragen, in den besten Schöpfungen des Autors haben sie Hand in Hand gearbeitet.

1849 soll Flaubert seine Freunde Maxime Du Camp, einen Vertrauten von Baudelaire und Nerval, und Louis Bouilhet zu einer mehrtägigen Marathonlesung eingeladen und mit »Donnerstimme und dem heiseren Gekrächz eines Vorstadtschauspielers«, wie die Brüder Goncourt seinen Deklamationsstil beschrieben, aus dem Manuskript der ›Tentation de Saint-Antoine‹ vorgelesen haben. Die beiden Zuhörer waren entsetzt. Flaubert, bei dem seit Jahren schon die erste Fassung des Roman ›L'éducation sentimentale‹

unpubliziert herumlag, »rettete sich in die Stumpfheit, wie alle Neurotiker bei Katastrophen«, so Ernst Sander, Flauberts bedeutendster Übersetzer ins Deutsche. Die von Du Camp in die Welt gesetzte Legende will, Bouilhet habe noch am selben Abend dem Niedergeschlagenen geraten, sich einem Gegenwartsstoff à la Balzac zuzuwenden, und ihn auf die Affäre Delamare hingewiesen. Bei dem Fall, auf den Flaubert tatsächlich wohl erst 1851 aufmerksam geworden ist, geht es um einen Landarzt, den seine zweite Frau mehrfach betrügt, ehe sie, womöglich durch Selbstmord, unter Hinterlassung großer Schulden stirbt. (Auf die »affaires d'argent« und medizinische Literatur beziehen sich die ›Bovary‹-Brouillons der Bodmeriana.) Schon 1844 hatte der Giftmordprozeß gegen einen Apotheker die Gemüter der Pariser Literaten bewegt, und das Modell einer prominenten Ehebrecherin hätte Flaubert auch unter seinen Bekanntschaften finden können, etwa in der Gestalt der Louise Darcet, der Frau des Bildhauers James Pradier, dem die Genfer das Rousseau-Denkmal verdanken. Wahr ist, daß Flaubert bald darauf eine Ägyptenreise antrat und daß der Wirt seines Hotels in Kairo den Namen Bouvaret trug. Daß Flaubert aber, wie Du Camp will, eines Abends am Nilufer gestanden und mehrmals – mit kurzem o und Betonung der ersten Silbe – »Bovary! Emma Bovary!« gebrüllt habe, schmeckt zumindest, was den Vornamen angeht, nach anekdotischer Geschichtsklitterung, denn in den ersten Manuskripten des Romans, die nach der Rückkehr aus dem Orient entstanden sind, führt die Titelfigur noch den Vornamen »Marie«. Der Roman der mit einem banalen Mann verheirateten Frau, die sich, mit einem von romantischer Lektüre erhitzten Gefühl über ihr Milieu hinaussehnt, bis sie an der Diskrepanz zwischen schwelgerischen Phantasien und Wirklichkeit zugrundegeht, gelangte 1856 an die ›Revue de Paris‹. Dort erschien das Werk im Dezember mit zahlreichen Streichungen, die Du Camp mit Rücksicht auf die Sittenpolizei vorgenommen hatte. Auch die grandiose Partie mit der langen Droschkenfahrt war der »Zensurschere im Kopf« zum Opfer gefallen. Diese Stelle wenigstens hat Flaubert trotz der Bedenken, die ein nur mühsam gewonnener Prozeß wegen Verstoßes gegen die guten Sitten vermehrt hatte, in die Buchausgabe von 1857 wieder eingefügt. Das große Echo der Veröffentlichung spiegeln die zahllosen Versuche, das Werk als Schlüsselroman zu lesen. Entnervt reagierte Flaubert einmal: Seine arme Madame Bovary leide und weine in zwanzig Dörfern Frankreichs gleichzeitig, und sämtliche Apotheker des Departements Seine-Inférieure hätten zu ihm kommen und ihn ohrfeigen wollen, weil sie sich abkonterfeit glaubten. – Auch durch einen »Fall« angeregt, schuf Theodor Fontane das resignierte Gegenbild zu Emma Bovary mit dem distanziert-ironisch erzählten Roman ›Effi Briest‹.

61 Gustave Flaubert. Skizzen für ›Madame Bovary‹, Autograph (Nr. 42)

Nach den Wirren um ›Madame Bovary‹ wandte Flaubert sich noch einmal dem Sorgenkind der ›Versuchung des heiligen Antonius‹ zu und wollte an diesem von Kirchenvätern, Altertum und Mythologie überquellenden Schmöker (»bouquin«) weiterschreiben, doch bedrängte ihn, wie er Louise Colet mitteilte, immer mehr die Sorge, er könne erneut in einen Prozeß verwickelt werden. An Arsène Houssaye, der zusammen mit Théophile Gautier die aus Balzacs Zeiten stammende ›Revue de Paris‹ herausgab, richtete er bei der Übersendung von Korrekturfahnen die Frage, ob dieser nicht Angst habe, denn auf der dritten Seite komme das Wort »Phallus« vor, und verzichtete einstweilen auf die Veröffentlichung weiterer Fragmente. Als Buch brachte er das Jugendwerk erst 1874 heraus. Längst hatte Flaubert sich ohnehin bei der Überzeugung beruhigt, man könne nicht spät genug publizieren. Gegenüber Du Camp nannte er es sogar einen hübschen Gedanken, wenn ein Fünfzigjähriger, der noch nichts veröffentlicht hat, urplötzlich mit ›Gesammelten Werken‹ hervortrete.

Statt des ›Antonius‹ drängte sich für kurze Frist ein während des Aufenthalts am Nil entstandener Plan vor, für den Flaubert wegen der grassierenden Orient- und Ägypten-Romantik die Aufgeschlossenheit des Publikums erwarten konnte: ein Anubis-Roman, der die Geschichte einer Frau erzählen sollte, welche die Liebe des schakalköpfigen Gottes gewinnen will, ein Sujet, das noch anstößiger gewesen wäre als die Versuchungsgeschichte des Heiligen Eremiten.

Was Flaubert statt dessen unternahm, gleicht aber noch mehr einem gewaltsamen Ausbruch aus allen bisher beachteten Schranken: »Jetzt wollen wir einmal wüst und blutdürstig sein und dies Zuckerwasserjahrhundert mit Schnaps begießen. Wir wollen den Bourgeois in einem Grog von elftausend Grad ersäufen, der ihm die Schnauze verbrennt, so daß er vor Schmerz röhrt«, schrieb er Ernest-Aimé Feydeau, als er die Gestalt der Tochter des karthagi-

III

affaires d'argent.

D'abord de petites dettes ça et là, gâchage, sans y penser. [billets] les gagnant
du temps. le temps était tout pr elle.

à la mère Rolet [?]. je votre mari est menuisier. je lui donnerai
" ma pratique. je le solderai avec des billets que je ferai escompter
chez le banquier de votre oncle et qui seront beaucoup plus forts
que ce que je lui devrai. — et après j'aurai un crédit ouvert dans
cette maison. vous me donnerez le surplus —.. "

—

il va à son bureau plus d'argent. à son tour il
[... devint pâle .. devint pâle. puis demanda du regard où il était. je les
ai mangés tes x. mille fr. lui répondit-elle — alors il quitta la
maison]

—

Procuration (faite à l'occasion de la mort du père Bovary)
elle pense à s'en servir pr prendre autant qu'elle en
pourrait des hypothèques sans qu'il s'en doutât.
Mais la procuration n'est pas bonne — il faut qu'il le
en signe une autre. Charles y consent (Léon [antagonisé] a
tout cela.) — sur une observation il demande à lire
lui-même & ne veut pas. alors une autre procuration
fut faite & elle calqua la signature de son mari
Mais le notaire s'en aperçut. Guillaumin au
moment de la dernière visite, avant d'aller chez Rodolphe

—

les hommes d'argent se lassent & ne veulent
plus de renouvellement au papier. — difficulté
rien qu'à trouver seulement les intérêts.

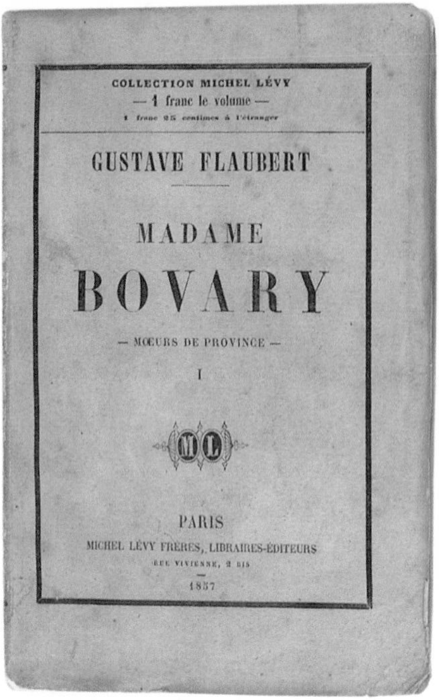

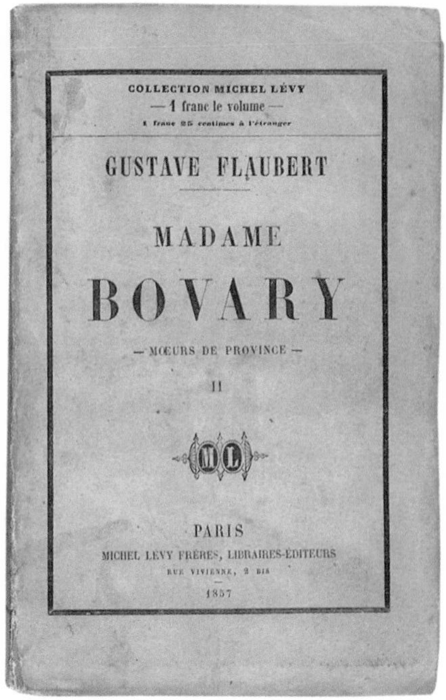

62/63 ›Madame Bovary‹, Umschläge der Erstausgabe (Nr. 43)

schen Feldherrn Hamilkar, Salammbô, konzipierte, von der Hector Berlioz nach der Lektüre des Buches bekannte, er träume des Nachts von ihrem Tod aus Liebe zu dem Anführer der Aufständischen, dem die Moloch-Priester das Herz aus dem Leib schneiden. Sie hütet im Tempel der Mondgöttin Tanit den die Stadt schützenden Schleier. Als ihn der libysche Rebell Mátho an sich nimmt, wendet sich das Kriegsglück zu seinen Gunsten und Salammbô ist ihm verfallen. In der zentralen Szene des Romans begegnen sich beide als Liebende, Mátho gibt das Kleinod zurück und verliert seine Kampfesstärke. Nicht einer kommt, wie in der biblischen Geschichte von Judith und Holofernes, durch die List des anderen zu Tode, sondern beide durch ihre Liebe. Beschreibungen gigantischer Architektur, Schilderungen von Kinderopfern und Kreuzigungen von Löwen zum Vergnügen der Bauern – all das wird in gleißendem Licht erzählt, »daß dem Leser vor Augen flimmert« (Berlioz), in einem Licht, das Dimensionen mythischer Symbolik erhält: Mátho stirbt im Angesicht der untergehenden

Sonne, deren letzte Strahlen wie Pfeile auf das herausgeschnittene Herz treffen. Nicht Berlioz, sondern Giuseppe Verdi erkannte die dramatische Eignung des Werks und erbat sich von Gautier ein Libretto, das aber unvollendet blieb.

Während Vergil in der ›Aeneis‹ den punischen Kriegen durch die Dido-Episode in nachträglicher Geschichtsmythologie den Sinn unterlegt, sie seien eine notwendige Station auf dem Weg zur Friedensherrschaft des Augustus gewesen, wird Flauberts Karthago zum symbolischen Ort, wo mystische Orgiastik als äußerste Steigerung des Lebens umschlägt in ihr Gegenteil: Tod und Nichts, ja wo beide Gegensätze zusammenfallen. Im Gewand der »grand machine« des Altertums verfaßte Flaubert mit ›Salammbô‹ eine realistische Ökonomie der Psyche, ein Inventar all dessen, was der Bourgeois, wenn er es bei Strafe des Verlusts von Stellung, Ansehen und Behaglichkeit in der Wirklichkeit schon strikt meiden muß, wenigstens in den erhitzten Phantasien der Kunstgebilde genießen will: kompromißlose Unbedingheit, Exzesse und Grausamkeiten. Die Bodmeriana verwahrt zahlreiche autographe Blätter aus der Entstehung dieses Buches. Sein Autor hat es eine »ressurection du passé« genannt – die Betonung auf dem ersten Wort macht den ganzen Unterschied zwischen den historischen Karthago-Romanen und der einzigartigen ›Salammbô‹. H.-A.K.

Lit.: Herbert R. Lottmann, Flaubert. Eine Biographie. Aus dem Amerikan. von Joachim Schultz. Frankfurt a.M.: S. Fischer 1992 – Gustave Flaubert, Die Briefe an Louise Colet. Aus dem Franz. und mit Anm. von Cornelia Hasting. Zürich: Haffmanns 1995

44 **Charles Dickens (1812–1870)**

›Oliver Twist or The Parish Boy's Progress. »By Boz«‹

London: Richard Bentley, 1838. Erstausgabe

8°, 2 nn. Bll., 331 S. Frontispiz, 7 Illustrationen von George Cruikshank

EINBAND: *Maroquin, modern*

PROVENIENZ: *vor 1947. Bodmer, Weltliteratur, S. 45, 112*

»Un wo girn ürten de Ollen un de Jungen em tau, wenn hei von sine lange Festungstid vertellte, wenn hei bei an de Winterabende [. . .] ut de Engländer Charles Dickens un Walter Scott ehre Bäuker vörlesen ded.« (»Und wie gern hörten Alt und Jung ihm zu, wenn er von seiner langen Festungszeit erzählte, wenn er an den Winterabenden [. . .] aus den Büchern der Engländer vorlas«).

Mit seiner Vorliebe für Dickens, von welcher sein plattdeutscher Biograph Paul Warneke 1900 berichtete, steht der mecklenburgische Erzähler Fritz Reuter (1820 – 1874) unter seinen Zeitgenossen nicht allein. Das Mitgefühl für Arme und Schwache zog Wilhelm Raabe an den Romanen des Engländers so stark an, daß dessen Stil neben der Kunst Balzacs eine Zeitlang großen Einfluß auf sein Schaffen hatte. Zuvor schon hatten sich der Novellist Otto Ludwig und Gustav Freytag, Journalist wie Dickens, am Ton des viktorianischen Erfolgsautors ausgerichtet. So eng allerdings wie Reuter hat sich kein anderer deutscher Autor an Dickens angeschlossen. Als er dafür getadelt wurde, daß in seinen Büchern der Erzähler sich des Hochdeutschen bediene, die Personen jedoch Mundart redeten, berief sich Reuter ausdrücklich auf Dickens, der in seinen ›Pickwick Papers‹ nach derselben Technik verfahren sei, die Reuter später allerdings zugunsten der durchgängigen Verwendung des Dialekts aufgab.

An Dickens Werk wird besonders deutlich, inwiefern der sog. poetische Realismus der Romankunst im 19. Jahrhundert zugleich auch ein sozialer Realismus ist. Späterer naturalistischer Schreibart freilich steht er noch fern: Zu eindeutig gehalten sind bei Dickens die Schwarz-Weiß-Kontraste, z. B. in den guten und bösen Charakteren der Kinder, denen allen die, aristotelisch formuliert, mittlere Mischung positiver und negativer Eigenschaften fehlt; von zuviel pathetischem Edelmut starren die einen Figuren,

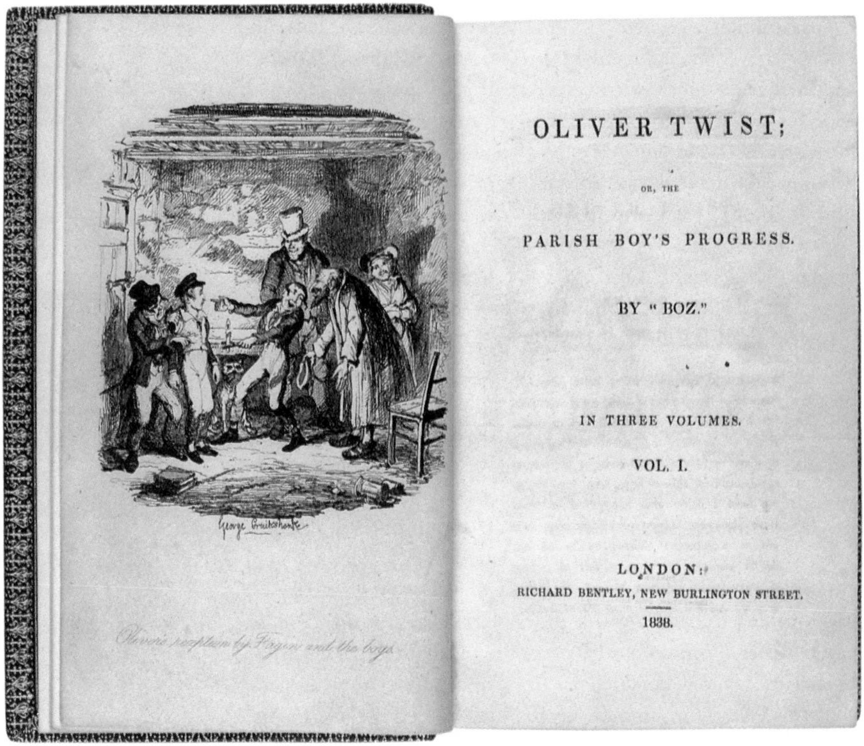

64 ›Oliver Twist‹, Frontispiz und Titelblatt der Erstausgabe (Nr. 44)

von zuviel Abscheulichkeit die anderen. Zu groß ist oft auch die Spannweite zwischen gefühlvollen und theatralischen, sozialkritischen und märchenhaften, wirklichkeitsnahen und phantastischen Passagen, die Dickens bewußt nach dem Prinzip kombinierte, daß jedem etwas biete, wer vielerlei bringe. Vereinfachung und Buntheit haben freilich die Aufnahme bei kleinbürgerlichen Leserschichten begünstigt, auch der Verwendung als Jugendlektüre vorgearbeitet.

Die Trennung von der Familie – der Vater wurde ins Schuldgefängnis gesperrt – und den damit verbundenen sozialen Abstieg erfuhr der zwölfjährige Dickens als schweren Schock. Verwaiste oder auf die schiefe Bahn geratene Kinder, Ausgestoßenheit, Gefängnis sind daher zu Leitthemen seiner Werke geworden, die er an der gefährlichen Klippe der Sentimentalität mit Hilfe eines auf die Skurrilität des Details gerichteten Humors vorbeigesteuert hat.

Als Reaktion auf eigenes »frühes Leid« entwickelte Dickens eine ausgeprägte Aufsteigermentalität. Aus dem Schuhwichsarbeiter wurde ein bereits gutverdienender Reporter, der zwischen 1833 und 1836 für verschiedene hauptstädtische Zeitschriften kurze Erzählungen und Schilderungen aus dem Londoner Alltag verfaßte: der Schulmeister, der Nachbar, Scotland Yard, der Schnapsladen – dies sind die Stoffe. Der Autor benutzte das Pseudonym »Boz«, eine Verballhornung des Namens Moses, den er aus dem berühmten Roman ›The Vicar of Wakefield‹ von Oliver Goldsmith als Anrede für seinen Bruder übernommen hatte. 1836/37 erschienen die ›Sketches by Boz. Illustrative of Every-Day Life and Every-Day People‹ gesammelt in drei Bänden. Zur nachhaltigen Wirkung dieser knappen Texte hat George Cruikshank (1792-1878), der bedeutendste englische Karikaturist in der ersten Hälfte des 19. Jahrhunderts, mit seinen Illustrationen wesentlich beigetragen. Im Judenviertel der Themsestadt aufgewachsen, hatte dieser Meister der Radierung ein scharfes Auge für jede Einzelheit des Arme-Leute-Milieus, dessen niederdrückenden Anblick er nur mit einem ähnlich gearteten Humor wie Dickens ertrug. Die Verbindung zwischen beiden Künstlern wurde indes nicht allzu eng; die 1836/37 erschienenen ›Posthumous Papers of the Pickwick Club‹ illustrierte Robert Seymour, der auch die Anregung zu diesem pikaresken, zuerst als Fortsetzungsroman veröffentlichten Buch geliefert hatte. Dagegen fertigte Cruikshank zu dem seit 1837 schon parallel zu den ›Pickwick Papers‹ in Vorabdrucken, 1838 als Buch herausgebrachten ›Oliver Twist‹ noch einmal zahlreiche Radierungen, die sich, der Handlung des Romans entsprechend, besonders auf die Nachtseiten des Großstadtlebens beziehen. H.-A.K.

Lit.: Paul Goetsch, Dickens. Eine Einführung. München, Zürich: Artemis 1986 – Andrew Sanders, Dickens and the spirit of the age. Oxford, London: Clarendon Press 1999 – Charles Dickens and George Cruikshank. With an introd. by Ada B. Nisbet. Los Angeles: Univ. of California 1971

45 **Adalbert Stifter (1805–1868)**

›Witiko‹

Ms. autogr. [1865–1867]. Mit zahlreichen Streichungen und Korrekturen

21,5 x 28 cm, 417 Bll.

EINBAND: *Leinwand-Kassette*

PROVENIENZ: *ca. 1938, Privatbesitz*

Anläßlich einer Neuausgabe des damals seit fünfzig Jahren vom Büchermarkt verschwundenen historischen Romans ›Witiko‹ bei Insel rühmte Stefan Zweig 1921 das späte Werk von Adalbert Stifter als »eines der schönsten Bücher der österreichischen, der deutschen Literatur« und in seinem nicht selten zur Übertreibung neigenden Stil nannte er das dreibändige Geschichtsepos gar »die Ilias der tschechischen Nation«. Ganz anders äußert sich ein zeitgenössischer Verehrer des 1805 in Oberplan (Böhmerwald) geborenen Schriftstellers, W.G. Sebald: Nach der »Wiederentdeckung Stifters« in den zwanziger Jahren scheint ihm eine »Reinterpretation« der »ins Hermetische tendierenden Texte« geboten. Sein Versuch, Stifter ohne Rhetorik von der »Usurpierung durch die affirmative Kritik« zu befreien, die sein Schaffen »mit dem Anstrich der Zeitlosigkeit versieht, während sie selber dem jeweiligen Zeitgeist nur allzu hörig bleibt«, führt zu dem Resultat, daß dem Autor im ›Witiko‹ eine »großartige Inszenierung kollektiver Geschichte zum leersten und fremdesten aller seiner Werke geriet«. Die Ursache des Mißlingens ließe sich mit Claudio Magris auf eine Eigentümlichkeit der österreichischen Prosa zurückführen, die schon Georg Lukács beobachtet hat, daß sie nämlich eher zur Beschreibung als zur Erzählung neige, woran auch »der einzige Versuch einer österreichischen Epik, der ›Witiko‹, künstlerisch gescheitert« sei.

Gegen diesen Vorwurf hätte sich Stifter wohl damit verteidigt, seine Schriften seien nicht zuerst Kunstwerke, sondern vielmehr »sittliche Offenbarung« menschlicher Würde, wie er in einem seiner Briefe erklärte, auf die sich nicht zufällig Thomas Mann, der sich als Erbe der bürgerlichen Erzähltradition des 19. Jahrhunderts verstand, gerade in seinen ›Betrachtungen eines Unpolitischen‹ mehrmals berief.

Witiko. C. 9

Vorwort.

In meiner Kindheit kamen mir sehr öfter Sagen eines Geschlechtes entgegen, das in mittäglichen Böhmen gehaust hat, u. in der Erinnerung u. in den Erzählungen des Volkes fort lebte. Als Jüngling ging ich diesen Sagen nach, u. habe manchen Tag in den Trümmern der Wohnungen dieses Geschlechtes zugebracht. Hiedurch strebte das Ding sich in meinem kindischen Verstande dichterisch zu gestalten. Später, begleitet von mancher Unterbrechung u. Lebensanschauung, fand sich etwas Geordnetes zusammen, welches in jüngster Zeit der Vollendung entgegen-, welche Vollendung aber durch ein langes Unwohlsein aufgehalten wurde. Ich gebe im Drucke den Theil, welcher den Beginn des Werkes auszufüllen hat, [illegible]. Sowie mit diesem aufgezeichnet ist, sei mein [illegible] gestellt. Mögen die Männer der Geschichte, wenn einige von ihnen die folgenden Blätter einer Durchsicht würdigen, nicht zu viel Unrichtiges in ihnen finden, u. die Männer der Dichtung nicht zu viel Unkünstlerisches, u. mögen, wenn ein Gott die Erneuerung meiner Gesundheit u. eine neue erhöhte Kraft schenkt, die folgenden Bände besser gelingen als dieser erste.

Linz im Christmonate 1864.

Adalbert Stifter

65 Adalbert Stifter, Vorwort in der autographen Handschrift seines ›Witiko‹ (Nr. 45)

Denn »politisch« bedingt war auch die Niederschrift des ›Witiko‹, den Mann für ein Meisterwerk hielt. Durch die Kritik verbittert, die ihn immer öfter als detailversessenen und idyllischen Landschaftserzähler abtat, aber nicht weniger enttäuscht von der demokratischen Bewegung des Jahres 1848, bei deren Anhängern er als Wiener Wahlmann im Ruf progressiver Liberalität stand, wandte sich Stifter in den fünfziger Jahren handelnd der pädagogischen Arbeit, schreibend der Geschichte zu, mit dem festen Vorsatz, die Phase seiner ›Studien‹ zu beenden und »mit ernsteren und größeren Sachen aufzutreten«.

Mit derselben manischen Leidenschaft, mit der er antike Möbel, Steine und Kakteen sammelte, und mit jener Neigung zum Exzeß, die er auch bei Tisch pflegte, suchte Stifter unermüdlich nach Quellen und Dokumenten, las literarische Fachwerke und trug ein ungeheures Material über das böhmische Adelsgeschlecht der Rosenberger zusammen, von dem das neue Werk handeln sollte. Der erste Plan von 1850 sah noch eine Trilogie zur Geschichte des ganzen Hauses vor, nicht nur zu seinem Gründer. Die Ausführung verzögerte sich immer wieder, zunächst durch den Abschluß des ›Nachsommer‹ (1857), dann durch Krankheit und Nervenleiden, die zu längeren Pausen zwangen, so daß der ›Witiko‹, trotz seines Umfangs im Untertitel als »Erzählung« bezeichnet, erst zehn Jahre später in Pest (1865–1867) erscheinen konnte. Der Roman sollte eine ganze Welt darstellen und wurde von einem Teil der Kritik auch so verstanden: »Das war nicht mehr der kleine, liebliche Winkel von Oberplan, von dem wir jede Tanne zu kennen glaubten und jede Mulde, jeden Baumschlag im Grünen und jeden aufragenden Berg – hier tat sich ein ganzes Reich auf, frühslawisches Mittelalter [...], eine Welt der Kämpfe und Gestalten, sagenhaft schön, bildlich nah und magisch fern.« (St. Zweig)

Der zwanzigjährige, bei seiner Mutter in Bayern aufgewachsene Witiko, der seinen tschechischen Vater früh verloren hat, begibt sich 1138 in das Land seiner Ahnen, um »sein Glück zu suchen«; er ist von weitreichenden Ambitionen beseelt, wie er der geliebten Bertha anvertraut: »Ich will in der Welt das Ganze tun, was ich nur immer tun kann.« In Böhmen begegnet er seinem späteren Lehnsherrn Wladislaw. Dieser wird in Prag zum Nachfolger seines Onkels, des Herzogs Sobešlaw, gewählt, muß aber zwei Jahre später seine Herrschaft gegen den legitimen Erben verteidigen, gegen den

1138 wegen seiner Jugend übergangenen Sohn Sobešlaws, der 1142 seinen Anspruch erhebt. Witiko tritt erst auf die Seite von Wladislaw, nachdem ihm rechtliche Bedenken durch das Verhalten des Thronprätendenten ausgeräumt erscheinen. In der Schlacht am Berg Wysoka verhindert er die Niederlage seines Herrn, läßt aber während der anschließenden Kämpfe in einem Gefecht bei Pilsen die mährischen Fürsten entkommen, obwohl er sie hätte vernichten können. Das Kriegsgericht erkennt jedoch auf eine milde Strafe, da Witikos Vergehen als politisch weitsichtige Handlung auch sittlich gerechtfertigt ist. Der zu Ruhm gelangte Anführer der Waldleute kommt bei einem Aufenthalt in Wien, wo er seine Mutter wiedersieht, mit dem höfischen Leben in Berührung. Nach Böhmen zurückgekehrt, hat er entscheidenden Anteil am Ausgang des Erbfolgestreits zugunsten Wladislaws.

Auf seinem Lehen im Böhmenwald errichtet er ein Schloß und heiratet Bertha. Am Ende der Romans wird die böhmische Geschichte in die des ganzen Reiches dadurch einbezogen, daß Witiko mit seinem Lehnsherrn am zweiten Italienzug Barbarossas teilnimmt, wo er auch kühn und tapfer auftritt, so daß er noch mit weiteren Lehnsgütern belohnt wird. Im Alter besucht Witiko den Mainzer Reichstag von 1184, wo ihm seine österreichischen Dichterfreunde den Anfang des ›Nibelungenliedes‹ vorsingen. Nachgerade allegorisch endet der Roman mit der habsburgischen Idee eines Vielvölkerstaats, der Deutsche, Italiener und Slawen vereinigt.

Obwohl der Roman dem Titel nach einen Helden verherrlicht, wollte Stifter mit diesem Werk »das Völkerleben in breiteren Massen« darstellen, wie er 1861 an seinen Verleger Heckenast brieflich mitteilte, »die Abwicklung eines riesigen Gesetzes«, das er als überindividuelle Kategorie verstand und »Sittengesetz« nannte. Dieses Vorhaben verrät die strukturelle Ambivalenz dieses Buches, das bei seinem Erscheinen von den Kritikern meist als künstlich, formalistisch, kurz: langweilig beurteilt wurde, wie dies zuvor schon Friedrich Hebbel mit dem ›Nachsommer‹ getan hatte. Auch an den Anachromismen nahm man Anstoß, freilich eher an Kleinigkeiten fehlerhafter Darstellung des Alltags als an der Zumutung einer Geschichtsdeutung, die im Moment der Trennung zwischen Habsburg und dem kleindeutschen Nationalstaat die Dimensionen des Heiligen Römischen Reiches im Zuschnitt seiner größten Ausdehnung beschwor. Daß der Roman nach dem Ersten Weltkrieg begeisterte Leser fand, verwundert dagegen nicht, denn damals wurde vor allem das Eskapistisch-Utopische, das Beruhigende des Buches wahrgenommen. Worum aber ging es Stifter? Trifft eher Zweigs Sicht zu, hier seien »die Menschen alle rein und gut, die Landschaft ohne Harm und voll Freundlichkeit«, oder hat Sebald recht, wenn er meint, Stifters Werk habe »seinen eigentlichen Schwerpunkt in einem profunden Agnostizismus und bis ins Kosmische ausgeweitete Pessimismus«?

Die bibliophil und wissenschaftlich gleichermaßen attraktive autographe Handschrift des Werks diente als Druckvorlage und war im Besitz von Stifters Verleger Heckenast in Budapest. Vor Beginn des Zweiten Weltkriegs bot man Martin Bodmer den Kauf des ganzen Nachlasses von Stifter an, aus dem er sich aber nur für ›Witiko‹ entschloß; die anderen Handschriften erwarb Salman Schocken, Jerusalem. Die Bodmeriana besitzt ferner die Handschriften zum ›Beschriebenen Tännling‹ und zum ›Waldgänger‹ aus der Sammlung Stefan Zweig nebst sämtlichen Erstausgaben.

G.R.

Lit.: Stefan Zweig, Witikos Auferstehung, in: Ders., Begegnungen mit Büchern, Frankfurt a.M.: S. Fischer 1983 – W.G. Sebald, Die Beschreibung des Unglücks. Salzburg, Wien: Residenz-Verlag 1985 – Claudio Magris, Der habsburgische Mythos in der österreichischen Literatur. 2. Aufl. Salzburg: Müller 1988 – Franz Hüller, Die Witiko-Handschrift, in: Der Akkermann aus Böhmen. Monatsschrift für das geistige Leben der Sudetendeutschen, Jg.3, 1935, S. 465–68

46 **Gottfried Keller (1819–1890)**

›Der Schmied seines Glückes‹

Ms. autogr., unsigniert, 1861–1862. Mit mehreren Streichungen, Randnoten und Korrekturen. Erste Fassung

34,7 x 28,4 cm, 1 Doppelbogen, 2 Bll., 8 S. Text

EINBAND: *Halbleinwand-Mappe des 20. Jahrhunderts*

PROVENIENZ: *L'Art Ancien & Haus der Bücher, Zürich, November 1949*

Unter den Novellen, aus denen die Sammlung ›Die Leute von Seldwyla‹ besteht, dieser »civitas dei helvetica«, wie Walter Benjamin sie genannt hat, ist ›Der Schmied seines Glückes‹ bestimmt nicht die berühmteste, dafür aber eine, in welcher der typische Humor von Keller und sein eigentümlicher Sinn für das Groteske am unmittelbarsten zum Ausdruck kommt.

Der Protagonist Johannes Kabis ist, wie schon ›Pankraz, der Schmoller‹, eine Variante des romantischen ›Taugenichts‹ in der literarischen Epoche des sog. »bürgerlichen Realismus«, und auch hier gilt: nomen est omen, oder, um Keller zu variieren: »Namen machen Leute«, denn Kabis bedeutet auf schweizerdeutsch Kohl. Deswegen ist er bemüht, sich den Schein des Weltmännischen und Exotischen zu verschaffen, indem er sich zuerst in John Kaby umtauft, und dann versucht, den neuen Namen um den Zusatz Oliva zu ergänzen. So nämlich heißt vermeintlich das reiche Fräulein, auf dessen Mitgift er zielt, um sein Glück aufzubauen, das für ihn, anders als für den romantischen Helden, nicht Freiheit des Gemüts und Poesie bedeutet, sondern einfach mit mühelos erlangtem Vermögen zusammenfällt. Seine Religion, die scheinbar dem pietistischen Begriff der »Stille« entspricht, erkennt das Geld als die einzige Gottheit an; sein Müßiggang wird daher zum Synonym für Kalkül.

In der zynischen Lebensauffassung der Hauptfigur äußert Keller, ein überzeugter Atheist und demokratischer Republikaner, seine seit der Mitte des Jahrhunderts immer stärker werdenden Zweifel an den Idealen eines Bürgertums, das seine Rolle als moralisches Vorbild für die unteren Klassen vollkommen verfehlt hat; auch in dieser kurzen Erzählung schildert der Autor, wie überhaupt in seinem Werk, »die Entwicklungsgeschichte des Bürgertums von seinen märchenhaften und streitbaren Anfängen über die Ära der

Aufklärung, der Philanthropie und des selbstbewußten Citoyen bis hin zu dem vorab auf die Wahrung seine Besitzstandes bedachten Bourgeois« (W. G. Sebald).

In der Tat, als Kaby entdeckt, daß seine Braut in Wahrheit den unmöglichen Namen Häuptle trägt, und als ihre Mutter, die eigentliche Oliva, ihm ihre Hand verweigert, sieht er sich gezwungen, andere Wege als den der Heirat zu seinem Glück einzuschlagen. Die blinde Göttin Fortuna bietet ihm unverhofft die Chance, sich als Adoptivsohn des bejahrten Litumlei im Paradies des Reichtums einzunisten.

Dieser ist ein alt gewordener Augsburger Parvenu ohne ehrwürdige Ahnen und ohne Nachwuchs, der den Ehrgeiz hegt, ein edles Geschlecht zu gründen, dem ein angemessener Stammbaum zu erfinden ist. Eine der reizendsten Stellen in der Erzählung bilden die Seiten, in denen sich die künftigen »Papa« bzw. »Söhnchen« (zwei Figuren, in denen die Bedrohung der Gründerzeit schon angedeutet ist) bemühen, eine Familienchronik vierhändig zu schreiben, die – eine Mischung aus märchenhaften Träumereien und philiströsen Einstellungen – Romantik und provinzielle Engstirnigkeit zugleich parodiert: Sie sollte zum dicken, imponierenden Buch anwachsen, füllt jedoch am Ende trotz der großen Anstrengungen der beiden nur ein einziges Blatt aus. Das Ganze wirkt komisch und selbstironisch in einem, denn – um noch einmal mit Sebald zu sprechen – »die Kunst des Schreibens ist der Versuch, das schwarze Gewusel, das überhand zu nehmen droht, zu bannen im Interesse der Erhaltung einer halbwegs praktikablen Persönlichkeit. Lange Jahre hat Keller sich dieser schweren Bemühung unterzogen, obwohl er früh schon wußte, daß sie letztendlich nichts verschlug.«

Um so mehr ist der Schreibprozeß zum Scheitern bestimmt, wenn er, wie im Falle dieser Erzählung, eine Identität aufrechterhalten will, der überhaupt keine Substanz zugrundeliegt, denn ihr »sitzt die Lüge nicht in der Hülle, sondern im Herzen« (Emil Ermatinger): John Kaby ist nämlich völlig passiv, aber nicht weil er sich wie der Taugenichts in voller Zuversicht von der Gunst und Gnade Gottes leiten läßt, sondern weil er nie »agiert«, sondern nur »re-agiert«, sei es aus Berechnung, sei es aus Angst. Als er aktiv handelt, um die Gunst der jungen Hausherrin zu gewinnen, wird ihm seine Tat zum Verhängnis: viel weniger gescheit als Callimaco in

Auf den folgenden Seiten: 66/67 Gottfried Keller, ›Der Schmied seines Glückes‹, zwei autographe Seiten aus der ersten Fassung (Nr. 46)

3½

Der Schmied seines Glückes

John Kabys, ein wackerer Mann von bald vierzig Jahren, führte den Spruch im Munde, daß Jeder der Schmied seines eigenen Glückes sein müsse, [illegible]

[illegible]

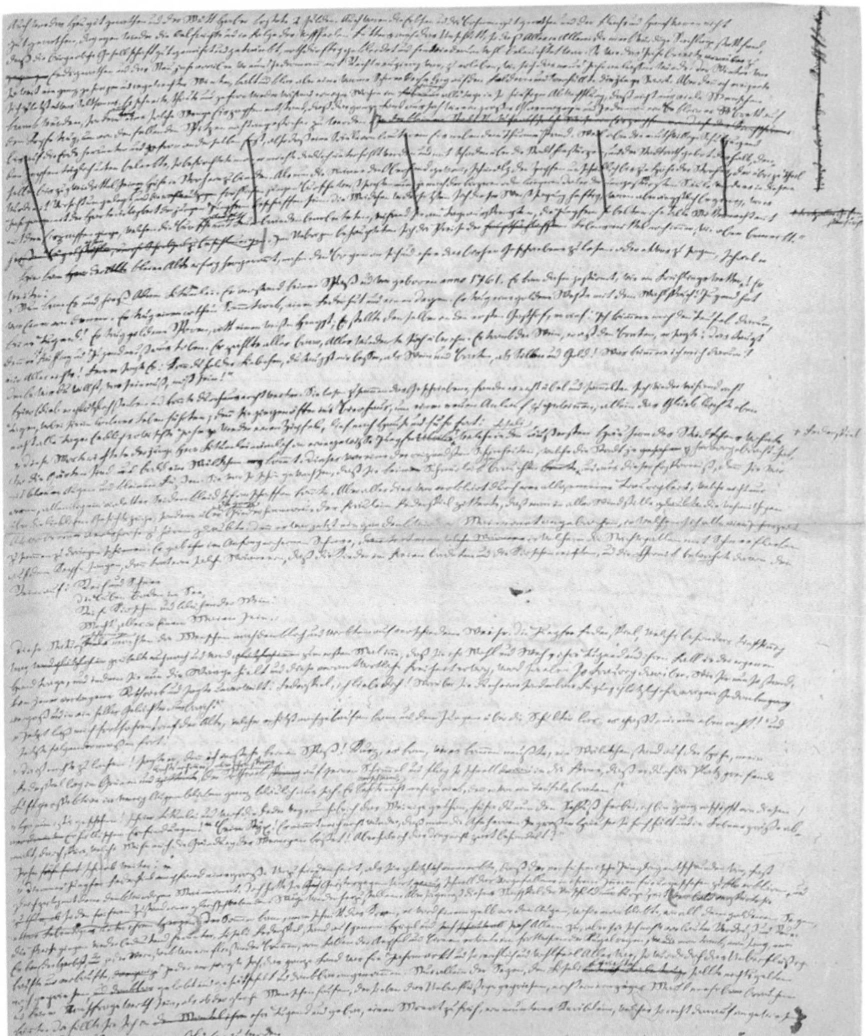

Machiavellis ›Mandragola‹, zeugt der Unvorsichtige nämlich dem offensichtlich impotenten Alten jenen Erben, der ihm nicht nur seine Sinnenlust verdirbt, sondern auch das Sandschloß seiner Erwartungen und Hoffnungen als eines aristokratischen John Kaby de Litumley endgültig zusammenstürzen läßt. Die Metaphorik im Titel der Novelle wird ironisch annulliert: Schmied bleibt Kaby am Ende, jedoch nicht im übertragenen, sondern nur im konkret handwerklichem Sinne. Zum Ingenieur bringt es dagegen ein Jahrhundert später der ›Homo faber‹ (1957) in Max Frischs Roman; aber auch er wird trotz seines geradezu fanatischen Aktivismus und seines Glaubens an Planung und Rationalität kein »Schmied seines Glückes«.

Die Novelle, deren erste Fassung schon um 1855 entstanden war – also in Kellers fruchtbarster Schaffensphase, als er nach einem fünfjährigen Aufenthalt in Berlin in seine Heimatstadt Zürich zurückgekehrt war –, wurde erst in stark revidierter (von allen Idiotismen befreiter und von allen zu gewagten Wendungen geglätteter, hier gekürzter, da erweiterter) Form in den zweiten Teil der Geschichten ›Die Leute von Seldwyla‹ aufgenommen, der 1874 erschien.

Das in der Bibliotheca Bodmeriana aufbewahrte Manuskript ist deswegen besonders interessant, weil es eine starke Varianz gegenüber dem gedruckten Text aufweist, unter anderem auch noch die Streichung der folgenden Stelle zeigt: »In der kleinen Stadt N. wuchs auf solche Weise ein Eiszapfen vom Dache des Kirchturmes bis auf die Erde herunter und gefror an derselben fest, also daß eine Säule von lauterem Eis neben dem Turme stand. Weil aber die mutwillige Schuljugend den Zapfen täglich unten beleckte, so befürchtete man, er möchte dadurch unterhöhlt werden und mit Schaden über die Stadt hinstürzen, und der Stadtrat gebot deshalb, denselben bis zu zwei Drittel seiner Höhe in Stroh einzubinden. Als nun die Wärme die Oberhand gewann, schmolz der Zapfen unschädlich bis zur Höhe des Strohes, der übrige Teil wurde mit Vorsicht umgelegt, so daß er über den ganzen Kirchhof hinlag, und die fröhlichen jungen Burschen weissagten nun, je nach der kürzeren oder längeren Dauer der umgestürzten Säule würde es in diesem Jahrgange mit der Hartnäckigkeit der jungen Jungfern beschaffen sein. Die Mädchen widersetzten sich dieser Weissagung heftig, waren aber ängstlich begierig, wie es mit dem Eiszapfen ginge, welchen die Bursche allnächtlich mit Feuerbränden bearbeiteten, während sie am Tage aussprengten, die Jungfern hobelten ihn trotz aller Gespensterfurcht alle Mitternacht mit heißen Bügeleisen, um ihr Schicksal zu beschleunigen.«

Der Vergleich zwischen Manuskript und gedrucktem Exemplar erlaubt Einsicht in die Veränderungen – seien sie nun Zeichen einer künstlerischen Entwicklung oder einer fortschreitenden politischen Desillusionierung – der Poetik Kellers, der für Stefan Zweig schon als Gymnasiasten, wie er in seinem Erinnerungsbuch ›Die Welt von gestern‹ bekennt, zu jenen »guten, soliden Meistern« gehörte, die für die damalige Jugend »die ganze Bedächtigkeit der Welt der Sicherheit in sich« hatten. Wie fast alle Angehörigen seiner Generation, hatte auch Zweig an dem Werk des Schweizer Schriftstellers eher das Idyllische als das Aufstörende wahrgenommen; die Urschrift von Kellers ›Feueridylle‹ war aus dem Besitz Zweigs in denjenigen Bodmers übergegangen. Kellers überragende Größe hat erst das 20. Jahrhundert ganz erkannt; Martin Bodmers Stiftung des Gottfried-Keller-Preises hat daran Anteil. G.R.

Lit.: Walter Benjamin, G. Keller, in: ders., Über Literatur. Frankfurt a. M.: Suhrkamp 1975, S. 21–32 – Emil Ermatinger, G. Keller. Zürich: Diogenes 1990 – W. G. Sebald, Her kommt der Tod, die Zeit geht hin. Anmerkungen zu G. Keller, in: ders., Logis in einem Landhaus. München, Wien: Hanser 1998

47 **Fedor Michajlovic Dostojewskij (1821–1881)**

›Brat'ja Karamosovy‹

St. Petersburg: Tipografija brat. Panteleewych, 1881. Erstausgabe

21 x 14,3 cm, Bd. 1: 1 nn. Bl., 509 S., 1 leeres Bl. (Bd. 2 nicht ausgestellt)

EINBAND: *Halblederband der Zeit*

PROVENIENZ: *Kraus, New York, März 1955*

In einem Aufsatz über die Bestseller des Jahres 1891 meinte die im damaligen Wiener Kulturleben prominente Übersetzerin und Essayistin Marie Herzfeld, Dostojewskij sei »für die übergroße Menge zu barbarisch, zu mystisch und zu tief«. Zehn Jahre zuvor war der russische Erzähler gestorben, dessen Schaffen den großen Autoren anderer Sprachen, etwa Cervantes, Schiller, Balzac oder Dickens, zahlreiche Anregungen verdankt, vor allem aber selbst einen seinerzeit noch gar nicht absehbaren Einfluß auf die Prosa von Symbolisten und Decadents wie Gorkij, Nietzsche, Hofmannsthal, Thomas Mann, Joseph Roth, D'Annunzio oder Pirandello hatte: inhaltlich durch psychologische Vivisektion der Figuren, grundsätzliche Problematisierung des Gesetzes und moralischen Einsatz für ein Recht auf menschliche Freiheit jenseits der Konventionen, aber auch in formaler Hinsicht durch eine ungescheute Verbindung philosophischen Gedankenguts mit Darstellungsweisen des Feuilletonromans, der Gothic Novel und des seit Dickens beliebten »Romans der Geheimnisse«. Mit dem Interesse für soziale Unterschichten beeindruckte er Naturalisten und Expressionisten, mit der meisterhaften Beherrschung der Techniken des inneren Monologs und der Wiedergabe des Bewußtseinsstroms griff er späteren Entwicklungen der literarischen Moderne weit voraus.

Der Roman ›Die Brüder Karamazow‹ (›Brat'ja Karamazovy‹), der zunächst in Fortsetzungen in der Zeitschrift ›Russkij Vestnik‹ 1879 – 80 erschien und 1880 als Buch herauskam, war das letzte Werk des 1821 in Moskau geborenen und sechzigjährig in St. Petersburg gestorbenen Autors. Das Buch gibt sich als Fundament eines weit umfassenderen epischen Plans; schon der 1875 veröffentlichte Roman ›Der Jüngling‹ (›Podrostok‹) sollte einen von fünf Teilen einer Großkomposition unter dem Titel ›Das Leben eines großen Sünders‹ (›Zitie velikogo gresnika‹) bilden, die Dostojewskij in seinen Notizbüchern erwähnt, aber nicht ausgeführt hat.

In den ›Brüdern Karamazow‹, aus denen Sigmund Freud neben dem ›Ödipus‹ seine Theorie des Vatermords begründet hat, erreicht Dostojewskijs Kunst des »polyphonen Romans« ihren Höhepunkt. Die Chronik einer heftigen Feindschaft zwischen einem Vater und seinen vier Söhnen spielt in einer kleinen russischen Provinzstadt. Zusammen mit den drei ehelichen Kindern Dmitrij, Iwan, und Alexej lebt und dient im Haus des alten Gutsbesitzers Fedor Karamazow ein vierter illegitimer Sohn, Pawel Smerdjakow, dessen Mutter eine stadtbekannte Geistesgestörte gewesen war. Anlagen und Verhalten des alten Abenteurers und Lebemanns Fedor beeinflussen genetisch und moralisch Charakter und Entwicklung seiner Kinder. Der einzige, der frei von dieser Last zu sein scheint, ist der von dem alten Starez (Mönch) Sosima streng religiös erzogene Alexej, obwohl zuweilen auch bei ihm die Zeichen des »sexuellen Wahnsinns« seines Vaters sichtbar werden. Der älteste Bruder, der Offizier Dimitrij, hat ein spontan-unbändiges und widersprüchliches Naturell, ist sinnlich und grausam, zugleich aber großzügig und aufopferungsfähig. Seine Verlobte Katerina Iwanowna, die ihm wegen einer Wohltat gegen ihren Vater mehr aus Dankbarkeit denn aus Liebe geneigt ist, verläßt Dmitrij, da er sich in eine andere Frau verliebt, in die launische, schöne und sinnliche Grušenka, an der auch der Vater Gefallen findet. Iwan, der zweite Sohn, der den Vater tief verachtet, ist ein kalter Zyniker, der Gott und Nächstenliebe verneint und trotzdem unterschwellig nach Glauben dürstet. Ohne es sich selber einzugestehen, liebt er Katerina und entwickelt einen tiefen Haß gegen Dmitrij, der sie für eine andere verlassen hat.

Aus unterschiedlichen Gründen eint die drei älteren Brüder der Wunsch, sich des Vaters zu entledigen, in dem der erste einen Rivalen, der zweite ein abscheuliches Wesen, der dritte einen Tyrannen sieht. Außerdem besitzt der Alte das Geld, das allen dreien fehlt. Der sentimentale Dmitrij kann einen Vatermord zwar denken, lädt insofern auch Schuld auf sich, würde die Tat in der Wirklichkeit aber nie begehen können, die Iwan kaltblütig plant und rechtfertigt, der kranke Smerdjakow aber ausführt. Weil die Indizien gegen ihn sprechen, wird jedoch Dmitrij des Mordes beschuldigt und zu Zwangsarbeit verurteilt. Ein Versuch Iwans, den Bruder zu verteidigen, wird als die Handlung eines Wahnsinnigen abgetan. Mit dem »Justizirrtum« endet der Roman. Die nicht ein-

БРАТЬЯ
КАРАМАЗОВЫ

РОМАНЪ

въ четырехъ частяхъ съ эпилогомъ.

Ѳ. М. Достоевскаго.

Томъ I.

Части I и II.

С.-ПЕТЕРБУРГЪ.
Типографія брат. Пантелеевыхъ. Казанская ул., д. № 33.
1881.

68 Feder Dostojewskij, ›Die Brüder Karamasov‹, Titelblatt der russischen Erstausgabe (Nr. 47)

gelöste Ankündigung einer Fortsetzung hätte den vierten Bruder, den sanften und frommen Alexej zum Protagonisten gehabt, der mit einer Gruppe Jugendlicher die Familie eines todkranken Freundes unterstützt. Darin klingt noch etwas von Dostojewskijs früherem Vertrauen auf ein »goldenen Zeitalters« als Folge sozialen Handelns nach, an das er als utopischer Sozialist einst geglaubt hatte, ehe er durch das Erlebnis sibirischer Zwangsarbeit aus radikalen Atheismus zum Christentum zurückfand.

Gespannt zwischen Naturalismus und Symbolismus, illustriert der Roman die poetologische Grundidee Dostojewskijs, nach der Literatur die innersten Regungen der menschlichen Seele zwar auszuleuchten, über die intimsten Konflikte jedoch nicht zu richten habe, denn »das Herz der Menschen ist nichts anderes als das Schlachtfeld, auf dem Gott und Teufel gegeneinander kämpfen«. So durchwaltet das Buch ein grundsätzlicher Manichäismus: Dem positiven Alexej, einem Wesen der Gnade, das durch das sündhafte Fleisch des Vaters nur leicht beeinträchtigt ist, steht Smerdjakow gegenüber als die Verkörperung des »moralischen Nicht-Seins«. Zwischen diese extremen Pole stellt der Autor den leidenschaftlichen Dmitrij und den rationalen Iwan, den reinen Theoretiker, der trotz seiner tiefen Skepsis – und da spricht Dostjewskij selbst durch die Romanfigur – an eine überlegene Instanz der Güte glaubt, wie die von ihm gedichtete Legende über den Großinquisitor zeigt, der die Erlösungstat Christi verkennend, die eschatologische Dimension auf menschliche Solidarität im Diesseits verkürzt. Mit allem Irdischen ist aber unweigerlich jene Dämonie verbunden, die den Einzelnen an den Rand des Abgrunds zieht, im Widerspiel von Gut und Böse, deren Grenzen verschwommen bleiben.

Die Fortsetzung des Romans mit dem Leben Alexejs als Klostermönch hätte den Triumph der Mystik als einzig mögliche Überwindung dieses im Menschen waltenden Dualismus feiern sollen. Einen solchen Schluß hat Dostojewskij nicht geschrieben, vielleicht auch gar nicht ernsthaft schreiben wollen, denn im Gegensatz zu Tolstoj war ihm die Darstellung der Probleme wichtiger als ihre Lösung. Seine Figuren fallen ihrer innerlichen Folterkammer zum Opfer, die Brüder des Romans genauso wie Raskol'nikov, der Protagonist des früheren philosophischen Kriminalromans ›Prestuplenie i nakazanie‹, dessen Titel – auch wenn die gebräuchliche deutsche Übersetzung die eher juristisch zu verstehenden Ausdrücke zu ethischer Bedeutung verschiebt – die Grundthematik von Dostojewskijs Schaffen zusammenfaßt: ›Schuld und Sühne‹. G.R.

69 Leo Tolstoj, ›Auferstehung‹, mit eigenhändigen Korrekturen des Dichters (Nr. 48)

Lit.: Marie Herzfeld, Menschen und Bücher. Literarische Studien. Wien: Weiß 1893 – Wolfgang Kasack, Dostojewski. Frankfurt a.M.: Insel 1998

48 Leo Nikolajevic Tolstoj (1828–1910)
›Voskresenie‹ [›Auferstehung‹]

Ms. von verschiedenen Mitgliedern der Familie Tolstoj geschrieben. Kapitel 44–65. Unsigniert [nicht vor 1899/1900], mit zahlreichen eigenhändigen Korrekturen des Dichters

Etwa 27,5–28 x 21–22 cm, 119 Bll., 127 S. Text, S. 58–122 einseitig beschrieben

EINBAND: *In Leinwand-Mappe*

PROVENIENZ: *Kraus, New York, März 1961*

Von den Schlachtfeldern von Austerlitz und Borodino zu hauptstädtischen Bällen, von friedlichen Gutshöfen zu den rauchenden Trümmern Moskaus spannt sich der Raum in Tolstojs erstem großen epischen Werk, dem Kriegsroman ›Vojna e mir‹ (›Krieg und Frieden‹, 1858/69). Nicht geringere Gegensätze spiegeln sich in den Charakteren der vielen Figuren, den fiktiven Frauengestalten der gefühlvollen Natascha und der berechnenden Vera etwa, besonders aber in den historischen Gegenspielern, dem selbstherrlichen Napoleon und dem demütigen Kutuzow, dem Oberbefehlshaber der Russen. Das aus Familienerinnerungen, Memoiren und anderen Dokumenten gespeiste Werk, das sein Autor mit der homerischen ›Ilias‹ in einem Atemzug nannte, entlarvt alles heroische und militärische Auftrumpfen als leere Pose. Führende Pazifisten wie Romain Rolland haben sich immer wieder auf diesen Roman Tolstojs berufen. Gehetzt von einander ablösenden äußeren Ereignissen, suchen die Personen des Romans den Sinn ihrer Existenz im unübersichtlichen Gemenge von egoistischem Machtstreben, dekabristischen Freiheitsidealen, leidenschaftlicher Slawophilie, Proudhonscher Geschichtsphilosophie und selbstlosem Opfermut.

мнѣніемъ существующій порядокъ онъ не въ силахъ 73
что нельзя заявлять къ нему свои требованія,
на которыя онъ долженъ отвѣчать, что за-
равленъ мнѣніемъ не онъ, и больше или менѣе
успокоился бы, живя далеко отъ имѣнія и по-
лучая выручаемыя съ него деньги. Теперь же
онъ рѣшилъ, что хотя ~~ужъ, особенно теперь, когда~~)
ему предстоитъ поѣздка въ Сибирь и сложное и
трудное отношеніе съ міромъ остроговъ, для ко-
торыхъ необходимо обезпеченное положеніе и
[нужны] деньги, — ~~хотя~~ [что] онъ и не можетъ просто по своимъ
[всего] привычкамъ и слабости отказаться отъ ~~дохода~~
[хотя этого сдѣлать ... сдѣлать]
получаемаго съ земли, онъ все-таки измѣнитъ свое
[illegible]
отношеніе къ землѣ такъ, чтобы не ~~обрабаты~~-
[быть участникомъ]
[не имѣть на совѣсти прямого участія въ ... собственности]
вать землю (самому), пользуясь нуждою въ землѣ [этого онъ рѣшилъ не +)]
крестьянъ, а напротивъ, отдавъ имъ землю пона-
добится цѣнъ, дать имъ возможность быть независи-
[съ вообще]
мыми отъ землевладѣльца. Не разъ, сравнивая
положеніе землевладѣльца съ владѣльцемъ кре-
[землевладѣльцевъ]
постныхъ, отдачу земли крестьянамъ вмѣс-
то обработки ея работниками, (~~Нехлюдовъ~~)
приравнивалъ къ тому, что дѣлали рабо-
владѣльцы, переводя крестьянъ съ барщины
[illegible]
на оброкъ. (~~Но, что при этомъ доходъ Нех-~~
~~людова значительно уменьшался, подтвержда-~~
~~дало ему то, что дѣлая это, онъ поступа-~~
~~етъ хорошо, принося жертву своимъ убѣжде-~~
~~ніямъ.~~) Просмотръ конторскихъ книгъ и раз-
говоръ съ приказчикомъ, который съ наивно-
стью выставлялъ выгоды малоземельности

›Krieg und Frieden‹ hat als historischer Roman eine entscheidende Phase der russischen Vergangenheit zum Thema, und als Leitmotiv durchzieht das Werk die Idee des Volks. ›Anna Karenina‹ (1878), Tolstojs zweiter großer Roman, der das französische Modell der »adultère«-Erzählung von Balzac und Flaubert mit demjenigen des englischen Familienromans verbindet, spielt nicht mehr vor historischem, sondern vor zeitgenössischem Hintergrund. Er ist in Form und Inhalt noch strenger antithetisch konstruiert: In den parallelen Handlungssträngen – der St. Petersburger Ehebruchgeschichte Annas und ihres Geliebten Wronski und des ländlichen Lebens auf dem Gut der Lewins – werden zwei Modelle der Familie einander gegenübergestellt: das an der Diskrepanz von Übermaß der Leidenschaft und Mittelmaß der Gesinnung scheiternde und das um den Preis ruhiger Langeweile gelingende, wie sie sich Tolstoj selbst 1862 mit der Heirat als Gegenmittel zu den Ausschweifungen seiner Jugend verordnet hatte.

Verantwortung des Adligen für seine Untertanen, Verwirklichung christlicher Religiosität durch soziales Handeln im Diesseits und die Einsamkeit des Individuums schildert der Roman ›Voskresenie‹ (›Auferstehung‹) in der Konzentration auf die beiden Hauptfiguren, den Fürsten Nechljudow und die junge Frau Maslowa. Von dem Adligen als junges Mädchen verführt und verlassen, war die verzweifelte Maslowa zur Prostituierten geworden. (Anregungen für die Dirne als einzige achtbare Heldin der Gesellschaft hatte der Maupassant-Übersetzer Tolstoj aus den Novellensammlungen ›Boule de suif‹ und ›Miss Harriet‹ des französischen Erzählers übernommen.) Nechljudow sieht sie nach Jahren vor Gericht wieder, wo sie eines Giftmords angeklagt wird. Das erwachende Gewissen treibt ihn, die Unschuldige vor der Verurteilung zu bewahren und ihr die Ehe anzutragen. Als Maslowa trotz seinen Bemühungen zur Zwangsarbeit in Sibirien verurteilt wird, folgt ihr der Fürst aus Liebe und trennt sich von seinem Besitz, den er den Bauern überläßt. Obwohl sie seine Liebe erwidert, heiratet Maslowa Nechljudow jedoch auch dann nicht, als sie zur Ansiedlung in Sibirien begnadigt worden ist, sondern geht die Ehe mit einem Gefangenen ein, der wegen seiner politischen Überzeugungen verurteilt worden war. Neben der Kritik an Justiz und Strafvollzug wendet sich der Roman gegen das kirchliche Verständnis von ›Auferstehung‹, die sich Tolstoj zufolge nicht im Oster-Mysterium, sondern in der moralischen Selbstüberwindung des Einzelnen vollziehe. Aus der orthodoxen Kirche, die das Auferstehungsfest besonders feierlich begeht, wurde der Autor 1901 ausgeschlossen, nicht zuletzt wegen der innerweltlichen Ausrichtung seines Glaubens, wie sie der Roman propagiert. Auch sonst nahm die Zensur an diesem Werk vielfach Anstoß, das 1899 mit erheblichen Eingriffen in der russischen Zeitschrift ›Niva‹, in unbereinigter Fassung aber noch im selben Jahr in London herauskam. Aus der Rückschau kann der Roman ›Voskresenie‹ als Vorläufer der russischen Lagerliteratur des 20. Jahrhunderts angesehen werden, deren bekanntestes Werk Alexander Šolschenizyns ›Archipel Gulag‹ ist. Die nachhaltigste Wirkung hat Tolstoj in der Tat wohl durch sein unbedingtes Eintreten für Gewaltlosigkeit erzielt. Sein Biograph Rolland fragte 1927 einmal den Freund Stefan Zweig, wer sich 1910 hätte vorstellen können, welch außerordentliche Resonanz dieses Denken einmal in Asien haben würde, wo der Mann aus Jasnaja einen Gandhi hervorgebracht habe.

›Auferstehung‹ belegt aber auch, wie in den Sozialutopien im Spätwerk Tolstojs der Bezug auf die Wirklichkeit durch rigide Moralistik reduziert wird. Diese Tendenz hatte sich, abgemildert nur durch die aufwendige künstlerische Gestaltung, schon in der durchaus pädagogisch gemeinten Abwehr von Sexualität und Musik an der einige Jahre vor dem letzten Roman entstandenen Erzählung ›Krejcerova sonata‹ (›Die Kreutzersonate‹, 1891) gezeigt: geistige Lebensfahrten eines homo viator dies alles, der – immer in Bewegung – nicht weiß, wo er ankommen wird. Zum Symbol dessen, hat der Erzähler die Eisenbahn gewählt: Im Zug treffen die Figuren der ›Kreutzersonate‹ zusammen, auf den Bahngeleisen sucht Anna Karenina ihren Tod, und auf einer Bahnstation starb in der Wirklichkeit auch Tolstoj selbst, nicht fern von seinem Gut Jasnaja Poljana, das er wenige Tage vor seinem Tod zur Flucht in neue Einsamkeiten verlassen hatte. H.-A.K.

Lit.: Romain Rolland, Vie de Tolstoi. Paris: Hachette 1911 u.ö..; dt. Ausg., Das Leben Tolstois. Hrsg. von Wilhelm Herzberg. Frankfurt a.M.: Rütten & Loening 1922 u.ö. – Janko Lavrin, Leo N. Tolstoj in Selbstzeugnissen und Bilddokumenten. Aus dem engl. Mskr. übertr. von Rolf-Dieter Keil. Reinbek bei Hamburg: Rowohlt 1961 u.ö – Pietro Citati, Leo Tolstoi. Eine Biographie. Dt. von Bettina Kienlechner. Reinbek bei Hamburg: Rowohlt 1994

49* **Arthur Conan Doyle (1859–1930)**

›The Adventure of the Abbey Grange [Sherlock Holmes Series]‹

Ms. autogr., signiert, 26. April 1904

33,3 x etwa 20,2 cm, 26 Bll. einseitig beschrieben

Bodmeriana, Engl. & American Autogr., S. 32

EINBAND: *Pappband in Leinwand-Etui*

PROVENIENZ: *The House of El Dieff, New York, März 1966*

»It had struck me that a single character running through a series, if it only engaged the attention of the reader, would bind that reader to that particular magazine. [...] Looking around for my central character I felt that Sherlock Holmes, whom I had already handled in two little books, would easily lend himself to a succession of short stories. These I began in the long hours of waiting in my consulting room«, so dachte sich der 1859 in Edinburgh geborene Arzt Arthur Conan Doyle, dessen schlechtgehende Praxis in Portsmouth ihm seit langem viel Zeit nicht nur für die Lektüre von Edgar Allan Poe, Wilkie Collins oder Charles Dickens, sondern auch für allerlei eigene schriftstellerische Betätigung übrigließ. Ohne sonderlichen Erfolg hatte der Verlag Ward, Look & Co. 1886 in ›Beeton's Christmas Annual for 1887‹ eine zuvor von mehreren anderen Verlegern abgelehnte Detektivgeschichte Doyles herausgebracht: In ›A Study in Scarlet‹ begann – zunächst noch als Sherringford Holmes und Mormond Sackers – das Duo Sherlock Holmes und Dr. Watson seine langjährige Zusammenarbeit. Schon in ihrem ersten Fall, in dem sie einen als Droschkenkutscher verkleideten Mörder der Tat überführten, setzten Detektiv und Arzt die neuesten naturwissenschaftlichen Methoden für ihre kriminaltechnisch abgesicherten Ermittlungen ein. Das amerikanische ›Lippinscott's Magazine‹ wurde auf das Werk aufmerksam und lud den Autor gemeinsam mit Oscar Wilde zum Dinner; das Resultat des Abends war eine Vereinbarung, daß beide Autoren eine Erzählung schreiben sollten: Wilde reagierte mit seinem einzigen Roman ›The Picture of Dorian Gray‹, Doyle schrieb ›The Sign of Four‹, die zweite Sherlock-Holmes-Geschichte, die das Publikum kaum wahrnahm.

1890 endlich schlug die Stunde für die neue Form der kriminalistischen Kurzgeschichte: Mit 300 000 Exemplaren wollte das

Auf den folgenden Seiten:
70/71 Arthur Conan Doyle, ›The Adventure of the Abbey Grange‹, Titelblatt und Textbeginn, Autograph (Nr. 49)

Sherlock Holmes Series

The Adventure of the Abbey Grange.

A Conan Doyle

Original
Manuscript.

9200 wds.

The Return of Sherlock Holmes

XII

The Adventure of the Abbey Grange.

It was on a bitterly cold and frosty morning towards the end of the winter of '97 that I was awakened by a tugging at my shoulder. It was Holmes, and the candle ~~which~~ in his hand shone upon his eager stooping face and told me at a glance that something was ~~astir~~ amiss.

"Come, Watson, come!" he cried "The game is afoot. Not a word! Into your clothes and come!"

Ten minutes later we were both in a cab and rattling through the silent streets on our way ~~for~~ to Charing Cross Station. The first faint winters dawn was beginning to appear, and we could dimly see the occasional figure of an early workman as he passed us ~~rather~~, blurred and indistinct in the opalescent London reek. Holmes nestled in silence into his heavy coat, and I was glad to do the same, for the air was most bitter and neither of us had broken our fast. It was not until we had consumed some hot tea at the station and taken our places in the Kentish Chislehurst train that we were sufficiently thawed, he to speak and I to listen. Holmes drew a note from his pocket and read it aloud.

Abbey Grange.
Marsham
Kent
3-30 Am.

My dear Mr Holmes.

I should be very glad of your immediate assistance in what promises to be a most remarkable case. It is something quite in your line. Except for releasing the lady I will see that everything is kept exactly as I have found it but I beg you not to lose an instant as it is difficult to leave Sir Eustace there.

Yours faithfully

Stanley Hopkins.

neugegründete ›Strand Magazine‹ Monat um Monat sich eine breite Leserschaft aus allen sozialen Schichten erschließen. Der Reiz des Blattes lag in der von üblicher Zeitschriftenpraxis abweichenden Konzeption: Nicht Fortsetzungsromane sollten die Käufer binden, sondern die Geschlossenheit der jeweils einzelnen Ausgaben. Da es nicht leicht war, genügend Material zum Druck zu finden, waren auch Doyles Detektivgeschichten willkommen. Als erste erschien ›A Scandal in Bohemia‹ im ›Strand Magazine‹. Ungeahnte Folgen indes hatte Doyles Idee, zwar keine fragmentierten Fortsetzungsgeschichten zu liefern, jedoch denselben sympathischen Protagonisten jedesmal in einem neuen Fall auftreten zu lassen. Abwechslung und Kontinuität hielten das Interesse des Publikums wach und ließen die Auflage bald auf eine halbe Million in die Höhe schnellen: Der englische Gentleman-Detektiv mit kräftigem Kinn, Hakennase und Pfeife, wie ihn die Illustrationen von Sidney Paget zeigen, wurde zum regelmäßigen Hausgast der Leser; bei Doyles Tod 1930 äußerte Winston Churchill: »Of course I read every Sherlock Holmes story«

Auch der Autor konnte sich des seiner Phantasie entsprungenen ständigen Begleiters bald genausowenig erwehren wie des eigenen Schattens. Als Doyle, seiner Figur überdrüssig geworden, kurzen Prozeß mit ihr machte und sie aus seinem Leben und der Literatur tilgen wollte, indem er sie in einem Wasserfall zu Tode stürzen ließ, gründeten amerikanische Fans sogleich »Let's-Keep-Holmes-Alive-Clubs«: Die Initiative der Leser veranlaßte den Autor nachzugeben; zunächst schob er eine Geschichte nach, die noch vor dem tödlichen Sturz spielt, schließlich aber ließ er mit der Allmacht des Schriftstellers über seine Figuren Holmes in ›The Adventure of the Empty House‹ wieder auferstehen. Diese Erzählung gehört zu der ›Strand‹-Serie ›The Return of Sherlock Holmes‹, in der 1904 als zwölfte Folge auch ›The Adventures at the Abbey Grange‹ erschienen.

Zumindest nach dem Grad der öffentlichen Bekanntheit hatte der Detektiv seinen Urheber längst überflügelt, der sich bald in allen Gassen, auch auf manchen Abwegen, umzutun begann. Er nahm als Freiwilliger am Burenkrieg teil, nicht genug damit, verfaßte er auch zwei patriotisch durchtränkte Bücher ›The Great Boer War‹ und ›The War in South Africa‹, die große Popularität gewannen und ihrem Autor den Adelstitel einbrachten. Im Ersten

Weltkrieg betätigte sich Doyle, der seine Landsleute früh vor der Gefahr deutscher U-Boote gewarnt hatte, als Frontberichterstatter und begann noch mitten im Krieg eine sechsbändige Darstellung der ›British Campaign in France and Flandern‹ (1916–1920). Zuvor schon hatte er historische Themen in Romanform bearbeitet, die Churchill in seinem Nachruf auf Doyle noch über dessen Detektivgeschichten stellte. In mittleren Jahren war der »sportsman« Doyle außerdem ein Pionier des Skilaufs – in Davos vermeldet ein Gedenkstein: »Creator of Sherlock Holmes, who crossed the Maienfelder Furka from Davos to Arosa on skis, thereby bringing this new sport and the attractions of the Swiss Alps in winter to the attention of the world« –, mit fortschreitendem Alter aber wurde er zum Verkünder des Spiritismus, für den er zusammen mit seiner zweiten Frau, die als Medium wirkte, auf zahllosen Reisen in aller Welt warb und dem er eine ›History of Spiritualism‹ (1926) widmete. Diese Neigung isolierte Doyle zunehmend von Kontakten, die er im Wohltätigkeitsclub »Pilgrim's Trust« u. a. zu Herbert George Wells, Robert Louis Stevenson, George Bernard Shaw und Rudyard Kipling gepflegt hatte. Science Fiction mit Affenmenschen, krankmachendem Äthergürtel und ähnlich spleenigen Themen füllen die späten Bücher des Mannes, auf dessen Grabstein die Worte stehen: »Knight, Patriot, Physician & Man of Letters«. H.-A.K.

Lit.: Klaus Degering, Nachwort, in: Arthur Conan Doyle, Die Abenteuer des Sherlock Holmes. Stuttgart: Reclam 1989 – Michael Hardwick, The Complete Guide to Sherlock Holmes. London: Weidenfeld and Nicolson 1986

50 **Marcel Proust (1871–1922)**

›A l'ombre des jeunes filles en fleur‹

Ms. autogr., unsigniert [vor 1918]. Mit zahlreichen Streichungen und Korrekturen. Erster Entwurf

22,5 x 17,6 cm, 3 Bll. einseitig beschrieben

Bodmeriana, Mss. & autogr. français, S. 48

PROVENIENZ: *Pierre Berès, Paris, 1956*

Bereits in der skizzenhaften Prosa der Sammlung ›Les plaisirs et les jours‹ von 1896 findet sich ansatzweise jene Skalierung der Vorstellungen – Halluzination, Traum, bewußte und unbewußte Erinnerung – ausgebildet, die Marcel Proust später zum Erzählprinzip seines großdimensionierten Romanzyklus ›A la recherche du temps perdu‹ machte. »Je me souviens, dont je suis« (»ich erinnere mich, also bin ich«), auf diese Formel könnte man in Abwandlung des bekannten Satzes von Descartes das Motiv für die Graphomanie des Schriftstellers bringen, der konsequent auch dem Leser zugesteht, daß er bei der Lektüre nur sich selber suche, und das Werk lediglich als eine Art von »optischem Instrument« definiert, das der Autor dem Leser reichte, damit dieser erkennen könne, was er sonst in sich womöglich nicht wahrnehmen würde.

Das ganze Frühwerk des asthmakranken Arztsohnes fällt in die Zeit, da Frankreich von der Affäre um Alfred Dreyfus erschüttert wurde, für den der junge Proust nachhaltig eintrat. Während er seinen erst 1952 veröffentlichten Roman ›Jean Santeuil‹ zurückhielt – seine Themen, etwa die labile Gesundheit und die ausgeprägte Mutterbindung, sind autobiographisch bestimmt –, fand er als Übersetzer der Werke des englischen Apokalyptikers John Ruskin, der mit seiner von ihm selbst als »uncreation« bezeichneten Schriftstellerei einer untergehenden Natur und Menschheit als Protokollant dienen wollte, eine Möglichkeit, der eigenen Fin-de-siècle-Melancholie auch öffentlich selbst sprachlichen Ausdruck zu verleihen. Unter dem Einfluß von Ruskins Ästhetik faßte Proust 1908 den Plan, die methodischen Widersprüche in der einflußreichen Literaturkritik von Sainte-Beuve aufzudecken, der den Rang eines Werks nach dessen Nutzen für die Gesellschaft bemessen hatte. Während der Arbeit entschloß sich der Autor jedoch, den Essay zum Bestandteil eines Erzähltextes zu machen, der zur

(259)

1

Ce sérieux particulier à leur âge me frappait peut-être plus encore quand il s'appliquait ~~au~~ non plus à leurs jeux mais à leurs travaux, peut-être parce que ces travaux me semblaient encore plus frivoles que des jeux. Gisèle avait cru devoir ~~se~~ adresser à ses amies la composition qu'elle avait faite pour son certificat d'études. ~~Elle avait~~ Le sujet était encore plus difficile que ceux que m'enseignait Albertine. ~~Sophocle avait~~ ~~le choix~~ Le choix entre : Sophocle écrit des Enfers à Racine pour le ~~consulter~~ consoler (en dix ?) de l'insuccès d'Athalie ~~ou bien~~ et "Vous supposerez qu'après la première représentation d'Esther, Mme de Sévigné écrit à Mme de La Fayette pour regretter son absence". ~~Gisèle av~~ ~~Or~~ Gisèle par un excès de zèle qui avait fait l'admiration des examinateurs, avait ~~traité les deux~~ choisi en premier de ces sujets qui paraît pour le plus difficile et l'avait ~~sujets et~~ traité si remarquablement qu'elle avait eu 14 et avait été félicitée par le jury. Elle avait obtenu la mention très bien si elle n'avait ~~comme elle devait~~ "séché" dans son examen d'espagnol. Les compositions ~~reçues~~ dont Gisèle avait cru devoir envoyer la copie à Albertine nous ~~furent lues sur la falaise~~ par celle-ci. Car devant elle-même passer le même examen, elle désirait beaucoup avoir l'avis d'Andrée, beaucoup plus forte qu'elles toutes et qui pouvait lui donner de bons tuyaux. Elle en a eu une veine, s'écria Albertine. C'est justement un sujet que lui avait fait ~~faire~~ piocher ici sa maîtresse de français. La lettre de ~~Euripide~~ Sophocle à Racine commençait ainsi : "Mon cher ami, excusez-moi de ~~m'adresser à vous avec cette familiarité à vous~~ vous écrire sans avoir ~~je n'ai pas~~ l'honneur d'être personnellement connu de vous, mais

72 Marcel Proust, ›A l'ombre des jeunes filles en fleurs‹, Autograph (Nr. 50)

Keimzelle seines mehrfach erweiterten Großromans wurde. In dessen komplexer Komposition – verschleiert nennt der Autor sie einmal brieflich gegenüber Paul Souday –, welche die Techniken des zyklischen Epochenromans bei Balzac und Flaubert fortentwickelt, läßt der Erzähler Marcel die verlorene Zeit von gut vier Jahrzehnten seit den 70er Jahren bis zum Ende des Weltkriegs durch das erinnernde Ich, dem das erinnerte Ich gegenübertritt, bewahren: »Es ist ein außerordentlich wirklichkeitsgetreues Buch, das jedoch von einer Gnade, gleichsam einem Blütenstengel von Erinnerungen getragen wird, um das unbewußte Gedächtnis nachzuahmen, das [...] für mich das einzige wirkliche ist« (Übersetzung Wolfgang A. Peters), schrieb Proust 1913 an René Blum und setzte das unbewußte Gedächtnis, Kategorien Henri Bergsons verfeinernd, gegen das bewußte der Intelligenz und der Augen ab, das lediglich ungenaue Faksimiles wiedergebe, so »daß wir das Leben nicht schön finden, weil wir es nicht *in die Erinnerung zurückrufen*, – kaum aber nehmen wir einen Duft von früher wahr, wie sind wir dann plötzlich berauscht.«

Als der Autor den ›Editions du Mercure‹ 1909 die Veröffentlichung der »Ur-Recherche« anbot und versicherte, sie sei »malgré son titre provisoire ›Contre Sainte-Beuve. Souvenir d'une matinée‹ [...] un véritable roman«, lehnte der Verlag ab; genauso verfuhr, auf Betreiben André Gides, die ›Nouvelle revue française‹, als Proust drei Jahre später die ›Intermittences du coeur‹ in zwei Teilen vorlegte – ›Le temps perdu‹ und ›Le temps retrouvé‹. Auf eigene Kosten ließ er dann bei Bernard Grasset 1913 den ersten Teil des Zyklus unter dem Titel ›A la recherche du temps perdu‹ erscheinen. Den zweiten Abschnitt des in der Zwischenzeit abermals größer geschnitteten Zyklus brachte 1918 Gallimard, der Verlag der ›Nouvelle revue française‹ heraus, nachdem der Autor sich mit Gide ausgesöhnt hatte. Dieser Teil, für den Proust 1919 der Prix Goncourt verliehen wurde, trägt den Titel ›A l'ombre des jeunes filles en fleurs‹. Zu ihm gehört das in der Bodmeriana verwahrte Manuskript. Die Handschrift mit zahlreichen Korrekturen weist ausgesprochenen Brouillon-Charakter auf. Solche Zeugnisse erwarb Martin Bodmer besonders gern, weil er glaubte, der innere Kern eines literarischen Werks erschließe sich nirgendwo so deutlich wie in der Phase der Entstehung.

›Le Côté de Guermantes‹ und ›Sodome et Gomorrhe‹ erschienen, jeweils zweiteilig, noch zu Lebzeiten des Autors, während die Sequenzen ›Albertine disparue‹ und ›Temps retrouvé‹ erst postum 1923 bzw. 1927 durch den Bruder Robert Proust und Jacques Rivière aus dem Nachlaß veröffentlicht wurden. Als die ganze Monumentalität des Zyklus sichtbar geworden war, nannte Walter Benjamin sie in der von Willy Haas redigierten ›Literarischen Welt‹ »das Ergebnis einer unkonstruierbaren Synthesis, in der die Versenkung des Mystikers, die Kunst des Prosaisten, die Verve des Satirikers, das Wissen des Gelehrten und die Befangenheit des Monomanen zu einem autobiographischen Werke zusammentreten«. Die Gepflogenheiten des Autors beim Korrekturlesen aber beschreibt Benjamin so: »Die Fahnen kamen immer randvoll beschrieben zurück. Aber kein einziger Druckfehler war ausgemerzt worden; aller verfügbare Raum war mit neuem Text erfüllt. So wirkte die Gesetzlichkeit des Erinnerns noch im Umfang des Werks sich aus.« H.-A.K.

73 Antoine de Saint-Exupéry, ›Courrier Sud‹, S. 125 aus dem Autograph (Nr. 51)

Lit.: Walter Benjamin, Über Literatur. Frankfurt a.M.: Suhrkamp 1975 – Anne Borel u. Anne-Marie Bernard, Le monde de Proust. Paris: Ed. du Patrimoine 1999 – Marcel Proust, l'écriture et les arts. (Jean-Yves Tadié u. a.) Paris: Gallimard 1999

51 **Antoine de Saint-Exupéry** (1900 – 1944)

›Courrier Sud‹

Ms. autogr., unsigniert, Cap Juby, 1928. Mit zahlreichen Streichungen und Korrekturen

27 x 20 cm, 170 Bll.

Bodmeriana, Mss. & autogr. français, S. 56

EINBAND: *Halbleder-Kassette*

PROVENIENZ: *Gallimard, Paris, 1955*

Antoine de Saint-Exupéry, Autor des unsterblichen ›Petit Prince‹, entstammt einer adligen Familie des Limousin; 1921 leistete er seinen Militärdienst bei der Luftwaffe und wurde darauf Pilot der Strecke Toulouse-Casablanca-Dakar. In den Jahren 1927–29, als er Direktor des Flugplatzes Cap Juby/Rio de Oro war, entstand

AU PARADIS
Royal HOTEL

sein zweites Buch, ›Courrier Sud‹, das 1929 erschien; drei Jahre zuvor publizierter er seinen Erstling ›L'aviateur‹, zwei Jahre später seinen berühmten ›Vol de nuit‹. Von einem Aufklärungsflug über dem Mittelmeer während des Krieges kehrte Saint-Exupéry am 31. Juli 1944 nicht zurück.

Hauptthema seiner Romane und Erzählungen ist das Abenteuer des Fliegens, daher sind viele seiner Werke erlebte Reportagen. Das Flugzeug ist für ihn nicht allein die Maschine, sondern das Mittel zur Analyse modernen Lebens: Die falsche Realität der mechanisierten Zivilisation hält der Prüfung in der kosmischen Einsamkeit des Fliegens nicht stand. Die wahre Realität offenbart sich in der Hingabe an eine Aufgabe, die kein Ausweichen zuläßt. Ein Leitmotiv seines Schreibens ist die »solitude fraternelle« des Menschen.

Das komplette Autograph seiner ›Courrier Sud‹ hat Saint-Expupéry auf hauchdünnes, inzwischen vergilbtes Papier geschrieben; einige Blätter sind auf der Rückseite von Briefpapier des »Restaurant du Gd. Café des Bains Saint-Raphael« geschrieben. Das Manuskript enthält zahlreiche Zeichnungen des Autors zu seinem Text. Aus einem Eintrag geht hervor, daß er es nach der Publikation im Jahr 1929 verschenkt hat: »Donné par Antoine de Saint-Exupéry à Louise de Vilmorin«. M.B.

52 **Thomas Mann (1875–1955)**

›Lotte in Weimar. Ein kleiner Roman‹

Ms. autogr., 1937–1938

27 x 21,5 cm, 558 einseitig beschriebene Bll., die meisten mit Tinte, S. 448–468 mit Bleistift geschrieben, S. 445–448 Maschinenschrift

EINBAND: *in Leinwand-Kassette*

PROVENIENZ: *L'Art Ancien & Haus der Bücher, Zürich, November 1948*

Im amerikanischen Exil hielt Thomas Mann im Frühjahr 1940 im Rahmen seiner Vorlesungen an der Princeton University einen Vortrag über Goethes ›Werther‹. Er rühmte das »Büchlein« als ein »Meisterwerk« der Weltliteratur, das überall in Europa Anstoß erregt habe und sogar seinem eigenen Autor »unheimlich« geworden sei, so daß dieser seinen 1774 anonym zu Leipzig veröffentlichten Roman später nur noch einmal wiedergelesen habe. Das geschah im Jahre 1816, als der 67jährige Schriftsteller die vier Jahre jüngere »Lotte Kestner, geborene Buff, die Lotte von Wetzlar, Werthers Lotte« nach vierundvierzig Jahren wiedersah. Damals kam die alte Dame »zu Besuch nach Weimar, wo eine ihrer Schwestern verheiratet war, und meldete sich bei ihm an. [...] Ihr Erscheinen erregte ein Aufsehen, das dem alten Herrn keineswegs lieb war. Seine Exzellenz lud die Frau Hofrat zum Mittagessen und behandelte sie mit einer steifen Courtoisie.«

Mann, der gerade sein Buch ›Lotte in Weimar‹ herausgebracht hatte, in dessen Mittelpunkt diese Episode steht, beendete die Rede mit der Bemerkung: »Ich meine, daß sich auf diese Anekdote eine nachdenkliche Erzählung, ja ein Roman gründen ließe, der über Gefühl und Dichtung, über Würde und Verfall des Alters manches abhandeln und Anlaß geben könnte zu einem eindringlichen Charakterbild Goethes, ja des Genies überhaupt. Vielleicht findet sich der Dichter, der es unternimmt.« Die gleiche selbstironische Distanz, die den Schluß des Vortrags kennzeichnet, ist ja ein hervorstechendes Merkmal von Manns Erzählweise schlechthin, schien dem Schriftsteller aber besonders angemessen für die Behandlung des »tragikomischen« Ereignisses, das dem Roman ›Lotte in Weimar‹ zugrunde liegt.

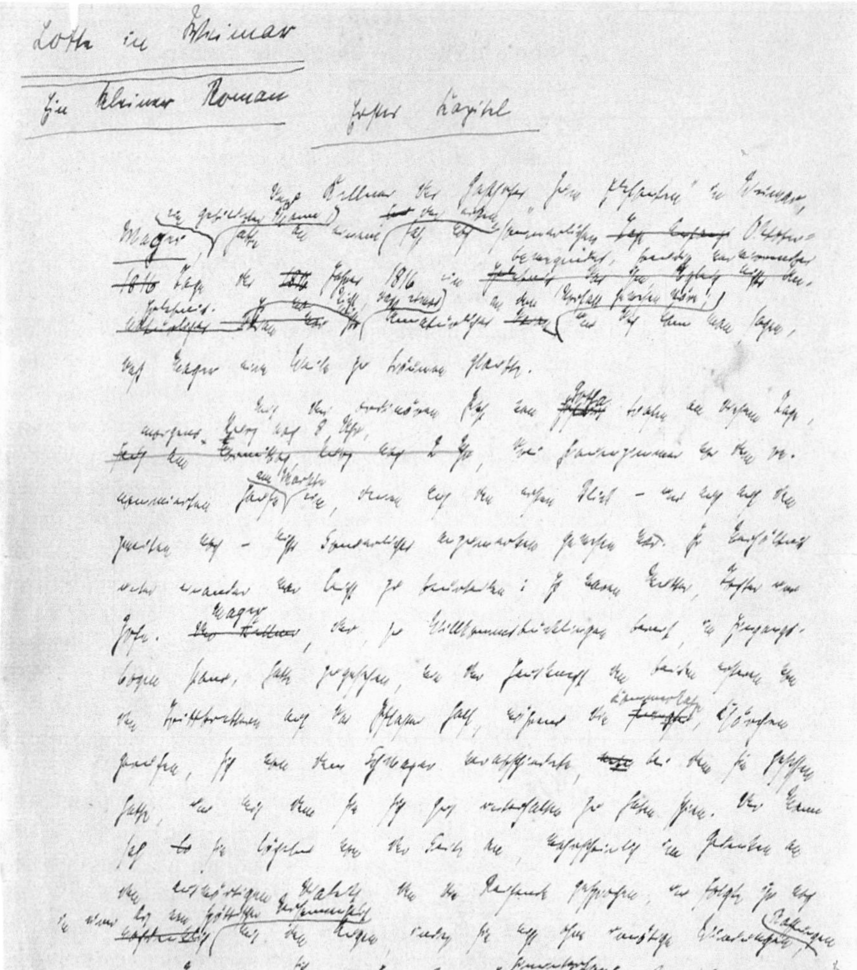
Lotte in Weimar
Ein kleiner Roman
Erstes Kapitel
1

74 Thomas Mann ›Lotte in Weimar‹, Anfang des Autographs (Nr. 52)

Als sich Mann, nach Ausweis seiner Tagebücher Ende 1936, diese Arbeit vornahm, schrieb er in einem Brief, er wolle sich in dieser Erzählung »die phantastische Freude machen, Goethe einmal persönlich auf die Beine zu stellen. Kühn, nicht wahr? Aber nachdem mit 40 vermieden (beim ›Tod in Venedig‹, der aus der eigentlich erträumten Ulrike-Geschichte wurde) will ich mir's mit 60 lustspielmäßig gönnen.« Diese Äußerung widerlegt nicht nur die Legende, nach der Goethe erst seit den Zwanziger Jahren für Mann zum Modell des eigenen Schaffens wurde, sondern betont auch die komödienhafte Intention des Vorhabens, hinter dem noch ein ganz anderes »Vor«-Bild zu erkennen ist: Lessing. Ganz offenkundig ist die Ähnlichkeit des Anfangs von ›Lotte in Weimar‹ mit der ersten Szene des Lustspiels ›Minna von Barnhelm‹, eines Werks, das – so Thomas Mann – »den Stempel des Neuen und Überraschenden, des Gewagten und erst Ermöglichten« trägt. Mann scheint hier gerade den Arbeitskriterien zu folgen, welche die Größe der Kunst Lessings seiner Ansicht nach ausmachen: »Er gibt an Handlung das Minimum, das unentbehrlich ist, der Komposition Rückgrat zu verleihen, aber all sein Geist bewährt sich darin, was er diesem Minimum an Reiz und Wirkung abzugewinnen weiß, wie er es ausbaut, ausbeutet, vertieft, ergründet, facettiert, es bis in den letzten Winkel seiner Motive ableuchtet, wie er durch das, was eigentlich langweilig sein müßte,[...] zu unterhalten weiß.«

Wie Minna kommt Lotte in Weimar mit ihrer Zofe an, die für einen banalisierten Parallelverlauf der Geschichte bürgt, und wie das sächsische Fräulein lauert sie dem großen Mann auf, dem ihr Interesse gilt. Daß der offizielle Grund ihres Besuchs in Weimar nur ein Vorwand ist, verrät gleich zu Beginn das mitgebrachte weiße Kleid mit rosa Schleifen, das die alte Dame für den heimlich ersehnten Empfang bei dem berühmt Gewordenen, der erst nach meisterhaft gestalteter Retardierung tatsächlich zustandekommt, zur Erinnerung an ihre erste Begegnung anziehen will. Bescheiden und kokett, naiv und raffiniert zugleich zeigt Lotte ihre Selbstgefälligkeit nicht nur vor dem demütig-verrückten Kellner Mager und vor der exaltierten Irin Rose Cuzzle, die mit ihren schnell hingeworfenen mittelmäßigen Zeichnungen die Unkunst des Dilettanten sowie den Unfug des in Hollywood herrschenden Persönlichkeitskults zu parodieren erlaubt; sie findet auch in dem frustrierten Famulus Riemer einen Komplizen ihrer Qualen, noch bevor die freundlich-konventionelle Kälte, mit der ihr Goethe entgegentritt, der lächerlichen Regression zu den Träumen ihrer Jugend endgültig ein Ende setzt. Die Begegnung, »Willkommen und Abschied«, erfolgt erst im siebten der neun Kapitel der Geschichte.

Aus dem Stoff wurde nämlich kein Lustspiel, sondern »ein kleiner Roman«, der sich zwar im Laufe der fast drei Jahre währenden Niederschrift zu einem dicken Prosawerk auswuchs, für das jedoch der richtige Gattungsname vielleicht »eine intellektuelle Komödie« wäre, wie Thomas Mann selbst gegenüber Hermann Kesten in einem Brief meinte, mit dem er dem Kritiker für dessen prompte und begeisterte Rezension des Buches dankte, das Ende 1939 in Stockholm erschienen war. Welche Komplexe Mann gegenüber dem Theater hegte, da sein Talent der dramatischen Gattung nicht entsprach, hatte er schon 1908 nur schlecht kaschieren können, als er in einem längeren Aufsatz u.a. schrieb: »Alle Welt übersetzt ›Drama‹ mit ›Handlung‹: unsere ganze Ästhetik des Dramas beruht auf dieser Übersetzung. Trotzdem ist es vielleicht ein Irrtum. Ein Philologieprofessor hat mich darüber belehrt, daß das Wort ›Drama‹ dorischer Herkunft ist und nach dorischem Sprachgebrauch ›Ereignis‹, ›Geschichte‹ bedeutet [...] Was heute als dramatisch gilt, ist das Abenteuer, ist die ›packende Handlung‹, ist, mit einem Worte, der romaneske Einschlag im Drama, und die beliebtesten Schauspiele sind in Wahrheit nur szenisch komprimierte Romane.«

Diese intellektualistische Argumentation klingt wie eine Rechtfertigung dafür, daß der hervorragende Epiker auf dem dramatischem Gebiet versagt. Vom »alten Fontane« hatte Mann vorzüglich gelernt, diesen Mangel mit allen nuancierten Tönen der ›Causerie‹ auszugleichen: von den ernsthaftesten bis zu den frivolsten, von den philosophisch gefärbten bis zu den parodistisch-bürokratischen. ›Lotte in Weimar‹ ist ein wunderbares Beispiel für diese Technik: Über die Hälfte des Romans besteht aus langen Gesprächen mit der Protagonistin, in denen die verschiedenen Personen jeweils ein anderes Bild von Goethe entwerfen. Vor diesem Großen freilich mußte sich auch Thomas Mann – und er bekennt das selbstironisch im Text – mit jener »Genügsamkeit mit Schattenbildern« abfinden, von der im dritten Kapitel des Romans die Rede ist. G.R.

Lit.: Hermann Kurzke, Thomas Mann. Das Leben als Kunstwerk. München: C. H. Beck 1999

53 **Euripides (um 480 – 406 v. Chr.)**

›Tragoediae‹

Venedig: Aldus Manutius, 1503. 2. Gesamtausgabe

8°, 2 T. in 1 Bd., 268 nn. Bll. u. 190 nn. Bll.

EINBAND: *venetianisches Maroquin der Zeit*

PROVENIENZ: *nach 1947*

Zu den frühen Zeugnissen medialer Literaturkritik gehören die Angriffe, die der attische Komödiendichter Aristophanes auf dem Theater gegen seinen älteren Zeitgenossen Euripides richtete. Einig waren sich beide zwar im Abscheu über die selbstzerstörerische Wendung, welche die Politik ihrer Vaterstadt Athen im Peloponnesischen Krieg mit Sparta nahm. Doch wurden sie zu künstlerischen Opponenten, weil der konservative Aristophanes im öffentlichen Literaturstreit die Bühnenwerke des Euripides nicht so sehr als Diagnosen des Zeitgeistes, sondern als Destruktion alter Werte kritisierte, zu deren Bewahrung die beiden älteren Tragiker Aischylos und Sophokles gedichtet hätten. In der Komödie ›Die Frösche‹ findet ein regelrechter Wettstreit zwischen Aischylos und Euripides statt. Die von Dionysos zugunsten des Älteren getroffene Entscheidung bereitet der Chor mit verschiedenen Gegenüberstellungen vor: Er rühmt die erhabene Sprache des Aischylos als »klobengenietete Worte, wie Bretter heruntergerissen« und charakterisiert den Stil des Euripides: »Allzeit fertig wird dann und silbenstechend die *glatte* / Zunge Geschwätz aufwirbeln und tükkisch im Kreise sich drehen, Worte zerspalten wie Haar.« Könige habe Euripides im Lumpenkostüm auftreten lassen, Huren wie Phaidra auf die Bühne gebracht, »und dadurch kams, daß unsre Stadt / mit Advokatenschreibern jetzt gefüllt ist / Mit Lobbyisten, Populisten, alles Leuten, die / mit Lug und Trug dem souveränen Volk zusetzen pausenlos!« Indem er Inzest und Ehebruch auf dem Theater zeige, verstoße er gegen die Aufgabe des Dichters, wirft schließlich Aischylos selbst dem Kontrahenten vor. Denn »das Schlechte muß verbergen, wer ein wahrer Dichter ist, / darfs nicht preisen, darfs nicht lehren. Denn für unerfahrne Knaben / ists der Lehrer, der das Ziel gibt, für Erwachsene die Dichter!« (Übers.

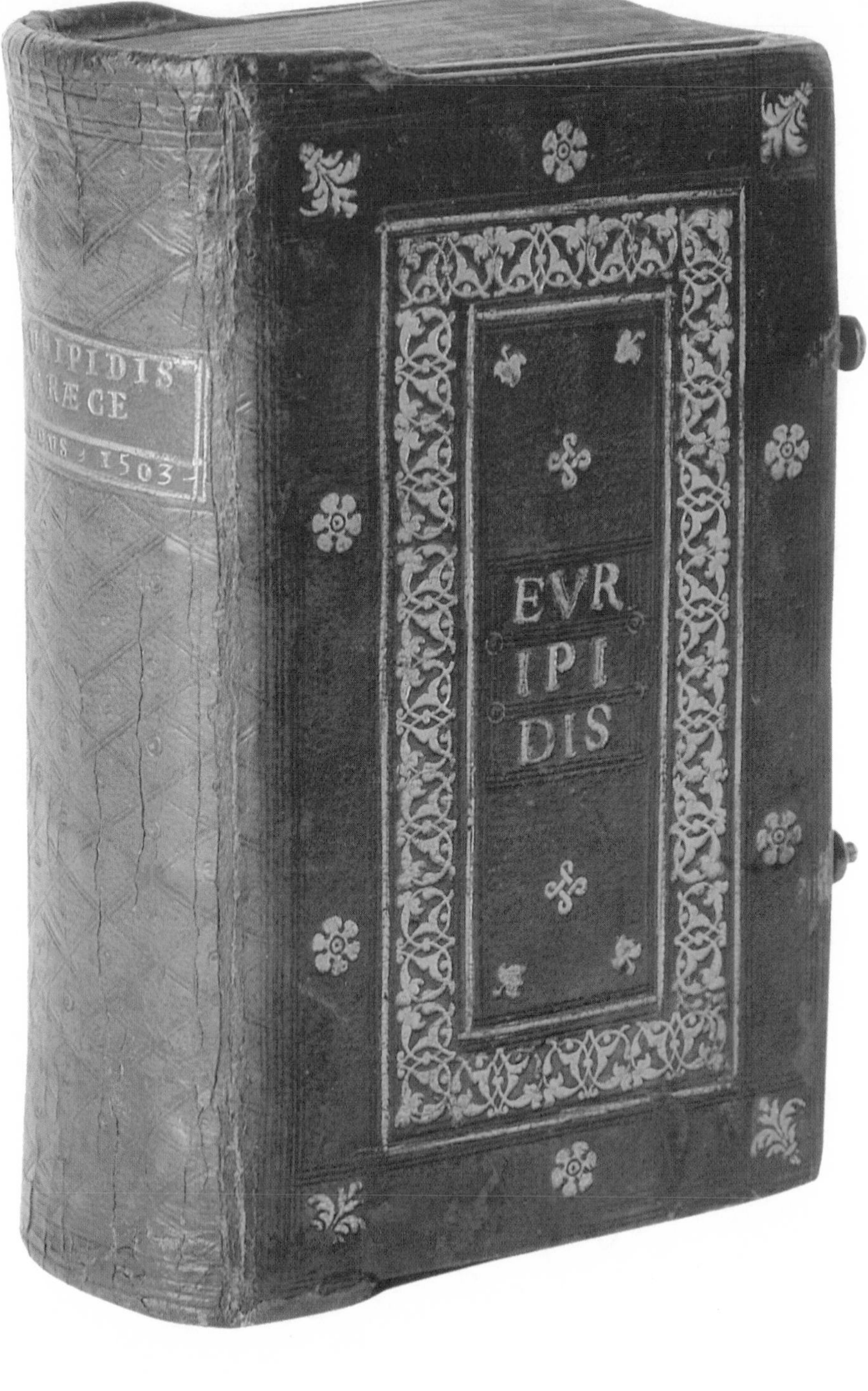
EVR
IPI
DIS
1503

75 Euripides, zeitgenöss. Einband der 2. Gesamtausgabe der ›Tragoediae‹ von 1503 (Nr. 53)

Joachim Latacz) Der Dichter als sittlicher Verderber von Volk und Jugend; nicht viel anders lautete der Vorwurf gegen das bohrende Philsophieren des Sokrates. Mit ihrem gattungstypisch aus Frechheit und Moraldidaxe gemischten Zerrbild gibt die Komödie natürlich nur eine der damals üblichen Sichtweisen auf Euripides wieder; wie sehr dieser aber auch für seine verstörende Kunst bewundert wurde, zeigt die Reaktion des »altmodischen« Sophokles, der Trauerkleider anlegte, als sein Konkurrent 406 v. Chr.. fast achtzigjährig starb.

Von seinen rund neunzig Stücken sind achtzehn, darunter ein Satyrspiel, überliefert, etwa doppelt soviele wie bei den älteren Tragikern. Sie sind alle erst nach dem 40. Lebensjahr des Dichters entstanden. Schon an dem ältesten erhaltenen Drama lassen sich viele für Euripides typische Züge erkennen: In der ›Alkestis‹ ermöglicht die Titelfigur ihrem Gatten, dem König Admet, eine Verlängerung seines Lebens. Indem sie ersatzweise für ihn in den Tod geht, bringt sie ein Opfer, zu dem nicht einmal die hochbetagten Eltern des lebenshungrigen Königs bereit waren. Den trauernden Admet, der des neugewonnenen Daseins jedoch nicht froh wird, besucht der Halbgott Herakles und erfüllt ahnungslos das Haus mit fröhlichem Lärm, ehe er, aufgeklärt über die Ursache der Betrübnis seines Gastgebers, für diesen die verstorbene Alkestis mit Gewalt aus dem Hades zurückholt. Einen eher randständigen Mythos – die antike Kritik hat Euripides wiederholt vorgeworfen, er habe sich mit Fleiß für seine Sujets kaum bekannte Stoffe gewählt – hat der Dichter so ambivalent gestaltet, daß bis heute darüber gestritten wird, ob es sich lediglich um die dramatisierte Fassung eines alten Märchens mit gutem Ausgang oder um eine »pièce noire« (Kurt Steinmann) handele. Der »unmögliche Schluß« – er ist, wie oft bei Euripides, durch einen deus ex machina bewirkt – legt die Deutung nahe, daß der Dichter bewußt eine Scheinlösung gewählt hat, deren Unglaubhaftigkeit den Hörer nachdenken lassen soll, etwa darüber, »was aus dem Glück wird, das mit dem Opfertod eines geliebten Menschen erkauft worden ist« (Kurt Steinmann), oder über die Einzigartigkeit jedes Lebens, die gerade darin gründen könnte, daß es seinen eigenen unabtretbaren Tod einschließt: Fragen, die nicht nur im ausgehenden 4. Jahrhundert diesen Dramatiker als besonders »modern« erscheinen ließen, wie die Nachwirkung dieses Stücks in allen Kunstgattungen bezeugt. Allein die deutschsprachigen Bearbeitungen reichen von Hans Sachs über Wieland bis zu Hugo von Hofmannsthal, dessen Dichtung Egon Wellesz vertont hat.

Das ›Alkestis‹-Drama repräsentiert eines der beiden von Euripides in seinen sogenannten »Meisterdramen« benutzten Modelle: die Form des Dipytchons, dessen erster Teil mit einem Tod endet, während der zweite die Wirkung des Verlustes auf den Partner der verstorbenen Gestalt zeigt. In anderen Werken stellt der Dichter die Einheit dadurch her, daß er eine einzige Figur von Anfang bis Ende zum Träger der Handlung macht. Beispiele für die zweite Variante bilden die auf den Gott Dionysos konzentrierten ›Bakchen‹ und die ›Medea‹-Tragödie, die erste Pathologie weiblicher Liebesleidenschaft, die in der Folgezeit Dichter aller Sprachen, darunter Seneca (vgl. Nr. 55), Corneille (vgl. Nr. 62), Grillparzer und Anouilh, zu immer neuen Gestaltungen gereizt hat. Angeführt von Protagoras, dessen ursprünglich erkenntnistheoretisch gemeinte These, der Mensch sei das Maß aller Dinge, bald als Aufwertung des Individuums verstanden wurde, und der Lehre des Gorgias, der als erster die Macht des Wortes, Schein zu erzeugen und für Wahrheit auszugeben, erklärte, hatte die Sophistik im sich neigenden 5. Jahrhundert eine Art Aufklärung heraufgeführt, deren wesentliche Elemente einerseits die Kritik an den Göttern des Mythos, andererseits das Interesse an Anthropologie und Psychologie sowie deren psychagogischer Anwendung in der Rhetorik waren. Von dieser neuen Bewegung stark beeinflußt, wurde Euripides zum scharfen Analytiker seelischer Dispositionen und Motivationen: Als erster gestaltete er die Recht, Herkommen, Gefühle und Vernunft überwältigende Macht der ins Absolute gesteigerten Leidenschaft, auch den Umschlag von enttäuschter Liebe in vernichtenden Haß und den ins Unermeßliche wachsenden Erfindungsreichtum der Rachsucht: Medea, die einst aus Liebe zu Jason ihren Bruder getötet hatte, ermordet als verlassene Frau die Kinder, um den Vater zu verletzen. Raffiniert rechnet Euripides den Mythos auf Menschenmaß um: Als rasende Mutter, die ihre Kinder umbringt, ist seine Medea zugleich die übermächtige mythische Zauberin, die sich in einen Drachen zu verwandeln vermag. Als solcher erhebt sie sich nach vollzogener Rache mit der Theatermaschine von der Bühne. Eine vergleichbare dramatische Studie zur Psychologie der in den Stiefsohn verliebten Frau bietet das ›Phaidra‹-Stück, dessen Pathos u.a. Seneca und Racine zu Neuschöpfungen veranlaßt hat. Euripides, der von mürrischer Verschlossenheit gewesen sein soll, richtet nicht, er stellt dar, sieht die Menschen dem Spiel von Tyche und Ananke, von Zufall und Zwang, ausgesetzt.

Wegen ihres Sujets faßt man die sogenannten Kriegsstücke als eigene Gruppe zusammen. Das bedingungslos pazifistische Werk ›Die Troerinnen‹ ist kurz vor der sizilischen Expedition aufgeführt worden, deren grausame Folgen für die in den Steinbrüchen verendenden Athener der Historiker Thukydides beschrieben hat. Das Drama veranschaulicht den Wahnsinn des Krieges – das Gelächter über die listige Methode der ›Lysistrate‹ des Aristophanes ist nicht einmal von ferne schon hörbar – am Leid der troischen Frauen nach der Eroberung der Stadt, da die Witwen unter den Siegern als Beute verteilt und ihre Kinder ermordet werden: Eine Szene spielt auf die Begegnung Hektors mit seiner Gattin in der ›Ilias‹ (vgl. Nr. 13, 15) an; die schmerzerfüllte Andromache wendet sich ab, kurz bevor ihr kleiner Sohn Astyanax von der Stadtmauer zu Tode geschleudert wird. Aus der Ahnung, daß es wieder Zeit sei, auf dieses Stück zu hören, verfaßte Franz Werfel 1913 eine dem Original bald enger, bald lockerer angeschmiegte Bearbeitung der ›Troerinnen‹, deren (unvollständig erhaltenes) Manuskript im Deutschen Literaturarchiv zu Marbach verwahrt wird. Als Buch kam sein Drama 1915 im Verlag Kurt Wolff heraus. Eine von Max Reinhardt 1916 erwogene Aufführung in Warschau kam nicht zustande.

Die Bodmeriana besitzt den ersten und einzigen Euripides-Druck des 15. Jahrhunderts. Die 1495 in Florenz von Lorenzo di Alopa hergestellte Inkunabel enthält vier Titel: ›Medeia‹, ›Hippolytos‹, ›Alkestis‹ und ›Andromache‹. Diese *Editio princeps* weist als druckgeschichtliche Besonderheit mehrere auf Veranlassung des Herausgebers Johannes Lascaris neu gesetzte Seiten auf. Zum Bestand gehören auch ein Exemplar der 1503 in der berühmten Werkstatt des Venezianers Aldus Manutius entstandenen (hier ausgestellten) Postinkunabel, die den Text aller siebzehn Tragödien des Dichters bietet, sowie eine vermutlich in der ersten Hälfte des 15. Jahrhunderts in Italien angefertigte Papierhandschrift, die im 18. Jahrhundert dem Pariser Collège de Clermont gehört hatte. Sie überliefert den Text der ›Phoinissai‹, eines Stücks, das sich auf die tiefen Zerwürfnisse in Athen nach dem oligarchischen Putsch der 400 im Jahre 411 v. Chr. bezieht. Der aus phönizischen Tempeldienerinnen, also Fremden, bestehende Chor ermöglicht eine Kommentierung aus neutraler Distanz zu den streitenden heimischen Parteien.

Auch wenn er im Gegensatz zu Aischylos und Sophokles nie ein Staatsamt innegehabt hat, ist Euripides doch ein politischer Dichter gewesen. Sein Werk ist stark von zeitgeschichtlichen Reflexen durchsetzt, und politische Opportunisten hat er aus nächster Nähe gekannt, war mit dem schlimmsten von ihnen, dem windigen Alkibiades, sogar befreundet. Mit dem Mut zur intelligenten historischen Analogie hat der notorisch unterschätzte Laie Egon Friedell in seiner ›Kulturgeschichte Griechenlands‹ die Leistungen gewürdigt, die Euripides als Dichter einer Wendezeit vollbracht hat: Der Mythos war »von der Tragödie unabtrennbar, aber da Euripides ihn bereits mit den Augen der Aufklärung sieht, so verbürgerlicht er ihn. [...] Bei Euripides gibt es nur noch Menschen. Daher sein tiefer Pessimismus. Daher aber auch seine Wärme und Nähe. In seinen Gestalten sind die aufwühlendsten Probleme seines Herzens und seines Zeitalters Fleisch und Blut geworden, und darum offenbar nannte Aristoteles diesen vergrübelten Epigonen, dem die Götter weder die eherne Wucht eines Aischylos noch den silbernen Glanz eines Sophokles verliehen hatten, ›*tragikotatos*‹, den tragischsten von allen.« H.-A.K.

Lit.: Hellmut Flashar, Inszenierung der Antike. Das griechische Drama auf der Bühne der Neuzeit. München: Beck 1991 – Joachim Latacz, Einführung in die griechische Tragödie. Göttingen: Vandenhoeck & Ruprecht 1993 – Kurt Steinmann, Meisterstücke der griechischen und römischen Literatur. Stuttgart: Reclam 1998

54* **Menandros (342/341 v. Chr. – 291/290 v. Chr.)**

›Dyskolos‹

Ms. Ägypten. Erste Hälfte des 3. Jahrhunderts, griechisch. Papyrus

Papyrus Bod. IV

27,5 x 13 cm. 11 Bl.

PROVENIENZ: *Ägypten, 1956*

Um die Wende vom 4. zum 3. vorchristlichen Jahrhundert war der Mittelmeerraum von jener politischen Zusammenfassung noch weit entfernt, wie sie im Imperium Romanum zur Zeit des Kaisers Augustus vollendet wurde. Ganz im Gegenteil: Nichts deutete im Westen schon darauf hin, daß eine um innere Ordnung ringende und von äußeren Gegnern bedrohte römische Republik dreihundert Jahre später zur mediterranen Universalmacht aufgestiegen sein würde; und im Osten zerfiel die Herrschaft Alexanders des Großen sogleich in die drei Diadochenstaaten. Unter ihnen gewann das Ptolemäerreich mit dem weltstädtischen Hauptort Alexandria für die kulturelle Überlieferung eine über die Zeiten hinweg wirkende Bedeutung: In der gigantischen Bibliothek des dortigen Museion sammelten, ordneten, kommentierten und edierten zum erstenmal griechische Philologen von Profession alles, was ihnen aus der literarischen Überlieferung von den homerischen Epen an bis in ihre eigene Gegenwart nur irgend des Bewahrens wert erschien.

Anders als in politischer Hinsicht wurde die wirtschaftliche Einigung des maritimen Großraumes immer stärker: Zahllose Kaufleute und Reeder betrieben einen weitgespannten, so riskanten wie gewinnträchtigen Seehandel, auf den recht eigentlich zum erstenmal der Ausdruck »Globalisierung« zutrifft. Je weniger in den griechischen Städten der Einzelne nach dem Ende der Polis-Autonomie seinen Ehrgeiz noch als Bürger durch Teilhabe an den Staatsgeschäften befriedigen konnte, desto wichtiger wurde für ihn als Privatmann der Erfolg im Handeln auf eigene Rechnung. Lange Abwesenheit auf Reisen, von denen zurückgekehrt man die Dinge zu Hause wohl leicht unerwartet verändert vorfinden mochte, gehörten zu den zentralen Erfahrungen ebenso wie der rasche Umschlag von Gewinn in Verlust. Unberechenbarkeit und Wechsel des Geschicks deutete man sich, ernüchtert von sophistischer

[ ]ΔΥϹΚΟΛΟ[

ΤΗϹΑΤΤΙΚΗϹΝΟΜΙΖΕΤΕΙΝΑΙΤΟΝΤΟΠΟΝ
ΦΥΛΗΝΤΟΝΥΜΦΑΙΟΝΔΟΘΕΝΠΡΟΕΡΧΟΜΑΙ·
ΦΥΛΑϹΙΩΝΚΑΙΤΩΝΔΥΝΑΜΕΝΩΝΤΑϹΠΕΤΡΑϹ
ΕΝΘΑΔΕΓΕΩΡΓΕΙΝΙΕΡΟΝΕΠΙΦΑΝΕϹΠΑΝΥ
ΤΟΝΑΓΡΟΝΔΕΤΟΝ[ ]ΠΙΔΕΞΙΟΙΚΕΙΤΟΥΤΟΝΙ
ΚΝΗΜΩΝΑΠΑΝΘΡΩΠΟϹΤΙϹΑΝΘΡΩΠΟϹϹΦΟΔΡΑ
ΚΑΙΔΥϹΚΟΛΟϹΠΡΟϹΑΠΑΝΤΑϹ·ΟΥΧΑΙΡΩΝΤΟΧΛΩΙ
ΟΧΛΩΙΛΕΓΩΖ[ ]ΝΟΥΤΟϹΕΠΙΕΙΚΩϹΧΡΟΝΟΝ
ΠΟΛΥΝΛΕΛΑ[ ]ΗΚΕΝΗΔΕΩϹΕΝΤΩΙΒΙΩΙ
ΟΥΔΕΝΙ·ΠΡΟϹΗΓΟΡΕΥΚΕΠΡΟΤΕΡΟϹΔΟΥΔΕΝΑ
ΠΛΗΝΕΞΑΝΑΓΚΗϹΓΕΙΤΝΙΩΝΠΑΡΙΩΝΤΕΜΕ
ΤΟΝΠΑΝΑ·ΚΑΙΤΟΥΤΕΥΘΥϹΑΥΤΩΙΜΕΤΑΜΕΛΕΙ
ΕΥΟΙΔΟΜΩϹΟΥΝΤΩΙΤΡΟΠΩΙΤΟΙΟΥΤΟϹΩΝ
ΧΗΡΑΝΓΥΝΑΙΚΕΓΗΜΕΤΕΤΕΛΕΥΤΗΚΟΤΟϹ
ΑΥΤΗΙΝΕΩϹΤΙΤΟΥΛΑΒΟΝΤΟϹΤΟΠΡΟΤΕΡΟΝ·
ΥΙΟΥΤΕΚΑΤΑΛΕΛΕΙΜΜΕΝΟΥΜΙΚΡΟΥΤΟΤΕ·
ΤΑΥΤΗΙΖΥΓΟΜΑΧΩΝΟΥΜΟΝΟΝΤΑϹΗΜΕΡΑϹ
ΕΠΙΛΑΜΒΑΝΩΝΔΕΚΑΙΤΟΠΟΛΥΤΗϹΝΥΚΤΟϹΜΕΡΟϹ
ΕΖΗΚΑΚΩϹ·ΘΥΓΑΤΡΙΟΝΑΥΤΩΙΓΙΝΕΤΑΙ·
ΕΤΙΜΑΛΛΟΝ·ΩϹΔΗΝΤΟΚΑΚΟΝΟΙΟΝΟΥΘΕΝΑΝ
ΕΤΕΡΟΝΓΕΝΟΙΘΟΒΙΟϹΤΕΠΙΠΟΝΟϹΚΑΙΠΙΚΡΟϹ
ΑΠΗΛΘΕΠΡΟϹΤΟΝΥΟΝΗΓΥΝΗΠΑΛΙΝ
ΤΟΝΠΡΟΤΕΡΟΝΑΥΤΗΙΓΕΝΟΜΕΝΟΝ·ΧΩΡΙΔΙΟΝ
ΤΟΥΤΩΔΥΠΑΡΧΟΝΗΝΜΙΚΡΟΝΕΝΘΑΔΕ
ΕΝΓΕΙΤΟΝΩΝ·ΟΥΔΙΑΤΡΕΦΕΙΝΥΝΚΑΚΩϹ
ΤΗΝΜΗΤΕΡΑΥΤΟΝ·ΠΙϹΤΟΝΟΙΚΕΤΗΝΘΕΝΑΜΑ
ΠΑΤΡΩΙΟΝ·ΗΔΗΔΕϹΤΙΜΕΙΡΑΚΥΛΛΙΟΝ
ΟΠΑΙϹΥΠΕΡΤΗΝΗΛΙΚΙΑΝΤΟΝΝΟΥΝΕΧΩΝ
ΠΡΟΑΓΕΙΓΑΡΗΤΩΝΠΡΑΓΜΑΤΩΝΕΜΠΕΙΡΙΑ
ΟΓΕΡΩΝΔΕΧΩΝΤΗΝΘΥΓΑΤΕΡΑΥΤΟϹΖΗΙΜΟΝΟϹ
ΚΑΙΓΡΑΥΝΘΕΡΑΠΑΙΝΑΝ·ΞΥΛΟΦΟΡΩΝϹΚΑΠΤΩΝΑΕΙ
ΠΟΝΩΝ·ΑΠΟΤΟΥΤΩΝΑΡΞΑΜΕΝΟϹΤΩΝΓΕΙΤΟΝΩΝ
ΚΑΙΤΗϹΓΥΝΑΙΚΟϹΜΕΧΡΙΧΟΛΑΡΓΕΩΝΚΑΤΩ
ΜΙϹΩΝΕΦΕΞΗϹΠΑΝΤΑϹ·ΗΔΕΠΑΡΘΕΝΟϹ
ΓΕΓΟΝΕΝΟΜΟΙΑΤΗΙΤΡΟΦΗΙΤΙϹ·ΟΥΔΕΕΝ
ΕΙΔΥΙΑΦΛΑΥΡΟΝ·ΤΑϹΔΕϹΥΝΤΡΟΦΟΥϹΕΜΟΙ
ΝΥΜΦΑϹΚΟΛΑΚΕΥΟΥϹΕΠΙΜΕΛΩϹΤΙΜΩϹΑΤΕ
ΠΕΠΕΙΚΕΝΑΥΤΗϹΕΠΙΜΕΛΕΙΑΝΕΧΕΙΝΤΙΝΑ
ΗΜΑϹ·ΝΕΑΝΙϹΚΟΝΤΕΚΑΙΜΑΛΕΥΠΟΡΟΝ
ΠΑ[ ]ΓΕΩΡΓΟΥΝΤΟϹΤΑΛΑΝΤΩΝΚΤΗΜΑΤΑ
[ ]ΝΘΑΠΟΛΛΩΝ·ΑϹΤΙΚΟΝΤΗΙΔΙΑΤΡΙΒΗΙ
[ ]Τ·ΕΠΙΘΗΡΑΝΜΕΤΑΚΥΝΗΓΕΤΟΥΤΙΝΟϹ
[ ]ΚΑΤΑΤΥΧΗΝΠΑΡΑΒΑΛΟΝΤΕΙϹΤΟΝΤΟΠΟΝ
[ ]ΕΧΕΙΝΠΩϹΕΝΘΕΑϹΤΙΚΩϹΠΟΙΩ·
[ ]ΤΑΚΕΦΑΛΑΙΑΤΑΚΑΘΕΚΑϹΤΑΔΕ
[ ]ΕΑΝΒΟΥΛΗϹΘΕ·ΒΟΥΛΗΘΗΤΕΔΕ
[ ]ΠΡΟϹΙΟΝΤΟΡΑΝΔΟΚΩΜΟΙΤΟΥΤΟΝΙ

76 Menandros, ›Dyskolos‹, Papyrus, 3. Jh. (Nr. 54)

Aufklärung und Religionskritik, nicht mehr aus den Entschlüssen mythischer, doch allzusehr nach Menschenmaß gedachter olympischer Gottheiten, sondern als Wirkung der allmächtigen Göttin Tyche (Zufall).

Die neuen Verhältnisse führten zu tiefgreifenden Wandlungen auch in den künstlerischen und literarischen Ausdrucksformen: Die Neue Komödie der griechischen Literatur des Hellenismus hat mit der Alten Komödie des Aristophanes, die sich mit tagesaktuellen Invektiven und dionysisch-groteskem Spiel als moralische Satire in die Politik Athens eingeschaltet hatte, nur noch den Namen gemeinsam: Inhalte und Formen sind vollkommen verändert. Die Handlung bezieht sich nicht mehr auf die öffentlichen Angelegenheiten der Polis nach dem athenischen Modell vor dem Siegeszug Alexanders, sondern auf die Konflikte der privaten Existenz: Der Zusammenprall gegensätzlicher Temperamente, Streit der Nachbarn, Auseinandersetzungen zwischen Vater und Sohn, Liebeskummer und Eifersucht, Kindesaussetzungen und Wiedererkennen, der Kontrast von Stadt und Land – das sind die neuen Vorwürfe der komischen Bühnendichtung.

Nicht minder staunenerregend als um die homerischen Werke, in denen die Gattung des Epos mit einem Male in ihrer Vollkommenheit erscheint, ist es um die Neue Komödie bestellt, die nicht in langsamer Entwicklung herangereift, sondern beinahe aus dem nichts – sieht man von einigen Elementen in der Kunst des Euripides (vgl. Nr. 53) einmal ab – ohne Vorbild plötzlich da ist. Als ihr bedeutendster Kopf wurde zwar nicht gleich von seinen Zeitgenossen, aber bald nach seinem Tod 291/290 der athenische Dichter Menander angesehen. So hoch stieg sein Ruhm, daß ihn Aristophanes von Byzanz, der im 2. Jahrhundert v. Chr. die Bibliothek in Alexandria leitete, als den zweiten großen Dichter der Griechen neben Homer stellte. Nahezu alle wesentlichen Motive und formalen Elemente, welche die abendländische Lustspieltradition prägen, sind bei Menander vor-, ja recht eigentlich ausgebildet: die souveräne Überlegenheit des treuen Dieners über die Herrschaft; der guten Hetäre über den Ehrenmann, wenn es Intrigen zu spinnen und Konflikte zu lösen gilt; die Verwechslung als Mittel, dramaturgische Knoten zu schürzen; Geld und Liebe oder Liebe im Kampf mit Geld als bevorzugte Themen; einfache Leute als Personal; auch der konsequent fünfaktige Aufbau des Dramas. Schließlich verdankt das Theater diesem Dichter das verhinderte Liebespaar, das nach Überwindung vieler Hemmnisse die Hochzeit feiern darf – eine Erfindung, die aus der Geschichte der Komödie nicht wegzudenken, im 20. Jahrhundert dem Film nicht weniger nützlich als der Bühne gewesen ist und für die noch die trivialste Daily Soap Opera Dank wissen müßte, wenn nur alles nach der Ordnung zuginge. Aber dies gerade ist die Botschaft von Menanders Kunst, daß Ordnung allein die menschlichen Dinge nicht regiert und daß mitfühlende Nachsicht mit den regelwidrigen Schwächen der anderen üben muß, wer nicht an seinen eigenen scheitern will: Zu Humanität und Großzügigkeit mahnen die durchkomponierten Stücke, indem sie den deformierten Charakter dem Gelächter preisgeben, um ihn zu guter Letzt wieder mit der Gesellschaft, die Gesellschaft mit ihm zu versöhnen.

Auch die aller Lustspieldichtung unentbehrlich gewordene Technik, Konflikte aus dem Anstoß zu entwickeln, den ein Charaktertyp in der Gesellschaft erregt – beispielhaft sei nur an die Habgierigen von Molières ›L'Avare‹ bis zu Carl Sternheim ›Kassette‹ erinnert – ist bei Menander meisterhaft ausgeprägt. Oft tragen seine Stücke Titel, die auf einen solchen Typus oder eine vorherrschende Eigenschaft der Hauptfigur deuten: »Der Schmeichler«, »Der Zorn«. In dieser Wendung zur Psychologie spiegelt sich der Unterricht, den Menander bei seinem Lehrer Theophrast genossen hat, der in der Nachfolge des Aristoteles die Leitung der peripatetischen Philosophenschule innehatte. In seinem Buch ›Charaktere‹ bietet Theophrast eine witzige Typologie verschrobenen Verhaltens – z. B.: »Der Mißtrauische: Das Mißtrauen ist natürlich ein Verdacht der Unredlichkeit gegen alle, der Mißtrauische aber ist einer, der einen Sklaven Lebensmittel kaufen schickt und einen anderen Sklaven hinterhersendet, der erfahren soll, wieviel es gekostet hat. [. . .] Seine Frau fragt er, während er schon im Bett liegt, ob sie die Geldtruhe verschlossen habe, ob der Becherschrank versiegelt und der Riegel vor das Hoftor gelegt sei, und wenn sie es bejaht, erhebt er sich dennoch nackt vom Lager und barfuß, mit der Laterne in der Hand, läuft er überall umher und sieht nach, und auf diese Weise kommt er kaum zum Schlafen« (Übers. Dietrich Klose). Elias Canetti ist mit seiner kleinen Sammlung ›Der Ohrenzeuge‹ (1974) auf den Spuren Theophrasts gewandelt.

Mit dem Philosophen Epikur soll der 342/341 v. Chr.. geborene junge Menander den militärischen Ephebendienst abgeleistet haben, Spuren epikuräischer Lehre finden sich in seinem Werk jedoch nicht. Mit hohem Sinn für die szenische Architektur begabt, war Menander, wie alle großen Dramatiker des Altertums, auch in quantitativer Hinsicht ein tüchtiger Stückeschreiber und brachte es in gut drei Jahrzehnten, die ihm zur Produktion vergönnt waren, auf immerhin 108 Komödien. Von seiner Schaffensweise handelt eine Anekdote, die Plutarch überliefert: Auf die Mahnung eines Freundes, er habe seine Komödie für das bevorstehende Fest der Dionysien noch nicht fertig, soll Menander geantwortet haben: »Aber ich habe sie ja fertig! Der Handlungsplan ist durchgestaltet. Ich muß nur noch die Verslein hinzuträllern« (Übers. Wolfgang Schadewaldt).

Um ein kleines wäre von der altgriechischen Literatur, deren Kenntnis wir dem Eifer der byzantinischen Philologen des Mittelalters verdanken, kaum etwas auf uns gekommen. Denn die beiden »dunklen« Jahrhunderte von 650 bis 850, »eine Zeit der Erschlaffung und Verödung, in der nur die kirchliche Literatur und Bildung weiterblühte« (Hartmut Erbse), steuerte in ein kulturelles Debakel: Kaiser Leo III. (717-741) aus dem Hause der Isaurier wehrte zwar den ersten Ansturm der Araber auf das Reich am Bosporus ab, legte jedoch mit der Schließung der Hochschule von Konstantinopel Hand an die griechischen Wurzeln der oströmischen Kultur. Von 726 bis 842 waren Bibliotheken und Texte der Raserei von Bilderstürmern ausgesetzt. Ermöglicht hat die Rettung im letzten Moment Michael III., indem er die Universität wieder öffnete, bewirkt hat sie der große Gelehrte und Kirchenfürst Photios mit seinen Schülern. Sie übertrugen in die neue Form der Minuskelschrift, edierten und kommentierten die alten Werke, derer sie noch habhaft werden konnten: Keine der Komödien Menanders jedoch war darunter.

Erst im 20. Jahrhundert wurde es möglich, sich vom Schaffen dieses Dichters wieder eine zutreffende Vorstellung zu machen. Dazu bedurfte es eines »jener Zufälle – oder natürlichen Wunder, an denen es auch im Gang der Geschichte nicht ganz fehlt«, nämlich des glücklichen Umstandes, daß die »erhaltende Kraft des trockenen ägyptischen Sandes das wieder gut [machte], was menschliche Nachlässigkeit und Ungunst der Zeiten versäumt hatten« (Wolfgang Schadewaldt). Außer zahlreichen Bruchstücken, vor allem sententiösen Einzelversen, kannte man im Spiegel der freien Bearbeitungen durch die römischen Komödiendichter Plautus und Terenz lediglich in Umrissen die Handlung von neun Theaterstücken Menanders, ehe 1905 in einem Codex in Kairo zwei Drittel des Textes der ›Epitrepontes‹ (›Das Schiedsgericht‹) entdeckt wurden. Doch erst infolge des Erwerbs mehrerer neuentdeckter Papyri mit weiteren Komödien durch Martin Bodmer ist das Werk als eines von jenen »Einzelelementen vor unseren Blicken« aufgetaucht, aus denen sich »das mächtige Ganze [aufbaut], das die Schriftkultur des Abendlandes darstellt« (M. Bodmer).

Der ›Dyskolos‹ (›Der Griesgram‹), ein Jugendwerk aus dem Jahre 317 v. Chr., ist im Papyrus der Bodmeriana nahezu vollständig überliefert. Das Stück beginnt mit einem Prolog des Gottes Pan, der das Publikum auf das Milieu vorbereitet, in dem die Handlung spielt: Ein mißmutiger, alle Kontakte meidender Bauer namens Knemon wird von seiner Abneigung gegen die Mitmenschen geheilt und zu der Einsicht geführt, wie gefährlich ein vollkommen isoliertes Leben ist: Ein junger Mann aus der Stadt rettet ihm das Leben, als er in einen Brunnen gestürzt ist, und gewinnt so die Einwilligung zur Heirat mit der Tochter des Alten, in die sich der Retter auf Veranlassung des Gottes Pan verliebt hatte. Den Schluß des Stückes bildet eine Szene, in welcher ein Koch und ein Sklave, die der nunmehr »resozialisierte« Knemon einst nach Kräften malträtiert hatte, in einer noch an alte, auch kultische Verfoppungsbräuche erinnernden Art sich an ihrem Herrn rächen, indem sie ihn im Schlaf mitsamt seinem Bett zuerst vor die Haustür tragen, dann laut ans Tor poltern und ihn aus dem Haus herausrufen. Bewundernswert, was Menander mit einem einzigen Requisit erreicht: »Was die Handlung einzig vorwärts bringt, ist ein Brunnen, in den nacheinander ein Eimer, eine Haue und Knemon selbst fallen« (Walther Kraus). In diesem Stück, das schon im Altertum den Paralleltitel ›Misanthropos‹ (›Der Menschenfeind‹) trug, haben alle Menschenfeinde späterer Lustspiele ihren Ursprung: von Shakespeares ›Timon von Athen‹ über Molières ›Misanthrope‹ bis zum ›Schwierigen‹ Hofmannsthals.

Anhand der Schrift ist das von Martin Bodmer erworbene Exemplar des ›Dyskolos‹ etwa um die Mitte des 3. Jahrhunderts n. Chr. zu datieren. Es handelt sich um die seltene Form eines Codex aus Papyrus. Gerade erst begann – vor allem bei den Bibelmanuskripten – der Codex, der uns geläufige Typus des aufzublätternden Buches, sich gegen die überkommene Papyrusrolle durchzusetzen, deren Gebrauch durch das Auf- und Abwickeln weit unbequemer war. In der Regel jedoch verband sich die neue Buchform auch mit einem neuen Beschreibstoff, dem Pergament, das bis ins späte Mittelalter der mit Abstand wichtigste Textträger blieb.

In den Stücken seiner Reifejahre hat Menander die Exposition aus dem Prolog einer Person in den Rollendialog verlegt, auch das Spiel mit der Sprache ironisch verfeinert. Die ›Samia‹ (›Die Frau aus Samos‹) lebt von ständigen sprachlichen Mißverständnissen, ist geradezu ein Konversationsstück: Gleich mehrfach verzögert wird die allseits gewünschte Heirat des Sohnes mit der Tochter des Nachbarn, die von dem jungen Mann bereits schwanger ist; mit knapper Not nur gelingt es der fürsorglichen Hetäre, nicht selbst zum unschuldigen Opfer von Mißdeutungen zu werden. Die ›Epitrepontes‹ – das Stück könnte genausogut den Titel ›Der Selbstgerechte‹ tragen – handelt von der Ehekrise eines jungen Paares, da der Mann ein fünf Monate nach der Hochzeit geborenes Kind zunächst für die Frucht eines Fehltritts der Frau hält, bis sich – dank den Enthüllungen einer Hetäre – herausstellt, daß der Gekränkte es selbst gezeugt hatte, als er in Trunkenheit der Mutter vor der Hochzeit Gewalt angetan hatte. (Der Motivkern begegnet in Montaignes Essai über die Trunksucht, von dort hat ihn Heinrich von Kleist für seine Novelle ›Die Marquise von O . . .‹ bezogen.)

Den für die Alte Komödie typischen Chor hat Menander aufgegeben, statt dessen sind zwischen die Akte musikalisch-tänzerische Einlagen getreten – in frappierender Vorwegnahme der Aufführungspraxis der französischen comédie-ballet eines Molière (vgl. Nr. 64), von dem die verbreiteten Ausgaben, die nur den Text der Szenen enthalten, einen ganz falschen Eindruck vermitteln. Als Goethe die 1823 von dem Philologen August Meineke veröffentlichten Fragmente gelesen hatte, bemerkte er gegenüber Eckermann: »Von Menander kenne ich nur die wenigen Bruchstücke, aber diese geben mir von ihm gleichfalls eine so hohe Idee, daß ich diesen großen Griechen für den einzigen Menschen halte, der mit Molière wäre zu vergleichen gewesen« (12. Mai 1825). Die von Goethe intuitiv erfaßte Nähe der beiden Komödiendichter hat ein festes überlieferungsgeschichtliches Fundament in der reichen Adaption menandrischer Kunst durch die römischen Komödiendichter Plautus und Terenz, aus denen wiederum Molière vielfach unmittelbar geschöpft hat.

Viele Sentenzen aus den Fragmenten sind zu geflügelten Worten geworden, so die unüberholbare pädagogische Maxime: »Ein Mensch, der nicht geschunden wird, wird nicht erzogen«, oder der Ausspruch, der als Motto auch über allen Komödien des Dichters stehen könnte: »Wie liebenswürdig doch ein Mensch ist, wenn er nichts als ein Mensch ist«; schließlich: »Wen die Götter lieben, verstirbt jung«, ein Wort, das man auf seinen Urheber selbst, der gerade zweiundfünfzigjährig bei einem Badeunfall in Piräus ums Leben kam, so gern beziehen möchte wie auf seinen Nachfolger in der Musik: Mozart. Mit hoher Sensibilität für die unsichtbaren Fäden zwischen den verschiedenen Künsten notierte der Romdeutsche Ludwig Curtius, den die Nationalsozialisten aus dem Amt des Direktors des Deutschen Archäologischen Instituts vergrault hatten, einmal in seinem Tagebuch: »Nach einer vorzüglichen Aufführung von ›Cosi fan tutte‹: Antike, Erbgut aus Menander.«

H.-A.K.

Lit.: Zur Erstausgabe des Papyrus Bodmer IV (1958) vgl. die Bibliographie der Schriften der Bibliotheca Bodmeriana – Menander, Der Menschenfeind (Dyskolos). Hrsg. von Walther Kraus. Zürich, Stuttgart: Artemis 1960 – Menander, Der Menschenfeind. Das Schiedsgericht. Mit einem Nachwort von Wolfgang Schadewaldt. Frankfurt a.M.: S. Fischer 1963 – Bernhard Zimmermann, Die griechische Komödie. Düsseldorf, Zürich: Artemis und Winkler 1999

55* **Lucius Annaeus Seneca (um 4 v. Chr. – 65 n. Chr.)**

›Tragoediae‹

Ms. Norditalien, zwischen 1380 und 1400, Latein. Pergament

30,3 x 20,8 cm, 123 nn. Bll.

CB 152. Bodmeriana, Mss. latins, S. 358–360

BUCHSCHMUCK: *10 große Initialen in Gold und Farben; kleinere Fleuronné-Initialen in rot und blau*

EINBAND: *Kalbsleder, modern*

PROVENIENZ: *vor 1947. Bodmer, Weltliteratur, S. 52*

Lucius Annaeus Seneca, der bekannteste römische Philosoph und Tragödiendichter, ist etwa um die Zeitwende im spanischen Corduba (Córdoba) geboren und im Jahre 65 n. Chr. bei Rom gestorben. Er entstammt einer angesehenen römischen Ritterfamilie. Die Mutter, Helvia, ist eine gebildete Frau, sein altrömisch empfindender, der Philosophie abgeneigter Vater (Seneca »der Ältere«, fälschlich auch »Seneca Rhetor« genannt) ein Bewunderer eleganter Rhetorik und ein Meister der Gedächtniskunst, dessen ›Controversiae‹ und ›Suasoriae‹ wir fesselnde Porträts und Textproben bedeutender Redner der augusteischen Zeit verdanken – auch solcher des geistigen Widerstandes. Ein Bruder des Philosophen, Gallio, kommt als römischer Beamter mit dem Apostel Paulus in Berührung (Apostelgeschichte 18, 12–17). Lucanus, der größte römische Epiker nach Vergil und der bedeutendste Kritiker Caesars, ist Senecas Neffe: er fällt in der Blüte der Jugend dem Haß Neros zum Opfer. Früh nach Rom gekommen, erhält Seneca eine umfassende Bildung und entscheidet sich mit zwanzig Jahren für die senatorische Laufbahn. Doch wegen einer chronischen Erkrankung der Atemwege ist er gezwungen, längere Zeit in Ägypten zu verbringen, wo er sich naturwissenschaftlichen und kulturphilosophischen Studien zuwendet. Es folgen mehrere Jahre erfolgreichen poetischen Wirkens, doch die Winke des Schicksals, die Toga mit dem philosophischen Mantel zu vertauschen, setzen sich fort: Den allzu glänzenden Redner will Caligula aus Neid hinrichten lassen, was eine Favoritin des Kaisers durch die Bemerkung verhindert, der kranke Gelehrte werde sich doch ohnehin bald zu Tode husten. Die Lust am Plädieren muß Seneca damals trotzdem vergangen sein. Die Unterstellung unerlaubter Beziehungen zu ei-

ner der Schwestern des Kaisers führt schließlich zur Verbannung Senecas nach Korsika. In der hier entstandenen großartigen ›Trostschrift an Helvia‹ spricht der Verbannte zu seiner Mutter als ein zu Lebzeiten Verstorbener. Die ehrenvolle Rückkehr und die Berufung zum Erzieher Neros bringen Seneca hohes Ansehen und dem römischen Imperium fünf glückliche Jahre, denn nun leitet der Philosoph zusammen mit dem Prätorianerpräfekten Burrus die Geschicke des Reiches. Nach dessen Tod (62) kommt auch für Seneca der Rückzug aus dem öffentlichen Leben. Jetzt entstehen zahlreiche Schriften, darunter die ›Briefe an Lucilius‹, eines seiner Hauptwerke. Im Jahre 65 wird Seneca der Teilnahme an der pisonischen Verschwörung bezichtigt und zum Selbstmord gezwungen. Der Bericht des Tacitus zeigt, daß sich Seneca auch in seinen letzten Stunden in die Nachfolge des Sokrates gestellt hat. Nicht

77 Seneca, ›Tragoediae‹, Ms., 14. Jh. (Nr. 55)

ohne Grund zeigt eine antike Doppelherme auf der einen Seite Sokrates, auf der anderen Seneca.

Die Sammlung Bodmer schließt Überlieferungsträger zu zwei umfangreichen und besonders wichtigen Corpora aus Senecas Schriften ein: die ›Moralischen Briefe‹ an Lucilius und die ›Tragödien‹. Beides sind Grundtexte der europäischen Kultur, neben denen noch die ›Naturales quaestiones‹ und die ›Dialogi‹ zu nennen sind. (Den besonders wirkmächtigen Fürstenspiegel ›Über die Milde‹ gab u. a. der damals noch katholische Calvin heraus, um König Franz gegen die Hugenotten gnädig zu stimmen.) Schon 1928 hatte Martin Bodmer den ersten von Blasius Romerus besorgten und in der Offizin von Matthias Moravus 1475 in Neapel hergestellten Druck der ›Opera philosphica et epistolae‹ erworben. Das Buch mit großen gerundeten Typen gilt nicht nur als das Hauptwerk des Morvaus, sondern des gesamten neapolitanischen Frühdrucks schlechthin. Im Besitz der Bibliothek befindet sich ferner eine Straßburger Inkunabel (ca. 1475) von Adolf Rusch mit den ›Epistolae ad Lucilium‹, die ausweislich eines Besitzeintrags auf dem hinteren Spiegelblatt im 15. Jahrhundert dem Kloster Tegernsee gehört hat, wo auch der mit einfacher Streicheisenverzierung geschmückte Einband angefertigt worden sein dürfte. Die Tragödien sind nicht nur durch die editio princeps des Ferraresers Andreas Belfortis (1484) vertreten, sondern durch eine reich illuminierte Pergamenthandschrift des 14. Jahrhunderts in gotischer Buchschrift von einer einzigen Hand. Die Initialen am Anfang der Tragödien sind jeweils als Illustrationen einer Szene aus dem Werk gestaltet. Das Manuskript gehört zur sog. Klasse A der Überlieferung, von der zwar nur späte Vertreter seit dem 14. Jahrhundert existieren, die jedoch auf eine Ausgabe des 4. Jahrhunderts zurückgeht und deswegen selbständigen Überlieferungswert besitzt. Nur die Handschriften der Familie A enthalten neben den neun Tragödien Senecas auch die ihm fälschlich zugeschriebene »Praetexta Octavia«, die einzige vollständig auf uns gekommene Tragödie mit römischem Stoff. Sie handelt vom Aufstand des Volks, als Nero seine Gattin Octavia verstoßen will, um Poppaea zu heiraten, und weissagt das Ende des Kaisers unter Bezug auf zeitgeschichtliche Ereignisse, also ex eventu.

Die ›Moralischen Briefe an Lucilius‹ stellen der Form und dem Inhalt nach ein Novum dar, denn sie literarisieren den Brief und machen diese Gattung als »Dialog mit einem Abwesenden« oder als »halbierten Dialog« zu einem Instrument philosophischer Erziehung und Selbsterziehung. Der kurze Sätzchen bevorzugende, doch nur scheinbar »einfache«, in Wahrheit höchst geschliffene und pointenreiche Stil begründet eine neue Prosa, die sich vom »kontemplativen« ciceronischen Periodenbau entfernt und darauf ausgeht, den Willen des Lesers zu aktivieren. Seneca wird in der Neuzeit dazu beitragen, den Prosastil der modernen Sprachen vom Ciceronianismus zu befreien. Der Inhalt der ›Moralischen Briefe an Lucilius‹ ist an der Lebenspraxis orientiert und versucht, die Pedanterie der stoischen Schulphilosophie zu vermeiden. Fern allen dialektischen Spielereien und allem lebensfremden moralischen Rigorismus kämpft Seneca, wie man heute sagen würde, für eine maßvolle »innerweltliche Askese«, etwa im Sinne eines Franz von Sales. Seine rational gesteuerte Erziehung bedient sich vor allem verbaler Selbstbeeinflussung (daher auch seine Vorliebe für die Sentenzform). Es geht ihm um die Verwandlung (*transfigurari*) des Menschen durch das Wort. Die Techniken stellt ihm die Rhetorik bereit (allgemein: argumentative Denkstrukturen, im Detail: anschauliche Vorstellung bis in alle Einzelheiten, Vergleiche, Überbietungen, Umwertung durch Austausch benachbarter Begriffe [etwa: schlank / mager; zierlich / klein]). Mit dem politischen Funktionsverlust der öffentlichen Rede unter der Monarchie geht bei Seneca die Privatisierung und Verinnerlichung der Rhetorik parallel. In späteren Zeiten werden die Methoden Senecas, z. B. in der christlichen Predigt und in den Exerzitien, immer wieder neu entdeckt. Seneca zählt zu den wenigen antiken Philosophen, welche die praktische Orientierung und das dialogische Element im Wirken des Sokrates verstanden und ernst genommen haben. In dieser Beziehung hat der Römer Seneca Sokrates besser verstanden als so mancher Vertreter der griechischen und der neueren Schulphilosophie. In der Neuzeit sind, vor allem dank dem Wirken von Gelehrten wie Erasmus und Justus Lipsius, neben denen auch der Heidelberger Bibliothekar Gruterus zu nennen ist, zahlreiche undogmatische Kulturkritiker (»Moralisten« im französischen Sinne des Wortes) in seine Fußstapfen getreten: von Montaigne und Gracián bis hin zu Schopenhauer, Nietzsche und Kierkegaard. Seneca wird nicht müde, auf die Übereinstimmung von Worten und Taten zu dringen. Daß ihm selbst dies nicht restlos gelungen ist, gibt er freimütig zu, manche Leser haben ihm das übel genommen, andere, die sich ihrer eigenen Schwächen bewußt waren, fühlten sich gerade dadurch zu weiteren Anstrengungen ermutigt.

Senecas Tragödien sind die einzigen vollständig erhaltenen lateinischen Werke dieser Gattung aus der Antike. Entsprechend stark ist ihr Einfluß auf das europäische Theater gewesen, vor allem in der Zeit der Renaissance und des Barock. Die neuzeitliche europäische Komödie schult sich an Plautus und Terenz (die griechischen Originale waren ja verloren), die Tragödie zunächst überwiegend an Seneca (obwohl die griechischen Originale zugänglich waren). Das Drama um Hippolytus und Phaedra dient in der Neuzeit den Verfassern von Schuldramen als Vorbild für ihre Bearbeitungen der ähnlich verlaufenden biblischen Geschichte von Joseph und Potiphars Weib. Das Bühnenschaffen von Gryphius und Lohenstein ist ohne Seneca nicht vorstellbar. Gleiches gilt von Shakespeare. Martin Opitz schuf mit den ›Trojanerinnen‹ die erste deutsche Übersetzung einer Seneca-Tragödie; doch hat er sich bald auch Sophokles' ›Antigone‹ zugewandt. Unter den großen französischen Dramatikern ist der Jesuitenschüler Corneille der »Lateiner«, der Jansenistenschüler Racine der »Grieche«, doch hat gerade dieser in seiner ›Phèdre‹ die beiden bühnenwirksamsten Szenen (die Liebeserklärung und den Selbstmord) im Anschluß an Seneca gestaltet. Dieser Sachverhalt empfiehlt übrigens nicht, Senecas Tragödien als bloße Rezitationsdramen zu betrachten. Auch die Vorstellung, manche Szenen seien wegen ihrer Grausamkeit »unaufführbar«, ist durch das Theater des 20. Jahrhunderts längst Lügen gestraft worden.

Die Gestalten in Senecas Tragödien lassen sich nicht mit aristotelischen Kategorien des Tragischen erfassen. Fehlverhalten entspringt bei ihnen nicht einem Irrtum oder Denkfehler, der sie dem Zuschauer menschlich näher brächte, sondern einem bewußten Sich-Einarbeiten in die Rolle des Bösewichts. Man hat behauptet, Senecas Medea habe die ›Medea‹ des Euripides gelesen. Daran ist soviel wahr, daß sie sich vornimmt, »Medea zu werden«. Die Methoden der Einübung negativen Verhaltens bilden dabei ein perfektes Seitenstück zu den positiven Meditationen in den philosophischen Schriften, in diesem Sinne entspricht die vielgelästerte »Rhetorisierung« der Tragödie bei Seneca einer inneren Notwendigkeit. Dabei handelt es sich nicht um »Lehrstücke« im trivialen Sinne, sondern um eine Auslotung der fast grenzenlosen Möglichkeiten des Menschen, sofern er Verstand und Willen bewußt koordiniert. Die titanischen Helden Senecas gehören zum Bild der neronischen Rache; darüber hinaus entwerfen sie das zeitlose Porträt einer unerlösten Menschheit. Beide Werkgruppen Senecas verbindet die Vorstellung der Selbstverwandlung des Menschen durch das Wort.

In Deutschland hat Seneca am umfassendsten bei Opitz fortgewirkt. Sein Schaffen spiegelt mit gleicher Intensität Senecas ›Tragödien, moralische Schriften und Briefe‹ sowie die ›Naturwissenschaftliche Probleme‹ (vgl. Opitzens gedankenreiches Gedicht über den Vesuvausbruch vom 16. 12. 1631). Unübersehbar groß ist der Einfluß auf das Barockdrama. Der Philosoph, der auf der Praxis bestand, war auch selbst als Bühnenfigur geeignet. Die unter Senecas Namen überlieferte ›Octavia‹, die aber erst nach seinem Tod entstanden ist, strahlt aus auf die Oper (Monteverdis ›L'incoronazione di Poppea‹); Ewald von Kleist gestaltet Senecas Tod als Freundschaftsdrama, während Peter Hacks den Stoff geistvoll als Tragikomödie verfremdet. Goethe würdigt vor allem Senecas wissenschaftlichen Zugang zur Natur und sein Beharren auf dem Kausalitätsgesetz (›Materialien zur Geschichte der Farbenlehre‹, einschließlich der ›Paralipomena‹) und achtet auch Senecas Bescheidenheit: wie in den ›Moralischen Briefen‹ legt Seneca auch in der Naturwissenschaft das Schwergewicht auf das langsame, allmähliche Fortschreiten in der Erkenntnis. Goethe hat verstanden, daß hier ein Prinzip auf das Buch der Natur angewandt wurde, das auch für seinen eigenen Werke gelten konnte (»Eleusis hebt stets noch etwas auf, um es denen zu zeigen, die es wieder besuchen« *Eleusis servat, quod ostendat revisentibus*). M.v.A.

Lit.: Margarethe Billerbeck, Eine übersehene Handschrift der Seneca-Tragödien. Zum Cod. Bodmer 152. In: Museum helveticum 49 (1992), S. 53–56 – Michael von Albrecht, Geschichte der römischen Literatur. 2. Aufl.; Bd. 2, München: Saur 1994 mit weiterer Literatur – Ivano Dionigi (Hrsg.), Seneca nella coscienza dell'Europa. Milano: Mondadori 1999

56 **Kanze Nobumitsu (1435–1516)**

›Ataka‹

Zehn Nô-Spiele, verfaßt von Kan.ami und Zeami [u. a.], Kyoto: Privatpresse des Koetsu Honami (1557–1637) um 1610. Seidenpapier mit Zeichnungen. Erstausgabe

24,3 x 18,1 cm, Heft 1: 21 nn. Bll., mit Musiknoten (Hefte 2–10 nicht ausgestellt)

EINBAND: *Hefte in jap. Seidenbrokathülle*

PROVENIENZ: *The Kobunso, Shigeo Sorimachi, Tokyo, 1962*

Wie der Vater so der Sohn: Kan.ami (1332? – 1384?) und Zeami (1363 – 1443) haben das Nô-Theater zur Perfektion entwickelt, das Musik, Tanz, Gesang und Poesie ins Theaterspiel integriert. Unter dem außergewöhnlichen Schutz des mächtigen und kultivierten shôgun Ashikaga Yoshimitsu hat diese Kunst auf Anhieb ihren Höhepunkt erreicht.

Unter der Herrschaft der Krieger, die sich zu Ende des 12. Jahrhunderts festigte, ist viel Blut geflossen. Noch mehr Blut floß später nach der Mitte des 14. Jahrhunderts. Die Nô-Spiele entwickelten sich in den letzten Jahren des 14. und dem Beginn des 15. Jahrhunderts gleich einer seltenen Blume, die im Grenzbereich zwischen Tod und Leben erblüht. Ob es nur Zufall ist, wenn ein Nô-Spiel im Rahmen der gegenwärtigen Welt zu spielen beginnt, dann die andere Welt heraufbeschwört, bevor sie gleich einem Traum verschwindet? Das heutige Repertoire enthält ungefähr 240 Stücke, von denen etwa die Hälfte Zeami zum Verfasser hat.

Das vorliegende Werk mit dem Titel ›Ataka‹ stammt von Kanze Nobumitsu, einem Nachfahren des Neffen von Zeami. Es berichtet vom tragischen Schicksal eines jungen Kriegers, Yoshitune, der von seinem Bruder Yoritomo verfolgt wird, der eine Militärregierung in Kamakura begründet, und der dortigen Herrschaft des Kaiserhofs und der aristokratischen Familien ein Ende bereitet hat. Die Beziehung zwischen diesen beiden historischen Persönlichkeiten (Bruderschaft gefolgt von Brudermord) hat später viele andere Verfasser inspiriert. ›Ataka‹ wird noch heute besonders geschätzt, vorab wegen der Szene einer fingierten Grausamkeit durch Benkei, treuen Diener des Yoshitsune, der gegen seinen Willen seinen jungen Herrn foltert, um die Identität von Beiden vor den aufmerksamen Blicken ihrer Feinde geheim zu halten. M.N.

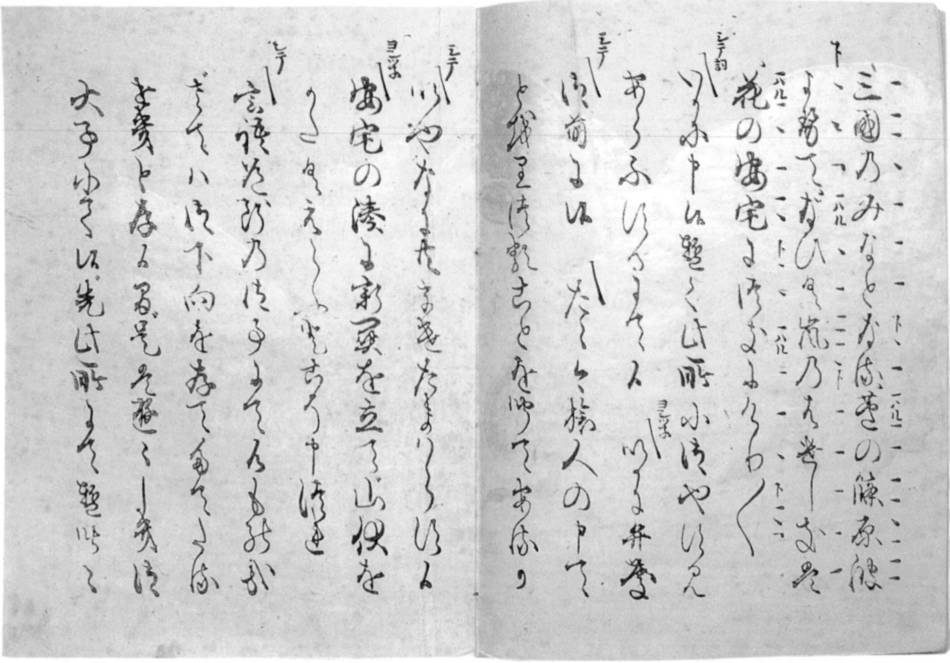

安宅

57 **Lope Felix de Vega Carpio (1562–1635)**

›Historia de Barlan y Josafa‹

Ms. autogr., signiert, datiert: »Madrid a primero de febrero de 1611«

21,5 x 15,9 cm, 57 Bll. geheftet

EINBAND: *Halbleder-Kassette*

PROVENIENZ: Robinson, London, 1963

»Wenn Euer Blut Euch dazu neigen läßt, Verse zu dichten (Gott möge Euch davor bewahren!), so tragt Sorge, daß dies nicht Eure Hauptbeschäftigung wird. [...] Nehmt nur mich als Beispiel. [...] Ich besitze nur ein armseliges Haus, ein armseliges Bett, einen mageren Tisch und einen kleinen Garten«, warnte Lope de Vega seinen Sohn. Zumindest das armselige Bett dürfte den Dichter kaum geschmerzt haben, da er es nicht allzuoft benutzt haben kann. Die Zahl seiner Amouren muß – dem übereinstimmenden Zeugnis der zeitgenössischen Quellen zufolge – die seiner Werke noch überschritten haben. Diese soll sich auf rund 1500 *comedias* und 400 *autos sacramentales* (vgl. Nr. 58) belaufen haben, und immerhin sind knapp 500 Stücke von ihm erhalten. Er hat sich öffentlich gerühmt, daß er ein neues Stück oft in ein paar Stunden verfertigt habe. Und das Gesamtwerk des »Fénix de los Ingenios« erschöpft sich nicht einmal in dieser gewaltigen dramatischen Produktion, der noch zahlreiche Versepen, Romane und Gedichte hinzugerechnet werden müssen.

78/79 Nô-Spiel ›Ataka‹, Text mit Noten; Seidenpapiereinband, um 1610 (Nr. 56)

Welch ein Leben, gegen das Falstaff ein Klausnerdasein geführt hat! Außer Schreibtisch und Bühne hatten darin Platz: Entführungsgeschichten, Verleumdungsaffären, Intrigen, Teilnahme an der verlorenen Schlacht der spanischen Armada 1588, Ghostwriting für die Herzenskorrespondenz eines Granden, Spitzeldienste für die Inquisition, Teilnahme an Sitzungen der Akademie – das Leben »des bezaubernden Lope de Vega« (Hugo von Hofmannsthal) malt uns vom spanischen siglo d'oro nicht ein Bild in gedämpften Farben wie bei Calderón, sondern eines aus Grelle, Prallheit und Widerspruch. Den Abend seiner Priesterweihe verbrachte er in den Armen einer Schauspielerin, die Trauerfeierlichkeiten für den 1635 Verstorbenen wurden von drei Bischöfen geleitet und dauerten sieben Tage.

Auf den folgenden Seiten: 80/81 Lope Felix de Vega, ›Historia de Barlan y Josafa‹, Doppelseite des Autographs (Nr. 57)

~~matte~~.

Maestros me ha dado aqui 1
que me enseñan que ay vn dios
autor de dos mundos 3a dos
los con el celeste | 3a ses ansi
dos | el celeste es ynvisible
aunque no sus luzes bellas
como sol luna y estrellas
pero el terrestre es visible
este quantos han nacido
le ven sino solo yo
que en naciendo me obligo
a que viviese escondido.
Caso estraño que he de ver
vna flor y preguntar
~~[illegible]~~
como se puede criar
y donde suele nacer
si me sirven a la mesa
vna fruta, o algun Abe
me ha de decir quien lo sabe
y aun de decirlo le pesa
el nombre y donde se cria
y pudiendolo yo ver
como ciego he de tener
la vista en la fantasia
siempre he de andar con lo
no vere que es tierra y Ma
3a yo te quiero declarar

~~musi~~ 2

esto q saber desseas
como me bengas secreto
Jos tu mismo bien solicitas
y mi prision facilitas
oi, q el silencio prometo
Zar gran Principe Josafat
cuyo raro entendimiento
admira todos los sabios
q has tenido por Maestros.
Tu padre el Rey Avenir
tiene su copioso Reyno
en Vna parte del mundo
de fertil y alegre suelo
q llaman India, en el qual
ciudades villas y pueblos
le reconozen y adoran
como a su señor supremo
exercitos numerosos
le han defendido de aquellos
q en otros Reynos estan
a sus grandezas opuestos
han le dado mil Victorias
y esta su dichoso cetro
dilatado en toda el Assia
y de Mar a Mar por ellos
las riquezas q le adornan
muchos palacios soberbios
Nunca Dario, ni Alexandro

Der deutschen Literatur hat Grillparzer den spanischen Dichter mit der ›Jüdin von Toledo‹ hinzugewonnen. Die Nachwirkung Lopes beschränkt sich – wegen der Zeit- und Milieugebundenheit – freilich auf einen kleinen Ausschnitt seiner Schöpfungen, zu dem neben der ›Comedia famosa de Fuente Ovejuna‹, einem Schauspiel, das die Volksjustiz der Dorfbewohner gegen einen tyrannischen Komtur rechtfertigt, die Mantel- und Degenstücke gehören. Sie handeln mit Anmut und Ironie von Liebe und Ehre. Daß die Technik der Intrige den Dichter oft mehr interessiert als die Psychologie der Figuren, stimmt zu seinem Lebensstil. Die Hauptfigur in ›El caballero del milagro‹ (›Der Ritter vom Mirakel‹) ist ein Spanier, der sich zu Rom in blindem Leichtsinn – wie Lope selbst – mit drei Frauen zugleich vergnügt, seine Ritterlichkeit aber als ein wahrer miles gloriosus darin erweist, daß er die Duelle mit den Nebenbuhlern vermeidet. Trotz aller Leichtigkeit der Durchführung rührt ›La donna boba‹ (›Die kluge Närrin‹) an ein ernstes Thema, die Heilung eines Wahnsinns durch ein Liebeserlebnis.

Zu seinen vergessenen Werken gehört die geistliche ›Historia de Barlan y Josafa‹, die einen Stoff von langer Tradition aufnimmt: In einer Weissagung ist dem indischen König Abenner prophezeit worden, sein Sohn Josaphat werde sich zum Christentum bekennen. Um die ungewollte Bekehrung zu verhindern, läßt der Vater ihn in einem eigens errichteten Palast in vollkommener Abgeschlossenheit aufwachsen, wo alle Übel von ihm ferngehalten werden. Dennoch sieht Josaphat sich eines Tages mit der Welt durch das Leid verknüpft, das ihm in Gestalt eines Aussätzigen, eines Blinden und eines Toten erscheint. Während der Prinz über seine Erlebnisse nachsinnt, schickt Gott ihm den als Kaufmann verkleideten Eremiten Barlaam zur Unterweisung im christlichen Glauben. Auf alle mögliche Weise versucht Abenner, den Sohn bei den alten Götzen zu erhalten: Ein heidnischer Seher tritt als falscher Barlaam auf und schwört dem Christenglauben ab; ein Zauberer läßt den Prinzen durch die schönsten Frauen betören. Da Josaphat durch kein Mittel von seinem Wege abzubringen ist, übergibt der Vater ihm eine Hälfte des Reiches, in welcher der junge Herrscher das Christentum einführt und die Werke der Barmherzigkeit übt. Das Land des Sohnes blüht sichtbar auf, während dasjenige des Vaters verkümmert. Da bekehrt sich auch Abenner, tritt seine Herrschaft an den Sohn ab und lebt fortan als Einsiedler. Nach dem

Tod des Vaters übergibt auch Josaphat die Regierung an einen Getreuen und wird ebenfalls Eremit.

Der Ursprung dieser Legende ist nicht christlich, sondern geht auf eine indische Buddha-Erzählung zurück. Der Kern ist denkbar einfach: Von der Richtigkeit eines Glaubens überzeugt der sichtbare Erfolg, der auf dem Tun seiner Anhänger liegt. (Nicht anders verfuhren die Calvinisten, wenn sie das Glück des Kaufmanns als göttliches Gnadenzeichen und als Bestätigung ihres Bekenntnisses ansahen.) Das leicht übertragbare Modell der Legende wurde von Islam und Christentum gleichermaßen aufgegriffen und mit je spezifischen Inhalten gefüllt. Oft nahm die Erzählung den Umfang von Romanen an. Der älteste christlich geprägte unter ihnen ist eine im 8. Jahrhundert entstandene griechische Version, die höchstwahrscheinlich von dem Theologen Johannes Damaskenos stammt. Aus einer lateinischen Übersetzung dieses Textes (›Historia duorum Christi militum‹) im 11. Jahrhundert speisten sich fast alle volkssprachlichen Bearbeitungen – so auch die Verserzählung durch Rudolf von Ems – und die Legendensammlungen des 13. Jahrhunderts von Vinzenz von Beauvais (›Speculum historiale‹) und die ›Legenda aurea‹ des Jacobus de Voragine. Durch Auszüge aus den Fassungen von Vinzenz und Jacobus war der Stoff in Spanien geläufig, wo mit dem ›Libro de los Estados‹ des Don Juan Manuel auch eine Version islamischer Herkunft verbreitet war. H.-A.K.

Lit.: Karl Vossler, Lope de Vega und sein Zeitalter. 2. Aufl. München: Biederstein 1947 – Marcelin Defourneaux, Spanien im Goldenen Zeitalter. Kultur und Gesellschaft einer Weltmacht. Aus dem Franz. übers. von Eva Marie Hermann. Stuttgart: Reclam 1986

58 **Pedro Calderón de la Barca (1600–1681)**

›Autos sacramentales, alegoricas, y historiales. Primera parte‹

Madrid: Joseph Fernandez de Buendia, 1677

Bd. 1: 4°, 8 nn. Bll., 431 S. (Bde. 2–6 nicht ausgestellt)

EINBAND: *Pergament der Zeit mit Bandschließen*

PROVENIENZ: *vor 1947. Bodmer, Weltliteratur, S. 87*

Im »Siglo d'oro«, dem »Goldenen Zeitalter«, als das die Geschichtsschreibung die Epoche der großen Dichter und Maler des spanischen Barock, allzu einseitig kulturgeschichtlich fixiert, zum Mythos erhoben hat, war das gesamte öffentliche und gesellschaftliche Leben bestimmt durch Zeremoniell und Feste: Eine straffe Bürokratie bildete das Gestänge der Mechanik des planetarisch organisierten Hofes, an dem die Großen und Günstlinge in abgemessenen Bahnen den König wie Trabanten umkreisten. Zu keiner Zeit und an keinem Ort, nicht einmal in der Blüte der athenischen Polis, wurde Ordnung so sehr repräsentiert und zugleich befestigt durch ein überallhin dringendes Theater: die Welt als Bühne, allein darin schon von konsequenter Metaphorik, daß dem Auftritt einer Person deren Abgang folgen muß. Aufführungen bei Hofe und auf den Innenplätzen der Stadthäuser, überall wurde Theater gespielt; in den Städten verdrängten die Schauspieltruppen nur allmählich die Laien. Theater war nicht nur räumlich allgegenwärtig, es fand auch zu fast jeder Zeit statt, ganz wenige Feiertage im Jahreslauf der Kirche ausgenommen. War diese doch weit enger als andernorts das Ordenstheater in die öffentliche Theatralik von Staat und Gesellschaft verflochten. Nur ein Zeichen dafür von vielen war die häufige Personalunion von Bühnenautor und Priester. Auch der 1600 in Madrid als Sohn eines Hofbeamten geborene Pedro Calderón de la Barca, der in Alcalà de Henares und Salamanca Jurisprudenz, vielleicht auch Theologie, studiert hatte, empfing 1651 die Priesterweihe, wurde Kaplan in Toledo und war bis zu seinem Tod im Jahre 1681 Ehrenkaplan bei Hofe.

In der erstarrten Festkultur hatten die Geistlichen Spiele, die in anderen Ländern schon als überholte Dramenform galten, eine herausragende Funktion behalten. Besonders wirkungsmächtig wurde als spezifisch spanische Entwicklung das einaktige *auto sacramental* (actus sacramentalis), das sich an die Fronleichnams-

den Übersetzungen der Romantiker August Wilhelm von Schlegel und Joseph von Eichendorff wieder gelesen wurde – vor allem als Künder des Katholizismus begriff. Grillparzer hat ›Das Leben ein Traum‹ 1840 bearbeitet, Hofmannsthal hat wiederholt versucht, das Werk zu adaptieren, zuerst 1904 als deutsche Bearbeitung in Trochäen, in den zwanziger Jahren unter dem Titel ›Der Turm‹, und ist mit allen Ansätzen gescheitert, das Drama auf einen neuen Schluß hinzuführen: mit der Utopie eines Kinderkönigtums, aber auch mit der Trauerspielfassung. Mit dem ›Salzburger Großen Welttheater‹ hatte er 1922 Calderóns geistliches Spiel erneuert, zuvor aber schon mit einer freien Übertragung von ›La dama duende‹ (›Dame Kobold‹), die er 1919/20 auf Wunsch Max Reinhardts angefertigt hatte, an Calderóns Kunst im leichten Genre der Mantel- und Degenstücke erinnert.

Durch Schlegel gewann auch Goethe, der die spanische Sprache nicht beherrschte, den Zugang zu Calderón, der ihm, was das »Technische und Theatralische« betrifft, etwa die Kunst der trochäischen Metren, »unendlich groß« erschien. Als Direktor des Weimarer Theaters sorgte er wiederholt für Aufführungen von Stücken des Spaniers; er hatte eine besondere Vorliebe für ›El principe constante‹ (›Der standhafte Prinz‹) und das im vorderasiatischen Zauberemilieu spielende Drama um den Märtyrer Cyprianus ›El mágico prodigioso‹ (›Der wundervolle Magus‹), in dem auch das Faust-Motiv des Teufelspakts vorkommt. Besondere Bewunderung zollte Goethe den – in der arabischen Tradition Spaniens begründeten – Kenntnissen des Orients, die er bei Calderón vorfand. Ins ›Buch der Sprüche‹ des ›West-östlichen Divan‹ rückte er die Verse ein:

Herrlich ist der Orient
Übers Mittelmeer gedrungen;
Nur wer Hafis kennt,
Weiß, was Calderon gesungen.

H.-A.K.

Lit.: Pedro Calderón de la Barca, El gran teatro del mundo. Das große Welttheater. Spanisch / Deutsch. Übers. und hrsg. von Gerhard Poppenberg. Stuttgart: Reclam 1988 – Hans Flasche, Geschichte der spanischen Literatur. Bd. 2. Bern: Francke 1984 – Norman D. Shergold, A history of the Spanish stage from medieval times until the end of the seventeenth century. Oxford: Oxford University Press 1967

A
Midſommer nights dreame.

As it hath beene ſundry times publikely *acted*, *by the Right Honourable*, the Lord Chamberlaine his *ſeruants.*

VVritten by VVilliam Shakeſpeare.

Printed by Iames Roberts, 1600.

»Das Merkwürdige an Shakespeare liegt weniger im einzelnen, in Themen, Sprache, Handlung, Stimmung, Charakteren... als in all dem zusammen, und dem Glück einer einmaligen Konstellation.

Die Tatsachen sind etwa folgende: Ein Landkind aus wunderbarer Blutmischung, von allseitig begabter Natur, sucht seinen Weg. Dieser führt folgerichtig in die Hauptstadt und zum Theater.

In die Hauptstadt als den Mittelpunkt des Geschehens, das von der Hofluft bis zur Gaunerschenke einer unbändigen Lebensneugier Stoff bietet. Ins Theater als den Mittelpunkt der Imagination, der den Sinn für große Zusammenhänge sowie feinste Verästelungen des Lebens am vorzüglichsten befriedigt.

Auf dieser Grundlage entsteht das Werk, dessen Fülle keineswegs, wie eine naive Logik meint, die Weltkenntnis des erfahrenen Edelmanns oder das Wissen des enzyklopädischen Gelehrten voraussetzt. Beiden wäre nur ein Bruchteil gelungen. Shakespeare gelang das Ganze.

Und wie stellt er sich dabei an? Für den jungen Theatermann gilt es vor allem, sein Metier zu fördern. Vorhandene Stücke richtet er neu ein, und da dies der Nachfrage nicht genügt, greift er zu den nächstliegenden Chroniken und Geschichtsbüchern und schreibt neue Stücke. Er ist viel zu begierig, die Bühne mit seinen Gesichten zu erfüllen, um sich noch die Mühe zu geben, Handlungen selbst zu erfinden. Die Zeit drängt, die Truppe drängt, die Theaterkasse, an der er bald mitbeteiligt ist, drängt. So stürzt er sich ausschließlich auf Vorhandenes, das er umformt, zurechtbiegt, neu schafft, und an dieser handwerklichen Seite ist höchstens die Dichte und Intensität der Leistung ungewöhnlich.

Nun aber geschieht das Außerordentliche. Es ist ja nicht ein Seher, ein Künder, ein Mahner, der zu uns spricht, sondern einfach ein meisterhafter Gestalter von Handlung. Er gestaltet sie – aber ein Hauch genügt, und aus Maske und Kulisse steigen Mächte, vor denen alles Künden und Mahnen verblaßt. Wir sind auf den Brettern, und plötzlich umzirkt von Magie. Die Weltliteratur kennt kein zweites Beispiel dafür.

83 Titelblatt der 2. Ausgabe mit dem Wappen der Stadt Genf (Nr. 59)

Ein Grund, daß Shakespeare erfolgreicher ist als die meisten

Dramatiker, liegt zweifellos an seinem handwerklichen Können. Daß er größer ist, beruht auf seiner Gabe, Leidenschaft und Maß, Traum und Wirklichkeit in wunderbarem Gleichgewicht zu halten. Aber der Einmalige, der den ›Hamlet‹, den ›Lear‹, den ›Sturm‹ schafft, ist er darum, weil seine Dichtung mehr ist als Dichtung, weil in ihr, dem Mythischen vergleichbar, alles Geistige eines ist, und im einzelnen das Ganze wirkt. Die Gestalten, die die shakespearsche Welt bevölkern, von den Königen bis zu den Narren, sind nicht Beispiele der menschlichen Komödie, sondern wirkliche Menschen, wirklicher als alle Könige und Narren, die gelebt haben! Zeitbedingt, gewiß, aber darin liegt ja ihr Lebensdurst, ihre Daseinsfrische. Etwas von jedem von uns ist in jedem von ihnen, und gesamthaft sind sie weit mehr als ein Abbild auch des buntesten Lebens und Treibens. Sie bedeuten nicht, sie *sind* die Welt.

Und so der Raum, der sie umfaßt. Palast und Kreuzweg, Markt und jagddurchklungener Forst sind, was sie darstellen, aber auch wiederum Wahrzeichen alles Schaurigen, Lieblichen und Hehren, das diese Welt erfüllt.

Der gesamte Erd- und Fabelkreis, den er vorfindet, von Homer bis Boccaccio, von Plutarch bis Holinshed, von Chaucer bis Spenser ist verwertet – und gleichzeitig gesprengt. Alles ist da, und doch nicht mehr so, wie es vorher war. [...]

Wie viele Worte, die er seinen Geschöpfen in den Mund legt, sind immer neuer Deutung fähig, und immer heutig! So jenes wundersame des Magiers Prospero: ›We are such stuff as dreams are made of, and our little life is rounded with a sleep...‹ Ja, wir und unsere Träume sind eins!

Unser Eigentliches gehört der Welt jenseits der Naturgesetze – wie sie ähnlich an der äußersten Grenze der Materie wieder zu bestehen scheint. Dazwischen regiert das Naturgesetz, dem unser Körper gehorcht, das aber aufgehoben ist, wo wir zu sein beginnen, was wir in Wahrheit sind – Geist. Selbst seine geregeltste Region, die wissenschaftliche, die sich auf Präzision und System aufbaut, ist ja im Grunde unfaßbar. Mehr noch die auf Erkenntnis und Spekulation fußende, die philosophische. Noch mehr die freieste, die aus Stimmung und Phantasie lebende Kunst. Am meisten aber die transzendente, die Hoffnung und Glauben ist. Was bleibt dann aber vom Menschen, das nicht Traumstoff wäre?

Das Greifbar-Sichtbare, das unser Dasein beherrscht, endet unweigerlich in ›Staub, Asche und Nichts‹, wie der Grabspruch eines Primas von Spanien im Dom von Toledo lautet. Oder wie eben Prospero es sagt

> ... so werden
> Die wolkenhohen Türme, stolze Burgen,
> Erhabne Tempel, selbst der große Erdball,
> Ja alles, was ihn innehat, zerstieben...
> Und wie dies leere Schaugepräng erblaßt,
> Spurlos vergehn. Wir sind von solchem Stoff,
> Wie der zum Träumen...

Aber eben weil der Mensch, trotz vieler jammernswerter Eigenschaften, irrational ist, ist er auch eine Verheißung, daß hinter dem Greifbar-Sichtbaren des Weltgewebes noch etwas sei.«

Variationen (1956), S. 208–211

Die Shakespeare-Sammlung Martin Bodmers. 1952 gelang Martin Bodmer eine einmalige Erwerbung: die Rosenbach-Shakespeare-Sammlung aus Philadelphia. Im Vorjahr hatte The Rosenbach Company einen hübschen Katalog veröffentlicht: ›William Shakespeare. A Collection of First and Early Editions of his Works 1594 to 1700‹. Darin werden die vorhandenen Stücke bibliographisch genau beschrieben: die vier Folio-Gesamtausgaben (1623, 1632, 1663, 1685), nicht weniger als 55 Quartausgaben, 11 früher Shakespeare zugeschriebene Stücke, und 4 Quellenschriften.

Der Katalog weist darauf hin, der Verkauf einer solchen Sammlung sei »of major importance in the world of books«. Wer immer sie erwerben werde, besitze inskünftig eine der ganz wenigen großen Shakespeare-Sammlungen auf der Welt, wie keine jemals mehr zusammengebracht werden kann. »The library which will eventually house it will become a Mecca for scholars and assume a role as one of the world's great Institutions.... It is hoped that this guarantee of academic immortality will be welcomed.«

Bodmer, dessen erste Buchanschaffung als 16jähriger Schüler ein Werk Shakespeares war, betrachtete diese Sammlung als eine der tragenden fünf Säulen seiner gesamten Bibliothek. Früher erworbene Shakespeare-Frühdrucke – er besaß bereits die vier Folio-ausgaben – hat er verkauft. Der Abschied der Sammlung von Amerika und der Empfang in Genf wurden je mit einer Feier als besonderes Ereignis gewürdigt. Der bekannte Shakespeare-Übersetzer Richard Flatter referierte über ›Die neuen Shakespeare-Schätze in der »Sammlung Martin Bodmer«‹ (Das Antiquariat 8, 1952). Äußerst bedauernswert ist der Umstand, daß nach Bodmers Tod 14 Titel verkauft wurden; 4 weitere Nummern befinden sich im Besitz der Familie. M.B.

84 Titelblatt der Erstausgabe (Nr. 60)

59 **William Shakespeare (1564–1616)**

›A Midsommer nights dreame‹

[London]: Printed [William Jaggard for Thomas Pavier] by Iames Roberts, 1600 [1619]. Zweite Ausgabe. Druckermarke (Post Tenebras Lux; Wappen der Stadt Genf)

4°, 32 nn. Bll.

EINBAND: *Maroquin mit Rücken- und Deckelvergoldung*

PROVENIENZ: *Rosenbach, Philadelphia, 1952*

60 **William Shakespeare (1564–1616)**

›The Tragoedy of Othello, The Moore of Venice‹

London: Printed by N. O[kes], 1622. Erstausgabe. Druckermarke

4°, 2 nn. Bll., 99 S.

EINBAND: *Maroquin mit Rücken- und Deckelvergoldung*

PROVENIENZ: *Rosenbach, Philadelphia, 1952*

THE
Tragœdy of Othello,
The Moore of Venice.

As it hath beene diuerſe times acted at the Globe, and at the Black-Friers, by *his Maieſties Seruants.*

Written by VVilliam Shakeſpeare.

LONDON,
Printed by *N. O.* for *Thomas Walkley*, and are to be ſold at his ſhop, at the Eagle and Child, in Brittans Burſſe.
1622.

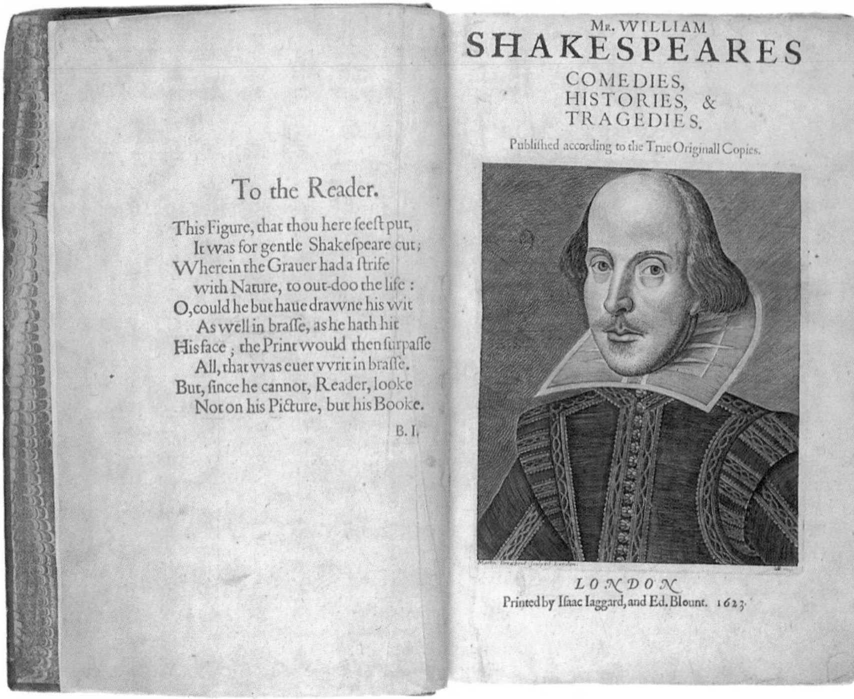

To the Reader.
This Figure, that thou here seest put,
It was for gentle Shakespeare cut;
Wherein the Grauer had a strife
with Nature, to out-doo the life :
O, could he but haue drawne his wit
As well in brasse, as he hath hit
His face ; the Print would then surpasse
All, that was euer writ in brasse.
But, since he cannot, Reader, looke
Not on his Picture, but his Booke.
B. I.
Mr. WILLIAM
SHAKESPEARES
COMEDIES,
HISTORIES, &
TRAGEDIES.
Published according to the True Originall Copies.
LONDON
Printed by Isaac Iaggard, and Ed. Blount. 1623.

85 Shakespeares Porträt auf dem Titelblatt der ersten Gesamtausgabe von 1623 (Nr. 61)

86 Inhaltsverzeichnis der ersten Gesamtausgabe von 1623 (Nr. 61)

61 **William Shakespeare (1564–1616)**
›Comedies, Histories, Tragedies‹

London: Isaac Iaggard and Ed. Blount, 1623.
Erste Gesamtausgabe

2°, 454 Bll. Gestoch. Porträt-Frontispiz

EINBAND: *Kalbsleder der Zeit*

PROVENIENZ: *Rosenbach, Philadelphia, 1952*

Zum Bodmer-Exemplar der ersten Folio-Gesamtausgabe macht der beste Kenner, Anthony James West (East Warden, Kent), folgende Angaben:

Es handelt sich hier um eines der schönsten und besterhaltenen Exemplare dieser Ausgabe, deren Auflage ungefähr 750 Stück betrug, von denen heute immer noch 228 bekannt und nachweisbar sind (allein Henry Folger erwarb zwischen 1893 und 1928 82 heu-

A CATALOGVE
of the seuerall Comedies, Histories, and Tragedies contained in this Volume.

COMEDIES.

HISTORIES.

TRAGEDIES.

te in Washington bewahrte Exemplare); nur noch 14 sind in Privatbesitz.

Die Folio-Ausgabe wurde durch Heminges und Condell, zwei Schauspielerkollegen Shakespeares, kurz nach dessen Tod, zusammengestellt und herausgegeben. Ihre Namen als »Principall Actors« werden zusammen mit demjenigen Shakespeares auf einem Vorsatzblatt überliefert; sie sind die einzigen Londoner, die auch im Testament des Dichters erwähnt werden. – Die Ausgabe enthält sämtliche »sicheren« Dramen Shakespeares, mit Ausnahme des ›Pericles‹.

Diese Ausgabe ist die einzige Quelle für nicht weniger als 18 Dramen. Kein einziges Werkmanuskript Shakespeares ist überliefert; von 18 Werken sind zuvor keine Quarto-Ausgaben erschienen. Das heißt also, daß ohne diese Folio-Ausgabe Werke wie ›Macbeth‹, ›Antonius und Cleopatra‹, ›Der Sturm‹ nicht überliefert wären.

Die drei späteren Folio-Ausgaben übernehmen den Text der ersten, haben also für die Textedition keine Bedeutung. – Erst Dr. Johnson anerkannte 1765 die textliche Hauptautorität der Folio-Ausgabe; von da an wurde sie ein besonders beliebtes Objekt für Sammler. 16 verschiedene Faksimile-Ausgaben wurden im 19. und 20. Jahrhundert aufgelegt. Während um 1790 der Preis ungefähr £ 30 betrug, konnte man sie hundert Jahre später noch für durchschnittlich 410 £ erwerben. Höchstpreise wurden in den 1980er Jahren bezahlt (Durchschnitt: £ 313 000). Im letzten Jahrzehnt des 20. Jahrhunderts haben nur noch 7 Exemplare den Besitzer gewechselt.

A.J.W. / M.B.

62 Pierre Corneille (1606–1683)

›Le Cid. Tragicomedie‹

Paris: François Targa, Augustin Courbé, [1637]. Erstausgabe 12°, 4 nn. Bll., 88 S.

EINBAND: *Leder des 18. Jahrhunderts*

PROVENIENZ: *vor 1947. Bodmer, Weltliteratur, S. 84–85*

Das kleine Buch ist das Zeugnis eines großen Theaterereignisses: ›Cid‹ ist ein zauberhaftes Werk, dessen spontaner Charme noch heute das Publikum fasziniert. Als Corneille das Drama im Jahre 1637 in Paris aufführen ließ, war er kein Unbekannter mehr. Er hatte elegante, etwas fade Komödien verfaßt, er hatte auch zwei seltsame Stücke geschrieben, zum einen die entsetzliche Geschichte der Medea, der magischen Kindermörderin, zum andern ein Stück über das Theater und das Leben von Komödianten: ›L'illusion comique‹. ›Cid‹ aber übte von Anfang an eine ganz besonders Signalwirkung aus, und die Gründe für seinen Erfolg sind beachtenswert.

Corneille führt den Typus einer Persönlichkeit ein (den Helden) und eine Problematik (den Zusammenhang des Individuums mit dem Staat), die fortan immer wieder in seinem Theater gegenwärtig sein werden. Der Held ist ein Adliger, ein Soldat, beinahe ein Übermensch, der dank seiner Taten zur Entfaltung kommt. Er liebt Gefahren und riskiert sein Leben. Wenn er nicht im Kampf stirbt, so gehorcht er dem Umstand, der ihn am meisten antreibt: dem Ruhm, der Bewunderung aller und der Dankbarkeit für seine Überlegenheit. Genauso beschaffen ist Rodrigue. Was auch immer im Zweikampf oder in der Feldschlacht geschieht – er schlägt sich gut und eilt von Sieg zu Sieg, bis er in triumphaler Weise Cid getauft wird, d. h. Herr, Befehlshaber. Ohne je die Interessen seiner Familie oder seinen Kampfeseifer zu opfern, besitzt er stets die Geschicklichkeit, dem Staat zu dienen. Zwischen dem Ehrgeiz der Aristokraten und der Legitimität königlicher Macht wird hier ein Gleichgewicht erreicht. Corneille bleibt nicht immer so optimistisch. In den späteren Stücken vermehrt er noch die Variationen der Unterschiede im Konflikt des Helden mit dem König, der Blutsadligen mit den von Macht trunkenen Tyrannen. In jedem Fall sind Corneilles Tragödien politische Dramen, deren Reflexionen um ein damals besonders aktuelles Thema kreisen: wie können die Rechte des Adels mit der Autorität des Monarchen in Einklang gebracht werden?

Aber Rodrigue ist nicht nur ein Kämpfer und Schläger. Cid realisiert die Synthese zweier anderer Kräfte, die einander entgegengesetzt sind: Tapferkeit und Gefühl, körperliche Leistungsfähigkeit und Zartheit des Herzens. Corneilles Held ist stets ein passionierter Liebhaber. Er ist zu Beginn der Handlung mit einem Dilemma konfrontiert – zahlreichen Personen in Stücken Corneilles geht es so: Die Forderungen der Ehre und die der Liebe scheinen unvereinbar. Auch Chimène kennt solchen Zwiespalt. Aber beide überwinden die Gegensätze; sie verdienen es, geliebt zu werden, da sie sich nicht vor der Pflicht gebeugt haben. In diesem Drama verbinden sich Liebe und Rache, Energie und Emotion; eine Glückseligkeit ist erreicht, ein Heldenideal wird erreicht, dessen Nachahmer in Roman, im Theater im Kino Legion sein werden.

›Cid‹ ist eine Tragi-Komödie: der Gegenstand ist schwerwiegend und pathetisch. Der Tod regiert im ganzen Drama, aber ein glücklicher Ausgang kündigt sich rechtzeitig an, die Lösung des Konflikts und die Vereinigung der Liebenden. Später wird sich Corneille der reineren Gattung der Tragödie zuwenden. Jedenfalls beginnt das klassische Theater in Frankreich einen eigenen Ton zu finden, dessen sich später ganz verschiedenartige Dramaturgen bedienen werden, von Rotrou bis Quinault, von Racine bis Voltaire. Der regelmäßige Rhythmus des Alexandriners verbindet sich mit einer feierlichen, gelegentlich überschwenglichen Eloquenz. Der Würde der Personen entspricht ein gehobener Stil, der zum Konstrukt einer künstlichen, fernen und mythischen Welt gehört. Das Einhalten von Regeln, inspiriert von der ›Poetik‹ des Aristoteles und zu Dogmen erhoben durch die Theoretiker des 17. Jahrhunderts, betont noch die hierarchische, höchst konventionelle Haltung dieses Theaters. Die Intrige muß wahrscheinlich vorkommen und gehorcht einer internen, strengen Logik; sie muß sich in wenigen Stunden und am einheitlichen Ort abspielen. Konsequenterweise strebt die Handlung zur Einfachheit, zu Lasten des Pittoresken und zu Gunsten der Vertiefung von Gefühlen.

Wenn auch der Verfasser des ›Cid‹ einen großen Teil dieser Forderungen erfüllt, wurde er doch allzu streng beurteilt. Ein heftiger Streit entzündete sich nach der Publikation des Dramas. Man warf Corneille vor, sein spanisches Vorbild des Guilhem de Castro, ›Las

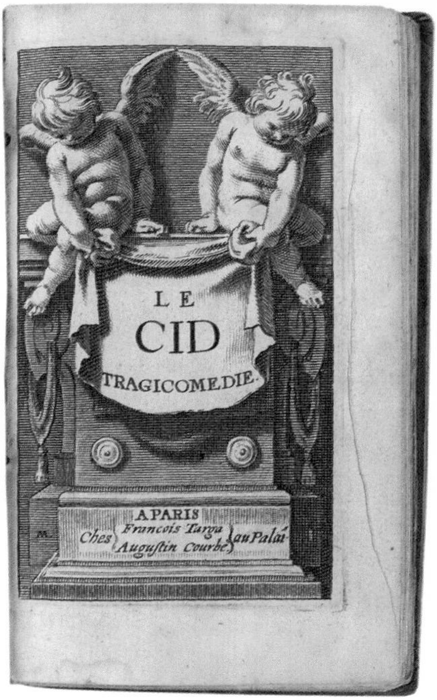

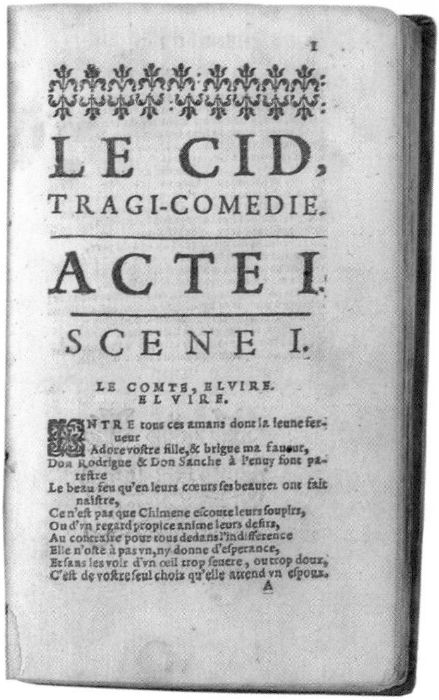

1

LE CID,
TRAGI-COMEDIE.

ACTE I.

SCENE I.

LE COMTE, ELVIRE.
ELVIRE.

ENTRE tous ces amans dont la ieune ferueur
Adore vostre fille, & brigue ma faueur,
Don Rodrigue & Don Sanche à l'enuy font parestre
Le beau feu qu'en leurs coeurs ses beautez ont fait naistre,
Ce n'est pas que Chimene escoute leurs soupirs,
Ou d'vn regard propice anime leurs desirs,
Au contraire pour tous dedans l'indifference
Elle n'oste à pas vn, ny donne d'esperance,
Et sans les voir d'vn oeil trop seuere, ou trop doux,
C'est de vostre seul choix qu'elle attend vn espoux.
A

87/88 Titelblatt und Textbeginn der Erstausgabe, 1637 (Nr. 62)

Mocedades del Cid‹ geplündert zu haben. Man beschuldigte ihn, die Regeln nicht befolgt zu haben. Anstatt eine glaubwürdige und erbauliche Handlung zu konstruieren, ziehe er es vor, der historischen Wahrheit zu folgen, was in diesem gegebenen Fall seltsam, atypisch und moralisch verwerflich sei. Chimène, die eingesteht, den Mörder ihres Vaters zu lieben und ihn bei sich empfängt, verstößt gegen die Sittlichkeit und verspottet die guten Sitten. Die Unnachgiebigkeit seiner Kritiker, die der ganz jungen, von Richelieu gegründeten *Académie Française* entstammen, zeugen von einem wachsenden Einfluß der Theoretiker, Wächter und Hüter moralischer und ästhetischer Ordnung, die das Theater des 17. Jahrhunderts inskünftig in strenge Obhut nehmen werden.

Corneille wird einige Kompromisse schließen müssen, indem er in späteren Auflagen des Stücks einige ursprüngliche Kühnheiten mildert. Er wird inskünftig sein Theater ansiedeln im Grenzbereich zwischen dem Tugendplan, der das Schauspiel der Leidenschaften öffnet, um deren Schrecken anzuklagen, und der Erkundung verbotener Zonen, welche die Imagination befreit und den Zuschauern eine Traumwelt eröffnet. Hiermit leistet er sein Bestes. M. J.

63 **Jean Racine (1639–1699)**

›Phèdre & Hippolyte. Tragedie‹

Paris: Claude Barbin, 1677. Erstausgabe

12°, 4 leere Bll., 6 nn. Bll., 78 S., 1 leeres Bl. Gestochenes Frontispiz von Charles Le Brun

EINBAND: *Maroquin, modern*

PROVENIENZ: *nach 1947*

Zum Zeitpunkt, als Racine 1677 seine ›Phèdre‹ aufführen läßt, hat er die Mehrzahl seiner Stücke bereits geschrieben. Er hat Corneille abgelöst und mit dem Erfolg seiner ›Andromaque‹, ›Bérénice‹, ›Iphigénie‹ eine neue Konzeption der Tragödie zur Geltung verholfen. Solche Entwicklung ist symptomatisch. Corneille hatte das Heldentum übersteigert und große politische Fragen behandelt. Auf der Basis einer Ästhetik des Sublimen und der Bewunderung hat sein romanhaftes Theater das Publikum ebenso lange träumen lassen, wie die noch schwache Macht die Zügel der individuellen Initiative hat schleifen lassen. Mit Racine sind wir unter der absoluten Monarchie König Ludwigs XIV. Der Adel wurde untertan gemacht, private Heldentaten sind nicht mehr in Mode, unerwünscht sind Fragen über die Regierung des Staates. Der Geist der Zeit manifestiert sich in Racines Tragödien auf mindestens zwei Weisen. Man interessiert sich weniger für Angelegenheiten des Staates als vielmehr für die tieferen Beweggründe des inneren Lebens. Die psychologische Analyse wird kultiviert, und paradoxerweise verzichtet das Theater auf spektakuläre Abenteuer, um vielmehr dunkle Zonen zu erkunden und sich um die Mißgeschicke des Herzens und des Geistes zu kümmern. Parallel dazu wird das Nachdenken über das menschliche Schicksal pessimistischer und beklemmender; Racines Menschen sind Mächten ausgeliefert, die sie zerstören. Diese Konzeption der Tragödie zeigt sich am Kreuzweg zweier Einflüsse: sie knüpft einerseits an die antike Tragödie an, findet aber anderseits auch in der Theologie der Epoche, nämlich im Gedankengut des Jansenismus Mittel, um die Gefühlswelt eines Sophokles und eines Seneca wieder neu zu beleben.

Das Stück, das erst zehn Jahre später ›Phèdre‹ genannt wird, heißt anfänglich ›Phèdre et Hippolyte‹, als wollte der Autor andeuten, daß die beiden Protagonisten, so verschieden sie sind, den-

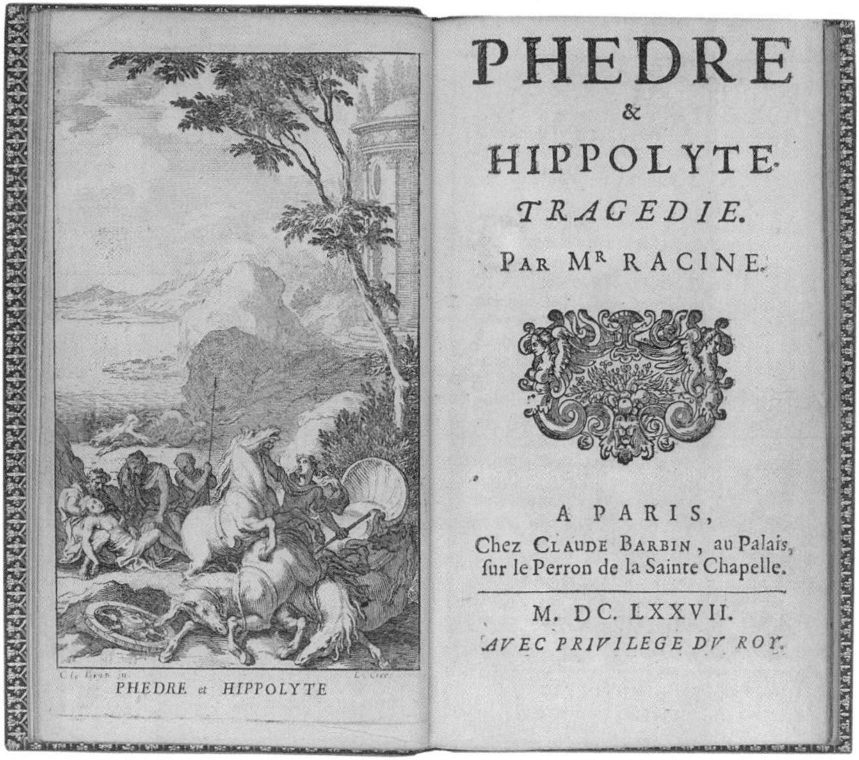

89 Frontispiz und Titelblatt der Erstausgabe, 1677 (Nr. 63)

noch im Unglück gleich sind. Alle Menschen sind unglücklich, von Fatalitäten in verschiedener Gestalt belastet. Eine Quelle der Verzweiflung entspringt der psychosomatischen Festlegung. Die Leidenschaften – Liebe, Eifersucht, Haß – sind so mächtig, daß sie Phèdre aller Freiheit berauben und ihr ein Verhalten auferlegen, ihr schwere Leiden erzeugen, die sich der Kontrolle des Willens entziehen. Aber äußere Handlungsträger, die Götter, können ebenfalls Ursache menschlichen Unglücks sein. Venus rächt sich an den Nachkommen der Sonne, Pasiphaé, darauf an Phèdre, deren Tochter, indem sie sie zu niederen Liebschaften verurteilt. Neptun macht sich zum Komplizen des Irrtums des Theseus und verursacht dadurch den Tod von Hippolytus. Opfer ihrer Leidenschaft, ihrer Anlagen, der Bosheit der Götter, scheinen die Menschen nicht für ihre Handlungen verantwortlich zu sein, und dennoch sind sie schuldig, nehmen ihr Schicksal auf sich und haben ein schlechtes Gewissen. Man kann darin einen radikalen Ausdruck der Lehre von der Erbsünde und der Übermittlung von Schuld nach biblischer Lehre erkennen. Jeder Mensch hat am Übel teil und beherrscht doch nicht sein Schicksal.

Der Mythos, so wie er von den Griechen entliehen und in der Folge durch jüdisch-christliche Veränderungen ergänzt wurde, bot sich gut zu wichtigen Maßregeln der ›Poetik‹ des Aristoteles, welchen die Tragödienschreiber fortan respektieren mußten: Das Schauspiel ist so geartet, daß es bei den Zuschauern Schrecken und Jammer erregen muß. Wie könnte man ohne Jammer für Menschen bleiben, die unverhältnismäßig großen Leiden unterworfen sind, für Fehler, die sie begangen haben, oder für etwas, woran sie absolut unschuldig sind? Warum keine Furcht empfinden vor so schrecklichen Machenschaften und vor so abscheulichen Strafen? Der Zuschauer kann davor nur Abscheu empfinden und für sich persönlich eine heilsame Lehre ziehen. So wird dadurch ein anderes aristotelisches Prinzip befriedigt: die berühmte Katharsis, der reinigende und abschreckende Effekt der tragischen Handlung. Die Moral scheint gerettet. Die Schilderung der Schrecken soll im Zuschauer Zurückhaltung und Tugend erzeugen.

Man kann die ungewöhnliche Weite eines Stückes wie der ›Phèdre‹ nicht genügend unterstreichen, das an Extreme vorstößt und sie auch wieder versöhnt. Einerseits kommt der klassische Geschmack für Einfachheit, Klarheit, angemessenen Ton zum Höhepunkt. Die Beherrschung der Rede, die Majestät der sprachlichen Meisterschaft, der Zwang des Reims und die Schönheit der Bilder dulden keinerlei Ausnahmen. Eine harmonische Beredtheit, eine völlig ausgewogene Musik der Sprache zeichnen jedes Stück aus. Anderseits wird eine Geschichte von Schrecken und Blut berichtet, man sieht eine Abscheu erregende Heldin, ein Schauspiel von urwüchsiger Gewalt und moralischer Verworfenheit. So gemessen der Stil ist, so unangemessen ist die Handlung. Wenn eine Quelle der Kunst darin besteht, eine verwirrte und normalerweise von Wahnvorstellungen bestimmte Welt zu erkunden und zu entdecken, so zerstört er hier diese Bestimmung. Man hat das Recht sich zu fragen, ob solche Abscheulichkeiten wirklich eine reinigende Wirkung auf den Zuschauer ausüben, oder ob sie vielleicht verdrängte Wünsche in ihm wecken?

Wie dem auch sei: nach der ›Phèdre‹ hat Racine während zwölf Jahren nichts mehr für das Theater geschrieben und später nur noch zwei Tragödien nach biblischen Themen verfaßt, ›Esther‹ und ›Athalie‹. Man könnte annehmen, daß das Theater am Ende des steifen 17. Jahrhunderts mit ›Phèdre‹ die Grenze des Vorstellbaren erreicht hat. Es galt zu wählen zwischen allmächtiger Moral, Religion und dem Theater, das mit seinen Exzessen und Greueln potentiell skandalös ist. Bei allem Respekt vor seinem Können war Racine zu weit gegangen. Der Selbstmord Phèdres am Schluß des Stückes ist auch der Selbstmord der Tragödie. M.J.

64 **Jean-Baptiste Poquelin gen. Molière (1622–1673)**
›Les plaisirs de l'Isle enchantée‹

Paris: Robert Ballard, 1664. Erstausgabe

Kl.-2°, 83 S., 6 nn. Bll. Mit neun ganzseitigen Kupferstichen; einziges komplett erhaltenes Exemplar

EINBAND: *Maroquin, modern*

PROVENIENZ: *Breslauer, London, Dezember 1967*

Dieses hervorragende Werk, geschmückt mit doppelseitigen Kupferstichen von Israel Silvestre, ist das typische Erzeugnis einer Öffentlichkeitsstrategie von König Ludwig XIV., unterstützt durch seinen Kulturminister Colbert und eine ganze Hundertschaft von Künstlern. Um die Majestät des Souveräns und die Großartigkeit seiner Werke öffentlich bekannt zu machen, bedient sich die königliche Propaganda eines illustrierten Prachtwerks, welches jedermann vor Augen führt, welche beachtliche Rolle Kunst und Literatur im Leben des Hofes spielen.

Ludwig XIV. ist noch am Anfang seiner Regierung, aber schon zeichnet sich sein ehrgeiziges Projekt von Versailles ab. Die Arbeiten beginnen im Park; erst später richtet sich der Hof in einem vergrößerten Palais ein, welches endlich die pharaonischen Dimensionen, die man heute kennt, einnehmen wird. Zunächst geht es darum, einen üppigen Rahmen für die Festlichkeiten zu schaffen, die der König seinen Höflingen bietet, um sie zu beeindrucken, und den Damen, um sie zu verführen. Die Vergnügungen und Schauspiele der ›Plaisirs de l'Isle enchantée‹, die sich im Mai 1664 über drei Tage erstrecken, sind für ein Publikum von sechshundert Eingeladenen konzipiert. Zahllos die Kunsthandwerker und Künstler,

Auf den folgenden Seiten: 90 »Château de Versailles« in Molières ›Les plaisirs de l'Isle enchantée‹ 1664 (Nr. 64)

Les plaisirs de l'Isle enchantée, ou les
Diuisez entrois journées, et commen
le rang que
les cheualiers

VERSAILLE
t diuertissements du Roy, à Versailles,
ne Jour de may, de L'année 1664.
dans la
marche, et non
pas
suiuant leurs qualitez.
1

Musiker, Tänzer, Komödianten, die für die Feierlichkeiten mobilisiert werden. Die offizielle Gastgeberin und Adressatin aller Huldigungen ist die Königin, in Wahrheit aber Mademoiselle de La Vallière, die königliche Maitresse, die den Mittelpunkt des Festes bildet.

Das Werk zum Andenken an diese Feiern beschreibt und illustriert die einzelnen Stationen der Festivitäten, Tag für Tag. An dem weitläufigen Schauspiel nehmen der König selbst und die Angehörigen seines Hofes sowohl als Schauspieler wie als Zuschauer teil. Die leitende Idee, die das ganze Spiel beseelt, ist einer Episode aus Ariosts ›Rasendem Roland‹ entliehen, einem wundersamen Heldengedicht, das Generationen träumen ließ. Der tapfere Kavalier Roger, gespielt von Ludwig XIV., und seine Gefährten sind Gefangene der Zauberin Alcina, die sie in ihrem verzauberten Palast auf einer Insel festhält. Als Müßiggänger vertreiben sie sich mit Unterhaltungen die Zeit.

Der erste Tag beginnt mit einem Aufzug der Ritter zu Pferd, mit herrlichen Zurüstungen auf der Parade durch den Park. An den Wappen und den Livreen erkennt man die Familie des Königs wieder. Gott Apollo auf seinem Wagen und andere mythologische Figuren begleiten die Herren und preisen mit Gedichten die Ehre der Königin. Darauf zeigen die Kavaliere ihre Geschicklichkeit im Ringelstechen: es gilt zu Pferd und im Galopp die Lanze in einen an einem Gerüst hängenden Ring zu stechen. Der Abend naht. Kriegerischen Heldentaten folgt ein Festessen bei Kerzenschein im Park. Die Inszenierung ist von großem Aufwand; man nimmt eher an einem Ballett als an einem Essen teil. Das Theater, das Zeremoniell bestimmen das ganze Programm. Der folgende Tag ist wiederum einer Aufführung gewidmet, als würden die Gefangenen der Königin ein Schauspiel bieten. Tatsächlich führen Molière und seine Truppe eine eilig für den Anlaß verfaßte Komödie auf, ›La Princesse d'Elide‹, eine Liebesgeschichte, in die Tänze und Gesänge eingestreut sind. Das Stück, charmant, aber etwas langweilig, ist nicht das beste Werk Molières, aber es fügt sich perfekt in die galante und zauberhafte Atmosphäre des Festes ein. Der Text wird als Textbuch der Publikation beigefügt. Der dritte Tag wird endlich den Gefangenen die Befreiung bringen. Nach einer durch die Choreographie geregelten Schlacht steht das verwunschene Palais der Zauberin in Flammen, im Mittelpunkt eines märchenhaften Feuerwerks. Damit wird das Fest gekrönt und abgeschlossen. Die Bedeutung ist klar: Ludwig XIV. liebt das Vergnügen, aber er ist ihm nicht unterworfen und wendet sich wieder seinen Staatsgeschäften zu.

Er wird sich dennoch Zeit nehmen. Das Spiel der verzauberten Insel ist abgeschlossen, aber das Fest dauert noch weitere vier Tage an, mit anderen Hofspielen und vorab, an drei weiteren Abenden, mit der Vorführung weiterer Stücke von Molière: ›Les Fâcheux‹, ›Tartuffe‹ und ›Le Mariage forcé‹. Was ›Tartuffe‹ betrifft, und zwar in seiner ersten Fassung in drei Akten, ist es eine Neuschöpfung. Man möchte gerne wissen, welchen Eindruck dieses beißende und gewagte Stück im Mittelpunkt der Freudenspiele gemacht hat, bevor es in der Folge verboten wurde.

Der Luxus des vorliegenden Festbuches spiegelt den Aufwand der gesamten Veranstaltung wider. Beachtliche Mittel wurden aufgewendet, große Ausgaben gemacht, welche die opulente Pracht des Königtums unter Beweis stellen sollten. Molière, der sich der Unterstützung des Königs erfreut, ist der Held des Tages. Dichter wie Benserade wurden aufgeboten, ebenso wie Lulli für die Musik und Vigarini für die Theaterdekorationen. Die Thetatermaschinerien, die Kostüme, die Tiere, die Beleuchtung, der Prunk des Banketts werden eingesetzt als Zeichen unbeschränkten Überflusses.

Die ökonomische Botschaft ist von einem ideologischen Programm begleitet. Durch die Magie der Verkleidung und des Aufwands werden König und Höflinge in eine Welt versetzt, die der Ritterwelt entspricht, gleichzeitig aber der klassischen Mythologie und dem Leben der antiken Krieger. Sie sind zugleich sie selbst, leicht erkennbar, und zugleich auch Figuren der Legende, umgeben von einem fabelhaften Ruhm. Zwischen Realität und Traum, zwischen Geschichte und Mythos verwischt sich der Unterschied. Der Hof liefert sich das Schauspiel seiner eigenen Apotheose. Dahin zielt stets König Ludwigs Strategie und sein Versailler Bauvorhaben. Es geht stets darum, mit einem Ensemble symbolischer Vorstellungen die Idee eines gleichsam göttlichen Königtums zu erregen, das in einer anderen Welt angesiedelt ist und in seiner Perfektion die großen Modelle und Ideale der Vergangenheit wieder aufnimmt und krönt. Um solche Illusion zu erzeugen bedurfte man aller Hilfsmittel der Kunst, des Verlockungen der Fiktion, der Wunder des Theaters, der Verführungen durch Musik und Poesie. Für die mitwirkenden Künstler: welche einmalige Chance! Oder eher: welche gefährliche Falle? M. J.

65 **Gotthold Ephraim Lessing (1729–1781)**

›Nathan der Weise, in 5 Aufzügen‹ erster Entwurf

Ms. autogr., unsigniert, 14. Nov. 1778 – 7. März 1779

8°, 19 nn. Bll., 1 loses Doppelbl. (4 S.), 1 S. »Addendum«

PROVENIENZ: *November 1949, aus dem Besitz der Familie von Mendelssohn-Bartholdy*

1778 war für Gotthold Ephraim Lessing (1729–1781) ein Jahr unterschiedlicher Ereignisse und Gefühle. Es begann mit dem Tod des soeben geborenen Sohnes, der den der Mutter, der geliebten, unentbehrlich gewordenen Eva, nach sich zog (10. Januar 1778). Im Frühjahr erreichten die theologischen Kontroversen mit Johann Melchior Goeze (1717–1786), Hauptpastor an der St. Katharinenkirche zu Hamburg, ihren Höhepunkt, denen im Sommer die Streitereien mit der Obrigkeit des Herzogtums Braunschweig über die Reimarustexte folgten, in denen feindselige Angriffe auf die christliche Religion gesehen wurden. Diese sog. ›Fragmente eines Ungenannten‹ stammten aus der Feder des Hamburger Gymnasialprofessors und Frühaufklärers Hermann Samuel Reimarus (1694–1768). Lessing hatte sie seit 1774 in seinen Beiträgen ›Zur Geschichte und Litteratur‹ ohne Angabe des Verfassers veröffentlicht. Er gab an, sie unter den Handschriften der Wolfenbütteler Bibliothek gefunden zu haben. Im Herbst entstand als Antwort auf diese Streitereien ›Nathan der Weise‹, unschätzbares Geschenk an die Nachwelt.

Voraus ging viel Unerquickliches: Vom 13. Juli 1778 datiert ein herzoglicher Kabinettsbefehl an Lessing, in dem er bezichtigt wurde, durch die Veröffentlichung der ›Fragmente‹ die »Religion in ihrem Grunde erschüttern, lächerlich und verächtlich machen zu wollen». Diesem »Unwesen« konnte nicht zugesehen werden. Lessing wurde befohlen, die Handschrift des Ungenannten »binnen acht Tagen ohnfehlbar einzuschicken«. Außerdem habe er sich »aller ferneren Bekanntmachung dieser Fragmente und anderer ähnlichen Schriften, bey Vermeidung schwerer Ungnade und schärferen Einsehens, gänzlich zu enthalten«. Dazu wurde ihm die Zensurfreiheit, verliehen 1772, entzogen. Lessing lieferte die Reimarus-Handschrift aus und bat am 20. Juli 1778, seine eigenen Abhandlungen von der Konfiskation auszunehmen. Daraufhin erging am 3. August 1778 eine herzogliche Resolution, daß sowohl die ei-

Auf den folgenden Seiten: 91/92 Titelblatt und Textbeginn von Lessings ›Nathan der Weise‹, erster Entwurf (Nr. 65)

Nathan der Weise;

in 5 Aufzügen.

Zu versificiren angefangen den 14ten Novbr. 78.
den 2ten Aufzug — — — 6. Xbr.
den 3ten Aufzug — — 28 —
— 4. — — — — 2 Febr. 79.
— 5 — — — 7 Merz —

35 37
30
1050
420

Erster Aufzug.

1.

Nathan kömt von der Reise. Daja ihm entgegen. Daja bemerkt ihm, welche Gefahr er indeß gelaufen habe. Es scheint ihr unbedenklich, wo Recha eigentlich sey.

Daja. Gottlob, Nathan, daß ihr endlich wieder da seyd.

Nathan. Gottlob, Daja. Aber warum endlich? Habe ich denn eher wiederkommen können? wiederkommen wollen? #

Daja. Wie unglücklich hättet ihr indeß hier werden können!

Nathan. So habe ich schon gehört. F

Daja. Das ganze Haus hätte abbrennen können.

Nathan. Dann hätten wir ein neues gebaut, Daja, und ein bequemeres.

Daja. Aber Recha, Recha wäre bey einem Haare mit verbrannt.

Nathan. Recha! (zusammenfahrend) Meine Recha! F — (Kalt.) So hätte es hier auch keines Hauses mehr bedurft. — Recha, meine Recha fast verbrannt? #

Daja. Eure Recha! Eure Recha! — Ah Nathan, Nathan, wie theuer laßt ihr mich eure Wohlthaten bezahlen! Mein Gewissen —

Nathan. Ich habe Euch, Daja, einen schönen neuen Zeug aus Babylon mitgebracht.

Daja. Mein Gewissen, sage ich —

Nathan. Und ein —

Daja. Mein Gewissen, sage ich —

Nathan. Und ein Paar Spangen.

Daja. So seyd ihr nun, Nathan. Wenn ihr nur schenken könnt, wenn ihr nur schenken könnt:

Babylon ist von Jerusalem — Meilen, und Schulden einfordern ist kein Geschäft, das sich von der Hand schlagen läßt.

Gott gebe nur, daß ich alles gehört habe.

F Das habe ich nicht gehört.

Sie ist nicht verbrannt! — Sage es mir noch einmal; freundlich sage es mir nur. — Tödte mich, aber martere mich nicht länger. — Ja, ja: sie ist verbrannt.

Daja. Wenn sie es wäre, würdet ihr von mir und der Nachricht ~~hören~~ hören können?

Nathan. Warum erschreckst du mich denn? — O meine Recha!

Daja. ~~Eure~~ Eure Recha! — Eure? # Seyd ihr aber, wird sie euer bleiben können?

Nathan. Nichts mehr davon! — Alles was ich sonst habe, hat mir ~~das~~ Glück und Natur gegeben. Diesen Besitz allein dank ich der Tugend.

Daja. O Nathan, Nathan (A)

Nathan. Ich weiß was du sagen willst, Daja. Ich habe dir einen schönen Zeug aus Babylon mitgebracht.

genen als auch die fremden von Lessing publizierten Schriften zukünftig nicht ohne Zensur gedruckt werden dürften.

In genau diesen Tagen, am 11. August 1778, hören wir zum ersten Male vom ›Nathan‹. In einem Brief an den Bruder Karl Gotthelf in Berlin schreibt Lessing: »Noch weiß ich nicht, was für einen Ausgang mein Handel nehmen wird [...] da habe ich diese vergangene Nacht einen närrischen Einfall gehabt. Ich habe vor vielen Jahren einmal ein Schauspiel entworfen, dessen Inhalt eine Art von Analogie mit meinen gegenwärtigen Streitigkeit hat, die ich mir damals wohl nicht träumen ließ. Wenn Du und Moses es für gut finden, so will ich das Ding auf Subsription drucken lassen, und Du kannst nachstehende Ankündigung nur je eher je lieber ein Paar hundertmal auf einem Octavblatte abdrucken lassen, und ausstreuen [...]. Ich möchte zwar nicht gern, daß der eigentliche Inhalt meines anzukündigenden Stücks allzufrüh bekannt würde; aber doch, wenn Ihr, Du oder Moses, ihn wissen wollt, so schlagt das Decamerone des Bocaccio auf: Giornata I. Nov. III. Melchisedech Giudeo«.

Am 29. August 1778 erschien Lessings ›Ankündigung zum Nathan‹ in Berliner und später auch in anderen Zeitungen. In zwei Briefen an Elise Reimarus (1735–1805), Tochter von Hermann Samuel Reimarus, drückte er seine augenblickliche Befindlichkeit so deutlich wie optimistisch aus: »Ich danke Ihnen für die gütigen Wünsche zu Fortsetzung meiner Streitigkeit. Aber ich brauche sie kaum: denn diese Streitigkeit ist nun schon mein Steckenpferd geworden, das mich nie so herabwerffen kann, daß ich den Hals nothwendig brechen müßte« (9. August 1778). Und dazu das vielzitierte Bild: »Ich muß versuchen, ob man mich auf meiner alten Kanzel, auf dem Theater wenigstens, noch ungestört will predigen lassen« (6. September 1778).

Am 14. November 1778 begann Lessing mit der Versbearbeitung des ›Nathan‹, den er bereits eine Woche zuvor als fertig für den Druck bezeichnet hatte (Brief an den Bruder Karl Gotthelf). Am 7. Dezember schickte er dem Bruder »den Anfang meines Stücks« nach Berlin, um einen Probedruckbogen herstellen zu lassen. Weitere »Flatschen des Manuscripts« folgten bis März. Das Publikum erhielt den vollendeten, in Versform abgefaßten ›Nathan‹ im Mai 1779 gedruckt (ohne Ortsangabe, auf Subskription); zur Michaelismesse 1779 erschien er nochmals bei C.F. Voß und

Sohn in Berlin, außerdem im gleichen Jahr noch in zwei unrechtmäßigen Nachdrucken, jeweils ohne Ortsangabe.

Die Handschrift des ›Nathan‹, d.h. die Vorlage für den Druck von 1779, die sich zeitweilig im Besitz des Berliner Aufklärungsphilosophen und Professors am Joachimsthalschen Gymnasiums Johann Jakob Engel (1741-1802) befunden hatte, ist verschollen. Erhalten hat sich dagegen Lessings eigenhändiger ›Entwurf zum Nathan‹, eine Prosafassung, die Martin Bodmer 1949 für seine Bibliothek erwarb. In der zweiten Hälfte des 19. Jahrhunderts bzw. um 1900 hatte sie sich in Berlin im Besitz des Generalkonsuls und Geheimrats Ernst von Mendelssohn-Bartholdy (1846-1909), eines Urenkels von Moses Mendelssohn, befunden. Später war sie im Besitz von Paul von Mendelssohn-Bartholdy, Berlin. Die Familie Mendelssohn besaß noch andere Lessinghandschriften, insbesondere rund 120 Familienbriefe von und an Lessing, die heute größtenteils aufgeteilt sind zwischen der Bibliotheca Bodmeriana und der Staatsbibliothek zu Berlin-Preußischer Kulturbesitz. Der Tradition zufolge soll der »Entwurf zum Nathan« von Lessing direkt an die Familie Mendelssohn gekommen sein.

Die Handschrift des »Entwurfs« umfaßt 21 geheftete Blätter davon sind 41 Seiten zweispaltig beschrieben (zumeist nur teilweise); eine Seite ist unbeschrieben geblieben. Die eine Spalte enthält in der Regel kürzere Angaben in Prosa über die vorgesehene Handlung, die andere bringt die dazugehörigen ausgeführten oder nur teilweise ausgeführten Dialoge bzw. Monologe. Auf dem Titelblatt hat Lessing zusätzlich vermerkt: »Zu versificiren angefangen den 14ten Novbr 78. / den 2ten Aufzug – 6.Xbr./ den 3tn Aufzug – – 28 – / – 4tn – – – – 2 Febr. 79. / – 5 – – 7 Mrz. –« Zum 1. Aufzug, 1. Szene vermerkte er: »den 12tn Nbr«, zur 2. Szene: »den 13.«, zur 4. Szene: »den 14tn«, sämtlich Bearbeitungsvermerke einzelner Szenen, sicherlich später als der »Entwurf« geschrieben.

Inhaltlich und formal unterscheidet sich der ›Entwurf‹ von der endgültigen Druckfassung: Die meisten Dialoge bzw. Monologe stimmen im Wortlaut nicht mit denen im Druck überein, so etwa der Eingangssatz des 1. Auftritts im 1. Aufzug: »Entwurf«: »Dina: Gottlob, Nathan, daß Ihr endlich wieder da seyd.« Druck: »Daja: Er ist es! Nathan! – Gott sey ewig Dank, Daß Ihr doch endlich einmahl widerkommt.«

Am auffälligsten ist, daß die weltberühmte Ringparabel aus dem 3. Aufzug im »Entwurf« noch fehlt. Hier heißt es lediglich: »Saladin und Nathan. Die Scene aus dem Boccaz.« Demnach entstand die Ringparabel etwa im Januar 1779. Dem Schluß des »Entwurfs« sind noch erläuternde Passagen angehängt, die im Druck fehlen.

Die Schrift Lessings ist nicht an allen Stellen des »Entwurfs« gleich. Sie schwankt: Manchmal ist sie gut lesbar, manchmal aber weniger gut oder so flüchtig, daß sie besondere Schwierigkeiten bei der Entzifferung bietet. Besonders auffällig sind Stellen im 3. Aufzug 5. Szene oder im 4. Aufzug 4. Szene, offenbar auch mit verschiedenen Tinten geschrieben. W.M.

Lit.: Erster Abdruck des ›Entwurfs zum Nathan‹ in: Gotthold Ephraim Lessings sämtliche Schriften. Hrsg. von Karl Lachmann. 3. Aufl., besorgt durch Franz Muncker. Bd. 3, Stuttgart: Göschen 1887, S. 473–495 – Nathan der Weise. Faksimile – Ausgabe des eigenhändigen Entwurfs Lessings. – Berlin: Insel 1910

Friedhelm Kemp
Faust und seine Metamorphosen

Um drei kritische Neuausgaben der ›Faust‹-Dichtungen hat uns das Goethe-Gedenkjahr 1999 bereichert: von Albrecht Schöne in der Frankfurter, von Dorothea Hölscher-Lohmeyer in der Münchner Werkausgabe und von Ulrich Gaier im Reclam Verlag. Das ist nun, weit über den Anlaß hinaus, ein Geschenk, ein Schatzhaus und zugleich eine kaum zu bewältigende Zumutung. Nun erst sehen wir uns, breithin und mit immer neuen Ausblicken in die Unerschöpflichkeit der Goetheschen Geisteswelt, in den Stand gesetzt, dieses bedeutendste und vieldeutige Schlüsselwerk der mit ihm heraufkommenden Moderne in seiner komplexen Schichtung und labyrinthischen Verästelung wahrzunehmen: unbestreitbar gefördert, doch auch tiefer als je vorher in Fragen, in Fragwürdigkeiten verstrickt.

Was hat es, gestern, heute und im fahlen Licht unseres verstörten geschichtlichen Bewußtseins, mit diesem Menschen Faust auf sich? Diesem aber- und abermals in wahnhaften Veranstaltungen als Mittäter Befangenen, diesem unersättlich Begehrenden, dem es nicht gelingen will, der sich, eingestandenermaßen, auch nicht bemüht, »Magie von seinem Pfad zu entfernen«, sich der Dienste des allzeit gefälligen Mephistopheles zu entschlagen. Wie reimt sich dies oft unverantwortliche Treiben auf das ihm von oben attestierte strebende Bemühen der »entelechischen Geisteskraft«, deren rastlose Tätigkeit eingestandenermaßen »zugleich ein Sich-Verschulden« ist?

Nun, es wäre noch befremdlicher, wenn dieser Dichter uns zu seinem »Helden«, der ihn ein langes Leben hindurch wieder und wieder beschäftigte, einen leicht zu handhabenden Hauptschlüssel hätte liefern wollen. Das bleibt ein Wunderknäuel, der nicht aufhören wird, dem ihn Abweifenden neue Überraschungen und Verlegenheiten zu bereiten. Als würden wir, wie Emil Staiger meint, mit dieser »inkommensurablen Produktion« nicht fertig, »wie der Dichter nicht ganz damit fertig wurde, weil sie ihm selbst in ihrem gewaltigen Reichtum über den Kopf wuchs«.

93 ›Faust im Studierzimmer‹, Federzeichnung (Nr. 68)

Manches Problematische in der Wirkungsgeschichte des ›Faust‹ und seiner Auslegung erklärt sich aus seiner Entstehung und Veröffentlichung. Der 1773 bis 1775 entstandene ›Ur-Faust‹, der uns nur in einer Abschrift der Weimarer Hofdame Louise von Göchhausen überliefert ist, wurde erst 1887 zum erstenmal gedruckt. Goethe selber veröffentlichte 1790 ›Faust. Ein Fragment‹, welcher Torso mit der Domszene endet (vgl. Nr. 70). Als Titelkupfer ist dem Druck eine von J.H. Lips nach Rembrandt gestochene Szene beigegeben, in der ein Gelehrter eine magische Lichterscheinung betrachtet. ›Faust, Der Tragödie erster Teil‹, der Schillers beharrlichem Drängen seinen Abschluß verdankt, erschien dann 1808. Der im Sommer 1831 abgeschlossene und im Manuskript versiegelte ›Zweite Teil‹ eröffnete 1832 die von Riemer und Eckermann besorgte zwanzigbändige Ausgabe der ›Nachgelassenen Werke‹.

Als Goethe sich im Juni 1826 anschickte, das Helena-Zwischenspiel zu ›Faust‹ in seiner Hauszeitschrift ›Aus Kunst und Alterthum‹ anzukündigen, las man dort, »Fausts Charakter, auf der Höhe, wohin die neue Ausbildung aus dem alten rohen Volksmärchen denselben hervorgehoben hat«, stelle »einen Mann dar, welcher, in den allgemeinen Erdeschranken sich ungeduldig und unbehaglich fühlend, den Besitz des höchsten Wissens, den Genuß der schönsten Güter für unzulänglich achtet, seine Sehnsucht auch nur im mindesten zu befriedigen, einen Geist, welcher deshalb, nach allen Seiten hin sich wendend, immer unglücklicher zurückkehrt.

Diese Gesinnung ist dem modernen Wesen so analog, daß mehrere gute Köpfe die Lösung einer solchen Aufgabe zu unternehmen sich gedrungen fühlten. Die Art, wie ich mich dabei benommen, hat sich Beifall erworben; vorzügliche Männer haben darüber gedacht und meinen Text kommentiert. . .«

Einer der frühesten Kommentatoren dürfte der Philosophieprofessor Hermann Friedrich Wilhelm Hinrichs gewesen sein, der 1825 ›Ästhetische Vorlesungen über Goethe's Faust als Beitrag zur Anerkennung wissenschaftlicher Kunstbeurtheilung‹ herausgab; Vorlesungen, die er im Wintersemester 1821/22 an der Universität zu Heidelberg gehalten hatte und deren Buchausgabe er nun Goethe, Hegel und seinem Heidelberger Kollegen Carl Daub widmete.

In demselben Heft von ›Kunst und Alterthum‹ kommt Goethe auch auf die lithographischen Blätter von Eugène Delacroix zu sprechen, von denen ihm zwei Probedrucke zugegangen waren: »Herr Delacroix, ein Künstler, dem man ein entschiedenes Talent nicht abläugnet, dessen wilde Art jedoch, womit er davon Gebrauch macht, das Ungestüm seiner Conceptionen, das Getümmel seiner Kompositionen, die Gewaltsamkeit der Stellungen und die Roheit des Colorits keineswegs billigen will. Deshalb aber ist er eben der Mann, sich in den Faust zu versenken und wahrscheinlich Bilder hervorzubringen, an die niemand hätte denken können.«

Als im März 1828 die »Prachtausgabe« der französischen Übersetzung des ›Faust‹ von Frédéric Stapfer mit sämtlichen Lithographien von Delacroix in Weimar eintraf, fühlte Goethe sich an jene Zeit erinnert, »wo dieses Werk ersonnen, verfaßt und mit ganz eignen Gefühlen niedergeschrieben worden. Den Beifall, den es nah und fern gefunden, mag es wohl der seltenen Eigenschaft schuldig sein, das es für immer die Entwicklungsperiode eines Menschengeistes festhält, der von allem was die Menschheit peinigt auch gequält, von allem was sie beunruhigt auch ergriffen, in dem was sie verabscheut gleichfalls befangen, und durch das was sie wünscht auch beseligt worden.« (vgl. Nr. 72)

Ein krasserer Widerspruch in der Auffassung und damit Auslegung des ›Faust‹ als der zwischen Hinrichs und Delacroix ist schwerlich vorstellbar. Dort der umständlich ins abstrus Theoretische sich versteigende Professor, ein von Hegel infizierter Wagner; hier die »vollkommenere Einbildungskraft eines solchen Künstlers«, der, wie Goethe selber einräumt, seine eigenen Vorstellungen übertroffen habe bei Szenen, die er doch selber gemacht hatte. So stehen hier Abstraktion und Imagination gegeneinander, die nicht aufhören werden, einander zu befehden und zu befruchten.

Im 10. Buch von Goethes autobiographischen Aufzeichnungen ›Dichtung und Wahrheit‹ liest man über seine Straßburger Zeit und den Umgang mit Herder im Herbst 1771: »Am sorgfältigsten verbarg ich ihm das Interesse an gewissen Gegenständen, die sich bei mir eingewurzelt hatten und sich nach und nach zu poetischen Gestalten ausbilden wollten. Es war Götz von Berlichingen und Faust. Die Lebensbeschreibung des ersten hatte mich im Innersten ergriffen. Die Gestalt eines rohen, wohlmeinenden Selbsthelfers in wilder anarchischer Zeit erregte meinen tiefsten Anteil. Die bedeutende Puppenspielfabel des andern klang und summte gar vieltönig in mir wider. . .«

Wann Goethe, wohl schon in seinen Kinderjahren, dieses Puppenspiel sah, und in welcher der vielen umlaufenden Fassungen, wissen wir nicht. Jedenfalls handelte es sich um einen der späten

Ableger eines 1587 in Frankfurt am Main bei Johann Spieß zum erstenmal gedruckten Volksbuches, das mehrere Neuausgaben und viele Nachdrucke erlebte: ›Historia Von D. Johann Fausten, dem weitbeschreyten Zauberer und Schwartzkünstler. . .‹ (vgl. Nr. 95). Ein ebenso unterhaltsames wie erbauliches Werk, dessen Verfasser sich als ein »Lutheraner strengster Observanz« erweist. Schon 1599 erschien zu Hamburg eine stark erweiterte Fassung, auf welche 1674 und 1725 abermals veränderte, zuletzt mehr und mehr verknappte Bearbeitungen folgten.

Eine englische Übersetzung des Spieß'schen Volksbuches erschien spätestens 1592, denn schon ein Jahr später verfaßte Christopher Marlowe ›The Tragicall History of D. Faustus‹, die erste dramatische Bearbeitung des Stoffes, der im 18. Jahrhundert vor Goethe auch Lessing und unter Goethes Freunden den Maler Müller, Lenz und Klinger gereizt hat. Entscheidend jedoch für die Historie in ihrer dramatisierten Gestalt waren die englischen Komödianten, die im 17. Jahrhundert Marlowes Stück, wiederum bearbeitet und vergröbert, in Deutschland aufführten und den Stoff an die Jahrmarktspuppenspieler weitergaben.

In Goethes Erinnerungen an seine Straßburger Zeit heißt es dann weiter, auch er habe sich, wie Faust, »in allem Wissen umhergetrieben und war früh genug auf die Eitelkeit desselben hingewiesen worden. Ich hatte es auch im Leben auf allerlei Weise versucht und war immer unbefriedigter und gequälter zurückgekommen. Nun trug ich diese Dinge, sowie manche andre, mit mir herum und ergetzte mich daran in einsamen Stunden, ohne jedoch etwas davon aufzuschreiben. Am meisten aber verbarg ich vor Herdern meine mystisch-kabbalistische Chemie und was sich darauf bezog, ob ich mich gleich noch sehr gern heimlich beschäftigte, sie konsequenter auszubilden, als man sie mir überliefert hatte.«

Hinter dieser »mystisch-kabbalistischen Chemie« standen Geister wie Paracelsus, Agrippa von Nettesheim und vor allem das 1735 in Homburg vor der Höhe erschienene ›Opus mago-cabbalisticum et theosophicum‹ des pansophischen Bergwerkdirektors Georg von Welling. Dort findet sich auch eine einläßliche Schilderung des »wahren Magus«, der sich »vor allen abergläubischen Cacomagischen Quackeleyen als höchst schädlich hüten« soll; um sich vielmehr zu versenken in die »unendliche Gutheit oder Gütigkeit« des En-Soph als den »unbegreifflichen Ungrund der Göttlichen Majestät, davon kein Begriff, weder einiger Räumlichkeit, noch einiger Zeiten, sondern ein immerwährender Fortgang der Unendlichkeit, in stets-währender Auffwallung unersinnlicher Freudigkeit in eigenem Lichte, ohne eintzige Offenbarung einer Nennung«.

Daß Goethes Faust kein solcher »wahrer Magus« ist, sondern als ein Ausbrecher und bald auch ein Verbrecher handelt, schließlich im Bunde mit seinem Gesellen in der Rolle eines gefälligen Gauklers sich Ansehen, Einfluß und Besitz verschafft, ist nur allzu offenkundig.

»Der Schauspieler, Musicus, Maler, Dichter, ja der Gelehrte selbst erscheinen mit ihrem wunderlichen, halbideellen halbsinnlichen Wesen jener ganzen Masse der aus dem Reellen entsprungenen und an das Reelle gebundenen Weltmenschen wie eine Art von Narren, wo nicht gar wie Halbverbrecher, wie Menschen, die an einer *levis notae macula* laborieren.« (Goethe an F.H. Jacobi, 7. März 1808)

Ist der »wahre Magus« auch ein Weiser, so ist Faust vielleicht (und nicht nur in den Augen der Weltmenschen) mit dem – in seinem Falle keineswegs leichten – schimpflichen Flecken der Narrheit behaftet. Es kann ja nicht verborgen bleiben, daß dem modernen mythischen Helden – nicht nur Don Quichote, auch Don Juan, Werther, Tasso, Faust – etwas von einem »närrischen Charakter« anhaftet, der mit seiner Gespaltenheit und mit seinem Bewußtsein derselben zusammenhängt. Die Heilige Schrift, das antike Epos und Drama kennen dergleichen nicht.

Faust und Don Juan – beide im 16. Jahrhundert auftretend, als zwei Verkörperungen des Aufbegehrens gegen jede Bevormundung, beide bis heute die Phantasie der Dramatiker, Musiker und bildenden Künstler beschäftigend. Es wäre reizvoll, ihnen in ihren vielfältigen Metempsychosen nachzugehen; warum nicht gar in Gestalt eines Lexikons, wie jüngst Pierre Brunel und seine Mitarbeiter auf über tausend Seiten in ihrem ›Dictionnaire de Don Juan‹? Auch der Spötter, Wüstling und Schürzenjäger aus Sevilla wird bedenkenlos zum Verbrecher; weshalb ihn bei Tirso da Molina und Mozart als trotzig Vermessenen zuletzt der wohlverdiente Untergang ereilt. Im 19. und 20. Jahrhundert indessen, bei José Zorilla und in dem französischen Mysterienspiel des litauischen Dichters O.V. de L. Milosz bewirkt die Liebe eines unschuldigen jungen Weibes, daß der Bösewicht in sich geht und als reuiger Büßer gerettet wird.

Vielleicht den verwegensten dramatischen Versuch, das Faust-Thema abzuwandeln und es mit dem des spanischen Unholds zu verknüpfen, stellt Christian Dietrich Grabbes Tragödie ›Don Juan und Faust‹ dar, die 1829 in Frankfurt erschien. Sie spielt in Rom und auf dem Gipfel des Montblanc, auf dessen Höhen Faust die von Don Juan geliebte Donna Anna entführt und, als sie ihn nicht erhören will, mit einem Wort »zertrümmert«. Zuletzt erdrosselt ihn der »schwarze Ritter«, dem Faust sich mit seinem Blut verschrieben hat, und reißt auch den Don Juan mit sich fort.

Drei Jahre nach seiner Rückkehr aus Amerika veröffentlichte Nikolaus Lenau sein Gedicht ›Faust‹, in dem dieser als Maler »in stummer Wonnetrunkenheit« eine »holde Königstochter konterfeit«, deren Gatten er aus Eifersucht mit dem Schwert erschlägt, und sich zuletzt am Klippenstrand bei nächtlichem Sturmestosen ersticht: »Ich bin ein Traum mit Lust und Schmerz, / Und träume mir das Messer in das Herz!« Was Mephisto nicht gelten läßt :

> Nicht Du und Ich und unsere Verkettung,
> Nur deine Flucht ist Traum und deine Rettung . . .
> Du warst von der Versöhnung nie so weit,
> Als da du wolltest mit der fieberheißen
> Verzweiflungsglut vertilgen allen Streit,
> Dich, Welt und Gott in eins zusammenschweißen.
> Da bist du in die Arme mir gesprungen,
> Nun hab ich dich und halte dich umschlungen!

Auch in Heines 1846 in Paris entworfenem »Tanzpoem« ›Der Doktor Faust‹ holt diesen zuletzt der in eine Mephistophela verwandelte Teufel, der als eine gräßliche Schlange den armen Doktor mit wilder Umschlingung erdrosselt.

Bekanntlich hat die Gestalt des ruchlos genialischen Zauberers noch manchen zur abermals umverwandelnden Bearbeitung und Auslegung gereizt, weil diese Ausgeburt widerstrebender Tendenzen nicht aufhört, als mythisches Inbild zu faszinieren. Den äußersten Kontrast wohl bieten zwei während des letzten Krieges entstandene Werke: Thomas Manns ›Doktor Faustus‹ (veröffentlicht 1947) und Paul Valérys dramatische Skizzen zu dem, was dann postum unter dem Titel ›Mon Faust‹ erschien.

In Thomas Manns Roman spiegeln sich die »Schrecknisse der

Zeit« in dem Schicksal des Komponisten Adrian Leverkühn, der sich dem Teufel verschrieben hat gegen das Versprechen der »wahrhaft beglückenden, entrückenden, zweifellosen und gläubigen Inspiration« und der nach der Vollendung seiner Kantate ›Dr. Fausti Weheklag‹ in geistige Umnachtung versinkt. Bei Valéry hingegen hat der greise Faust die höchste Form des autonomen Bewußtseins erlangt. Als der »Gipfel seiner Kunst« ist dieses Bewußtsein reines Leben, reine Gegenwart, in sich abgeschlossene Vollendung. »Welcher Abenteuer, welcher Überlegungen, welcher Träume, und welcher Fehler auch, bedarf es, um die Freiheit zu erlangen, der zu sein, der man ist, nichts als das ... LEBEN ... Ich fühle, ich atme mein Meisterwerk.« Valérys Faust hat sich selbst erlöst: er atmet, er sieht, er berührt. Alle Bedrohungen, alle Seligkeiten eines Jenseits haben sich in nichts aufgelöst. Das Unerreichliche hat sich verflüchtigt. Alle Sehnsucht findet im reinen Hiersein ihre Genüge.

Martin Bodmer: Faust

In der Präsentation seines Weltliteratur-Konzepts widmet Bodmer dem Thema ›Faust‹ ein eigenes Kapitel. Es lohnt sich, seine Konzeption für dieses ungewöhnlich reich vertretene Sammelgebiet – innerhalb des prächtigen Goethe-Bestands – aus seiner eigenen Feder zur Kenntnis zu nehmen:

»Die Faustsammlung umfaßt acht Abteilungen, nämlich: Manuskripte – deutsche Ausgaben zu Lebzeiten Goethes – deutsche Ausgaben seit 1832 – illustrierte Ausgaben – Übersetzungen – Illustrationen ohne Text – Kompositionen – Literatur über Faust; insgesamt etwa 900 Nummern.

An der Spitze der deutschen Ausgaben steht der erste Druck der ersten Ausgabe des Fragments von 1790. Es folgen der zweite Druck des Fragments und die unechte Ausgabe von 1787, alle Variantdrucke des Fragments bis zur ersten Ausgabe des Ersten Teils 1808, mit allen weiteren Ausgaben bis zur ersten des Zweiten Teils und der ersten vollständigen beider Teile (1833). Bis zu diesem Zeitpunkt waren bereits 25 verschiedene Ausgaben erschienen. Es folgen alle selbständigen des deutschen Texts bis in unsere Tage, wovon die Sammlung 265 besitzt. An Übersetzungen sind insgesamt 278 in 36 verschiedene Sprachen vorhanden. Ferner liegen vor etwa 40 Illustrationsfolgen ohne Text, 12 Kompositionen und an Literatur über Goethes Faust etwa 10 Bibliographien und etwa 270 Einzelwerke, die Literaturgeschichten natürlich nicht mit eingerechnet.

Wir haben uns bei solcher Vollständigkeit vom Gedanken leiten lassen, es sei interessant, wenigstens an einem Beispiel die Wirkung der deutschen Dichtung auf das Ausland zu verfolgen, um so mehr als es die Gegenseite der Aneignung fremden Literaturgutes durch die deutsche Sprache darstellt, die zu erfassen ja ein besonderes Anliegen der Sammlung ist. Ebenso lag uns daran, dem allseitigen Echo nachzugehen, das die größte deutsche Dichtung im In- und Ausland erweckt hat.

Trotz all diesen Ausgaben und Abhandlungen bilden aber den weitaus wertvollsten Teil der Faustsammlung die Manuskriptblätter von Goethes Hand, neun an der Zahl. Sie enthalten zehn Faust-stellen mit insgesamt 162 Versen und einem Paralipomenon aus dem Helena-Akt. [...]

Wir haben hier alle großen Elemente des Faust: die Justitia, die Magie, die Metamorphose des Geistes, die Vermählung von Antike und Mittelalter, den Anbruch neuer Zeiten... Aber vielleicht ebenso wichtig an diesen Manuskripten wie ihr Inhalt ist, daß sie Korrekturen, Streichungen, Änderungen und Varianten zum gedruckten Text enthalten, und man in ihnen die Hand des schaffenden Genius spürt.

Weltliteratur S. 103–105

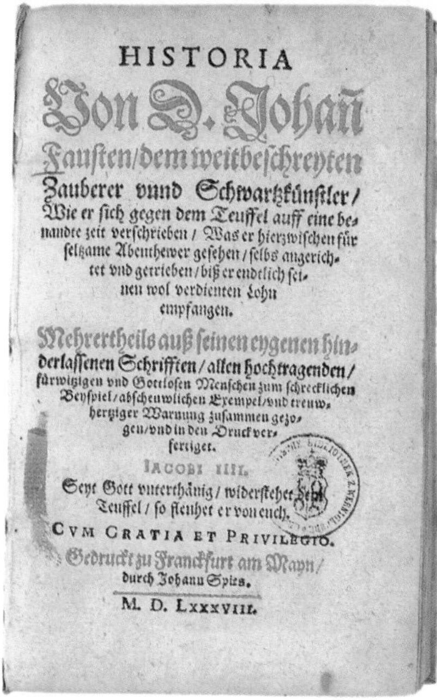
HISTORIA Von D. Johañ Fausten/dem weitbeschreyten Zauberer vnnd Schwartzkünstler/ Wie er sich gegen dem Teuffel auff eine benandte zeit verschrieben/ Was er hierzwischen für seltzame Abentheuwer gesehen/selbs angerichtet vnd getrieben/biß er endtlich seinen wol verdienten Lohn empfangen.
Mehrertheils auß seinen eygenen hinderlassenen Schrifften/allen hochtragenden/fürwitzigen vnd Gottlosen Menschen zum schrecklichen Beyspiel/abscheuwlichen Exempel/vnd treuwhertziger Warnung zusammen gezogen/vnd in den Druck verfertiget.
IACOBI IIII.
Seyt Gott vnterthänig/widerstehet dem Teuffel/so fleuhet er von euch.
CVM GRATIA ET PRIVILEGIO.
Gedruckt zu Franckfurt am Mayn/durch Johann Spies.
M. D. LXXXVIII.

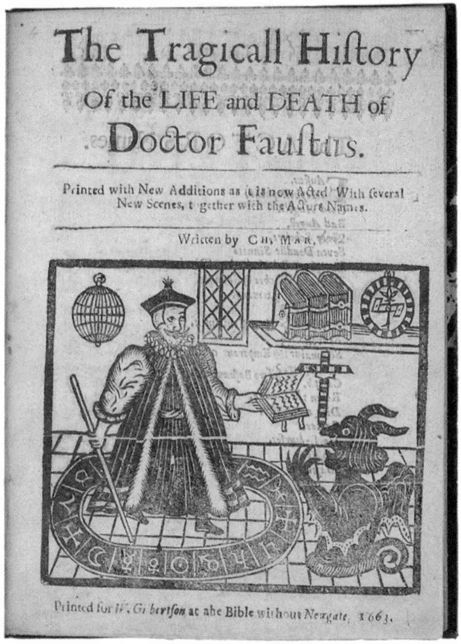
The Tragicall History Of the LIFE and DEATH of Doctor Faustus.
Printed with New Additions as it is now Acted. With several New Scenes, together with the Actors Names.
Written by Ch. Mar.
Printed for W. Gilbertson at the Bible without Newgate, 1663.

95 *Titelblatt der Erstausgabe des Volksbuchs (Nr. 66)*

92 *Titelblatt von Marlowes ›Faust‹-Drama (Nr. 67)*

66 **›Historia Von D. Johann Fausten, dem weitbeschreyten Zauberer vnnd Schwartzkünstler, Wie er sich gegen dem Teuffel auff eine benandte zeit verschrieben…‹**

Frankfurt am Main: Johannes Spieß, 1587. Erstausgabe

12°, 11 nn. Bll., 1 leeres Bl., 227 S., 8 nn. Bll. Titel in Faksimile Druckermarke

EINBAND: *Pergament der Zeit*

PROVENIENZ: *nach 1932, Martin Breslauer Berlin, Exlibris Christian Ernst Graf zu Stolberg*

67* **Christopher Marlowe (1564–1593)**

›The tragical history of the life and death of Doctor Faustus‹

[London] 1663. 7. Ausgabe

17,8 x 12,7 cm, 30 nn. Bll. Titelholzschnitt

EINBAND: *Halbleder*

PROVENIENZ: *vor 1947. Bodmer, Weltliteratur, S. 90*

68 **Rembrandt Harmensz van Rijn (1606–1669), Nachfolge**

›Faust im Studierzimmer‹

Unsigniert, undatiert. Feder in schwarz (Abbildung, s. S. 340)

247 x 180/190 mm

PROVENIENZ: *Karl & Faber, München, 19. / 20. November, 1952*

Bei der berühmten Radierung Rembrandts, ›Gelehrter in seinem Studierzimmer‹, entstanden um 1652, der Vorlage unserer Zeichnung, ist bis heute nicht eindeutig festzustellen, ob Rembrandt wirklich den berühmten Magier Faust festgehalten hat. Kein Zweifel dagegen bei der Zeichnung der Bodmeriana: die magische Scheibe wird – und das ist neu – von Mephisto gehalten. Trotz gewisser Verunklärung durch ein Netz wilder Parallelschraffuren ist eindeutig die Gestalt des Versuchers zu erkennen. Am rechten Bildrand sitzt er, in Menschengestalt, ein Bein salopp über das andere geschlagen. Er trägt einen Degen an seiner linken Seite, entspricht somit der Gestalt eines fahrenden Studenten. Diese Erscheinungsform des Mephistopheles ist eine Erfindung Goethes. Die Quellen zum Fauststoff, das Volksbuch in seinen verschiedenen Bearbeitungen sowie Marlowes Drama erwähnen neben verschiedenen Verwandlungen in Tiere nur die Erscheinung als Franziskanermönch. Die wenigen Abbildungen zum Faustthema vor Goethes ›Faust‹, soweit sie überliefert sind, zeigen Mephistopheles zumeist in der traditionellen Teufelsgestalt. Eugène Delacroix hat diesem Mephistoteles-Scholastikus 1825 eine einprägsame Gestalt gegeben. Als Studenten mit Degen stellt auch Moritz Retzsch Mephisto in dieser Szene dar. So standen dem

Zeichner des vorliegenden Blattes neben der Radierung Rembrandts mehrere Inspirationsquellen zur Verfügung. Der Gelehrte in seinem Arbeitszimmer selbst ist dagegen eindeutig nach dem Vorbild Rembrandts gezeichnet worden.

Die affenartigen Züge, die der anonyme Zeichner seinem Scholastikus verleiht, gehen zurück auf die in der christlichen Ikonographie geläufige Vorstellung vom Affen als Symbol des Teufels. Zudem mögen sie auch direkt vom Text des Volksbuchs von 1587 beeinflußt sein, wo Mephisto unter anderem auch als großer alter Affe seine Späße mit dem Doktor treibt. Diese burlesken Züge der Illustration wollen jedoch nicht so recht zum Grundthema der Radierung, zum Ernst des Suchenden passen, der mit dem Unerklärlichen konfrontiert ist, wie es Rembrandt so ergreifend darzustellen vermochte.

Die intensive Auseinandersetzung mit der Kunst Rembrandts setzte schon zur Zeit des jungen Goethe ein. Der Künstler hatte dem Blatt keinen Titel gegeben. Es wurde aber bereits 1751, in der ersten Ausgabe seiner Radierungen, mit ›Faustus‹ bezeichnet. So erstaunt es nicht, daß der Zürcher Kupferstecher Johann Heinrich Lips, der seit Goethes römischer Zeit mit ihm bekannt war, für das Titelblatt der Sonderausgabe des ›Faust-Fragments‹ (1790) auf Rembrandts Radierung zurückgriff. Dem Geschmack des Klassizismus entsprechend, verniedlicht Lips eindeutig Rembrandts Faust-Darstellung. Demgegenüber kommt die Zeichnung des unbekannten Künstlers, wohl nach seiner Lektüre von Goethes ›Faust‹ geschaffen, der Dramatik nahe, welche die Kunst seines großen Vorbilds Rembrandts kennzeichnet. Bei allen Mängeln (wie z.B. Überladenheit, Unmotiviertheit des Schraffursystems) handelt es sich um ein interessantes Beispiel für die Auseinandersetzung mit der Figur des Faust zwischen dem Volksbuch und Goethe, zwischen Rembrandt und Delacroix. G.B.

Lit.: Wolfgang Wegner, Die Faustdarstellung vom 16. Jahrhundert bis zur Gegenwart. Amsterdam: Erasmus 1962, S. 41–42 (Wegner legt das Blatt in die Jugendzeit Goethes, geht aber sonst nicht näher darauf ein.)

69 **Zauberbuch vom Dr. Faust**

›Dochder Johannes Faust III. Fager Hollen. Zwanck. Schwartze Magie...‹

Ms. Deutschland, nach 1700. Pergament

16,2 x 10,2 cm, 12 nn. Bll.

CB 66. Bodmeriana, Dt.Hss.des MA, S. 77–80

BUCHSCHMUCK: *8 ganzseitige Handzeichnungen in Feder und Pinsel; 3 Federzeichnungen. Der Text besteht meist aus kabbalistischen Zeichen mit eingestreuten Beschwörungsformeln*

EINBAND: *Lederband der Zeit*

PROVENIENZ: *Haus der Bücher, Basel, Mai 1949*

Vorbild für die kleine unveröffentlichte Handschrift der schwarzen Magie war eine berühmte mit Faust in Verbindung gebrachte Schrift, der sog. ›Höllenzwang‹, der 1612 in Passau gedruckt und in einer Abschrift des 18. Jahrhunderts in der Weimar Bibliothek aufbewahrt wird. Der komplizierte Titel enthält sämtliche Begriffe, die auch im Genfer Manuskript vorkommen: ›Praxis Cabulae nigrae... Magia naturalis et innaturalis oder unerforschlicher Höllenzwang, das ist Miracul-Kunst und Wunderbuch...‹. Goethe hat die Handschrift gekannt und gesagt, daß sie voll »des raisoniertesten Unsinns« sei. Im Jahre 1829 hat er eine Liste der wichtigsten Schriften, die Faust zugeschrieben worden sind, verfaßt, die dann in Scheibles ›Kloster‹, einem für die deutsche Kulturgeschichte wichtigen Sammelwerk, publiziert wurde. Es ist anzunehmen, daß Teile des ›Höllenzwangs‹ auf Aufzeichnungen Fausts zurückgehen, von denen immer wieder die Rede ist, wie z.B. in der Zimmerschen Chronik. Im Gegensatz zum »Höllenzwang«, der mit der Wahrnehmung parapsychologischer Phänomene durchaus nicht nur als »raisoniertester Unsinn« abzutun ist (Carl Kiesewetter), sind viele Faust zugeschriebene Werke plumpe Fälschungen, wie z.B. die Abschrift eines angeblich in Lyon 1469 entstandenen Werks, das vorwiegend von Beschwörungen bei der Suche nach vergrabenen Schätzen handelt. Die Lyoner Ausgabe könnte eine Quelle für das Genfer Manuskript sein, das ja schon im Titel auf die Stadt verweist. Im Tschechischen Nationalmuseum, Prag, wird ein Fragment eines »Höllenzwangs« aufbewahrt, das den Zusammenhang noch augenfälliger macht, indem nicht nur der gleiche Herstellungsort, sondern auch der gleiche Schreiber genannt werden. Wie im Exemplar der Bodmeriana heißt es: »Schrieb te Cicerron. Gemacht in Lion im Jahr 1419 [um 1750]« (vgl. Henning Nr. 3168). In der vorliegenden Handschrift findet sich keine Angabe eines Datums; sie dürfte um 1700 enstanden sein. Hierbei handelt es sich ebenfalls um eine Anleitung zum Schatzsuchen. Elemente des »echten« Faustschen Höllenzwangs werden mit dem fiktiven sechsten und siebten Buch Moses sowie der Anrufung des Hl. Christophorus verbunden. Im Gegensatz zum Weimarer ›Höllenzwang‹ in deutscher Sprache ist der Text des Manuskripts, mit Ausnahme dreier Seiten sowie einiger eingestreuter Sätze und Wörter, in einer (bisher noch nicht entzifferten) Geheimschrift geschrieben; einige Zeichen sind die üblichen Symbole von Planeten. Eingeleitet und abgeschlossen wird das Magiebuch mit den Titelinschriften des sechsten bzw. des siebten Buches Moses, was ihm zusätzliche Autorität verschaffen soll, spielten sie doch im Volksglauben eine beträchliche Rolle.

Nach der Zeichnung mit dem dreifachen Zauberkreis, der zur Beschwörung aller Geister dient, folgt eine Verhaltensanleitung für den Exorzisten; die Herstellung eines Zauberstabs wird beschrieben. Auf das Holz eines Galgens sollen mit dem Blut einer schwarzen Katze magische Zeichen geschrieben werden. Mit diesem Stab gilt es dann, auf die Siegel (Amulette mit magischen Zeichen als Stellvertreter) der Geister einzuschlagen, um sie zu bändigen. Danach werden nach dem im ›Höllenzwang‹ verwendeten Ritual in »Citation«, »Zwang« und »Abdankung« die Geister angerufen. Im Exemplar der Bodmeriana sind es sieben Geister, die jeweils in voller Gestalt mit ihrem Siegel abgebildet sind, neben dem entsprechenden Text in Geheimschrift, jedoch mit deutschen Überschriften der einzelnen Etappen. Neben dem Höllenfürst Luzifer und Christophorus, die als einzige mit Namen versehen und identifizierbar sind, erscheint ein Teufel in Ochsengestalt, vermutlich der Geist Aziel, der schon im Lyoner Exemplar eine große Rolle spielte, ist doch seine Aufgabe, verborgene Schätze aufzuspüren. Aziel kommt in dieser Funktion auch im Weimarer ›Höllenzwang‹ vor.

Die Anrufung des Hl. Christophorus (wie auch die Berufung auf die 6. und 7. Bücher Moses) hat dagegen nichts gemein mit dem »echten« Faustschen ›Höllenzwang‹. Der »Zwang« ist hier durch das »Gebet« ersetzt, das jedoch nicht angeführt wird. Das mit umständlichen Vorbereitungen verbundene (der Beschwörer muß vorher beichten, fasten, keusch leben, Almosen geben) sog. Christophorus-Gebet, ist bekannt in abergläubischen Kreisen für seine magische Wirkung bei der Schatzsuche. Auf diese Funktion des Heiligen weisen auch die im Siegel erscheinenden deutschen Worte »Schetze« und »Schadz Meister« hin. Vor dem Abschluß des Werks mit der Überschrift des 7. Buch Moses und einer Seite Text in Geheimschrift, kommt der Verfasser mit seiner »Anforderung« zur Sache: So fordert er nicht weniger als »achdzen million« und weist mit dem in den kabbalistischen Text eingestreuten deutschen Satz »und lege es hir her« auch fest, wo er das Geforderte vorzufinden wünscht. G.B.

96 Zauberbuch vom Dr. Faust. Zwei Doppelblätter (Nr. 69)

Lit.: Johann Scheible, in: Das Kloster, Bd. 2 und 5. Leipzig: Eigenverlag 1846–47 – Carl Kiesewetter, Faust in der Geschichte und Tradition, Mit besonderer Berücksichtigung des occulten Phänomenalismus und des mittelalterlichen Zauberwesens. Leipzig: Spohr 1893 – Hans Henning, Faust-Bibliographie, Teil I. Berlin, Weimar: Aufbau 1966, Nr. 3145

70 Johann Wolfgang von Goethe (1749–1832)
›Faust. Ein Fragment‹

Leipzig: Georg Joachim Göschen, 1790. Erstausgabe, erster Druck

8°, 1 nn. Bl., 168 Bll.

EINBAND: *Pappband der Zeit*

PROVENIENZ: *Heinrich Stiebel, Frankfurt a. M., 1929*

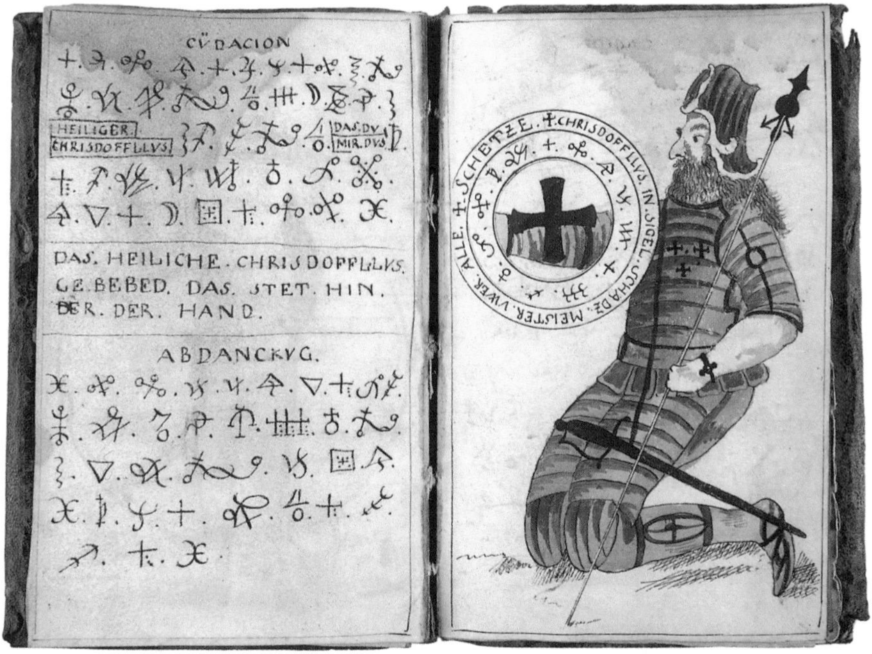
CVDACION

HEILIGER CHRISDOFFLLVS

DAS. DV MIR. DVS

DAS. HEILICHE. CHRISDOFFLLVS. GE.BEBED. DAS. STET. HIN DER. DER. HAND.

ABDANCKVG.

✝. CHRISDOFFLLVS. IN. SIGEL. SCHADE. MEISTER. VWER. ALLE. ✝. SCHETZE.

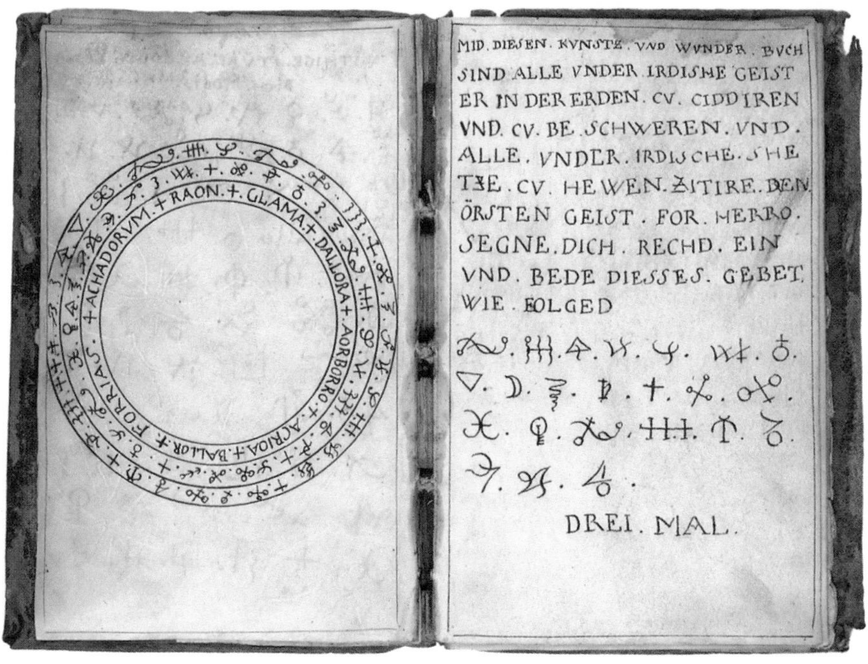
✝ ACHADORVM. ✝ RAON. ✝ GLAMA. ✝ DALLORA ✝ AORBORRO. ✝ ACRIOA ✝ BALLOR. ✝ FORRIAS.

MID. DIESEN. KVNSTE. VND WVNDER. BVCH SIND ALLE VNDER IRDISHE GEIST ER IN DER ERDEN. CV. CIDDIREN VND. CV. BE.SCHWEREN. VND. ALLE. VNDER. IRDISCHE. SHE TZE. CV. HEWEN. ZITIRE. DEN ÖRSTEN GEIST. FOR. HERRO. SEGNE. DICH. RECHD. EIN VND. BEDE DIESSES. GEBET. WIE. FOLGED

DREI. MAL.

Die seligen Knaben.

Freudig empfangen wir
Diesen im Puppenstand;
Also erlangen wir
Englisches Unterpfand.
Löset die Flocken los
Die ihn umgeben,
Schon ist er schön und groß
Von heiligem Leben.

Doctor Marianus.

(: in der höchsten, reinlichsten Zelle :)

Hier ist die Aussicht frey,
Der Geist erhoben.
Dort ziehen Frauen vorbey,
Schwebend nach oben.
Die Herrliche, mittenin,
Im Sternenkranze,
Die Himmelskönigin,
Ich seh's am Glanze.

(: entzückt :)

Höchste Herrscherin der Welt
Lasse mich im blauen,
Ausgespannten Himmelszelt
dein ~~Das~~ Geheimniß schauen.
Dulde was des Mannes Brust
Ernst und zart bewegt,
Und mit heiliger Liebeslust
Dir entgegen trägt.

Daß d. Vor- und Nachstehende Goethe's eigene Handschrift sey, bezeuge hiermit. Friedr. Wilhelm Riemer
Großherz. Sächs. Oberbibliothekar

71 **Johann Wolfgang von Goethe (1749–1832)**
Fragment aus ›Faust II‹

Ms. autogr. ›Die seligen Knaben‹, 15 Verse aus dem 5. Akt (11981–12004)

33 x 19,8 cm, 1 Bl. beidseitig beschrieben

PROVENIENZ: *Heinrich Stiebel, Frankfurt a. M., 1929*

72 **Eugène Delacroix (1798–1863)**
›Mephistopheles in den Lüften‹

Feder, Aquarell und Gouache auf leichter Bleistiftvorzeichnung. Unsigniert, undatiert

215 x 165 mm

In: Goethe, ›Faust, tragédie, traduite en français par Albert Stapfer, ornée d'un portrait de l'auteur et de dix-sept dessins d'après les principales scènes de l'ouvrage et exécutés sur pierre par M. Eugène Delacroix‹. Paris: Ch. Motte, 1828. Erstausgabe. Dem vorliegenden Exemplar beigebunden: 2 wiederholte Lithographien auf blauem Papier (›Mephistopheles in den Lüften‹, ›Faust und Mephistopheles im Harzgebirge‹) sowie 1 wiederholte Lithographie auf beigem Papier (›Faustritt‹); 4 Vorzeichnungen (›Mephistopheles in den Lüften‹, ›Fünf Figurenstudien‹, ›Die Erscheinung Gretchens‹ und ›Studien zu Teufelsköpfen‹); ein eigenh. Brief an Ph. Motte und 1 lithographiertes Werbeplakat.

PROVENIENZ: *unbekannt; aus dem Besitz von Ph. Burty*

Einem Brief Delacroix' vom 1. März 1862 an Philippe Burty (1830–1890), den ersten Besitzer des vorliegenden prächtigen Werkes, läßt sich entnehmen, wie der Künstler dazu kam, sich mit Goethes ›Faust I‹ zu beschäftigen: » ... Vous me demandez ce qui m'a fait naître l'idée des planches sur ›Faust‹. Je me rappelle que je vis, vers 1821, les compositions de Retzsch qui me frappèrent assez: mais c'est surtout la représentation d'un drame-opéra sur Faust, que je vis à Londres en 1825, qui m'exita à faire quelque chose là-dessus.« Bei dieser englischen Bearbeitung des Faust-Themas, die Delacroix sah, handelt es sich nicht um Christopher Marlowes

97 *Goethe, Fragment des Autographs von ›Faust II‹ (Nr. 71)*

Stück, sondern um den Text Goethes, den zwei Bearbeiter, Georges Soane und Daniel Terry, dem Geschmack ihres Publikums angepaßt hatten.

Die Figur des Mephistopheles hat Delacroix so tief beeindruckt, daß er sich rund vierzig Jahre später noch an den Namen des Darstellers erinnern konnte. Mephistopheles ist denn auch die Hauptfigur dieser Illustrationen, die einer 1828 erschienenen französische ›Faust‹-Übersetzung beigegeben sind. Mit Mephisto beginnt seine Serie. Ihm gleicht sich Faust an, bis er, wie auf dem Bild der Begegnung mit Gretchen, zu seinem Zwillingsbruder wird. Der Gretchenstoff wird nicht zum Hauptthema, wie vorher bei Moritz Retzsch und Peter von Cornelius, welche die Szenen mit vielen Details ausschmücken und eine objektiv erzählerische Haltung einnehmen. Delacroix setzt das Geschehen vielmehr dramatisch in Szene. Er konzentriert sich auf die Protagonisten des Dramas, die er in ihrer Verstrickung und seelischen Not erfaßt.

Goethe hat sich noch im Erscheinungsjahr des Buches sehr positiv über die Lithographien geäußert: »Herr Delacroix, ein Maler von unleugbarem Talent..., der jedoch den Pariser Kunstfreunden und Kennern viel zu schaffen macht, weil sie weder seine Verdienste leugnen, noch einer gewissen wilden Behandlungsart mit Beyfall begegnen können, Herr Delacroix scheint hier in einem wunderlichen Erzeugnis zwischen Himmel und Erde, Möglichem und Unmöglichem, Rohstem und Zartestem, und zwischen welchen Gegensätzen noch weiter Phantasie ihr verwegenes Spiel treiben, mag sich heimathlich gefühlt und wie in dem Seinigen ergangen zu haben. Dadurch wird denn jener Prachtglanz wieder gedämpft, der Geist vom klaren Buchstaben in eine düstere Welt geführt und die uralte Empfindung einer mährchenhaftigen Erzählung wieder aufgeregt. Ein weiteres getrauen wir uns nicht zu sagen, einem jeden Beschauer dieses bedeutenden Werks mehr oder weniger den unsrigen analoge Empfindungen zutrauend und gleiche Befriedigung wünschend.«

Die »Pariser Kunstfreunde« haben in der Tat Delacroix' Illustrationen keinen guten Empfang bereitet. Das Werk, das sich der Künstler neben seiner Arbeit an dem Gemälde ›Der Tod des Sardanapal‹ abgerungen hat, wurde ausgepfiffen und parodiert. Wie sehr Delacroix mit finanziellen Problemen zu kämpfen hatte, geht aus seiner Korrespondenz hervor, in der er seinen Verleger Motte

98 Eugène Delacroix, ›Mephistopheles in den Lüften‹, Federzeichnung (Nr. 72)

mehrmals um Vorschuß bittet, wie etwa auch ein dem Exemplar der Bodmeriana beigebunder Bittbrief belegt.

Die aufgeschlagene erste Vorzeichnung hält den fliegenden Mephistopheles fest, der dann im Druck seitenverkehrt erscheint. Bis auf wenige Details (z.B. werden die Krallen Mephistos erst später ausgeführt), stimmt die Zeichnung mit der Lithographie überein. Die Kolorierung mit Aquarell und Gouache gibt der Federzeichnung den Charakter eines in sich abgeschlossenen Kunstwerks. Als geflügelten Dämon stellt Delacroix Mephistopheles in seiner wahren Gestalt an den Anfang der Illustrationen. Der gefallene Engel in Menschengestalt mit riesigen Schwingen blickt spöttisch zum Allmächtigen, von dem er soeben Abschied genommen hat: »Von Zeit zu Zeit seh' ich den Alten gern, Und hüte mich, mit ihm zu brechen. Es ist gar hübsch von einem großen Herrn, So menschlich mit dem Teufel selbst zu sprechen.« Diese Verse Goethes, die den »Prolog im Himmel« beschließen, sind in der Übersetzung Stapfers unter die Lithographie gesetzt. Delacroix gibt seinem Teufel die Züge des Satyrs, wie er in den großen Kathedralen der Hochgotik in Frankreich vorkommt. Hämisches Grinsen und Bocksohren sind dort vorgebildet. Die Krone des »Prinzen der Finsternis« – auf der Zeichnung deutlich als solche erkennbar – ist über der Stirne hörnerartig ausgeformt. Der lichtscheue Mephistopheles (schon sein Name weist darauf hin) fliegt im Mondlicht über die finstere Stadt. Sein Gesicht ist vom Licht abgewandt. Gespenstisch wird sein Körper wie vom Blitz erleuchtet. Zugleich vermeint man in den grüngelben Schwaden auf der Zeichnung Schwefelgeruch wahrzunehmen.

Delacroix' Mephistopheles, ein muskulöser Teufel in menschlicher Gestalt, ist ohne die Dämonen, die sich auf Michelangelos ›Jüngstem Gericht‹ der Verdammten bemächtigen, undenkbar. Genial ist die Idee des Künstlers, ihn mit Schwingen zu versehen, womit er Assoziationen zum Schicksal des fliegenden Ikarus erweckt. Günter Busch verweist auf die Vorbilder von Rubens und Goya. Eine Ölskizze von Rubens (Brüssel), die den Sturz des Ikarus festhält, könnte in der Tat Delacroix die Bildidee gegeben haben, ist doch bekannt, daß sich dieser intensiv mit dem Werk des Flamen auseinandergesetzt hat. Die Gestalt des fliegenden Dädalus ist mit derjenigen des Mephistopheles nahe verwandt. Von großer Bedeutung ist jedenfalls die Vorstellungswelt Goyas, der Delacroix maßgeblich beeinflußt hat. In der Figur des Mannes, der sich auf einem Blatt in den ›Soanes‹ am Stecken der fliegenden Hexe festklammert, ist eine weitere mögliche Inspirationsquelle gegeben. Die grotesk übertriebene Partie der linken Hüfte auf der Aquatinta wird von Delacroix übernommen und verleiht seinem Mephisto etwas kokett Verführerisches.

Das prachtvolle Exemplar der französischen ›Faust‹-Ausgabe stammt aus dem Besitz des Kunstkritikers Philippe Burty, dem Herausgeber der Briefe Delacroix', der später durch seine Stellungnahme für die Impressionisten bekannt wurde. Reich gebunden in Maroquin und versehen mit vier Vorzeichnungen zu den Lithographien, zusätzlichen Lithographien und einem Autograph von Delacroix, ist es ein typisches Beispiel eines bei französischen Bibliophilen so begehrten »livre truffé«. G.B.

Lit.: Günter Busch, Eugène Delacroix, Der Tod des Valentin. Frankfurt a.M.: S. Fischer 1973 – Eugène Delacroix, Themen und Variationen. Arbeiten auf Papier, Ausstellung und Katalog: Margret Stuffmann. Frankfurt a.M.: Städtische Galerie im Städelschen Kunstinstitut 1987, S. 68, Abb. E 3a – Arlette Sérullaz, Un parcours initiatique, Delacroix illustrateur de ›Faust‹, in: Goethe, Faust, Illustrations Eugène Delacroix, Traduction Gérard de Nerval, Ed. par Diane de Sellier. Paris: de Sellier 1997, S. 74

73* **Franz Liszt (1811–1886)**

›Soldatenlied‹

Ms. autogr., unsigniert, undatiert. Skizze. Für Männergesang mit Begleitung von Trompeten und Pauken nach Belieben; Text aus Goethes ›Faust‹

26,8–27,2 x 34,8 cm, 1 Bl. Schwarzbraune Tinte, Korrekturen mit Bleistift

Bodmeriana, Musikhss., S. 55–56

EINBAND: *Lose, in Leinenmappe*

PROVENIENZ: *1969 Geschenk von Bernd Breslauer zu Bodmers 70. Geburtstag. (Stargardt, Marburg, 13./14. November 1969)*

74 **Friedrich Schiller (1759–1805)**

›Wilhelm Tell. [Personenverzeichnis]‹

Ms. autogr., unsigniert, [vor 1804]

31 x 19,5 cm, 1 nn. Bl. 1 S. Text

PROVENIENZ: *Stargardt, Marburg, Mai 1951*

75 **Friedrich Schiller (1759–1805)**

›Wilhelm Tell, Schauspiel‹

Tübingen: J. G. Cotta, 1804. Erstausgabe

12°, 2 nn. Bll., 241 S. Mit drei kolorierten Kupferstichen, von Georg Michael Kraus gezeichnet und von C. Müller gestochen

EINBAND: *Pappband der Zeit*

PROVENIENZ: *vor 1947. Bodmer, Weltliteratur, S. 109*

Als ihm 1965 der »Große Schiller-Preis« des Landes Baden-Württemberg verliehen wurde, erklärte Max Frisch, ihn beschäftige zur Zeit das Thema: »Wilhelm Tell und die Schweizer, eine Untersuchung etwa in diesem Sinne: Friedrich Schiller als Begründer eines schweizerischen Selbstmißverständnisses«. Im Fortgang der Rede wurde er genauer: »Selbstverständlich meinte Schiller nicht die wirklichen Schweizer; aber wie distanziert sich ein Volk von dem bestechenden Geschenk eines importierten Nationaldramas? Ich selber [...] brauchte lange Zeit, um zu begreifen, daß wir, die wirklichen Eidgenossen, nie im Geist des deutschen Idealismus gehandelt haben oder handeln werden.«

Strikt idealistisch-dialektisch gestaltete Schiller tatsächlich seinen ›Wilhelm Tell‹ wie einen patriotischen Ritus, der in ein Volksfest der Freiheit ausgeht. Ja, fast schon für eine vorweggenommene Hegelsche Triade könnte man dieses zwar auf fünf Akte verteilte, aber in drei Schritten ablaufende Geschichtsdrama halten, das die Gründung des helvetischen Bundes aus der beschworenen Solidarität der drei reichsunmittelbaren Kantone Uri, Schwyz und Unterwalden gegen den habsburgischen Usurpator behandelt.

Erst im dritten Akt – den Schiller im pyramidalen Aufbau seiner Dramen immer zum Höhepunkt macht – erscheint die Titelfigur. Rousseauscher Naturmensch, der selbstgenügsam und unverdorben in der Stille der Alpen lebt, wird der Jäger Tell durch äußere Ereignisse zu Tat und Reflexion gezwungen; der gewaltige Einbruch der Geschichte in die Ruhe seiner Idylle bringt ihm zum Bewußtsein, daß auch er mit seiner ›Privatsache‹ Teil einer Gesellschaft ist, deren Wohl unweigerlich mit seinem eigenen zusammenfällt. Erst diese Erkenntnis erlaubt Tell, sich zu entwickeln und am Ende den ursprünglichen Frieden dauerhaft wiederherzustellen, in dem nun jeder Konflikt zwischen Individuum und Ganzem in einem »contrat social« aufgehoben ist.

Aus diesem von Rousseau bezogenen utopischen Potential erhält der – übrigens aus keiner Schweizer Quelle, sondern aus der Dänengeschichte des Saxo Grammaticus übernommene – Apfelschuß, der dem schweizerischen Helden eine die Grenzen des Trivialen streifende Popularität eingebracht hat, ebenso seine Funktion wie die Tötung des Vogts, bei denen schon Ludwig Börne gefragt hat, wie das riskante Spiel mit dem Leben des eigenen Kindes und ein bloßer Meuchelmord sittliche Taten sein könnten. Sie sind es Schiller zufolge aber, insofern der Naturzustand vor dem Gesellschaftsvertrag dem einzelnen kein anderes Recht an die Hand gibt als das Naturrecht göttlichen Ursprungs, sich gegen die Unterdrückung zu wehren. Das Heroische des Protagonisten liegt also nicht in seinen gewagten Handlungen, sondern darin, daß Tell sich am Ende selbst zum Produkt jener »ästhetischen Erziehung« macht, für die der von Kants Philosophie geprägte Idealist in seinen berühmten ›Briefen‹ geworben hatte. Denn alles, was den Menschen bewegt – und allem voran die Liebe (väterlicher, vaterländischer oder erotischer Natur) –, hat nur dann Sinn, wenn es als überindividuelle Gabe verstanden und gebraucht wird.

Auf den folgenden Seiten: 99 Schiller, Autographes Personenverzeichnis zum ›Wilhelm Tell‹ (Nr. 74) – 100 Personenverzeichnis aus der Erstausgabe, 1804 (Nr. 75)

Das »Ich« erreicht sein Ziel, indem es die Anteilnahme an einem »Wir« nicht nur nicht verweigert, sondern sie als natürliche Folge des eigenen Willens ausführt. So beschwören die Eidgenossen ihr »Wir« mit einem Wort der religiösen Sprache als »neuen Bund«:

Hermann Geßler
Werner Frh. v. Attinghausen
Ulrich von Rudenz

Werner Stauffacher
Conrad Hunn
Itel Reding
Jörg im Hofe
Hans auf der Mauer
(aus Schwiz)

Walther Fürst
Wilhelm Tell.
Rößelmann d. Pfarr.
Petermann d. Sigrist
Werni d. Jäger.
Ruodi d. Fischer
Kuoni d. Hirte
(aus Uri)

Arnold vom Melchthal
Konrad Baumgarten.
Meier von Sarnen
Struth von Winkelried
Burkhardt am Bühel.
Klaus von d. Flüe
Arnold von Sewa
(aus Unterwalden)

Pfeifer von Luzern.
Kunz von Gersau.
Stüssi d. Flurschütz.

Personen

Herrmann Geßler Reichsvogt in Schwytz und Uri
Werner, Freiherr von Attinghausen, Bannerherr
Ulrich von Rudenz, sein Neffe

Werner Stauffacher Konrad Hunn Itel Reding Hans auf der Mauer Jörg im Hofe Ulrich der Schmidt Jost von Weiler	Landleute aus Schwytz
Walther Fürst Wilhelm Tell Rösselmann der Pfarrer Petermann der Sigrist Kuoni der Hirte Werni der Jäger Ruodi der Fischer	aus Uri
Arnold vom Melchthal Konrad Baumgarten Meier von Sarnen Struth von Winkelried Klaus von der Flüe Burkhardt am Bühel Arnold von Sewa	aus Unterwalden

Pfeifer von Lucern
Kunz von Gersau
Jenni Fischerknabe
Seppi Hirtenknabe

– Wir wollen sein ein einzig Volk von Brüdern.
In keiner Not uns trennen und Gefahr,
– Wir wollen frei sein, wie die Väter waren,
Eher den Tod, als in der Knechtschaft leben.
– Wir wollen trauen auf den höchsten Gott
Und uns nicht fürchten vor der Macht der Menschen. (II, 2)

Goethe, der selbst eine Zeitlang die epische Gestaltung des Tell-Stoffes erwogen hatte, rühmte das Drama als »fürtrefflich geraten«. Es wurde – nach Unterbrechungen durch die Arbeit an der ›Braut von Messina‹ – 1804 fertiggestellt und erschien im selben Jahr »zum Neujahrsgeschenk auf 1805« bei Cotta in einer Ausgabe mit drei kolorierten Kupferstichen. Es war die letzte abgeschlossene dramatische Arbeit Schillers, der 1805 starb, ohne den ›Demetrius‹ vollendet zu haben. Das Autograph von Schiller ›Tell‹ wurde nach dem Tod des Autors in einzelnen Blättern verteilt und zerstreut; die Bibliotheca Bodmeriana besitzt davon ein paar wichtige Ausschnitte.

Das 1804 am Weimarer Hoftheater uraufgeführte Drama wurde 1829 durch Gioacchino Rossinis ›Guillaume Tell‹ auf die Pariser Musikbühne gebracht, durchaus schon als Vorläufer jener Risorgimento-Opern, für deren Libretti Giuseppe Verdi später mehrfach Bearbeitungen Schillerscher Bühnenwerke wählte. Solch aktualisierende Deutung war durchaus im Sinne des Autors, der selbst nicht ein vergangenes Ereignis aus den benutzten Quellen (etwa dem ›Chronikon Helveticum‹ von Aegidius Tschudi) auf dem Theater dokumentieren, sondern aus der Historie politische Antworten ableiten wollte: So kann man das ›Tell‹-Drama als distanzierte Reaktion auf die blutigen Folgen der Französischen Revolution interpretieren: Einer Welt des Terrors stellt Schiller das Modell eines Freiheitskampfs gegenüber, der nicht bloß der Absicht nach zu einer Staatsform von »liberté, egalité, fraternité« führt, wo Natur und Kultur in vollem Einklang zusammenwirken – das alles vielleicht gar auch mit subtiler Anspielung auf die amerikanische Unabhängigkeitsbewegung.

Daß ein solches Bild der eigenen Heimat seinen Landsleuten schmeichelte, verstand Max Frisch nur zu gut. Da er aber gegenüber seinem Vaterland, vor allem zur bewaffneten Neutralität, eine sehr kritische Haltung einnahm, fand er doch eine Revision bestimmter Vorstellungen vonnöten, denn – auch so anläßlich der Verleihung des Schiller-Preises: »Wir sind eine Partisanen-Verbündung von Pragmatikern, die Ansehnliches zustande gebracht haben, und unter Pragmatikern gibt es kein Engagement an einer Utopie.« Frisch befolgte aber nicht den »pfiffige[n] Vorschlag von Brecht«, der ihm empfohlen hatte, ein Stück über den Nationalschützen der Schweiz zu schreiben. Seine Korrektur des aus Deutschland importierten Mythos kam in Form einer brillanten ironischen Erzählung heraus: ›Wilhelm Tell für die Schule‹.

G.R.

Lit.: Max Frisch, Öffentlichkeit als Partner. Frankfurt a. M.: Suhrkamp 1976. – Max Frisch, Wilhelm Tell für die Schule. Frankfurt a. M.: Suhrkamp 1971. – Schiller-Handbuch. Hrsg. von Helmut Koopmann in Zusammenarbeit mit der Deutschen Schillergesellschaft Marbach. Stuttgart: Kröner 1998.

76* **Johannes Nestroy (1801–1862)**

›Höllenangst‹

Ms. autogr., unsigniert, [1849]. Mit zahlreichen Streichungen und Korrekturen. Bleistift

49 x 30 cm, 147 S.

EINBAND: *Halbleinwand-Mappe*

PROVENIENZ: *unbekannt, nach 1947*

»Das Mehrere unserer deutschen Dramatik wird natürlich, geht es richtig zu und ohne Kompromisse, in der Versenkung verschwinden, Hebbel z. B. oder der Faust, der gespielt immer komisch war, den heute zu spielen absurd ist. Die geringste von Nestroys Possen ist dagegen ein Geschenk der Gnade auf dem Theater.« Das prophezeite der bissige Franz Blei, als er nach dem Ersten Weltkrieg für das Divertissements auf der Bühne plädierte. Aber schon 1912 hatte Karl Kraus zum 50. Todestag Nestroys, der ihm neben Offenbach geradezu ein Idol war, dessen »völlig sprachverbuhlte[n] Humor« gerühmt, »bei dem Sinn und Wort sich fangen, umfangen und bis zur Untrennbarkeit, ja bis zur Unkenntlichkeit umschlungen halten«.

Eine vitale Mischung von melancholischer Tiefe und deftigem Witz kennzeichnet in der Tat jedes Werk des Wiener Dramatikers und Schauspielers Nestroy, der Mitte des 19. Jahrhunderts, bewundert oder bekämpft, die Theaterszene der Donaumetropole beherrscht hatte; fast wie ein Programm klingt eine Stelle aus seiner Posse ›Die beiden Herren Söhne‹ (I, 11): »Die Bratwurst des Genusses aufs saure Kraut des Leben legen.«

Denn trotz des explosiven und mitreißenden Feuerwerks seiner eigentümlichen Deklamationskunst, die jeden Dialektklang, jeden Doppelsinn und jede Andeutung einer subtilen Ironie auch mimisch umzusetzen wußte, konnte sich Nestroy von einer gewissen Grundskepsis gegenüber dem unbelehrbaren Menschengeschlecht nie befreien, obwohl er zugleich »sich nicht gefallen lassen [konnte], daß alles blieb, wie es ihm mißfallen hatte« (Kraus).

In der Posse ›Höllenangst‹ – das überdimensionale Format der Manuskriptblätter wählte Nestroy gern, da er seine Texte im Bette liegend entwarf – läßt der Autor den naiven Protagonisten Wendelin, der sich – eine neue anti-inllektualistische Variante des ›Faust‹ – dem Teufel verschreibt, seine eigene Lebensphilosophie zusammenfassen: »Ich zweifle noch immer – na ja, warum soll ich denn nicht zweifeln, wenn's mir eine Erleichterung verschafft? Zweifeln kann man an allem, und unter zehnmal zweifelt man neunmal mit vollem Recht!« (I,14)

Wendelin bleibt die Grenze zwischen Gut und Böse, zwischen Gerechtigkeit und Unrecht bis zum Schluß unbestimmbar; um seiner Familie aus der Not zu helfen, verkauft er dem Teufel seine Seele, der ihm im Gewand des Herrn von Thurming erscheint. Dieser, den der simple Träumer Wendelin für Beelzebub hält, ist in Wahrheit sein Wohltäter, denn er hat die Nichte eines Freundes, von Reichthal, heimlich geheiratet, um sie vor den Intrigen eines anderen Onkels zu retten, der die Baronesse ins Kloster sperren will, um sich an ihrem Besitz zu bereichern. Am Ende aber findet alles wieder seine Ordnung: Die »Kabale« wird entwaffnet, und die »Liebe« triumphiert, so daß auch Wendelin in den Armen von Rosalie, der Kammerzofe der Baronesse, seinem Glück entgegensehen kann – aber auch da bleibt ein Vorbehalt, wie der letzte Satz zeigt, den Wendelin an seine Braut richtet: »Bis jetzt hab' ich mir's nur eingebild't, daß ich dem Satan zugehör', ich hoffe nicht, daß du es zur Wirklichkeit machst.« (III, 24)

Zwar geht die Handlung, die sich aus einer Reihe von Mißverständnissen entwickelt und mit der fortwährenden Verwechslung von Schein und Wirklichkeit spielt, nach den Gattungsgesetzen der Komödie positiv aus, aber das Stück stellt in Wahrheit die Motive der Aufständischen von 1848 in Frage, denen es einen pseudo-demokratischen Dilettantismus vorwirft.

Uraufgeführt wurde ›Höllenangst‹ – wie meist mit Nestroy selbst in der Hauptrolle – im Wiener Carltheater im November 1849, doch verschwand das Werk schon nach vier Wiederholungen vom Spielplan, war also – ganz im Gegensatz zu dem im Revolutionsjahr en suite gespielten Stück ›Die Freiheit in Krähwinkel‹ ein Mißerfolg. Es enttäuschte Publikum und Kritik gleichermaßen, die beide seiner »politisch-satirische[n] Brisanz wie philosophische[n] Dimension« (Jürgen Hein) nicht gewachsen waren. Unmittelbarer noch als in den gesprochenen Partien kommt die Kritik zeitgenössischer Ereignisse in den Couplets zum Ausdruck:

Auf den folgenden Seiten: 101/102 Doppelseite aus dem Autograph von Nestroys ›Höllenangst‹ (Nr. 76)

Wendelin

Viel Schwangerschaft auf meiner armen Seel'! Und jetzt frag' ich dich, liebst du mich noch [illegible]

Rosalie

(lachend) Jetzt wirklich noch mehr als sonst. Hahaha!

Wendelin (im Schmerz ergriffen)

Dieses Lachen – und die [illegible] die ganze Verzweiflung [illegible] (schmerzlich) jetzt sieh ich aber ganz deutlich einen Teufel – ein Gespenst – [illegible] von mir!

Rosalie (lachend)

Hahaha!

Wendelin

(wie schaudernd zurückweichend) Du bist kein Geschöpf, du bist ein [illegible] Gebilde aus höllischem [illegible]

Rosalie

O du dummer Wendelin (wird [illegible] von einem [illegible] geschlungen) Hahahaha!

Wendelin

Lach nicht so höllisch.

Rosalie

Ein [illegible] Mann hat [illegible] Wenn ich [illegible] [illegible] wie [illegible] [illegible] [illegible]

Rosalie

Allerhand schrecklich [illegible] und [illegible] machst mich.

Wendelin

Ich selbst bestünde [illegible]

Rosalie

Ja meiner [illegible] nicht [illegible]

Wendelin

Es schlägt Mitter[illegible]

Rosalie

Auch du, wenn ich noch nicht [illegible]

Wendelin

Ja, wenn du [illegible] schrecklich findest [illegible] beschreib' ich nicht [illegible] sondern ich [illegible] dir so viel, dich [illegible] die Hölle an meine [illegible]

Rosalie (illegible)

Ach, jetzt ist mir [illegible] die andern [illegible] nimm doch wenig [illegible] dem Himmel, wenn [illegible] nicht mehr ist, [illegible] [illegible] [illegible] [illegible] [illegible] [illegible] zu viel! Du [illegible] zu [illegible] [illegible] [illegible] [illegible] [illegible] die [illegible] [illegible]

~~[illegible] … die Ritterschaft … [illegible] … ab.~~

17te Szene

Wendelin (allein)

~~[illegible] … über die Mädeln hab — die waren die … [illegible] … die Mädeln … [illegible]~~

[Je]tzt bin ich vollends
Liebesheld, ich habe
… nur das Anziehen,
ich hab auch das Leben-
… in mir.
Und was für Leben-
… und, die
… wir beide in
… Überzeu-
gung umwandeln.

Es ist der Teufel, wenn ich noch
einen Zweifel hab, aber ich
treib's jetzt zusammen auf
… Gestern ist die
Wach-Mannschaft vom Siegstern-
… hier vorbeikommen; — mitten unter denen will ich solcher Ge-
fangenenwächter-Uniform
erscheinen. Sie kennen mich als
… Flüchtling und
fangen mich auf — nur, so weiß
ich doch woran ich bin, sind sie
aber selbe mit Blindheit geschlagen.

… noch einen Probe.

Einer schreyt: »Freyheitspest!
I wollt du hättest schon den Rest!
A Verfassung; freye Press',
Zu was braucht das Volck dös?
Volksbewaffnung zu was?
's Volk hat g'lebt ohne Alls das.
Wenn ich könntet, so stürz ich
's Ganze Jahr Achtundvierzig.
Leicht nur Athem ich schöpf'
Seh' ich Zöpf' an die Köpf',
Und ›Censur‹, die den Geist
Mit der Wurzel ausreißt.« –
Vorig's Jahr hat derselbe
G'rad' so g'schrien geg'n's Schwarzgelbe,
'n Calabreser geschwungen,
's Deutsche Vaterland g'sungen,
Und war rein Terrorismus.
Geg'n den Absolutismus. –
Is's dem Ernst, daß'r jetzt gar so gut g'sinnt sich thut zeig'n? –
Ja, da müß'n eim bescheidene Zweifel aufsteig'n. (I, 14)

Das alles klingt nach Sprache und Inhalt sehr »österreichisch«, obwohl sich Nestroy für ›Höllenangst‹ einer französischen Vorlage bediente, eines zur Zeit Richelieus spielenden Dramas von I.B.R. d'Epagny und J. H. Dupin aus dem Jahre 1831 mit dem Titel ›Dominique ou le Possédé‹. Fremde Vorlagen schränkten aber keineswegs das Spiel seiner Phantasie ein; vielmehr ist Nestroy – mit den Worten von Karl Kraus – »umso schöpferischer, wo er den fremden Stoff zum eigenen Werk erhebt. Er verfährt anders als der bekanntere zeitgenössische Umdichter Hofmannsthal, der ehrwürdigen Kadavern das Fell abzieht, um fragwürdige Leichen darin zu bestatten, und der sich in seinem ernsteren Berufe gegen einen Vergleich mit einem Possendichter verwahren würde. Wie alle besseren Leser reduziert Herr v. Hofmannsthal das Werk auf den Stoff. Nestroy bezieht den Stoff von dort, wo er kaum mehr als Stoff war, erfindet das Gefundene, und seine Leistung wäre auch dann noch erheblich, wenn sie nur im Neubau der Handlung und im Wirbel der nachgeschaffenen Situation bestünde, also nur in der willkommenen Gelegenheit, die Welt zu unterhalten, und nicht auch im freiwilligen Zwang, die Welt zu betrachten.‹

Fünfzig Jahre nach dem Tod Nestroys war nach dem Urteil von Kraus nur einer berechtigt, sich als dessen Nachfolger zu betrachten: Frank Wedekind. Nestroys Stück hat nach dem Wiener Mißerfolg von 1849 erst 99 Jahre später wieder Beachtung gefunden; Karl Paryla brachte es 1948 nach überstandener »Höllenangst« des Krieges in einer Neubearbeitung mit Musik von Hanns Eisler heraus. G.R.

Lit.: Johann Nestroy, Höllenangst. Hrsg. von Jürgen Hein. (Sämtliche Werke. Historisch-kritische Ausgabe. Stücke. 27.2.) Wien: Deuticke 1996 – Franz Blei, Das große Bestiarium der Literatur. Frankfurt a.M.: Insel 1982 – Karl Kraus, Nestroy und die Nachwelt. Frankfurt a.M.: Suhrkamp 1975

77* **Arthur Schnitzler (1862–1931)**

›Reigen‹

Ms. autogr., unsigniert, datiert 1896/1897. Mit zahlreichen Streichungen und Korrekturen

21 x 17,4 cm, 1 nn. Bl., 370 Bll., 20 nn. Bll. u. 7 Bll. in Maschinenschrift

EINBAND: *Lose in Leder-Mappe*

PROVENIENZ: *Erwin Rosenthal, (L'Art Ancien) Zürich, Mai 1956*

»Geschrieben hab ich den ganzen Winter über nichts als eine Scenenreihe, die vollkommen undruckbar ist, literarisch auch nicht viel heißt, aber, nach ein paar hundert Jahren ausgegraben, einen Theil unsrer Cultur eigentümlich beleuchten würde« – das schrieb Arthur Schnitzler an seine »Muse« Olga Waisnix im Februar 1897. Schon nach Abschluß der ersten, im Vergleich zu seinen Arbeitsgewohnheiten – wie der große, stürzende Schriftduktus des Manuskripts erkennen läßt – schnell erfolgten Niederschrift seines Stücks ›Reigen‹ war der Autor sich also dessen bewußt, daß diese zehn Dialoge, die sich ganz buchstäblich jeweils um eine Liebesumarmung »drehen«, »allerlei Mißverständnisse hervorrufen könnten – denn es gibt Dinge, die jeder weiß und die doch keiner wahrhaben will«.

Gegen die offizielle Doppelmoral, die der Tabuisierung von Sexualität äußerlich durch verlogene Hymnen an die Keuschheit und pseudo-romantische Sentimentalisierung zu entgehen versuchte, unterschwellig jedoch jede Art subtiler Perversion zuließ, bewies der Wiener Arzt Arthur Schnitzler den Mut, die Dynamik der erotischen Beziehungen – so später das Berliner Landgericht in einem erstaunlich kunstsinnigen Urteil – »so zurückhaltend und sachlich und zugleich so deutlich und rücksichtslos aufzudecken«, wie es weder der katholisch-habsburgischen noch der protestantisch-wilhelminischen Obrigkeit hätte gefallen können.

Keiner Figur in diesem Drama wird die Ausflucht in selbstgerechte Moral gestattet, vielmehr an dem Verhalten typischer Vertreter aller sozialen Klassen der tierische Eigennutz schonungslos bloßgestellt, der im Liebesverhältnis die Physiologie die Oberhand über die Psychologie gewinnen läßt. Schon in einem seiner Jugendgedichte hatte Schnitzler mitgeteilt: »Wir haben uns zwar Seelen vorgespielt, sind aber immer Leiber nur gewesen.«

Die Begegnungen der verschiedenen Paare, die wie in einer geschlossenen Kette aufeinanderfolgen – die Dirne und der Soldat, der Soldat und das Stubenmädchen, das Stubenmädchen und der junge Herr, der junge Herr und die junge Frau, die junge Frau und der Ehemann, der Gatte und das süße Mädel, das süße Mädel und der Dichter, der Dichter und die Schauspielerin, die Schauspielerin und der Graf, der Graf und die Dirne – gestalten sich jedesmal wie »einsame Wege«, wo die erwünschte »Zweisamkeit« sich ausnahmslos als »egoisme à deux« entlarvt.

Kein Wunder, daß dieses Werk, das 1900 zunächst nur in 200 Exemplaren »als unverkäufliches Manuskript« für den engeren Freundeskreis gedruckt und erst 1903 im Wiener Verlag veröffentlicht wurde, die Wirkung einer »Bombenexplosion« (Otto P. Schinnerer) auslöste. ›Reigen‹ wurde sofort ein »Bestseller«, so daß der Verleger mit den Bestellungen und Lieferungen nicht nachkam. Als das Buch 1904 in Berlin beschlagnahmt wurde, hatte es schon eine Auflage von 20 000 Exemplaren erreicht und wurde, ohngeachtet der Zensur, weiter verlangt und vertrieben, und bis 1914 waren etwa 70 000 verkauft. Der ›Reigen‹ sei »nichts als eine Schweinerei oder, das ist zu deutsch, eine Cochonnerie«, so Friedrich Törnsee in der Zeitschrift ›Neue Bahnen‹; ein Produkt der reinen Pornographie, ein »Schmutzstück« niedrigsten Niveaus, das nur ein Jude wie Schnitzler habe schreiben können, tobte die kleinbürgerliche und antisemitische Kritik auf ihren Zeitungsseiten beim Erscheinen des Buches. Es gab aber auch gewichtige Gegenstimmen, die – ohne Prüderie gegenüber dem Inhalt – den ästhetischen Wert des Werks hervorhoben, etwa Ludwig Fulda und Alfred Kerr, aber auch Hermann Bahr, der sofort begriff, daß es sich um ein bedeutendes Kunstwerk handelt und »daß die heiklen Situationen, die in ihm vorkommen, nicht in den Dienst frivoler Spielerei, sondern ernster Gedanken gestellt« sind.

Angesichts der heftigen Reaktionen der meisten Rezensenten hielt Max Reinhardt es für ratsam, den ›Reigen‹ nicht sofort aufzuführen; denn »bei den Gefahren, die in der Gegenständlichkeit des Stoffes liegen«, wollte er das Werk auf keinen Fall »in unkünstlerische und undelikate Hände« gelangen lassen und »der Sensationslust eines allzu breiten Publikums« ausliefern. Daher

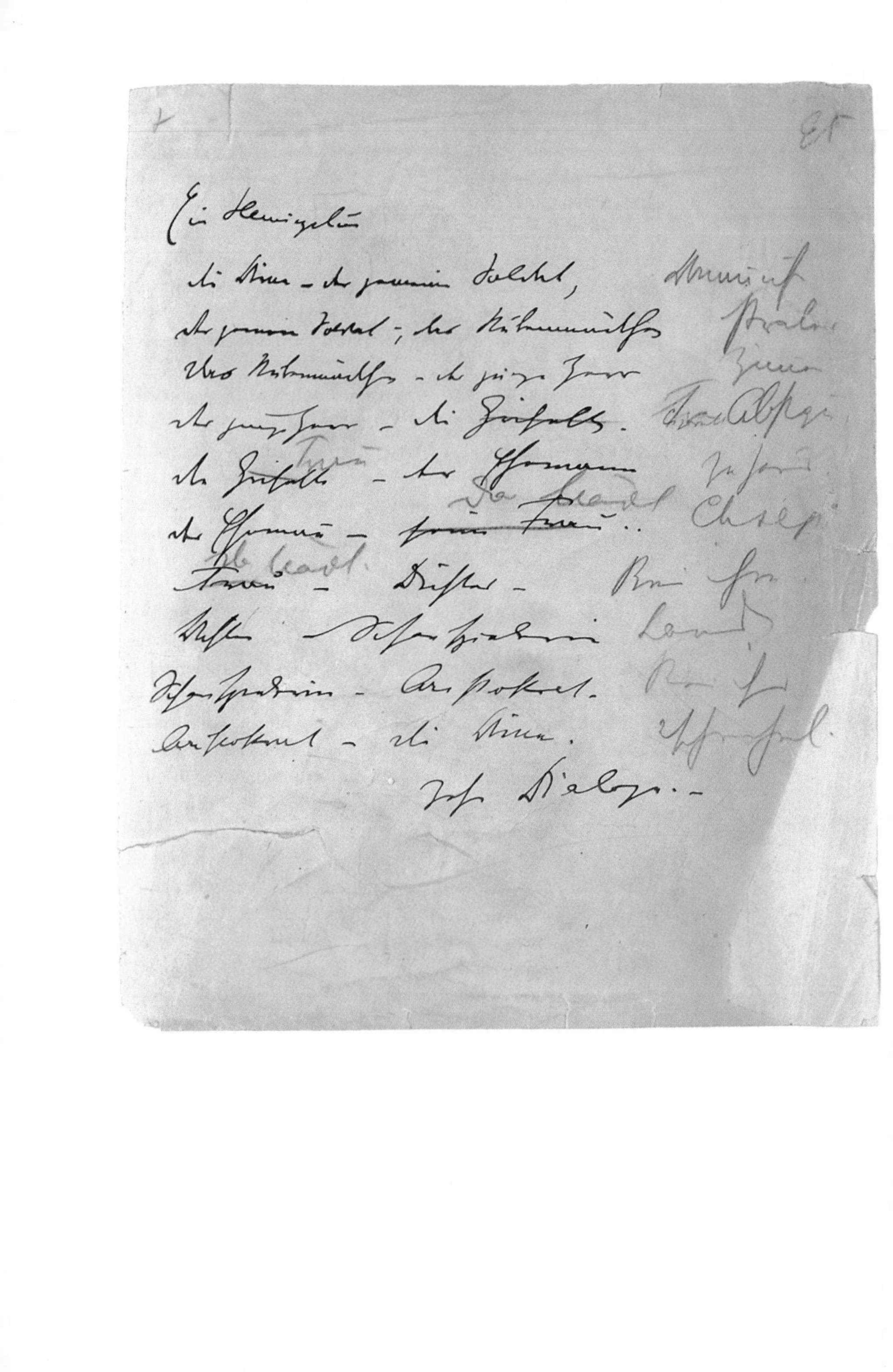

Ein [illegible]

die Stirne – der [illegible] Schädel,
der [illegible] Schädel; des [illegible]
des [illegible] – die [illegible]
die [illegible] – die Einfalt.
die ~~Einfalt~~ [illegible] – der ~~[illegible]~~
die [illegible] – ~~[illegible]~~ ...
~~[illegible]~~ – Düster –
Düster – [illegible]
[illegible] – Aristokrat.
Aristokrat – die Stirne.
[illegible] Dialoge. –

[illegible]

fand die offizielle Uraufführung erst nach dem Krieg am 23. Dezember 1920 im Kleinen Schauspielhaus zu Berlin statt – trotz einer einstweiligen Verfügung der 6. Zivilkammer des Berliner Landgerichts. Die Schauspieldirectrice Gertrud Eysoldt erklärte den Zuschauern vor der Vorstellung, sie wolle lieber ins Gefängnis gehen, als die Sache der Kunst einer philiströsen Verfolgung gegenüber aus persönlicher Angst preisgeben. Kurz nach der Premiere hob das Gericht seine Entscheidung wieder auf; die Begründung zeugt von hohem Kunstverstand, denn zwei »von dem Gericht besichtigte Aufführungen« hätten den folgenden Eindruck erzielt: »Die überaus schwierige Aufgabe, die Darstellung hier nicht ins Unschickliche oder ins Tierischtriebhafte entgleiten zu lassen«, werde »durch gelungene Zurückhaltung und Zügelung alles Gemeinen vorbildlich gelöst«. Die Richter sahen das Stück gar als »für die Aufhaltung des sittlichen Verfalles nur förderlich« an.

Das hinderte selbsternannte Sittenwächter, wie etwa die Mitglieder des »Deutschvölkischen Geselligkeitsvereins«, überhaupt nicht, weitere Aufführungen zu stören und durch Anzeige die beteiligten Theaterleute – Direktion, Regisseur und Schauspieler – erneut vor Gericht zu ziehen, diesmal vor das Strafgericht. Auch in diesem Verfahren siegte die Kunst über das Spießertum, und das Gericht begründete seinen Freispruch mit denselben Argumenten, aufgrund derer schon die Zivilkammer das von ihr selbst erlassene Aufführungsverbot kassiert hatte.

Viel schlimmere Folgen zog die Wiener Aufführung des Stückes im folgenden Jahr nach sich. »Der ›Reigen‹-Erfolg ist hier außerordentlich«, notierte Schnitzler nach der ersten Inszenierung in den Kammerspielen in seinem Tagebuch, »aber die fortgesetzte Hetze der antisemitischen Partei läßt leider voraussehen, daß es in absehbarer Zeit zu einem Verbot wegen Gefährdung der öffentlichen Sicherheit (nicht Sittlichkeit) kommen wird«.

Diese Prophezeiung erfüllte sich. Im Februar 1922 wollte dasselbe Wiener Theater erneut den ›Reigen‹ auf die Bühne bringen, aber die unablässig fortgesetzte Verleumdung veranlaßte den Autor am 7. März, jede weitere Aufführung zu untersagen. Obwohl Schnitzler keine testamentarische Verfügung hinterlassen hatte, fühlten sich die Erben an seinen Willen gebunden, so daß dieses Werk bis 1982 von allen Spielplänen ausgeschlossen blieb. Die auffällige Publikumsgunst, die es seitdem genießt, ist wohl immer

103 Seite aus dem Autograph von Schnitzlers ›Reigen‹ (Nr. 77)

noch eher der voyeuristischen Sensation als dem Kunstinteresse für die Bühnendichtung zuzuschreiben; aber »darüber, daß [er] einen eventuellen materiellen Erfolg den ›künstlerischen Qualitäten‹ des ›Reigen‹ nur zum geringen Theil zu danken haben würde«, war der scharfsinnige Schnitzler sich von vornherein im klaren. G.R.

Lit.: Heinz Ludwig Arnold, Der falsch gewonnene Prozeß. Das Verfahren gegen Arthur Schnitzlers ›Reigen‹, in: Arthur Schnitzler. München: Edition Text und Kritik 1998 (= Text + Kritik. H. 138/139), S. 114–122 – Giuseppe Farese, Arthur Schnitzler. Ein Leben in Wien 1762–1931. Aus dem Ital. von Karin Krieger. München: C. H. Beck 1999

78* **Hugo von Hofmannsthal (1874–1929)**
›Die Frau ohne Schatten. Oper in drei Akten‹ und Erzählung

Ms. autograph., unsigniert, datiert, »Notizen und Entwürfe 1912–1915«. Mit Korrekturen, Streichungen und Überarbeitungen. Zusammen mit Entwürfen zu der gleichnamigen Erzählung 1912–1919 (59 Bll.)

Verschiedene Formate: 2° ; 4° ; 8°, 21 Bll.

EINBAND: *Leinwand-Mappe in Maroquin-Kassette*

PROVENIENZ: *Erwin Rosenthal (L'Art Ancien) & Haus der Bücher, Basel, März 1962*

Nach dem Abschluß des ›Rosenkavalier‹ – am 26. Januar 1911 hatte nach wiederholten Terminverschiebungen endlich die Dresdner Premiere stattgefunden – beschäftigten Hofmannsthal mehrere Pläne nebeneinander: der ›Lucidor‹-Stoff, aus dem anderthalb Jahrzehnte später das Libretto der ›Arabella‹ hervorging, dann die gleichfalls erst nach Kriegsende zum Abschluß gelangte Komödie ›Der Schwierige‹, ferner die erste Fassung der ›Ariadne auf Naxos‹, dazu schließlich »eine Art Melodram, Volksstück mit Musik« unter dem Titel ›Das steinerne Herz‹. Als Strauss die einem Hauffschen Märchen entlehnte Bezeichnung erfuhr, begeisterte er sich sofort an »Naturstimmungen« und »deutschem Wald«. Hofmannsthal wehrte ab, solche Vorstellungen seien seit Richard Wagner erschöpft, und gab den Plan bald auf, rettete das »Grundmotiv« aber in ›Die Frau ohne Schatten‹. Vom 25. Februar 1911 stammt eine »erster Einfall (Die Frau ohne Schatten)« überschriebene Notiz:

»Eine phantastisch-komische Oper im Stil des Gozzi. Im Mittelpunkt eine bizarre Figur wie Strauss' Frau. [...] Frau die ihre Kinder aufgeopfert hat, um schön zu bleiben (und ihre Stimme zu erhalten). Am Schluss bringen Genien der Frau ihren Schatten und das Kind kommt in einem goldenen Kästchen den Fluss herabgeschwommen. (Gozzi nachlesen.) Die Elemente der Zauberflöte: Knaben. Priester. Damen der Königin der Nacht. Thiere. Fackeln. Tempeleingang. Auf einer Insel? Oder an einem Flusse, analog der Situation in Goethes Märchen.«

Die Vorstellung einer zweigeteilten Götter- und Dämonenwelt, einer märchenhafte Szenerie am Fluß (wie in Goethes ›Märchen‹), Knaben, Priester und Fackeln, Palast und Hütte bzw. ein niederes und ein höheres Paar, darin liegt eine Analogie zur ›Zauberflöte‹, auch zu Goethes ›Zweiter Zauberflöte‹. Eine weitere Notiz aus dem Frühjahr 1911 bezieht sich mit dem Thema der »Läuterung« nicht nur auf die ›Zauberflöte‹, sondern auch auf Anschauungen, die Goethe in seinem Alterswerk vielfach geäußert hat. Die Verse zur Selbstüberwindung aus dem Fragment ›Die Geheimnisse‹ streute Hofmannsthal noch mehrmals in die Texte seiner Entwürfe ein: »Von der Gewalt die alle Wesen bindet / befreit der Mensch sich der sich überwindet.«

1911 las Hofmannsthal tatsächlich, wie er sich vorgemerkt hatte, die ›Fiabe‹ des italienischen Dramatikers Carlo Gozzi nach. Mit den ›Fiabe‹ hatte Gozzi eine Mischform aus dramatisiertem Märchen und commedia dell'arte entwickelt. Daß Barak und seine Frau ursprünglich »Arlekin« und »Smeraldine« heißen sollten, geht auf Gozzi zurück, und in dem auch von Schiller bearbeiteten ›Turandot‹-Stück des Italieners fand der Wiener Dichter die Namen Keikobad und Barak, in den ›Glücklichen Bettlern‹ das Vorbild für den gutmütigen Färber. Neben Gozzi gaben später ›Tausendundeine Nacht‹ die Anregungen für zahllose Einzelheiten der Personengestaltung.

1911/12 versuchte Hofmannsthal, den Stoff zu organisieren, geriet aber bald ins Stocken. Erst nachdem er dem Freund Eberhard von Bodenhausen im Herbst 1912 in Gastein alles erzählt hatte, gelangen ihm erste Szenarien, die sich auch schon auf die große Tempelszene des Schlusses erstreckten. (Die Handschriften zu die-

Tempelscene

Verwandlung. Allmählich erhellt sich (aber nicht zu völliger Klarheit) das Innere eines tempelartigen Raumes. Eine Nische, die mittelste, verhängt.

Die Kaiserin, allein, tritt herein, von unten.

Dienende Geister, zu dreien, ihr entgegen, noch im Dunkel

Erster (hebt seine Fackel) Hab Ehrfurcht!

Zweiter (ebenso) Mut!

Dritter (ebenso) Erfülle dein Geschick!

(Sie verschwinden)

Die Menschenstimmen tönen von draussen herein, doch schwächer und schwächer, als wären Türen zugefallen. Weh verloren! – Hab Erbarmen! Sterben! Sterben! Weh uns Armen!

Kaiserin: Drohest du mir
aus dem Dunkel her?
Vater bist du's?
Hier steht dein Kind
Mich hinzugeben
hab ich gelernt
ich bin eine Fee
unter den Frauen
den Schatten
hab
darf ich keinen mir erhandelt.
Nun zeig mir den Platz
der mir gebührt
inmitten derer

104 »Tempelscene« aus dem Autograph von Hofmannsthals ›Die Frau ohne Schatten‹ (Nr. 78)

ser zentralen Szene befinden sich in der Bodmeriana.) Aus dem Gespräch mit Bodenhausen erwuchs auch die folgenreiche Idee, den Stoff nicht nur als Operndichtung, sondern auch als Prosamärchen auszuarbeiten. Aber erst eine gemeinsame Autoreise mit Strauss nach Italien im Frühjahr 1913 – dort hatte der Komponist, wie Hofmannsthal sich später erinnerte, den »prächtige[n] Gedanke[n] (im Mondschein zwischen San Michele und Bozen), die obere Welt mit dem ›Ariadne‹-Orchester zu begleiten, die dichtere, buntere Erdenatmosphäre mit dem großen Orchester« – und eine anschließende Begegnung mit Rudolf Alexander Schröder und Rudolf Borchardt in dessen Villa bei Lucca ermutigten Hofmannsthal zu den ersten Niederschriften. Beide Freunde zeigten sich begeistert von dem Stoff, den der Dichter ihnen mitgeteilt hatte. Der Ausführung fehlten aber noch wesentliche dramatische Motive. Die (in uralter Tradition wurzelnde) allegorische Deutung der Liebe als Jagd, der Bote des Geisterkönigs, die dem Kaiser gesetzte Jahresfrist, der verwundete Falke und der verlorene Talisman – sie alle entstammen erst einem erneuten Gespräch des Dichters mit Schröder, der im Juni 1913 mehrere Tage in Hofmannsthals Rodauner Haus zu Besuch weilte. Alle diese Einfälle betreffen die Erzählung nicht weniger als die Operndichtung.

Im Frühjahr 1914 hatte Strauss den ersten, im Juni bereits den zweiten Akt in Händen. Die Ausarbeitung des dritten Akts verzögerte sich jedoch erneut, diesmal wegen Hofmannsthals militärischer Dienstpflichten. Erst im April 1915 ging der dritte Aufzug an Strauss, der sich höchst zufrieden zeigte – »Wort, Aufbau und Inhalt gleich wundervoll« –, aber für »lyrische Momente« um »unbedingt mehr Text« bat, so für das Duett Barak/Frau, die Abgangsarie der Amme, das Duett Kaiser/Kaiserin und das Schlußquartett. Bis in den Herbst 1915 hinein änderte Hofmannsthal immer wieder an der großen Tempelszene mit ihren ›Faust II‹, besonders der Euphorion-Szene, nachgebildeten Kurzversen und dem durchaus im Sinne einer Goetheschen Religiosität gemeinten »Chorus mysticus« der Ungeborenen, dessen letzte acht Zeilen der Dichter auch in den Schluß der Erzählung aufgenommen hat:

Vater, dir drohet nichts,
siehe, es schwindet schon,
Mutter, das Ängstliche,
das euch beirrte.
Wäre denn je ein Fest,
wären nicht insgeheim
wir die Geladenen,
wir auch die Wirte!

Nach der Wiener Uraufführung am 10. Oktober 1919 unter der musikalischen Leitung von Franz Schalk waren die positiven Stimmen in der Minderzahl. Julius Korngold, der Kritiker der ›Neuen Freien Presse‹, meinte: »Die ›Frau ohne Schatten‹ hat ihre Schattenseite: ihr Buch«. Verständnislos war auch die Reaktion Arthur Schnitzlers, der nach dem Besuch der Generalprobe im Tagebuch notierte: »Dem Text (Hugo) kaum zu folgen, was ich kannte, was ich davon weiß, empfand ich als gekünstelt, von falscher Tiefe und Humanität. Musik, glanzvoll, wohlklingend mit Neigung zu Banalität.«

Die Absicht, in der öffentlichen Aufnahme bewußt den falschen Eindruck der unabhängigen Entstehung beider Fassungen der ›Frau ohne Schatten‹ zu erzeugen, bewog Hofmannsthal sogar dazu, aus der Ausgabe der ›Gesammelten Werke‹, die S. Fischer 1924 zum 50. Geburtstag des Dichters herausbrachte, den Operntext auszuschließen. Tatsächlich belegen die Handschriften aus dem Nachlaß, wie eng die Arbeit an beiden Fassungen jahrelang verschlungen war. Rudolf Pannwitz allerdings, der kundigste Interpret des Märchens und seit 1917 für einige Jahre Hofmannsthals wichtigster Gesprächspartner, war nicht bereit, die Operndichtung herabzusetzen, auch wenn er die Musik von Strauss abhorreszierte und Hofmannsthal einmal fragte, wie ihm nur zu seinem schönen Libretto »der tote Mozart die Musik machen« könnte.

Die Bodmeriana besitzt weitere Manuskripte Hofmannsthals, nämlich die der philosophischen Fakultät der Universität Wien zur Habilitation eingereichte, dann aber zurückgezogene ›Studie über die Entwickelung des Dichters Victor Hugo‹ und das Ballett-Szenario ›Die Furien‹. 1927 – gerade hatte die von Hofmannsthal im Verlag der Bremer Presse herausgegebene Zeitschrift ›Neue deutsche Beiträge‹ ihr Erscheinen einstellen müssen – erörterte Mar-

105 Seite aus der Prosafassung von Hofmannsthals ›Die Frau ohne Schatten‹ (Nr. 78)

Capitel.

[illegible]

tin Bodmer mit Herbert Steiner Pläne für ein neues Periodicum ›Corona‹, für dessen Leitung sie ein Triumvirat aus den Dichtern Rudolf Borchardt, Rudolf Alexander Schröder und Hofmannsthal erwogen. Der Tod des Österreichers, so erinnerte sich Bodmer später, »stellte das ganze Projekt in Frage, denn Hofmannsthal sollte, nach stillschweigender Übereinkunft, dessen spiritus rector sein«. Statt dessen wurde die nunmehr von Bodmer und Steiner für den Verlag der Bremer Presse selbst redigierte ›Corona‹ zum Ort der Erstveröffentlichung vieler gewichtiger Texte aus dem Nachlaß Hofmannsthals. Bereits im ersten Jahrgang (1930) erschienen dort erstmals größere Fragmente des Romans ›Andreas oder die Vereinigten‹.

H.-A.K.

Lit.: Hugo von Hofmannsthal, Sämtliche Werke. Kritische Ausgabe. Bd. XXIV,1: Operndichtungen 3,1: Die Frau ohne Schatten. Danae oder die Vernunftheirat. Hrsg. von Hans-Albrecht Koch. Frankfurt a.M.: S. Fischer 1998 – Buchkunst und Dichtung. Zur Geschichte der Bremer Presse und der Corona. Texte und Dokumente. Hrsg. von Bernhard Zeller und Werner Volke. (Katalog der Ausstellung ... Veranstaltet von der Bayerischen Akademie der Künste, dem Schiller-Nationalmuseum und dem Bund deutscher Buchkünstler.) München 1966

Deutsche Gedichte

Werner Weber
Zwei Gedichte aus Goethes ›Divan‹

Buchstabe Dal
18te Gasele

Hans Adam war ein Erdenklos
Den Gott zum Menschen machte,
Doch bracht er aus der Mutter Schoos
Noch vieles Ungeschlachte.

Die Elohim zur Nas' hinein
Den besten Geist ihm bliesen,
Nun schien er schon was mehr zu seyn,
Denn er fing an zu niesen.

Doch mit Gebein und Glied und Kopf
Blieb er ein halber Klumpen,
Bis endlich Noah für den Tropf
Das Wahre fand, den Humpen.

Der Klumpe fühlt sogleich den Schwung,
Sobald er sich benetzet,
So wie der Teig durch Säuerung
Sich in Bewegung setzet.

So, Hafis, mag dein holder Sang,
Dein heiliges Exempel
Uns führen, bey der Gläser Klang,
Zu unsres Schöpfers Tempel.[1]

Berka an der Ilm
d. 21. Juni 1814

Am 30. April 1830, ehe er Weimar verließ, machte der Schauspieler Karl Gustav Moltke bei seinem »hohen Gönner Goethe« einen Abschiedsbesuch.[2] Er ging nicht allein; ein ihm befreundeter Sänger, Putsch mit Namen (»besaß eine sonore sympathische Baßstimme«), begleitete ihn. Der alte Herr empfängt die beiden jungen Besucher freundlich, anscheinend nicht einschüchternd. So kann denn Putsch um die Gunst bitten, »Seiner Exzellenz ein Lied vorsingen zu dürfen«. Er darf; singt, nach Zelters Weise, den ›Kö-

106 Goethe, ›Hans Adam war ein Erdenklos‹, Autograph (Nr. 81)

Buchstabe Dal
18te Gasele

Hans Adam war ein Erdenkloß
Den Gott zum Menschen machte,
Doch bracht er aus der Mutter Schooß
Noch vieles Ungeschlachte.

Die Elohim zur Nas' hinein
Den besten Geist ihm bliesen,
Nun schien er schon was mehr zu seyn,
Denn er fing an zu niesen.

Doch mit Gebein und Glied und Kopf
Blieb er ein halber Klumpen,
Bis endlich Noah für den Tropf
Das Wahre fand, den Humpen.

Der Klumpe fühlt sogleich den Schwung,
Sobald er sich benetzet,
So wie der Teig durch Säuerung
Sich in Bewegung setzet.

So, Hafis, mag dein holder Sang,
Dein heiliges Exempel
Uns führen, bey der Gläser Klang,
Zu unsres Schöpfers Tempel.

Berka an der Ilm
d. 21. Juni 1814.

nig in Thule«. Goethe, »angenehm erregt«, würde gern noch ein Lied hören. Und der »überglückliche« Putsch singt die Historie ›Als Noah aus dem Kasten war‹, ein Kommerslied, Schabernack mit Motiven aus dem Ersten Buch Moses, 6–9: Noah und die Sintflut, vor allem 1. Mos. 9, 20: »Noah aber, der Landmann, war der erste, der Weinreben pflanzte. Und da er von dem Weine trank, wurde er berauscht ...« Und 1. Mos. 9, 28: »Noah lebte nach der Sintflut noch 350 Jahre.«[3] Dem gemäß bekommt Goethe unter anderem auch diese Strophe vorgesungen:

Der Noah war ein frommer Mann,
Stach ein Faß nach dem andern an
Und trank es aus zu Gottes Ehr,
Das macht ihm eben kein Beschwer;
Er trank, nachdem die Sintflut war,
Dreihundert noch und fünfzig Jahr.

Goethe dankt dem Sänger »wahrhaft herzlich«. Moltke möchte herausbekommen, wer der Verfasser dieser Verse sei – und meint schon die richtige Spur zu haben: Was er hörte, erinnert ihn an ein, wie er sagt, ähnlich humoristisches Gedicht im ›West-östlichen Divan‹; es erinnert ihn an »Hans Adam war ein Erdenklos«. Hat danach »Exzellenz« auch jenes ›Als Noah aus dem Kasten war‹ geschrieben? Goethe, lächelnd: »O nein, mein kleiner Molke (sic!), ich habe mich zwar in meinem Leben viel mit Noahs Getränk beschäftigt, aber seinen Kasten habe ich in Ruhe gelassen.«

Also nicht Goethe, ein anderer ist es. Kein Großer; immerhin einer, von dem ein paar Gedichte, wie jene Noah-Historie, fast Volkslieder geworden sind – und bis heute hat er als Wieder-Entdecker der Blauen Grotte auf Capri ein wenig Ruhm: August Kopisch.[4] Daß Moltke diesen Kopisch damals nicht gegenwärtig hatte, ist nebensächlich; bemerkenswert aber, daß er beim Anhören des ›Als Noah aus dem Kasten war‹ Goethes »Hans Adam war ein Erdenklos« mithörte, nicht einfach inhaltlich, sondern mit Bezug auf die Stil-Lage: Er spürte, da wie dort, den Charakter des geselligen Liedes, des gelegentlichen Reimeschmiedens – ein Genre, dem Goethe, man darf sagen: nicht abhold war.

»Berka an der Ilm / d. 21. Juni 1814« – Ort und Datum zum Gedicht »Hans Adam war ein Erdenklos« sind Zeichen aus einem für

Goethe vieles bewegenden, aufgeheiterten Lebensabschnitt. »Seit dem Anfange des neuen Jahres«, so schreibt er am 14. Februar 1814 an Sulpiz Boisserée, »befinden wir uns wieder [...] wie im völligen Frieden und werden nur durch einige kriegerische Symbole, durch einen Trupp Baschkiren und von Zeit zu Zeit durch einen Kanonenschuß von der Zitadelle von Erfurt an das kurz Vergangene erinnert.« Zu diesem kurz Vergangenen gehören die Freiheitskriege des Jahres 1813, vom 16. bis zum 19. Oktober die Völkerschlacht bei Leipzig. 1814, am 1. Januar, überschreiten die Verbündeten den Rhein und rücken in Frankreich ein.

Und nun dieses Berka, idyllisch im Talgrund der Ilm, zwölf Kilometer von Weimar entfernt. Einmal scherzte Goethe: »Laßt den Wienern ihren Prater: / Weimar, Jena, da ist's gut!«[5] Ebenso hätte er jetzt sagen können: Berka, da ist's gut. Vom 13. Mai bis zum 28. Juni 1814 hält er sich in dem kleinen Badeort auf. Er wohnt bei Johann Heinrich Friedrich Schütz, Bad-Inspektor und Organist von Berka. Man konnte die beiden im Ilmgrund spazieren sehen, Goethe – »wie ein Jüngling schritt er, in bloßem Hals und Kopf, in seinem langen Überrock«.[6] Und Schütz spielte ihm bei Gelegenheit Bach vor, Fugen von Bach, »an denen Goethe großes Gefallen fand und sie mit illuminierten mathematischen Aufgaben verglich, deren Themata so einfach wären und doch so großartige poetische Resultate hervorbrächten«.[7]

Diese Berkaer Frühlings- und Sommertage waren für Goethe voller Ahnungen und Pläne. Stoffe, seit langem verwahrt, wollen ans Licht. Dabei halfen Gespräche und Briefe vorwärts. Ein besonderes Geschenk aber, im genauen Begriff »zur rechten Zeit«, Kairos, löste wunderbare schöpferische Antworten aus – ein Geschenk des Verlegers Cotta: »›Der Divan von Mohammed Schemsed-din Hafis‹. Aus dem Persischen zum erstenmal ganz übersetzt von Joseph v. Hammer«.[8] Auf dem Titelblatt des ersten wie des zweiten Teils stehen dieselben Hafis-Verse:

Keiner hat noch Gedanken,
Wie Hafis, entschleiert,
Seit die Locken der Wortbraut
Sind gekräuselt worden.

Das las Goethe – Auftakt zum Umgang mit dem Ganzen. Hafis, in der Hammerschen Übersetzung, war ihm nun »täglich zur Hand«, wurde »zum Buch der Bücher«.[9] Und wie immer vor mächtigen Erscheinungen so versicherte sich Goethe auch hier durch Teilnehmen und produktives Verhalten des eigenen Vermögens; west-östlich gestimmte Schaffensspiele. Die ersten Gedichte zur späteren Sammlung ›West-östlicher Divan‹ entstehen. Unter ihnen ist »Hans Adam war ein Erdenklos« wohl das früheste: »Berka an der Ilm / d. 21. Juni 1814«.[10]

Zum Titel über der Reinschrift – »Buchstabe Dal / 18te Gasele« – ist an eine Erklärung Hammers zu erinnern: »Eine Sammlung von Gaselis nach dem Endbuchstaben der Reime alphabetisch geordnet, heißt *Diwan* oder *Genien*-Versammlung (...).«[11] Demnach »Buchstabe Dal« (»d«): die Abteilung im Divan des Hafis, wo die zu diesem Buchstaben gehörenden Gedichte beisammen sind, 166 an der Zahl, darunter das für Goethes »Hans Adam war ein Erdenklos« viel sagende Gasel Nummer 18:

> Die Priester, die mit Stuhl und Pult
> In Kirchen gar so heilig thun,
> Sie werden in der Einsamkeit
> Das Gegentheil desselben thun.
> [...]

So, zum Beispiel, trinken sie heimlich. Aber Hafis spielt dieses sündige Tun in ein respektables Gleichnis hinüber:

> Ihr Engel an der Schenkethür,
> Lobsinget Euern Preisgesang,
> Die Säuerung von Adams Stoff,
> Nichts anders ist der Trinker Thun.
> [...]

Und Hammer, in einer Fußnote, fügt bei: »Trinken heißt nichts anders, als den Erdenteig säuern, aus dem Adam geknetet ward; ohne diese Säuerung bliebe der Mensch ein abgeschmackter ungegohrner Klumpen.«[12]

Liest man, im Besitz solcher Vorgaben, »Hans Adam war ein Erdenklos«, dann ist zu schließen: »An diesem Liede Goethes hat also Hammer mitgearbeitet.« So hat es Konrad Burdach (1859–1936) gesagt, der Forscher, dem wir dauernd Grundlegendes zu Goethes ›Divan‹ verdanken.[13]

Aber nicht nur Hammer hat an »Hans Adam war ein Erdenklos« mitgearbeitet. In der ersten und in der zweiten Strophe spricht, Goethe wohlbekannt, noch ein anderer mit: Luther; 1. Mos. 2,7 übersetzt er: »Und Gott der Herr machte den Menschen aus einem Erdenklos, und er blies ihm ein den lebendigen Odem in seine Nase. Und also ward der Mensch eine lebendige Seele.«

Aus alledem fertigt Goethe seinen Cantus »Hans Adam war ein Erdenklos«. Sogleich, im ersten Vers, macht er die Sorte klar. Da steht »Adam« nicht allein, sondern der Allerwelts-»Hans« ist bei ihm: der Urvater wird alltäglich gemacht. Mit »Hans Adam« ist die ganz und gar unfeierliche Sippschaft »Mensch« gemeint. Eine scherzhafte Sache ist angesagt – und zuletzt wird der buchstäblich geweihte Bezirk genannt, dem sie sich verdankt: Hafis.

Das Gedicht steht im ›West-östlichen Divan‹ im »Buch des Sängers«, fast in der Mitte. Und da – nun nicht als Einzelstück, sondern als Moment in einer Reihe wandelnder Töne, Gedanken und Seele-Regungen – da ist es mehr als nur eine scherzhafte Sache; da wird der Anteil deutlich, den es am »Urgewalt'gen Stoff« hat, von dem, in der Reihe unmittelbar vorangestellt, das Gedicht »Elemente« redet.

An vollen Büschelzweigen,
Geliebte sieh' nur hin!
Lass dir die Früchte zeigen
Umschalet stachligtgrün.

Sie haengen längst geballet,
Still unbekannt mit sich,
Ein Ast der schaukelnd wallet
Wiegt sie gedultiglich.

Doch immer reift von Innen,
Und schwillt der braune Kern,
Er möchte Luft gewinnen
Und säh die Sonne gern.

26

An vollen Büschelzweigen,
Geliebte sieh' nur hin!
Laß dir die Früchte zeigen
Umschalet stachlig grün.

Sie haengen längst geballet,
Still unbekannt mit sich,
Ein Ast der schaukelnd wallet
Wiegt sie geduldiglich.

Doch immer reift von Innen,
Und schwillt der braune Kern,
Er möchte Lufft gewinnen
Und säh die Sonne gern.

Die Schale platzt und nieder
Macht er sich freudig los;
So fallen meine Lieder
Gehäufft in deinen Schoos.

24. 9. 1815.

Die Schale platzt und nieder
Macht er sich freudig los;
So fallen meine Lieder
Gehäuft in deinen Schoos.[14]

24. S. 1815.

Die Reinschrift ist datiert »24. S. 1815«. Am 20. September dieses Jahres, um ein Uhr, trifft Goethe, begleitet von Sulpiz Boisserée, in Heidelberg ein. Man war um sechs Uhr früh, »herrlichster Morgen«, in Darmstadt aufgebrochen.[15] Am 23. September notiert Boisserée im Tagebuch: »Den 23. war Goethe früh morgens auf dem Schloß.« Dann: »Den 24. Goethe morgens früh wieder auf dem Schloß, dichtend. Mittags, als wir bei Tische saßen, kömmt Willemer unverhofft.« Und Boisserée holt die Frauen, die im Gasthof zurückgeblieben waren: Marianne Willemer und Rosine Städel (Tochter aus Willemers erster Ehe).[16] Am 26. September fahren die Freunde nach Frankfurt zurück.

So, ein paar Tage mit Willemers in Heidelberg. Davor die fünf Wochen bei Willemers in Frankfurt, in der Gerbermühle – was dort aus leidenschaftlichem Begegnen zu Wort und Antwort drängte: Lebens-, Liebesstrophen zwischen Goethe und Marianne, Hatem und Suleika, unvermindert klingt es nach in den paar Heidelberger Tagen, schmerzend schön: »Was so willig du gegeben, / Bringt dir herrlichen Gewinn, / Meine Ruh, mein reiches Leben / Geb ich freudig, nimm es hin!«[17]

Am 24. September 1815 also: Goethe morgens früh wieder auf dem Schloß. Das Gedicht ›An vollen Büschelzweigen‹ entsteht. Was es will, gibt schon die erste Strophe an: Es will »zeigen«, und es will »unterweisen«, das eine verschränkt im anderen. Kastanienkugeln an den Ästen, bereit zum Fallen und, einmal ausgereift, fallend. Bei dieser Sache bleiben die Strophen. Doch im Wortgebiet jeder Strophe stehen Zeichen, die zu »symbolischer Abschweifung« reizen. Im Umgang mit diesem einfachen Gedicht ist aufs einfachste zu erleben, was Goethe in den ›Noten und Abhandlungen zu besserem Verständnis des West-östlichen Divans‹ zu bedenken gibt: »Der geistreiche Mensch, nicht zufrieden mit dem, was man ihm darstellt, betrachtet alles, was sich den Sinnen darbietet, als eine Vermummung, wohinter ein höheres geistiges

107 Goethe, ›An vollen Büschelzweigen‹, Autograph (Nr. 82)

Leben sich schalkhaft-eigensinnig versteckt, um uns anzuziehen und in edlere Regionen aufzulocken.«[18]

Die letzten Verse im Gedicht ›An vollen Büschelzweigen‹ lösen unter möglichen »Vermummungen« die hier geltende auf: die gereift fallenden Kastanien im Heidelberger Schloßgarten – gereift wie sie sind, in eben diesen Herbsttagen, Lied um Lied »gefallen«. Am 21. September ›Geheimschrift‹, ›Die schön geschriebenen‹; am 22. ›Sag, du hast wohl viel gedichtet‹, ›An des lust'gen Brunnens Rand‹, ›Die Sonne kommt! Ein Prachterscheinen‹; am 24. ›An vollen Büschelzweigen‹, ›Wiederfinden‹; am 25. ›Lieb' um Liebe, Stund' um Stunde‹; am 26. ›Volk und Knecht und Überwinder‹. Diese wenigen Gedichte widerspiegeln die eigene Art von Goethes ›West-östlichem Divan‹ überhaupt: rhythmisch-metrisch reich bewegte Ordnung zwischen Spruch und Lied, heimlich lautende Motiv-Resonanzen.

Anmerkungen

1 ›Buchstabe Dal / 18te Gasele‹, im West-östlichen Divan unter dem Titel ›Erschaffen und Beleben‹; frühere Titel: ›Urvater‹ (Wiesbadener Register), ›Der erste Mensch‹ (Zelter, ›Liedertafel‹). Zur Textgeschichte des West-östlichen Divans vgl: Goethes Werke, Weimarer Ausgabe, Erste Abteilung, Bd. VI (1888): West-östlicher Divan. Hrsg. von Konrad Burdach. S. 313–493: Chronologisches; Handschriften; Drucke; Lesarten; Paralipomena. S. 367: ›Erschaffen und Beleben‹.
Goethes Sämtliche Werke, Jubiläums-Ausgabe, Bd. V (1905): West-östlicher Divan. Mit Einleitung und Anmerkungen von Konrad Burdach. S. 328: ›Erschaffen und Beleben‹.
Goethes Werke, Hamburger Ausgabe. München: C.H. Beck'sche Verlagsbuchhandlung, Bd. II (12., neu bearbeitete Auflage, 1981): West-östlicher Divan. Textkritisch durchgesehen und kommentiert von Erich Trunz. S. 577: ›Erschaffen und Beleben‹.
Goethe / West-östlicher Divan. Kritische Ausgabe der Gedichte mit textgeschichtlichem Kommentar von Hans Albert Maier. Bd. I Text, Bd. II Kommentar. Tübingen: Max Niemeyer Verlag 1965. S. 96ff.: ›Erschaffen und Beleben‹.

2 Goethes Gespräche, Artemis-Ausgabe, Hrsg. von Wolfgang Herwig, Bd. III/2 (1972). S. 610f., Nr. 6554: Moltke, Goethe-Reminiszenzen (1882).

3 Wortlaut: Zürcher Bibel; Grundtext neu übersetzt, 1907–1931.

[4] August Kopisch, Gedichte. Berlin: Verlag von Alexander Duncker 1836. S. 8: ›Historie von Noah‹. Dazu: Allgemeines Deutsches Kommersbuch, Jubiläums-Auflage (100. Auflage). Lahr: Verlag Moritz Schauenburg. S. 314.

[5] ›Die Lustigen von Weimar‹, Schlußverse.

[6] Goethes Gespräche (vgl. Anm. 2), Bd. II (1969). S. 898 f., Nr. 3930: E. Genast, ›Aus dem Tagebuch eines alten Schauspielers‹ (1862).

[7] Ebd.

[8] Titelblatt: Der Diwan von Mohammed Schemsed-din Hafis. Aus dem Persischen zum erstenmal ganz übersetzt von Joseph v. Hammer, K.K. Rath und Hof-Dollmetsch, Mitglied der Akademie von Göttingen, Korrespondent des Instituts von Holland. Erster Teil 1812, Zweiter Teil 1813. Stuttgart / Tübingen: J.G. Cotta'schen Buchhandlung. – Die beiden Bände sind erst zur Ostermesse 1814 herausgekommen (Belege dazu von Dorothea Kuhn, Cotta-Archiv; vgl. Anm. 10: Hans-Joachim Weitz, Anm. 31a).

[9] Goethe, Artemis-Gedenkausgabe, Bd. XI, S. 866 f.: Tag- und Jahreshefte, 1815.

[10] Dazu: Hans-Joachim Weitz, Das früheste Gedicht im ›West-östlichen Divan‹. Vortrag, gehalten am 6. März 1974 im Düsseldorfer Goethe-Museum. Jahrbuch der Sammlung Kippenberg NF 3, 1974, S. 158–189. – Minutiös argumentierend sieht Weitz das Gedicht »Voll Locken kraus ein Haupt so rund« (Buch der Liebe: »Versunken«) im Zusammenhang mit Caroline Ulrich (1790–1855) und stellt es »an den Anfang« von Goethes »west-östlichen Dichtungen«.

[11] Hammer (vgl. Anm. 8), Erster Teil, S. XLII (Schluß der Vorrede). – S. 233 f., Nr. 18 und Fußnote 1.

[12] Ebd.

[13] Goethe, Jubiläums-Ausgabe (vgl. Anm 1), Bd. V, S. 328, Anm. zu ›Erschaffen und Beleben‹.

[14] Zur Textgeschichte vgl. Anm. 1.

[15] Goethe, Tagebuch, 20. September 1815.

[16] Sulpiz Boisserée, Briefwechsel / Tagebücher. 2 Bde. Faksimiledruck nach der 1. Auflage von 1862. Ergänzt durch ein Personenregister. Mit einem Nachwort von Heinrich Klotz. Deutsche Neudrucke, Reihe Texte des 19. Jahrhunderts, hrsg. von Walther Killy. Göttingen: Vandenhoeck & Ruprecht 1970. Bd. I, S. 284.

[17] Goethe, ›West-östlicher Divan‹, Buch Suleika: ›Hochbeglückt in deiner Liebe‹, dritte Strophe.

[18] Goethe, Artemis-Gedenkausgabe, Bd. III, S. 493: ›Künftiger Divan. Buch der Liebe‹.

Was sind wir Menschen doch! ein wohnhaus grimmer Schmertzen!
Ein ball des falschen glücks, ein irrlicht dieser Zeitt.
Ein schawplatz aller angst vnd wiederwertigkeit.
Ein bald verschmeltzter Schnee, ein abgebrandte kertzen.
Dis leben fleucht darvon, wie ein geschwätz vnd schertzen.
Die vor vns ~~abgelegt~~ abgelegt des schwachen leibes kleidt,
Vnd in das todtenbuch der grossen sterbligkeitt
Längst eingeschrieben sind; sind vns aus sinn vnd hertzen.
Gleich wie ein eitell traum, leicht aus der acht hinfalt
Vnd wie ein strom verfleust den keine macht aufhelt.
So mus auch vnser lob, nahm, ehr vnd ruhm verschwinden.
Was itzt noch athem holt fält vnversehns dahin,
Was nach vns kombt wird auch der todt ins grab hinziehn.
Was sag ich! wir vergehn, gleich als ein rauch von winden.

ζῆς τὸ κέρδος ἐκ βίου καθ' ἡμέραν.

Doctissimo Praestantissimoq[ue]
Dnō Constantino Lindeshausen
exiguum hoc magni amoris
monumentum.
L. M. Q.
Leidae Batavor. XV. Cal.
Maji. Anni CIƆ IƆ CXL.
reliquit
Andreas Gryphius Glogo.
Phil. et Poeta.

Symb.
Non confundit.

x

Candida Constant.

Was Sindt wir Menschen doch! ein Wohnhaus grimmer
Schmertzen!
Ein ball des falschen glücks, ein irrlicht dieser Zeitt.
Ein schawplatz aller angst vndt wiederwertikeitt
Ein baldt verschmeltzer Schnee, ein abgebrandte kertzen.
Dis leben fleucht davon, wie ein geschwätz vndt Scherzten.
Die vor vns {abgelgt} abgelegt des Schwachen Leibes kleidt;
Vndt in das todtenbuch der grossen Sterblikeitt
Längst eingeschriben sindt; sindt vns aus Sinn vndt hertzen.
Gleich wie ein eitell traum. leicht aus der acht hinfelt
Vndt wie ein Strom verfleust den keine macht aufhelt;
So mus auch vnser Lob, nahm, Ehr vndt ruhm verschwinden.
Was itzt noch athem holt, felt vnversehns dahin,
Was nach vns kombt wirdt auch der todt ins grab hinzihn.
Was Sag' ich! wir vergehn, gleich als ein rauch von winden.

βίου τό κέρδος ἐκβιοῦν
καθ' ἡμέραν.
Symb <olum:>
Non confundit.

Doctissimo Praestantissimoque
Dno Constantino Linderhausen
exiguum hoc magni amoris
monumentum.
L <ubens> M <erito> Q <ue>
Leidæ Batavor <um> XV Calen<das>
Maji. Anni M D CXL.
reliqvit
Andreas Grÿphius Philoso-
phus el Poeta

CANDIDA CONSTANT

108 Gryphius, ›Was sind wir Menschen doch!‹, Autograph (Nr. 79)

Ihr Leute, groß und klein, Ihr w
daß heute unser Festtag ist,
und daß wir feyern müssen
So fangt nun gleich frühmorgen
und bis den Abend am Himmel
und singt und springt, und springt un

\+ \+ \+

Und heute Niemand an Geschäfte,
und ob wir über hundert Jahr
den Tag noch feyern werden,
Wir haben ihn ja heute noch —
Gott sey gelobt! — so bringt ihr d
und macht uns heut das Herz
\+ \+ \+

Denn freilich alles Ding vergeht;
Auch unser Festtag nicht besteht;
so wird uns endlich fehlen.
Doch nicht so bald — flieht! flieht!! und
so soll noch wieder kommen Fest —
oft
soll oft noch wiederkommen!!!

Ihr Leute, groß und klein, Ihr wißt,
daß heute *unser Festtag* ist,
und daß wir feyern müssen.
So fangt nun gleich früh morgens an
und bis die Stern am Himmel stahn
und singt und springt, und springt und singt!

Denk heute Niemand an Gefahr,
und ob wir über hundert Jahr
den Tag noch feyern werden;
Wir haben ihn ja heute noch –
Gott sey gelobt! so braucht ihn doch
und macht uns heut das Herz nicht schwer.

Denn freylich alles Ding vergeht;
auch unser Festtag nicht besteht,
er wird uns *endlich* fehlen.
Doch nicht so bald – fleht! fleht!! und hoft –
er soll noch wiederkommen oft,
soll oft noch wiederkommen ! ! !

Auf den vorangehenden Seiten
109/110 Doppelseite des Gedichtautographs von Matthias Claudius, ›Ihr Leute, groß und klein‹, (Nr. 80)

Auf den folgenden Seiten:
111/112 Schiller, ›Die Gunst des Augenblicks‹, Autograph (Nr. 84)

Die Gunst des Augenblicks

Und so finden wir uns wieder
In dem heitern bunten Reihn,
Und es soll der Kranz der Lieder
Frisch und grün geflochten seyn.

Aber wem der Götter bringen
Wir des Liedes ersten Zoll?
Ihn vor allen laßt uns singen
Der die Freude schaffen soll.

Denn nichts frommt es daß mit Leben
Ceres den Altar geschmückt,
Daß den Purpursaft der Reben
Bacchus in die Schaale drückt,

Zuckt vom Himmel nicht der Funken
Der den Heerd in Flammen sezt,
Ist der Geist nicht feuertrunken
Und das Herz bleibt unergötzt.

Aus den Wolken muß es fallen,
Aus der Götter Hand das Glück,
Und der mächtigste von allen
Herrschern ist der Augenblick.

Von dem allerersten Werden
Der unendlichen Natur
Alles Göttliche auf Erden
Ist ein Lichtgedanke nur.

Langsam in dem Lauf der Horen
Fügt der Stein zum Steine sich,
Schnell wie es der Geist geboren,
Rührt des Werkes Seele dich.

Wie im hellen Sonnenblicke
Sich ein Farbenteppich webt
Wie auf ihrer bunten Brücke
Iris durch den Himmel schwebt,

So ist jede schöne Gabe
Flüchtig wie des Blitzes Schein,
Schnell in ihrem düstern Grabe
Schließt die Nacht sie wieder ein.

Schiller

195

Die Gunst des Augenblicks

Und so finden wir uns wieder
In dem heitern bunten Reihn,
Und es soll der Kranz der Lieder
Frisch und grün geflochten seyn.

Aber wem der Götter bringen
Wir des Liedes ersten Zoll?
Ihn vor allen laßt uns singen,
Der die Freude schaffen soll.

Denn nichts frommt es, daß mit Leben
Ceres den Altar geschmückt,
Daß den Purpursaft der Reben
Bacchus in die Schaale drückt,

Zückt vom Himmel nicht der Funken,
Der den Heerd in Flammen sezt,
Ist der Geist nicht feuertrunken,
Und das Herz bleibt unergetzt.

Aus den Wolken muß es fallen,
Aus der Götter Hand das Glück,
Und der mächtigste von allen
Herrschern ist der Augenblick.

Von dem allerersten Werden
Der unendlichen Natur,
Alles Göttliche auf Erden
Ist ein Lichtgedanke nur.

Langsam in dem Lauf der Horen
Fügt der Stein zum Steine sich,
Schnell wie es der Geist gebohren,
Rührt des Werkes Seele sich.

Wie im hellen Sonnenblicke
Sich ein Farbenteppich webt,
Wie auf ihrer bunten Brücke
Iris durch den Himmel schwebt,

So ist jede schöne Gabe
Flüchtig wie des Blitzes Schein,
Schnell in ihrem düstern Grabe
Schließt die Nacht sie wieder ein.

Schiller

[illegible]

100

1 [illegible]
[illegible]
[illegible]
[illegible]
[illegible]
[illegible]
[illegible]
[illegible]

2 [illegible]
[illegible]
[illegible]
[illegible]
[illegible]
[illegible]
[illegible]
[illegible]

3 [illegible]
[illegible]
[illegible]
[illegible]
[illegible]
[illegible]
[illegible]
[illegible]

110

4 [illegible] [illegible] [illegible]
Weckt die [illegible] in der [illegible] [illegible]
[illegible] die [illegible] [illegible] gefangen
[illegible] der [illegible] [illegible] [illegible]
Denn nur [illegible] [illegible] [illegible]
Vor dem Stolze der [illegible]
[illegible] [illegible] [illegible] [illegible]
Und der Ruhe des [illegible]

5 [illegible] in [illegible] [illegible] [illegible]
[illegible] des [illegible] [illegible] [illegible]
[illegible] [illegible] [illegible] [illegible]
[illegible] [illegible] [illegible] die [illegible]
[illegible] am [illegible] [illegible]
[illegible] [illegible] und [illegible] [illegible]
Wo den Lieblingen der [illegible] [illegible]
[illegible] [illegible] [illegible] [illegible] [illegible]

6 [illegible] [illegible] die [illegible] [illegible]
[illegible] [illegible] [illegible] [illegible] [illegible]
[illegible] die Krone [illegible] der [illegible]
[illegible] des [illegible] [illegible] [illegible]
[illegible] [illegible] [illegible] [illegible] [illegible] [illegible]
[illegible] die [illegible] [illegible] [illegible]
[illegible] [illegible] [illegible] [illegible]
Komm [illegible] [illegible] in [illegible] [illegible] Noth.

7 [illegible]
[illegible]
[illegible]
[illegible]
[illegible]
[illegible] Stolzer [illegible]
[illegible]
[illegible]

8 [illegible]
[illegible]
[illegible]
[illegible]

[illegible]
[illegible]
[illegible]
[illegible]
[illegible]
[illegible]
[illegible]
[illegible]

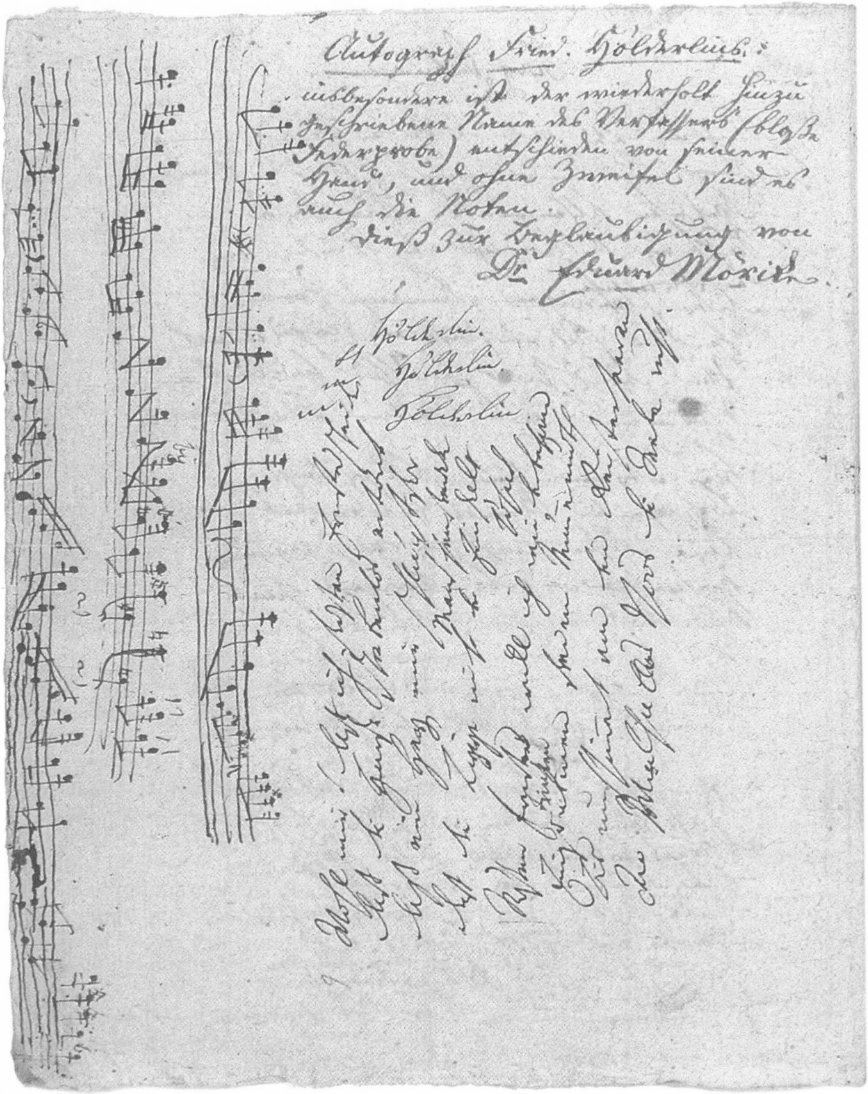
Autograph Fried. Hölderlins:
insbesondere ist der wiederholt hinzugeschriebene Namen des Verfassers (bloße Federprobe) entschieden von seiner Hand, und ohne Zweifel sind es auch die Noten.
Dieß zur Beglaubigung von
Dr. Eduard Mörike.

Hölderlin.
Hölderlin.
Hölderlin

Burg Tübingen.

Still und öde steht der Väter Veste,
Schwarz und moosbewachsen Pfort' und Turm,
Durch der Felsenwände trübe Reste
Saußt um Mitternacht der Wintersturm,
Dieser schaurigen Gemache Trümmer
Heischen sich umsonst ein Siegesmaal
Und des Schlachtgeräthes Heiligtümer
Schlummern Todesschlaf im Waffensaal.

Hier ertönen keine Festgesänge
Lobzupreisen Manas Heldenland
Keine Fahne weht im Siegsgepränge
Hochgehoben in das Kriegers Hand,
Keine Rosse wiehern in den Thoren
Bis die Edeln zum Turniere nah'n
Keine Doggen, treu, und auserkoren
Schmiegen sich den blanken Panzern an.

Bei des Hiefthorns schallendem Getöne
Zieht kein Fräulein in der Hirsche Thal,
Siegesdurstend gürten keine Söhne
Um die Lenden ihrer Väter Stal,
Keine Mütter jauchzen von der Zinne
Ob der Knaben stolzer Wiederkehr,
Und den ersten Kuß verschämter Minne
Weihn der Narbe keine Bräute mer.

Aber schaurige Begeisterungen
Wekt die Riesin in des Enkels Brust
Sänge, die der Väter Mund gesungen
Zeugt der Wehmuth zauberische Lust,
Ferne von dem thörigen Gewühle,
Von dem Stolze der Gefallenen,
Dämmern niegeahndete Gefüle
In der Seele des Begeisterten.

Hier im Schatten grauer Felsenwände,
Von des Städters Bliken unentweiht,
Knüpfe Freundschaft deutsche Biederhände
Schwöre Liebe für die Ewigkeit,

Auf den vorangehenden Seiten: 113–116 Hölderlin, ›Burg Tübingen‹, Autograph mit Noten und Bemerkung von Mörike (Nr. 85)

Hier wo Heldenschatten niederrauschen
Traufe Vaterseegen auf den Sohn
Wo den Lieblingen die Geister lauschen
Spreche Freiheit den Tyrannen Hohn!

Hier verweine die verschloßne Zähre
Wer umsonst nach Menschenfreude ringt
Wen die Krone nicht der Bardenehre
Nicht des Liebchens Schwanenarm umschlingt,
Wer von Zweifeln one Rast gequälet,
Von des Irrtums peinigendem Loos,
Schlummerlose Mitternächte zählet,
Komme zu genesen in der Ruhe Schoos.

Aber wer des Bruders Fehle rüget
Mit der Schlangenzunge losem Spott
Wem für Adeltaten Gold genüget
Sei er Sclave oder Erdengott
Er entweihe nicht die heilge Reste
Die der Väter stolzer Fuß betratt,
Oder walle zitternd zu der Veste
Abzuschwören da der Schande Pfad.

Denn der Heldenkinder Herz zu stählen
Atmet Freiheit hier und Männermuth
In der Halle weilen Väterseelen
Sich zu freuen ob Thuiskons Blut
Aber ha! den Spöttern und Tyrannen
Weht Entsezen ihr Verdammerspruch
Rache dräuend jagt er sie von dannen
Des Gewissens firchterlicher Fluch

Wohl mir! daß ich süßen Ernstes scheide,
Daß die Harfe schrekenlos ertönt
Daß ein Herz mir schlägt für Menschenfreude
Daß die Lippe nicht der Einfalt höhnt
Süßen Ernstes will ich wiederkehren
Einzutrinken freien Männermuth
Bis umschimmert von den Geisterheeren
In Walhallas Schoos die Seele ruht.

10. 9 Geistl. L.

No 11.

1.

~~Es giebt so bange Zeiten~~
Es giebt so trüben Muth,
Wo alles sich von weitem
Gespenstisch zeigen thut.
Es ~~[illegible]~~ wilde Schrecken
So ängstlich leise ~~[illegible]~~ her
Und tiefe Nächte decken
~~[illegible]~~
Die Seele zentnerschwer.
Die sichern Stützen schwanken,
~~Und [illegible]~~
Kein ~~[illegible]~~ der Zuversicht —
~~Der [illegible]~~ Der Wirbel der Gedanken
Gehorcht dem Willen nicht.
Der Wahnsinn ~~[illegible]~~ naht und locket
Unwiderstehlich hin.
Der Puls des Lebens stocket
~~Und~~ Und stumpf ist jeder Sinn.
~~Ein [illegible] ist über allen~~
~~Und einem [illegible] [illegible]~~
~~Wer diese [illegible]~~
~~[illegible] ewig [illegible]~~
Wer hat das Kreuz erhoben
Zum Schutz für jedes Herz?
Wer wohnt im Himmel droben
Und hilft in Angst und Schmerz.

Geh zu dem Wunderstamme
Gib stiller Sehnsucht Raum.
Aus ihm geht eine Flamme
Und zehrt den schwersten Traum.
Ein Engel zieht dich wieder
Gerettet auf den Strand,
Und schaust voll Freuden nieder
In das gelobte Land.

15.

Ich seh dich in tausend Bildern,
Maria, lieblich ~~[illegible]~~ ausgedrückt,
Doch keins ~~kann~~ von allen kann dich schildern,
Wie meine Seele dich erblickt.
Ich weiß nur, daß der Weltgetümmel
Seitdem mir wie ein Traum verweht,
Und ein unnennbar süßer Himmel
~~Mir ewig [illegible]~~
Mir ewig im ~~[illegible]~~ Gemüthe steht.

117 Novalis, ›Ich sehe dich in tausend Bildern‹, Autograph (Nr. 86)

Ich sehe dich in tausend Bildern
Maria, lieblich ausgedrückt,
Doch keins von allen kann dich schildern,
Wie meine Seele dich erblickt.

Ich weiß nur, daß der Weltgetümmel
Seitdem mir wie ein Traum verweht,
Und ein unnennbar süßer Himmel
Mir ewig im Gemüthe steht.

118 Eichendorff, ›In einem kühlen Grunde‹, Autograph (Nr. 88)

In einem kühlen Grunde
Da geht ein Mühlenrad,
Mein Liebste ist verschwunden,
Die dort gewohnet hat.

Sie hat mir Treu versprochen,
Gab mir einen Ring dabei,
Sie hat die Treu gebrochen,
Mein Ringlein sprang entzwei.

Ich möcht' als Spielmann reisen
Weit in die Welt hinaus
Und singen meine Weisen
Und ziehn von Haus zu Haus.

Ich möcht' als Reiter fliegen
Wohl in die wilde Schlacht,
Um stille Feuer liegen
Im Feld bei dunkler Nacht.

Hör' ich das Mühlrad gehen:
Ich weiß nicht was ich will,
Ich möcht' am liebsten sterben,
Da wär's aufeinmal still.

Zum freundlichen Andenken
von
Jos: Frhr. v. Eichendorff

In einem kühlen Grunde
Da geht ein Mühlenrad,
Mein Liebste ist verschwunden,
Die dort gewohnet hat.

Sie hat mir Treu versprochen,
Gab mir einen Ring dabei,
Sie hat die Treu gebrochen,
Mein Ringlein sprang entzwei.

Ich möcht als Spielmann reisen
Weit in die Welt hinaus
Und singen meine Weisen
Und ziehe von Haus zu Haus.

Ich möcht als Reiter fliegen
Wohl in die wilde Schlacht,
Um stille Feuer liegen
Im Feld bei dunkler Nacht.

Hör' ich das Mühlrad gehen,
Ich weiß nicht was ich will,
Ich möcht' am liebsten sterben,
Da wär's auf einmal still.

Zum freundlichen Andenken
von
Jos. Frhr. v. Eichendorff.

Die rechte Stunde

Im heitern Saal beim Kerzenlicht,
Wenn alle Lippen sprühen Funken,
Und gar vom Sonnenscheine trunken,
Wenn jeder Finger Blumen bricht,
Und vollends an geliebtem Munde,
Wenn die Natur in Flammen schwimmt,
Das ist sie nicht die rechte Stunde
Die dir der Genius bestimmt.

Doch wenn so Tag als Lust versank,
Dann wirst du schon ein Plätzchen wissen,
Vielleicht in deines Sopha's Kissen,
Vielleicht auf einer Gartenbank;
Dann klingt's wie halb verstandne Weise
Wie halb verwischter Farben Guß
Verrinnt um dich, und leise, leise
Berührt dich dann dein Genius.

Annette Elisabeth, Freiin von Droste-Hülshoff.

119 Droste-Hülshoff, ›Die rechte Stunde‹, Autograph (Nr. 89)

Die rechte Stunde

Im heitren Saal beym Kerzenlicht,
Wenn alle Lippen sprühen Funken,
Und gar vom Sonnenscheine trunken,
Wenn jeder Finger Blumen bricht,
Und vollends an geliebtem Munde,
Wenn die Natur in Flammen schwimmt,
Das ist sie nicht die rechte Stunde
Die dir der Genius bestimmt.

Doch wenn so Tag als Lust versank,
Dann wirst du schon ein Plätzchen wissen,
Vielleicht in deines Sopha's Kissen,
Vielleicht auf einer Gartenbank;
Dann klingt's wie halb verstandne Weise
Wie halb verwischter Farben Guß
Verrinnts um dich, und leise, leise
Berührt dich dann dein Genius.

Annette Elisabeth, Freiin von Droste-Hülshof

Der römische Brunnen.

Aufsteigt der Strahl und fallend giesst
Er voll der Marmorschale Rund,
Die, sich verschleiernd, überfliesst
In einer zweiten Schale Grund;
Die zweite giebt, sie wird zu reich,
Der dritten wallend ihre Flut,
Und jede nimmt und giebt zugleich
Und strömt und ruht.

Kilchberg bei Zürich
4. Sept 1880.

Conrad Ferdinand Meyer

120 Meyer, ›Der römische Brunnen‹, Autograph (Nr. 91)

Der römische Brunnen.

Aufsteigt der Strahl und fallend giesst
Er voll der Marmorschale Rund,
Die, sich verschleiernd, überfliesst
In einer zweiten Schale Grund;
Die zweite giebt, sie wird zu reich,
Der dritten wallend ihre Flut,
Und jede nimmt und giebt zugleich
Und strömt und ruht.
–

Kilchberg bei Zürich
4. Sept. 1886
Conrad Ferdinand Meyer

Papageien-Park.

Unter türkischen Linden, die blühen, an Rasenrändern,
in leise von ihrem Heimweh geschaukelten Ständern
athmen die Ara und wissen von ihren Ländern
die sich, auch wenn sie nicht hinsehn, nicht verändern.

Fremd im beschäftigten Grünen wie eine Parade,
zieren sie sich und fühlen sich selber zu schade,
und mit den kostbaren Schnäbeln aus Jaspis und Jade
kauen sie Graues, verschleudern es, finden es fade.

Unten klauben die duffen Tauben, was sie nicht mögen,
während sich oben die höhnischen Vögel verbeugen
zwischen den beiden fast leeren vergeudeten Trögen.

Aber dann wiegen sie wieder und schläfern und äugen,
spielen mit dunkelen Zungen, die gerne lögen
zerstreut an den Fußfesselringen. Warten auf Zeugen.

121 Rilke, ›Papageien-Park‹, Autograph (Nr. 92)

Papageien-Park.

Unter türkischen Linden die blühen, an Rasenrändern,
in leise von ihrem Heimweh geschaukelten Ständern
athmen die Ara und wissen von ihren Ländern
die sich, auch wenn sie nicht hinsehn, nicht verändern.

—

Fremd im beschäftigten Grünen wie eine Parade,
zieren sie sich und fühlen sich selber zu schade,
und mit den Kostbaren Schnäbeln aus Jaspis und Jade
kauen sie Graues, verschleudern es, finden es fade.

—

Unten Klauben die duffen Tauben was sie nicht mögen,
während sich oben die höhnischen Vögel verbeugen
zwischen den beiden fast leeren vergeudeten Trögen.

—

Aber dann wiegen sie wieder und schläfern und äugen,
spielen mit dunkelen Zungen die gerne lögen
zerstreut an den Fußfesselringen. Warten auf Zeugen.

—

Träumerei am Abend.

Wer einsam abends geht, ist nicht [illegible] Schatten
Und Schönes! Es wechseln [illegible] und [illegible] [illegible];
Das [illegible] hinter [illegible] [illegible] und Gestalten
Und seine Seele [illegible] ein [illegible] ermatten.

x

Der Markt ist leer von roten Früchten und Gewinden.
Einträchtig stimmt der Kirche schwärzliches Gepränge,
In einem Garten tönen sanften Spieles Klänge,
Wo Müde nach dem Mahle sich zusammenfinden.

x

Ein Wagen rauscht, ein Quell [illegible] fern durch grüne Schächte
Da zeigt sich eine Kindheit traumhaft und verschlossen,
Vergangnes kehrt, [illegible] zum mystischen Bild geschlossen
Und zärtlich rundet sich die [illegible] Nächte.

x

[illegible] [illegible] [illegible] [illegible] [illegible] [illegible] die Glieder,
Daß er Gesichte schaut und Gottes Liebe fände.
[illegible] [illegible] [illegible] sein Schatten [illegible] in weiße Hände
Und neigt sich über [illegible] Wasser nieder.

x

[illegible] [illegible] [illegible] [illegible] durch [illegible] [illegible] Zimmer
Und [illegible] und [illegible] [illegible] [illegible].
Der Menschen [illegible] [illegible] [illegible] und [illegible] [illegible]
Den Toten aber [illegible] noch ein [illegible] Schimmer.

G. Trakl.

122 Trakl, ›Träumerei am Abend‹, Autograph (Nr. 93)

Träumerei am Abend.

Wo einer abends geht, ist nicht des Engels Schatten
Und Schönes! Es wechseln Gram und sanfteres Vergessen;
Des Fremdlings Hände tasten Kühles und Zypressen
Und seine Seele faßt ein staunendes Ermatten.

Der Markt ist leer von roten Früchten und Gewinden.
Einträchtig stimmt der Kirche schwärzliches Gepränge,
In einem Garten tönen sanften Spieles Klänge,
Wo Müde nach dem Mahle sich zusammenfinden.

Ein Wagen rauscht, ein Quell sehr fern durch grüne Pfühle.
Da zeigt sich eine Kindheit traumhaft und verflossen,
Angelens Sterne, fromm zum mystischen Bild geschlossen
Und ruhig rundet sich die abendliche Kühle.

Dem einsam Sinnenden löst weißer Mohn die Glieder,
Daß er Gerechtes schaut und Gottes tiefe Freude.
Vom Garten irrt sein Schatten her in weißer Seide
Und neigt sich über trauervolle Wasser nieder.

Gezweige stießen flüsternd ins verlaßne Zimmer
Und Liebendes und kleiner Abendblumen Beben.
Der Menschen Stätte gürten Korn und goldne Reben
Den Toten aber sinnet nach ein mondner Schimmer.

G. Trakl

79 **Andreas Gryphius (1616–1664)**

›Was sind wir Menschen doch?‹ (Sonett)

Ms. autogr., signiert, datiert »Leyden, 15. Kal. Mai 1640«. Stammbuchblatt für Constantin Linderhausen

10,5 x 16 cm, 1 S.

PROVENIENZ: *Hinterberger, Wien, 1936. Sammlung Stefan Zweig*

80 **Matthias Claudius (1740–1815)**

›Ihr Leute, groß und klein ...‹

[»An Frau Rebecca's Geburtstag, den 26. Oktober 1794. Auf und nach Mozarts Musik zum Veilchen«]

Ms. autogr., unsigniert [1794]

19,5 x 16,3 cm, 1 Doppelbl. einseitig beschrieben

Kat. Zweig Nr. 11

PROVENIENZ: *Hinterberger, Wien, 1936. Sammlung Stefan Zweig*

81 **Johann Wolfgang von Goethe (1749–1832)**

›Hans Adam war ein Erdenklos ...‹

Ms. autogr., unsigniert, datiert »Berka an der Ilm, d. 21. Juni 1814«. Aus dem ›West-östlichen Divan‹ I, ›Buch des Sängers‹

31,5 x 19,4 cm, 1 S. Auf grauem Papier

PROVENIENZ: *Hauswedell, Hamburg, Juni 1970*

82 **Johann Wolfgang von Goethe (1749–1832)**

›An vollen Büschelzweigen ...‹

Ms. autogr.. unsigniert, datiert 24. S. 1815. Aus dem ›West-östlichen Divan‹ VIII, ›Buch Suleika‹

33 x 20,8 cm, 1 S. weißgraues Papier

PROVENIENZ: *Hauswedell, Hamburg, Juni 1970*

83 **Johann Wolfgang von Goethe (1749–1832)**

›Im May‹

Ms. autogr., unsigniert [1810]

20,3 x 16,8 cm, 1 Bl. einseitig beschrieben

PROVENIENZ: *Hinterberger, Wien, 1954. Sammlung Stefan Zweig*

84 **Friedrich Schiller (1759–1805)**

›Die Gunst des Augenblicks‹

Ms. autogr., signiert, [1802]

23 x 19 cm, 1 Bl. zweiseitig beschrieben

PROVENIENZ: *Karl & Faber, München, 1951*

85 **Friedrich Hölderlin (1770–1843)**

›Burg Tübingen‹

Ms. autogr. Dreimal signiert, [um 1790]. Mit einem Notensatz für Querflöte von Hölderlins Hand

22 x 17,7 cm, 1 Doppelbl., vierseitig beschrieben mit drei Zeilen Noten. In roter Tinte, Echtheitsbekundung von Eduard Mörike

PROVENIENZ: *vor 1947. Bodmer Weltliteratur, S. 109*

86 **Novalis (Friedrich von Hardenberg) (1772–1801)**

›Ich sehe dich in tausend Bildern…‹

Ms. autogr., unsigniert, undatiert

19,9 x 16,5 cm, 1 Doppelbl. vierseitig beschrieben. Braunes Papier

PROVENIENZ: *vor 1947. Bodmer, Weltliteratur, S. 110*

122 Uhland, ›Der gute Kamerad‹, Autograph (Nr. 87)

Der gute Kamerad.

Ich hatt' einen Kameraden,
Einen bessern findst du nit.
Die Trommel schlug zum Streite,
Er ging an meiner Seite
In gleichem Schritt und Tritt.

Eine Kugel kam geflogen,
Gilt's mir oder gilt es dir?
Ihn hat es weggerissen,
Er liegt mir vor den Füßen,
Als wär's ein Stück von mir.

Will mir die Hand noch reichen,
Derweil ich eben lad'.
Kann dir die Hand nicht geben,
Bleib du im ew'gen Leben
Mein guter Kamerad!

Tübingen, d. 3. Jul. 1837.

L. Uhland.

87 **Ludwig Uhland (1787–1862)**

›Der gute Kamerad‹

Ms. autogr., signiert, datiert »Tübingen, des 3. Jul. 1837«

18,5 x 12,3 cm, 1 Doppelbl. einseitig beschrieben. Mit Briefumschlag

PROVENIENZ: *1948, Sammlung Stefan Zweig*

88 **Joseph von Eichendorff (1788–1857)**

›In einem kühlen Grunde‹

Ms. autogr., signiert »Zum freundlichen Andenken von Jos. Frhr. v. Eichendorff«, [vor 1813]

22,5 x 25,7 cm, 1 Bl. einseitig beschrieben

PROVENIENZ: *1948, Sammlung Stefan Zweig*

89 **Annette von Droste-Hülshoff (1797–1848)**

›Die rechte Stunde‹

Ms. autogr., signiert »Annette Elisabeth, Freiin von Droste-Hülshoff«, [1844]

21,7 x 17 cm, 1 Bl. einseitig beschrieben. Auf goldgesprenkeltem Papier

PROVENIENZ: *Eisemann, London, September 1956*

90 **August Heinrich Hoffmann von Fallersleben (1798–1874)**

›Das Lied der Deutschen‹

Ms. autogr., signiert, datiert »Zur Erinnerung an Helgoland 4. Sept. 1841. H. v. F.«

17,5 x 10,3 cm, 1 Doppelbl. vierseitig beschrieben. Papier mit Wasserzeichen

PROVENIENZ: *vor 1947, Sammlung Stefan Zweig, Bodmer, Weltliteratur, S. 111*

123/124 Hoffmann von Fallersleben, ›Das Lied der Deutschen‹, des noch weitere Gedichte enthaltenden Autographs und der Datierung auf S. 4 (Nr. 90)

Das Lied der Deutschen.

Mel. Gott erhalte Franz den Kaiser.

Deutschland, Deutschland über Alles,
Über Alles in der Welt,
Wenn es stets zu Schutz und Trutze
Brüderlich zusammenhält,
Von der Maas bis an die Memel,
Von der Etsch bis an den Belt –
Deutschland, Deutschland über Alles,
Über Alles in der Welt!

Deutsche Frauen, deutsche Treue,
Deutscher Wein und deutscher Sang
Sollen in der Welt behalten
Ihren alten schönen Klang,
Uns zu edler That begeistern
Unser ganzes Leben lang –
Deutsche Frauen, deutsche Treue,
Deutscher Wein und deutscher Sang!

Einigkeit und Recht und Freiheit
Für das deutsche Vaterland!
Danach laßt uns alle streben
Brüderlich mit Herz und Hand!
Einigkeit und Recht und Freiheit
Sind des Glückes Unterpfand –
Stoßet an und ruft einstimmig:
Hoch das deutsche Vaterland!

All ihr hoch Geloben
Ist wie Staub zerstoben,
Und die Täuschung ward nur unser Theil.
Ach im blut'gen Kampfe
Und im Pulverdampfe
Schwatzen sie von unserm künft'gen Heil.
Kommt denn gar kein Tag,
Der uns trösten mag?
Ist denn Alles, Alles nun vorbei?
Ist denn gar kein Weg,
Ist denn gar kein Steg,
Der uns führt aus dieser Sklaverei?

Zur Erinnerung an Helgoland
4. Sept. 1841. H. v. F.

91 **Conrad Ferdinand Meyer (1825–1898)**

›Der römische Brunnen‹

Ms. autogr., signiert, datiert »Kilchberg bei Zürich. 4. Sept. 1880«

22,7 x 17,2 cm, 1 Bl. Einseitig beschrieben

PROVENIENZ: *vor 1947, Bodmer, Weltliteratur, S. 111*

92 **Rainer Maria Rilke (1875–1926)**

›Papageien-Park‹

Ms. autogr., signiert, [Capri, Frühjahr 1908?]

22,5 x 14,4 cm, 1 Bl., einseitig beschrieben. Auf blauem Papier

Kat. Zweig Nr. 30

PROVENIENZ: *1948, Sammlung Stefan Zweig*

93 **Georg Trakl (1887–1914)**

›Träumerei am Abend‹

Ms. autogr., signiert, [1914]

30,3 x 21 cm, 1 Bl. einseitig beschrieben

Kat. Zweig Nr. 34

PROVENIENZ: *Hinterberger, Wien, 1948*

وَاز پیرایهٔ حزم عاطل گشت ملتمس او سخت زود در حیز تفرقه افتد
و در دست او جز حسرت و ندامت باقی نماند چنانک باخه بوزنه را
بی جهدی زیادت در دام کشید و بنادانی باد داد رای پرسید
که چگونه بود آن گفت آورده اند که در جزیره بوزنگان بسیار
بودند و کاردانا نام ملکی داشتند با مهابتی وافر و سیاستی
کامل فرمانی نافذ و عدلی شامل چون ایام جوانی که بهار عمر و موسم
کامرانی آنست بگذشت ضعف پیری در اطراف او پدید آمد

وکاردانا باد

و اثر خویش در قوت ذات و نور بصر شایع گردانید

البحتری

إنّ الزمانَ إذا تتابعَ خطوُه سبقَ الطلوبَ

هر آینه روزگار چون پیاپی شود کام نهاد او پیشدستی کند جوینده را

البحتری

Fabeln, Sagen, Märchen

94 **Pantschatantra**

›Kalîla wa Dimna‹

Ms. Persien. Fassung des Nasrallâh Abûl-Ma'âlî nach der arabische Version des Abd Allâh Ibn al-Muqaffâ, persisch. Mit Korrekturen in roter Tinte; Interlinear- und Randglossen. Datiert 15. Safar 661 d.i. 29. Dezember 1262. Papier

31,6 x 22,9 cm, 207 Bll.

CB 527

SCHRIFT: *Neschi*

SCHREIBER: *Muhammad Ibn'Umar Ibn Muhammad gen. aDschalâl*

BUCHSCHMUCK: *Illuminierte Titelseite, 36 Miniaturen in Gold und Farben, letztere im indischen Stil des 16. Jahrhunderts und später in Indien hinzugefügt*

EINBAND: *Leder des 16. Jahrhunderts*

PROVENIENZ: *Sotheby's, London, Dezember 1959, Auktion Dyson-Perrins*

Zu den populärsten Werken des Orients gehört zweifellos die Fabelsammlung des ›Pantschatantra‹. Vielfach übersetzt, in vielen verschiedenen Versionen im Umlauf, die ihrerseits wiederum Grundlage weiterer Bearbeitungen sind, ist sie auch eine der am häufigsten illustrierten Texte. Ihr Einfluß jedoch bleibt bei weitem nicht auf den Orient beschränkt. Im 13. Jahrhundert von Johannes von Capua aus dem Hebräischen ins Lateinische übersetzt, wird sie auch in Europa bekannt und beliebt. Die lateinische Übersetzung liegt allen nationalsprachlichen Fassungen des westlichen Europa zugrunde, so auch der ersten deutschen Ausgabe von 1485 aus Ulm. Die Fabeln von La Fontaine und Goethes ›Reinecke Fuchs‹ sind davon inspiriert, Friedrich Rückert hat sie seinem Gedicht ›Parabel‹ zugrundegelegt.

125 Pantschatantra, Die Verschwörung der Affen. Miniatur, persische Handschrift (Nr. 94)

Die Ursprünge dieses veritablen Volksbuches allerdings sind ganz anderer Natur. Das indische Original, wahrscheinlich um 300 n. Chr. verfaßt, war ein Fürstenspiegel. In perfektem Sanskrit verfaßt, sollte es künftigen Herrschern Menschenkenntnis und darausfolgendes richtiges politisches Verhalten vermitteln. Anlaß für die moralisierenden Fabeln oder Erzählungen sind jeweils Fragen, die der König Dibsalim an den Philosophen Bidpai richtet, um sich von ihm einzelne menschliche Charakterzüge erklären zu lassen. Die eher theoretischen Ausführungen, die die Antwort des Philosophen bilden, illustriert dieser mit Hilfe von Fabeln. Akteure sind sowohl Menschen als auch mit Sprache begabte Tiere. Zu den Hauptcharakteren gehören auch die beiden Schakale Kalîla und Dimna, nach denen die arabische Version benannt ist. Der Hof, zu dessen Gebrauch die Fabeln ursprünglich doch verfaßt wurden, kommt kaum vor, dagegen die Welt der Handwerker und Händler. Gier, Eitelkeit und Dummheit vereiteln manches Unternehmen, wohingegen List und Intelligenz dem Schwachen helfen können, gegen den Mächtigen zu bestehen. Realistischerweise ist es nicht immer das Gute, das siegt. Gegen Intriganten und Verräter haben Integrität und Loyalität keine Chance, Vertrauen zahlt sich nicht aus – eine deutliche Warnung an die Herrscher, darauf zu achten, wem sie Gehör schenken.

In Indien in verschiedenen Versionen weit verbreitet, so als die ›Fabeln des Bidpai‹ oder ›Pañcatantra›, erregt die Fabelsammlung das Interesse des sāsānidischen Herrschers Chosroes I. Anūširwan (531-578). Dieser sandte seinen Arzt Bursoe nach Indien, um das Pañcatantra – von dem es hieß, daß die Inder es vor Fremden verbergen – nach Iran zu bringen und ins Pahlawî (Mittelpersische) zu übersetzen. Von da an ist die Geschichte der Indienfahrt Bursoes Bestandteil des Werkes, das jetzt ›Kalīla wa Dimna‹ genannt wird.

Von dem Perser Ibn al-Muqaffâ (hingerichtet ca. 759) aus dem Pahlawî ins Arabische übersetzt, wurde das Werk unter dem Titel ›Kalîla und Dimna‹ ungeheuer populär, so populär, daß es wieder ins Persische (zurück-)übersetzt wurde, diesmal ins Neupersische. Die frühen Übersetzungen sind verlorengegangen, so daß die erste erhaltene Version die des Abû l-Ma'alî Nasrallâh ist. Die auf Verlangen des Ghaznawiden Bahrâm Schâh (1118 – 1157) angefertigte Neubearbeitung war ursprünglich ein Meisterwerk der persischen Prosa. Seine verhältnismäßige Schlichtheit allerdings entsprach nicht dem Geschmack der folgenden Generationen, die es kräftig ausschmückten, so daß der originale Text über weite Strecken überdeckt wird. Hussein Kâschifî Wâ'iz (gest. 1504) ging auch das nicht weit genug. Unter dem Vorwand, den Text al-Ma-'âlîs leichter lesbar zu machen, verfaßte er eine Überarbeitung, die an Bombast alles in den Schatten stellt. E.v.d.Sch.

Lit.: Kalîla wa-Dimna, in: Encylopaedia of Islam, 2nd edition. – Hans Caspar von Bothmer, Kalila und Dimna. Wiesbaden: Harrassowitz 1981

95* **Aesopus (6. Jahrhundert v. Chr.)**

›Aesopus moralisatus… Vita et fabulae‹

Neapel: Francesco del Tuppo [Germani fidelissimi], 1485. Latein, italienische Bearbeitung und Beigaben von Francesco del Tuppo

2°, 165 Bll.; Bl. 43 eingefalzt; verblaßte Glossen

Inc. Bodmer 258. Bodmeriana, Ink., S. 175; Bodmeriana, Choix d'inc., S. 18–19

Familienbesitz

BUCHSCHMUCK: *88 Holzschnitte, reiche Schmuckbordüre und Initialen in Holzschnitt*

EINBAND: *Lederband des 19. Jahrhunderts mit Rücken- und Deckelvergoldung. Goldschnitt*

PROVENIENZ: *vor 1947 Bodmer, Weltliteratur, S. 56*

»auch noch itzund die Wahrheit zu sagen, von äußerlichem Leben in der Welt zu reden, wüßte ich, außer der heiligen Schrift, nicht viel Bücher, die diesem überlegen sein sollten, so man Nutz, Kunst und Weisheit […] wolt ansehen, denn man darin unter schlichten Worten und einfältigen Fabeln die allerfeinste Lehre, Warnung und Unterricht findet (wer sie zu brauchen weiß) wie man sich im Haushalten, in und gegen der Oberkeit und Unterthanen schicken soll, auf daß man klüglich und friedlich unter den bösen Leuten in der falschen argen Welt leben möge.«

So steht es in Martin Luthers Vorrede zu seinem deutschen Aesop von 1530. Der Reformator, durch den über ihn verhängten Bann gehindert, am Reichstag zu Augsburg teilzunehmen, hatte sich an seinem Zufluchtsort auf der Veste Coburg daran gemacht, die Fabeln erneut ins Deutsche zu übertragen, da er an der verbreiteten deutschen Version des Heinrich Steinhöwel viel auszusetzen fand. Der Ulmer Arzt hatte um 1476 einen mit zahlreichen Holzschnitten illustrierten lateinisch-deutschen ›Esopus‹ in seiner Vaterstadt in der berühmten Offizin von Johann Zainer drucken lassen.

Der Bestand an Fabeln bei Steinhöwel ist größer als in allen anderen Frühdrucken und speist sich aus zwei getrennten Überlieferungssträngen: Den einen bilden die wichtigsten lateinischen Fabelcorpora des Mittelalters, nämlich die spätantike Kompilation des Avianus und der sog. Anonymus Neveleti, wie sie schon in Ul-

126 Der Löwe und die Ratte, Holzschnitt, in: ›Aesopus moralisatus‹, 1485 (Nr. 95)

Mus redit: hunc reperit: cernit loca: uincula rodit:
Hac ope pensat opem: sic leo tutus abit.
Rem potuit tantam minimi prudentia dentis:
Cui leo dans ueniam se dedit ipse sibi.
Tu qui summa potes: ne despice parua potentem.
Nam prodesse potest: si quis obesse nequit.

rich Boners ›Edelstein‹ vereinigt sind. Der Notname Anonymus Neveleti bezeichnet den unbekannten Autor einer Versfassung in elegischen Distichen, die erst 1610 im Rahmen einer großen Edition verschiedener Fabelsammlungen durch Isaac Nevelet im Druck herausgegeben wurde. Den zweiten Strang bilden lateinische Übersetzungen der griechischen Fabeltradition durch Rinuccio da Castiglione aus Arezzo. Seine Arbeit entspringt dem verstärkten Interesse an griechischen Texten überhaupt, das byzantinische Gelehrte, die sich seit der ersten Hälfte des 15. Jahrhunderts in größerer Zahl in Italien aufhielten, bei den dortigen Humanisten weckten. Rinuccio hatte 1448 auch die weit verbreitete, romanhafte Lebensbeschreibung des Aesop aus dem Griechischen ins Lateinische übersetzt, die damals als ein Werk des Byzantiners Maximos Planudes galt. (vgl. Nr. 96)

Wie Steinhöwel, der die neue lateinische Version der ›Vita Aesopi‹ seinem ›Esopus‹ beifügte, verfuhren auch andere Herausgeber von volkssprachlichen Fabelbüchern, so z.B. Francesco del Tuppo in seinem italienischen ›Aesopus moralisatus‹, der 1485 in Neapel bei den »Germani fidelissimi« herauskam. Die Inkunabel aus Neapel bietet den ›Aesopus moralisatus‹ – dieser Titel bezeichnet eine weit verbreitete Auswahl aus dem Anonymus Neveleti – nebst der Lebensgeschichte Aesops in der lateinischen Version Rinuccios und zu beiden die italienische Übersetzung. Mit 88 Holzschnitten ist das Buch sehr reich illustriert. Die 23 Bilder zur Vita scheinen auf keine Vorlage zurückzugehen, sondern für den Neapler Aesop neu erfunden zu sein. Sie weisen eine Mischung auf von Realismus im Detail – so befördern die getreue Wiedergabe der zeitgenössischen Mode und die Verlagerung vieler Szenen in Innenräume die Tendenz zur Vergegenwärtigung – und Wunderbar-Phantastischem im Ganzen. Zu letzterem gehört auch die große Zahl der Orientalen, die auf den Holzschnitten wiedergegeben sind. Der Künstler hat damit die Atmosphäre dieser Vita richtig aufgefaßt. Handelt es sich beim ›Leben Aesops‹ doch um keine Biographie, sondern um einen veritablen Roman, der – ähnlich dem spätantiken Alexander-Roman – viele Details östlicher Herkunft aufgenommen hat. Eine Fülle von Erfindungen, Ausmalungen und Fälschungen hat sich im Laufe der Jahrhunderte um einen kleinen historischen Kern gelegt: Der Wahrheit entsprechen dürfte, daß um die Mitte des 6. vorchristlichen Jahrhunderts irgendwo an der kleinasiatischen Küste ein Sklave namens Aisopos im Dienste eines Xanthos gestanden und sich als Erzähler von Fabeln einen Namen gemacht hatte. Der Stand des Sklaven – als Heimat des Aisopos wird meist die Landschaft Phrygien genannt, aus der besonders viele Sklaven exportiert wurden – paßt zu der sozialkritischen, ja aufbegehrenden Tendenz vieler Fabelstoffe, proklamiert auch zum erstenmal, daß ein Angehöriger niedrigen Standes durch Geisteskraft den Höhergestellten überlegen sein könne. Ein Aufenthalt auf Samos noch und auch der Tod in Delphi scheinen glaubhafte alte Überlieferungen zu sein.

Legendenhaft ausgemalt, vielleicht schon früh in einem mündlich tradierten Volksbuch, dagegen der Bericht über seinen Tod: Er habe sich ob der Anhäufung von Schätzen über die Delpher mokiert, die ihm darauf eine Weihegabe aus einem Tempel in die Hand drückten, um ihn gleich darauf des Tempelraubs anklagen zu können. Zum Tode verurteilt, soll er in eine Schlucht gestürzt worden sein. Auch in seinem bösen Ende war er eine Art antiker Till Eulenspiegel, wie ihn mit glücklichem Einfall zuerst der bedeutende Philologe Johann Jakob Reiske in einem Brief an Lessing genannt hat. Der ausgewachsene spätantike Aesop-Roman beschreibt Aesop als schmutzigen und verwachsenen Zwerg mit Hängebauch, als einen Topf mit Füßen und nennt ihn bald ein Gänseei, bald ein Geschwür mit Zähnen. Schwerhörig sei er gewesen und ursprünglich auch stumm, ehe ihm die Göttin Isis die Gabe der Sprache schenkte – eine Einzelheit, die das Mundöffnungsritual des ägyptischen Totenkults spiegelt. Der kluge, zuletzt aber doch unterlegene Häßliche – das mutet wie ein Reflex der Thersites-Gestalt aus Homers ›Ilias‹ an. (vgl. Nr. 13, 15)

Ein von der griechischen Tradition ganz abweichendes Bild hat das lateinische Mittelalter von Aesop gezeichnet, das in ihm einen Philosophen gesehen hat, begabt geradezu mit der Weisheit eines Salomon oder eines Sokrates, dessen ebenfalls sprichwörtliche Häßlichkeit das dem Auge noch erträgliche Maß freilich nicht überstieg. An dem letzten Holzschnitt des Neapler Aesop ist besonders reizvoll, daß diese auf die Aesop-Vita bezogene Illustration den vor der Hinrichtung Stehenden mit Bildelementen darstellt, die an Kreuzigungsszenen gemahnen, und über den Kirchtürmen der im Hintergrund sichtbaren Stadt einen Stern aufgehen läßt wie den von Bethlehem.

Kein Wunder, daß bei soviel Wunderlichem ein kritischer Kopf wie Luther auf die Idee gekommen ist, es könne einen Mann dieses Namens womöglich gar nicht gegeben haben. In der Vorrede seiner Übersetzung hat er eine den Scharfsinn der Philologen bis heute plagende Frage aufgeworfen: »Daß mans aber dem Esopo zuschreibet, ist meines Erachtens ein Geticht und vielleicht kein Mensch auf Erden Esopos geheißen.« H.-A.K.

Lit.: Fabeln der Antike. Griechisch und lateinisch. Hrsg. und übers. von Harry C. Schnur. München: Artemis 1978 – Fabeln des Mittelalters. Lateinisch-deutsch. Hrsg. und übers. von Harry C. Schnur. München: Artemis 1978 – Fabula docet. Illustrierte Fabelbücher aus sechs Jahrhunderten. Ausstellung und Katalog: Ulrike Bodemann. Wolfenbüttel: Herzog August Bibliothek 1983 (Ausstellungskataloge der Herzog August Bibliothek. Nr. 81) – Klaus Grubmüller, Meister Esopus. Untersuchungen zu Geschichte und Funktion der Fabel im Mittelalter. München: Artemis 1977

96 Maximos Planudes (um 1255 – um 1305)

›Aesopi vita.‹

Ms. Italien(?), zweite Hälfte des 15. Jahrhunderts. Griechisch. Pergament

19,4 x 12,7 cm, 54 Bll.

CB 184

BUCHSCHMUCK: *Auf der ersten Seite verzierte Titelbordüre und Initiale in Gold und Farben. In der Bordüre mehrere Medaillon-Porträts, vielleicht Medici-Bildnisse. Am Ende eine ganzseitige Miniatur mit allerhand Fabeldarstellungen*

EINBAND: *Samt des 19. Jahrhunderts auf Holzdeckeln*

PROVENIENZ: *Erwin Rosenthal, L'Art Ancien, München, November 1949*

Der Titel ›ΑΙΣΩΠΟΥ ΒΙΟΣ‹ (Äsops Leben) galt im 15. Jahrhundert als ein Werk des byzantinischen Gelehrten Maximos Planudes, dessen Lebenszeit von etwa 1255 bis etwa 1305 reichte. Tatsächlich handelt es sich jedoch um den Text des griechischen Aesop-Romans, den Planudes seiner Edition der Fabeln vorangestellt hat. (vgl. Nr. 95)

127 Titelblatt zu ›Aesopi vita‹, griech. Handschrift, 15. Jh. (Nr. 96)

Unter den großen byzantinischen Grammatikern, deren philolo-

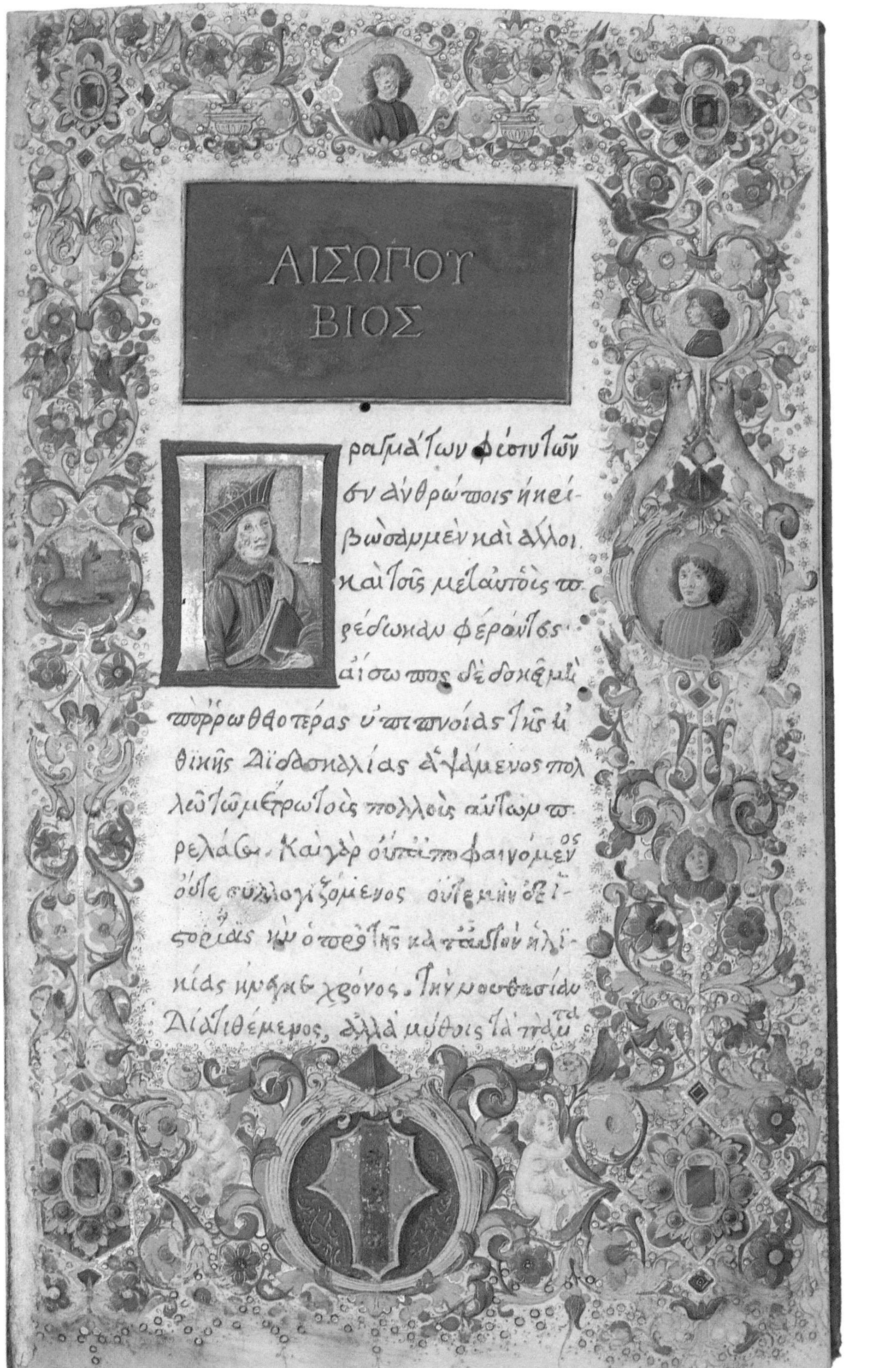

ΑΙΣΩΠΟΥ
ΒΙΟΣ

Πραγμάτων φύσιν τῶν
ἐν ἀνθρώποις ἠκρί-
βωσαν μὲν καὶ ἄλλοι
καὶ τοῖς μετ' αὐτοὺς πα-
ρέδωκαν φέροντες·
Αἴσωπος δὲ δοκεῖ μοι
πορρωθεστέρας ὑπονοίας τῆς ἠ-
θικῆς διδασκαλίας ἁψάμενος πολ-
λῷ τῷ μέτρῳ τοὺς πολλοὺς αὐτῶν πα-
ρελάσαι. Καὶ γὰρ οὔτε ἀποφαινόμενος
οὔτε συλλογιζόμενος οὔτε μὴν ἐξ ἱ-
στορίας ἣν ὁ καιρὸς τῆς κατ' αὐτὸν ἡλι-
κίας ἡμῖν ἤγαγε χρόνος. τὴν νουθεσίαν
διατιθέμενος, ἀλλὰ μύθοις τὰ πάντα

gischer Arbeit die Bewahrung der altgriechischen Literatur zu verdanken ist, nimmt Planudes einen herausragenden Platz ein. Für das oströmische Kaiserhaus der Palaiologen war er wiederholt in politischen Missionen tätig, die ihn nach Italien führten: Ein unentbehrlicher Helfer war Planudes für Kaiser Michael VIII., der in geschicktem diplomatischen Spiel gegenüber Venezianern, Genuesen und der Kurie noch einmal das bereits zerfallende byzantinische Reich gegen die »lateinische Herrschaft« zu restaurieren vermochte. Zuerst gewann er die verlorene Hauptstadt Konstantinopel zurück, dann bereitete er die Entmachtung des Hauses Anjou auf Sizilien, durch den als »Sizilianische Vesper« berühmt gewordenen Aufstand vor. Nichts von alledem wäre dem Kaiser gelungen, hätte er nicht die Wiederannäherung an das Papsttum gesucht, und bei den Verhandlungen zur Überwindung des Schismas in einer neuen Kirchenunion war Planudes sein wichtigster Ratgeber.

Bald nach dem Tod des 1282 verstorbenen Kaisers wurde Planudes Mönch und gehörte wohl dem bekannten Chora-Kloster an. Man muß sich aber Planudes, der aus diesem Anlaß seinen Taufnamen Michael in den Möchsnamen Maximos änderte, »eher und besser als einen gelehrten Abbé« (Hans Georg Beck), vorstellen. Er brachte zahlreiche griechische Dichter und Schriftsteller – darunter Hesiod, Euripides, Thukydides – in emendierten und kommentierten Ausgaben neu heraus. Seine Weltläufigkeit bezeugt nicht nur die Zurückhaltung, mit der er die Fabeln und eine Sammlung erotischer Epigramme »ad usum Delphini« bei obszönen Stellen bloß vorsichtig entschärfte, sondern vor allem seine glänzende Übersetzungsarbeit, die der Übertragung lateinischer Texte von Cicero, Ovid, Juvenal, Augustinus, Boethius u. a. ins Griechische galt, eine Leistung, deren wichtigste Folge in der Rückwirkung auf die italienischen Humanisten lag: sie beförderte deren Interesse für das Griechische.

Die Handschrift, in humanistischer Minuskel, ist in der zweiten Hälfte des 15. Jahrhunderts in Italien entstanden. Auf der Vorderseite des ersten Blatts findet sich eine Titelbordüre mit Porträts, womöglich von Angehörigen des Hauses Medici. Die Initiale mit einem Männerbildnis in gelehrter Tracht, wohl des Planudes selbst, ist in Gold und Farbe gehalten. Die Miniatur auf der Rückseite des letzten Blatts zeigt eine Landschaft mit Tieren aus den Fabeln.

H.-A.K.

97 **Marie de France (um 1130 – um 1200)**

›Fables‹

Ms. Frankreich, 15. Jahrhunderts. Pergament

29 x 20 cm, 3 nn. Bll., 31 Bll., 1 nn. Bl., 1 leeres Bl.

CB 113. Bodmeriana, Mss. franç. du MA, S. 109–119

BUCHSCHMUCK: *rote und blaue Initialen. 104 aquarellierte Zeichnungen. Text mit gelegentlichen Korrekturen*

EINBAND: *Samt auf Holzdeckeln, modern*

PROVENIENZ: *Hôtel Drouot, Paris, 17. Juni 1960. Exlibris A. Rosset, Lyon, frühes 20. Jahrhundert*

Im Mittelalter galt Äsop als Erfinder der Fabel: Auf ihn wurden alle Fabeln zurückgeführt; Sammlungen nannte man nach den Namen des Dichters. Es ist daher nicht erstaunlich, daß sich auch Marie de France im Epilog ihrer ›Fabeln‹ auf Äsop beruft, obwohl ihr Werk hauptsächlich einer spätantiken lateinischen Prosaübersetzung von Texten des Phaedrus folgt, dessen Name bis ins 16. Jahrhundert unbekannt blieb.

Marie de France ist ein Name, mit dem sich immer noch viele Rätsel verbinden. Man nimmt als gesichert an, daß sie aus Frankreich stammt, aber wohl in London, an einem der größten Kulturzentren Europas in der zweiten Hälfte des 12. Jahrhunderts wirkte, nämlich am Hof König Heinrichs II. von England. Berühmt ist die Dichterin vor allem wegen ihrer Sammlung von zwölf kurzen Verserzählungen bretonischer Herkunft, den sog. »Laies«.

Bei Maries 102 Fabeln (101 in der vorliegenden Handschrift) handelt es sich um die erste altfranzösische Sammlung dieser Art. Trotz der manchmal trocken wirkenden Erzählweise und der betonten Belehrung genoß das Werk großen Erfolg, den die 25 überlieferten Handschriften dokumentieren. Dadurch daß ihr Werk in der Volkssprache abgefaßt war, trug es wesentlich zur Verbreitung der Fabeltradition im Mittelalter bei. Im Gegensatz zu anderen Fabelsammlungen, die eine abstrakte und zeitlose Lehre bieten, spielt Marie auf die zeitgenössische, feudale Gesellschaft an: So werden etwa Beziehungen zwischen Vasall und Lehnsherr, die Macht der Richter oder die unwandelbare hierarchische Struktur der Gesellschaft behandelt. In einer ihrer bekanntesten Fabeln beschuldigt der Wolf das Lamm, es verschmutze ihm den Fluß, obwohl es fluß-

Mais se je par moy ne fust remue
Se vint siecle come la tournast
Bien say que tres moult l'en morust
Se il lui avenist sa bonte
Par ceoz qui m'ont achat charte
Mais ja homme n'aura par moy
Quant ma voulente n'ay de toy

Autresint est de maint chetif
Que tout ne vient a le' sa bout.
Et dune du roy et de la jame
En l'anour de mainte femme
Bien ne homme n'oit ne prisé
Les pros prenent se mieulx desprisé.

Ci dist du lou et de l'aignel
Qui bevoient en un ruissel
Li leus a la fosse bevoit
Et li aigneaulx aval estoit
Ja venismes par la li leus
Qui moult estoit contralieus
Par maltalent parla a lui
Tu me fais dist il grant
ennuy
Li aignellos a respondu
Sire de quoy; dont ne vois tu
Tu m'as ceste eaue si troublee
Ne puis boire ma goulee
Autresint m'en pray ce croy

Come je vis quelle me moraut [illegible]
Li aignelez tost lui respond.
Sire li leus vos amont
De vos me vient ce que j'ay beu
Car dist le leus maudis me tu
Et il ja dist n'en ay volon,
Li leus respont cen fait le vous
Ce mesme me fist ton pere,
Ce este sorsse aucignet lui ere
Ore a vu mois se comste croy
Quen vostre ne vos fait clamoy
Ne est pas nez si [illegible] tout
Et que dece li leus a dit
Fame fais ne ont ourbaire
Et i chose que tu ne dois faire
Dont prinst li leus l'aignel petit
Indeus li estrangla — ont

Ce fet li leus les
li advocte et li juges
De ceulx qui sont en leurs
justice
Las. a chose par cornoitise
Et donnant asses prendre de
Comment les font a plait se mondi
Leurs chars leurs ame et la piau
Com de li leus fist a l'aigneau

128 Marie de France, ›Fables‹, Textseite mit zwei Zeichnungen, 15. Jh. (Nr. 97)

abwärts Wasser trinkt, worauf er es reißt. Die Lehre der Marie lautet, daß reiche Herren und Richter aus Habgier falsche Anklagen erfinden, um diejenigen, die ihrer Gewalt unterworfen sind, zugrunde zu richten.

In der Handschrift der Sammlung Bodmer (einer Abschrift der Handschrift fr. 2173 der Pariser Bibliothèque Nationale) findet sich zu Beginn jeder Fabel eine einfache farbige Federzeichnung. Der Text beginnt stets mit einer roten Initiale, während eine blaue Initiale jeweils den Beginn der Lehre markiert. Die Bilder rhythmisieren gleichsam den Text.

Sechs Schwänke – hier ebenfalls Fabeln genannt – wurden in die Handschrift eingefügt: fünf finden sich auf den letzten Blättern, der sechste in der Mitte der Handschrift. Einige seiner Verse sind bis zur Unleserlichkeit abgekratzt worden; vermutlich erschienen sie einem späteren Leser zu gewagt. S.M.

Lit.: Marie de France, Äsop. Eingel., komm. und übers. von Hans Ulrich Gumbrecht. München: Fink 1973

Der adlär vnd der leb sind
zw sammen gemistht do gottes chind
Der mayd chind aus wolt werden
vnd pey vns wonen hye auff erden

Ein pyber vnd sein harvß genozz
tthuen den visckhen schaden groß
An den den hat vns got wesunder
auch wol gezaygt sein wunder
Wann der pyber czagl vysckhen ist
der yem mueß ze aller feist

Des nachtz vn dem wasser hangen
vnd wann er chumbt mit twangen
Das der pyber mueß enteymen
ß mueß der Otter vndter das wasser spring

Oben ßol sten ein pyber
vnd vndtn der Otter

98 **Hugo von Trimberg (um 1230–1313)**

›Der Renner‹

Ms. Bayern, 1468. [angebunden:] Johann Hartlieb, ›Alexanderroman‹ (Bll. 201–308)

Papier

29,4 x 19,5 cm, 389 Bll.

CB 91. Bodmeriana, Dt. Hss. des MA, S. 138–143

BUCHSCHMUCK: *93 kolorierte Federzeichnungen; Rubrizierung*

EINBAND: *Leder auf Holzdeckeln mit Messingbeschlag, 15. Jahrhunderts, restauriert*

PROVENIENZ: *L'Art Ancien (Erwin Rosenthal) Zürich, vor 1953. Der Kodex stammt vermutlich aus dem Atelier des Kartäuserklosters Allerengelberg im Schnalstal bei Meran; im 17 Jahrhundert befand er sich im Jesuitenkollegium Hildesheim, noch vor 1930 im Antiquariat Jacques Rosenthal in München.*

Wie auf einem Reitpferd, einem »Renner«, schweift der Erzähler von einem Gegenstand zum anderen: Nur die grobe Richtung ist vorgegeben durch sechs Stationen: Es handelt sich um die Hauptsünden, denen jeweils eine ausführliche Lasterkritik gewidmet ist: hôchvart (superbia, Stolz), gîtikeit (avaritia, Geiz), frâz (gula, Unmäßigkeit), unkiusche (luxuria, Unkeuschheit), zorn (ira), nît (invidia, Neid), lâzheit (acedia, Trägheit). Allerdings ist die seit Gregor dem Großem kanonische Siebenzahl der Todsünden im ›Renner‹ auf sechs reduziert, weil Zorn und Neid zu einer Gruppe zusammengezogen sind.

Mit knapp 25000 Versen ist der ›Renner‹ Hugos von Trimberg die umfangreichste deutsche Lehrdichtung des Mittelalters. Der Codex der Bodmeriana, der im Anschluß an den ›Renner‹ den ›Alexanderroman‹ Johann Hartliebs enthält, bietet den Text in bayrisch-österreichischer Mundart. Tiroler Dialektformen und die Federzeichnungen mit den Malanweisungen deuten darauf, daß die Handschrift im Schreibatelier des Kartäuserklosters Allerengelberg (Certosa-Kartaus) im Schnalstal entstanden ist. Das Ende der Niederschrift ist auf den 28. Juni 1468 datiert.

129 Hugo von Trimberg, ›Der Renner‹. Textseite mit zwei aquarellierten Zeichnungen

Nach eigenem Bekunden hat der um 1230 in Franken geborene Verfasser, der seit 1260 an der Bamberger Stiftsschule St. Gangolf als weltlicher Lehrer (»magister« bzw. »rector scholarum«) gewirkt hat, den ›Renner‹ 1300 vollendet; doch scheint er bis zu seinem Tod im Jahr 1313 den ungetümen Stoffmassen immer wieder Nachträge hinzugefügt zu haben.

130 Hugo von Trimberg, ›Der Renner‹, Streit in einer Taverne, aquarellierte Zeichnung, 1468 (Nr. 98)

Den Rahmen bildet die Schilderung des Birnbaums auf der Wiese, dessen – allegorisch als Eva und ihre Kinder zu deutende – Früchte bald in den Dornbusch der Hoffahrt oder den Brunnen des Geizes, bald auf das grüne Gras der Tugend fallen. In unüberschaubarer Buntheit gleitet der Binnenteil der Erzählung von Einfall zu Einfall fort und führt die Eigentümlichkeiten der drei Stände (Geistlichkeit, Adel, Bauern), der bürgerlichen Berufe, aber auch der Geschlechter und Altersstufen vor Augen. So bietet der ›Renner‹ ein facettenreiches Bild nicht so sehr der politischen, sondern der sozialen Ordnung:

Swer wider sinen orden strebet,
Und niht nach gotes willen lebet,
Wizzet der ist ein endecrist:
Waz ir denne leider ûf erden ist!
(Vs. 4485–4488)

Wer wider seinen Stand strebt
Und nicht nach Gottes willen lebt,
Wisset, der ist ein Antichrist:
Schlimmeres als das ist nicht auf Erden!

Wer die Pflichten seines Standes nicht erfüllt, verstößt gegen den Willen Gottes: der habgierige Geistliche nicht anders als der Ritter, der sich in Wahrheit gar nicht an den Idealen des miles Christianus ausrichte, sondern an den verlogenen Schilderungen von Minnedienst und überflüssigen Turnieren, wie sie in höfischen Romanen und in der Heldenepik vorkommen. (Oft streut Hugo von Trimberg literaturkritische Bemerkungen ein: Während er in der schwülen Erotik des Artusromans eine Ursache des Sittenverfalls ausmacht, preist er Walther von der Vogelweide – weniger den Minnesänger als den Spruchdichter – als Kritiker korrupter Verhältnisse: »Herr Walther von der Vogelweide, wer den vergäße, der täte mir leid« (Vs. 1187 f.). Auch der Marner, Verfasser polemischer Sprüche im 13. Jahrhundert, galt ihm als einer der Großen der al-

Der weyst rechte weyshait wär
alle yrdische weyshait er wer pär
Ayn luedrär hat einen syt
Der layder noch mangem wonet mit
Das er dy nacht vndtz an den tag
statigleich zw dem lueder läg
vnd do er zw aynem mal solt gen
von der taferen da sach er sten

Da sol sytzen ayner pey aynem tisch vnd drey würffl
dar auff vnd der sytzund zeucht aynem über dy schozz
ab vnd nakchott neben yem vnd grent mit dem mund
vnd zwen halten ein wehafften vnd ein priest mit ayne
puech beswert den tewffl von dem wehafften

ten Zeit, vielleicht auch deswegen weil er gleich Hugo von Trimberg selbst deutsch und lateinisch geschrieben hatte. Zur Veranschaulichung der Lasterkritik dienen zahllose Anekdoten, Sentenzen, Exempla, Fabeln, Mären, auch manches – vom Märe durch die prägnante Kürze des didaktischen »Beispiels« unterschiedenen – Bispel, mit all denen die moralischen Traktate in immer neuen Abschweifungen durchsetzt sind. Allenthalben sind – und das macht aus dem ›Renner‹ geradezu eine populäre Enzyklopädie zeitgenössischen Wissens – Mitteilungen zu den Unterrichtsgegenständen der Septem artes liberales und zu Themen des Alltags eingelegt, etwa der Erziehung oder den Umgang mit Geld. Ein großer Exkurs enthält eine Naturlehre, in der Tiere und Pflanzen in moralisch-geistlichem Sinne gedeutet werden.

131 Hugo von Trimberg, ›Der Renner‹, Ein Elefant, aquarellierte Zeichnung, 1468 (Nr. 98)

Das Werk hat sich größter Beliebtheit erfreut, gewiß mehr wegen des lebendigen und unterhaltsamen Tons, mit dem es das Böse in der Welt schildert als wegen des Schlußteils, der den durch Gebet und gute Werke, durch Beichte und Buße zu erlangenden Weg des Menschen zum Heil entwirft. In über 70, großenteils illuminierten Handschriften überliefert, ist die Dichtung ein wahrhafter »Renner« geworden; in diesem Sinne ist der Titel schon im Mittelalter gedeutet worden. Zu seinen Bewunderern haben im 18. Jahrhundert Gottsched und Herder gehört. Lessing plante im Zusammenhang mit seinen Fabelstudien sogar eine Ausgabe.

Als jüngste, bereits stark bürgerlich geprägte Variante steht der ›Renner‹ am Ende einer Trias großer moral-didaktischer Dichtungen des 13. Jahrhunderts, denen gemein ist, daß sie in rationalistischem Sinne Tugend als lehr- und lernbares Wissen ansehen. In winterlicher Klausur schrieb 1215/16 Thomasîn von Zerklaere (de Cerclaria, Cerchiari) sein zehnteiliges Lehrgedicht ›Der welsche Gast‹. Auch dieser Titel spielt auf den Ritt zu Pferde an: Er ist so zu verstehen, daß das Werk als Gast an den Herd der deutschen Hausherrin reitet. Der Verfasser war ein adliger »Welscher«, dessen Bildung auch die Kenntnis der provenzalischen Literatur einschloß. Er stammte aus der Stadt Cividale im Friaulischen und war als Domherr dem Hof von Aquileia verbunden, wo der einstige Passauer Bischof und Förderer Walthers von der Vogelweide von 1204 bis 1218 als Patriarch wirkte. Der erste, an die adlige Jugend beider Geschlechter gerichtete Teil bietet mit seiner Minne-, Anstands- und Tischsittenlehre die früheste »Hofzucht« in deutscher

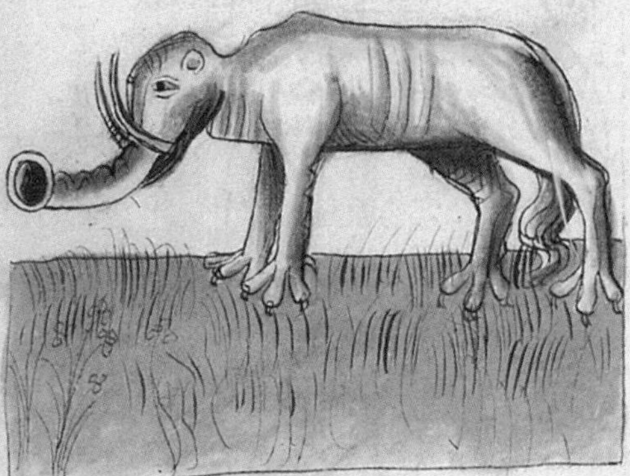

Wub bew solt ich das alles sagen
Mit welichen listen er wirt gevangen
Wie der hyerss yn sich ziecht die slangen
Wie er alle jar sich junge
Das wissen dye wol dy seiner springe
Und seynes gehuerns nemen war
Wann sein leyb gehytzet ist gar
Welichs thyer an gallen ist
Des lebens werdt gar lange frist
Also ist des hyerssen und des helphant
Als uns dye mayster thuen werchannt
Ein helphant lebt drew hundert jar
Und dannoch lenger das ist war

Da sol der helphant sten

Sprache; die übrigen Teile behandeln die sittlichen Werte staete (Beständigkeit), maze (Mäßigung) , recht (Gerechtigkeit), milte (Barmherzigkeit), erörtern neben der Güterlehre aber auch kosmologische und psychologische Themen. Tugenden und Laster treten in der Personifikation von Jungfrauen auf; Tugendleiter und Seelenkampf – die Psychomachie findet sich hier zum erstenmal in der deutschen Literatur – allegorisieren den der Seele möglichen Aufstieg zum Heil bzw. ihren Abstieg in die Verdammnis. Nicht als geschlossene Darstellung, sondern in der Form von Sprechsprüchen in Reimpaarversen hat der aus Schwaben stammende Dichter Freidank, ein lateinisch gebildeter Fahrender oder Halbkleriker, unter dem Titel ›Bescheidenheit‹ gegen 1230 eine bald weitverbreitete Sittenlehre verfaßt. Kurze Betrachtungen, Sentenzen und viele Sprichwörter bilden den Inhalt dieser Sammlung von höchst prägnanter Gnomik: »swie schoene der mensche ûzen ist, er ist doch inne ein boeser mist.« (21,25 f.) H.-A.K.

Lit.: Hugo von Trimberg, Der Renner. Hrsg. von Gustav Ehrismann. Neudr. mit einem Nachw. und Ergänzungen hrsg. von Günther Schweikle. 4 Bde. Berlin: de Gruyter1970 – Jutta Goheen, Mensch und Moral im Mittelalter. Geschichte und Fiktion in Hugos von Trimberg ›Renner‹ Darmstadt: Wissenschaftliche Buchgesellschaft 1990

99 **Geoffrey Chaucer (um 1343–1400)**

›The Canterbury Tales‹

Ms. England, um 1430–1450. Papier

29 x 20 cm, 247 Bll.

CB 48

EINBAND: *die einzige aus dem 15. Jahrhundert erhaltene Handschrift des Werkes in ihrem originalen klösterlichen Einband. Holzdeckeleinband mit Wildleder, das am Kopf- und Fußschnitt verlängert ist, um den Buchschnitt zu schützen. Auf dem Hinterdeckel ein Schild mit Inschrift: »In isto libro continet[u]r Fabula Cantuariass in Anglicis«*

PROVENIENZ: *Rosenbach, Philadelphia, 1950. Phillipps, Ms. 8136. Ein Besitzeintrag aus dem 16. Jahrhundert weist auf Eigner aus Chilham oder Godmersham bei Canterbury hin, so daß man annehmen kann, es sei das Exemplar aus dem Besitz von John Parmenter, Kommissar des Erzbischofs von Canterbury, gestorben 1485. – 1697 gehörte die Handschrift Edmund Canby, der sie Urry, dem wichtigen Chaucer-Herausgeber auslieh; auf dem Spiegelblatt steht deutlich lesbar: »J. Urry Xt. Ch. Oxon borrowed this book 1714«.*

Im Gasthaus »Heroldsrock« zu Southwark trifft der Ich-Erzähler auf seiner Pilgerfahrt zum Heilgen Thomas von Canterbury eine bunt zusammengewürfelte Gruppe von neunundzwanzig Männern und Frauen, die dasselbe Ziel haben wie er selbst. In einem allgemeinen Prolog stellt er sie vor und entwirft ein ganzes Panorama der englischen Gesellschaft im 14. Jahrhundert: Ritter, Schildknappe, Priorin, Nonne, Ablaßprediger, Seemann, Mönch, Kaufmann, Arzt, Scholar, Jurist, Gutsbesitzer, Landmann, Krämer, Zimmermann – alle Stände und Berufe sind vertreten, auch ein Nonnenpriester und eine Frau aus Bath.

Fünf Gatten führte sie zur Kirchentür:
Wie sie sich sonst ergötzt in jüngern Tagen,
davon will ich für jetzt nichts weiter sagen.
Dreimal ist sie zum heil'gen Grab gezogen,
Durchschiffte manchen fremden Stromes Wogen,
Sie war in Rom, war in Boulogne auch,

In Köln, Sankt Jago dann nach frommem Brauch.
Auf Reisen hatte sie erlebt nicht wenig;
Doch wahr zu reden sie war lückenzähnig.
(Übers. Wilhelm Hertzberg/John Koch)

Einem Vorschlag des Wirts folgend, beschließen die Pilger, ein jeder solle auf dem Hin- und Rückweg eine Geschichte zum besten geben. Die Erklärung der Situation enthält einen versteckten Hinweis darauf, daß die Erzählungen auf Hörer eher denn auf Leser berechnet sind, und motiviert zugleich den Abwechslungsreichtum: Auch wenn Chaucer die wohl 1387 begonnene Sammlung von Verserzählungen der ›Canterbury Tales‹ bei seinem Tod im Jahre 1400 als Fragment hinterließ, ist doch zu erkennen, wie abgestimmt die einzelnen Inhalte auf Stand, Beruf, Alter oder Geschlecht der jeweiligen Personen sind. Die Reden der Pilger zerfallen in einen Prolog und die eigentliche Geschichte; in ihrer Summe exemplifizieren sie parodistisch das ganze Repertoire mittelalterlicher Erzählkunst vom höfischen Versroman über Lai, Legende und Spielmannsdichtung bis zu Fabliau, Märchen und Fabel. So erzählt in »The Wife's of Bath Tale« im Prolog die Frau ihr Leben mit den fünf Männern, die Geschichte aber handelt von einem Ritter der Artus-Runde, der – ganz wie später Papageno in der ›Zauberflöte‹ – lieber als gar keine wenigstens eine häßliche Alte zur Frau nimmt, die sich aber sofort nach dem Ja-Wort als jugendliche Schönheit entpuppt. Mit einer Volte kehrt die Erzählerin am Ende zum Thema ihres Prologs zurück:

So lebten sie bis an ihr sel'ges Ende
In höchster Lust. Und Jesus Christus sende
Uns Männer, sanft und jung zum Werke,
Und geb' uns, sie zu überleben Stärke!

Motivierte Erzählsituation und Rahmenkomposition, aber auch viele stoffliche Einzelheiten, die vielfach auf die erste Welle der Aufnahme von ›Tausendundeine Nacht‹ zurückgehen, verbinden die ›Canterbury Tales‹ mit dem ›Decamerone‹ von Boccaccio, den Chaucer aber wohl auf seinen diplomatischen Missionen in Italien – nach Genua wegen des englischen Weinimports und an den Hof der Visconti zu Mailand – persönlich nicht kennengelernt hat. Da-

132 ›The Canterbury Tales‹, Handschrift, 15. Jh., in originalem Einband (Nr. 99)

gegen ist Chaucers Kenntnis von Schriften Petrarcas, Dantes und Boccaccios in seinen Werken allenthalben sichtbar. Neben den römischen Hauptautoren des Mittelalters Vergil, Ovid, Lucan und Statius war er hochbelesen in der altfranzösischen Literatur, die von der gebildeten normannischen Oberschicht teils noch in der Originalsprache verstanden wurde, ihr teils aber auch schon in Übersetzungen vermittelt werden mußte. Chaucer selbst übertrug den von ihm geschätzten ›Rosenroman‹ von Guillaume de Lorris und Jean de Meung (vgl. Nr. 32) ins Mittelenglische.

Einer altfranzösischen Quelle, dem ›Roman de Renart‹, entstammt auch der Kern der Geschichte des Nonnenpriesters (»The Nun's Priest Tale«). Der ganze Besitz einer armen Witwe mit zwei Töchtern sind ein paar Tiere. Zu ihnen gehört ein stolzer Hahn. So schön war nie ein Mann gewesen:

Sein Kamm war röter als die Seekoralle,
Gezackt gleich eines Schlosses Mauerwalle,
Sein Schnabel schwarz mit des Gagates [Pechkohle] Scheine,
Blau wie Azur die Zehen und die Beine;
Die Nägel weißer als der Lilie Blüten,
Und gleich poliertem Gold die Federn glühten.
Es waren sieben Hennen diesem Hahn
Zu jedem Dienst beständig untertan,
Die Schwestern ihm, zugleich auch Liebchen waren,
Auch in den Farben Gleichheit offenbaren.
Allein am meisten durch das Farbenspiel
Des Halses Madame Pertelote gefiel.

Ein Hahn im Glück, noch dazu gebildet, belesen und musikalisch, mit der Stimme eines Heldentenors begnadet, nach der er seinen Namen Chauntecleer führt. Fast wäre dieser »Hellsinger« auch ein Hellseher geworden, wären ihm nicht seine Lieblingsfrau und seine Eitelkeit zum Verhängnis geworden. Ihm träumte, er möge sich des kommenden Tags vor einem hundeartigen Wesen im Hof in acht nehmen, und folglich blieb er oben auf der Leiter sitzen, statt im Sand zu kratzen. Das empört Pertelote, die ihn des Glaubens an Träume verweist und ihm die Einnahme eines Abführmittels gegen den inneren Druck als Ursache schwerer Träume empfiehlt. Langer Disput und Belehrung, ein Feigling sei er nicht, und die

Laxantien reines Gift, auf Träume aber sei zu achten. Schon Andromache zu Troja habe schlecht, aber wahr geträumt. Das hat Chauntecleer im ›Rosenroman‹ gelesen; Joseph und Daniel fallen ihm ein; und sogar ein lateinisches Fazit, und da – beim fehlerhaften Übersetzen für die ungebildete Pertelote – zerbirst alle Gelehrsamkeit an seiner natürlichsten Natur:

For al so siker as *In principio*
Mulier est hominis confusio, -
Madame, the sentence of this Latyn is
›Womman is mannes joye and al his blis.‹
For whan I feele a-nyght your softe syde,
Al be it may nat on yow ryde,
For that our perche is maad so narwe, allas!
I am so ful of joye and of solas,
That I diffye bothe sweven and dreem.

So sicherlich wie *in principio*
Mulier est hominis confusio.
Das heißt, soll das Latein ich übersetzen:
Es ist das Weib des Mannes höchst Ergötzen.
Denn fühl' ich nachts nur Eure weiche Seite,
Ist's auch nicht möglich, daß ich Euch beschreite –
Denn, ach der Platz auf unsrer Stange fehlt –,
Fühl ich mich so von Freud und Lust beseelt,
Daß ich verlache Traum und Vision.

Und Chauntecleer flattert von der Stange, den Tag zu beginnen wie alle Tage. Unten wartet ein kunstsinniger Besucher, der nichts anderes erbittet, als dem schönen Gesang des besten aller Sänger lauschen zu dürfen. Chauntecleer läßt sich's gesagt sein und erhebt seinen Hals zu schmetterndem Ton – nun erst schnappt der Brandfuchs zu, den später aber der Hahn doch noch überlisten kann.

Seit dem ›Rosenroman‹ gehörten die Träume so selbstverständlich zum literarischen Repertoire; wie Rezepte gegen Leibweh zur Apotheke jeder Hausfrau. Die Erzählung des Nonnenpriesters ist mehr als eine einfache Tierfabel, denn vor die Didaxe schiebt sich – wie in den zahlreichen Bearbeitungen des Reineke-Fuchs-Romans, aber auch in einem der jüngsten Hühnerhöfe der Literatur, in Dürrenmatts ›Romulus der Große‹ – überall die Satire, die sich auf alles richtet: auf das höfische Leben, das Ritterideal, die lateinische Halbbildung, auf die Heuchelei, die von verehrender Minne redet und Lust meint (ein Thema schon des Rosenromans), auf vergeblich vorsorgende Klugheit, kurz: auf die eingeborenen Schwächen, der beide Geschlechter nicht entrinnen können. Schon die Zeitgenossen haben Chaucer anläßlich seiner Verserzählung ›Troilus and Criseyde‹ – eines Stoffes, den Shakespeare später dramatisch bearbeitet hat – Misogynie vorgehalten. Indes, er ist überhaupt kein Hasser, Zyniker oder Moralist, sondern ein Humanist im doppelten Sinne des Wortes, der die Schärfe der Satire umschmilzt zum überlegenen Lächeln des Kundigen, der weiß, daß die Menschen sind, wie sie sind – ein Bruder Boccaccios im Geiste, wie dieser auch ein Nachfahr Menanders, ohne es zu wissen. H.-A.K.

Lit.: Geoffrey Chaucer, The Canterbury Tales. Die Canterbury-Erzählungen. Mittelenglisch / Deutsch. Hrsg. von Heinz Bergner. Stuttgart: Reclam 1985. – Wolfgang Riehle, Geoffrey Chaucer. Reinbek bei Hamburg: Rowohlt 1994

100 **Jean de La Fontaine (1621–1695)**

›Fables choisies‹

Paris: chez Claude Barbin, 1668. Erstausgbe

8°, 28 nn. Bll., 284 S., 1 S. Mit 118 gestoch. Vignetten von François Chauveau

EINBAND: *Leder der Zeit mit Rücken- und Deckelvergoldung*

PROVENIENZ: *vor 1947, Bodmer, Weltliteratur, S. 84*

»Mon imitation n'est pas un esclavage«, sagte Jean de La Fontaine einmal von sich, dessen selbstgewähltes Epigonentum nicht auf stoffliche, sondern auf formale Originalität zielte. Zwar hatte der Dichter bei seinen Zeitgenossen Erfolg auch mit der heroischen Idylle ›Adonis‹, die dem Ideal der galanten Préciosité nachstrebte, mit den pikanten Geschichten (›Contes et nouvelles en vers‹), die – an die Novellen Boccaccios und der Marguérite de Navarre, aber auch Machiavellis ›Mandragola‹ angelehnt – sich unverhohlen auf das frivole und laszive Leben am Hof des »Roi Soleil« bezogen und 1666 einen Skandal auslösten, und noch mit der aus Prosa und Versen gemischten Erzählung ›Les amours de Psyche et de Coupidon‹ nach Apuleius (vgl. Nr. 30). Seinen unsterblichen Ruhm verdankt La Fontaine jedoch seinen Fabeln (›Fables choisies et mises en vers‹), die er sukzessive in vier Sammlungen veröffentlichte. Schon die erste, 1668 erschienene »Auswahl« in sechs Büchern (124 Fabeln mit einem Epilog), die noch im Jahr ihres Erscheinens ein zweites Mal aufgelegt wurde, brachte ihm die Gunst der Madame de Montespan, der ehemaligen Maitresse des Königs. Ähnlich großen Beifall gewannen 1678 und 1679 die nächsten Folgen mit zwei bzw. drei Büchern. 1694 kehrte er noch einmal zu dem Genre zurück.

Die Vorbilder La Fontaines, den Nicolas Boileau-Despréaux den modernen Aesop nannte, waren vor allem die antiken Fabel-Autoren Phaedrus und Avanius, ferner Ovid und mittelalterliche französische »fabliaux«, auch die Werke wenig bekannter französischer »fabulistes« aus dem 16. Jahrhundert und – für die zweite Folge – eine indische Sammlung (›Bidpai‹, vgl. Nr. 94). Nur eine Handvoll aus dem umfangreichen Corpus der Fabeln La Fontaines ist neu erfunden, denn ihm war nicht das Sujet wichtig, sondern seine künstlerische Gestaltung. Den trockenen, spröden Stil der traditionellen Gattung wollte er mit den »ornaments de la poésie« ver-

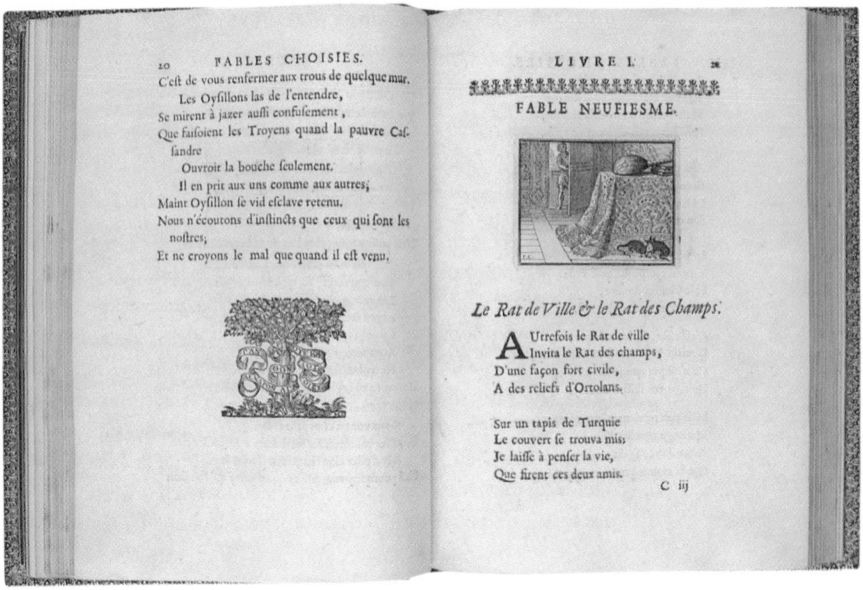
20 FABLES CHOISIES.
C'eſt de vous renfermer aux trous de quelque mur.
Les Oyſillons las de l'entendre,
Se mirent à jazer auſſi confuſement,
Que faiſoient les Troyens quand la pauvre Caſ-
ſandre
Ouvroit la bouche ſeulement.
Il en prit aux uns comme aux autres;
Maint Oyſillon ſe vid eſclave retenu.
Nous n'écoutons d'inſtincts que ceux qui ſont les
noſtres;
Et ne croyons le mal que quand il eſt venu.

LIVRE I. 21
FABLE NEUFIESME.

Le Rat de Ville & le Rat des Champs.

AUtrefois le Rat de ville
Invita le Rat des champs,
D'une façon fort civile,
A des reliefs d'Ortolans.

Sur un tapis de Turquie
Le couvert ſe trouva mis;
Je laiſſe à penſer la vie,
Que firent ces deux amis.
C iij

133 La Fontaine, ›Fables choisies‹, Erstausgabe (Nr. 100)

schönern, und so diesem Genre, das die italienische und die französische Renaissance als zweitrangig vernachlässigt hatten, dem Geschmack seiner Epoche, des »grand siècle« Ludwigs XIV., anpassen und ihm neuen Glanz zurückgewinnen.

Deswegen bearbeitete La Fontaine das vorhandene Material in Versform, genauer in freien Rhythmen, in denen sich »esprit de finesse« und »esprit de géometrie« glücklich paaren: Eine subtile, in der Schule des Horaz und des Molière erlernte Satire und ein an Lukrez und an Montaigne erinnernder Zynisnus durchziehen seine Dichtungen, die eine kristallene, klassische Struktur aufweisen und mit ihrem häufig dreiteiligen Aufbau auch den Einfluß des Emblems spüren lassen.

Ein distanzierter Ton, der auf die menschlichen Schwächen ironisch aufmerksam macht, alles Heldentum ablehnt, dafür aber Heuchelei und Angeberei raffiniert bloßstellt, durchzieht diese Fabeln, in denen die Zeitgenossen Anspielungen auf das Hofleben und an politische Tagesereignisse leicht erkennen konnten. Vor allem in der ersten Sammlung, die der aesopischen Tradition nähersteht als die späteren, sind die Protagonisten oft sprechende Tiere, die nicht selten in paarweiser Kontrastierung auftreten und einzelne Tugenden oder Laster allegorisch darstellen: So wird der sinnenfrohen, leichtsinnigen Grille, die ihr Leben verschwendet, die vernünftige, emsige Ameise gegenübergestellt, die mit Ausdauer und Fleiß ihr Dasein gegen unvorhersehbare Notlagen sichert (›La cigale et la fourmie‹) – nicht ohne daß die simple Eindeutigkeit der uralten Fabel ironisch um einen Schuß Fragwürdigekit angereichert wird, indem der Ameise ganz beiläufig auch eine Portion selbstsüchtigen Geizes unterstellt wird. Der eitle und eingebildete Raabe wird verspottet, der dem listigen Fuchs zum Opfer fällt (›Le corbeau et le renard‹); die verwöhnte und parasitäre »Ratte« der Stadt setzt sich mit der tüchtigen und gesünderen vom Lande auseinander, die sich durch Einsatz und Mühe aus jeder Not zu helfen weiß (›Le rat de ville et le rat des champs‹). Den im Kern lehrhaft trockenen aesopischen Geschichten fügt La Fontaine aber nicht nur den rhetorischen Schmuck und den musikalischen Klang seiner Sprache hinzu, sondern er transponiert die Darstellung auch in das Frankreich des 17. Jahrhunderts.

Im Mittelpunkt der parabelhaft angelegten, poetischen Skizzen stehen, alter Fabeltradition gemäß, aber nicht nur Tiere, sondern ebenso Menschen, die miteinander oder mit Tieren verkehren. Sie repräsentieren die unterschiedlichsten sozialen Schichten, von der Milchfrau bis zum Bauer, vom Lehrer bis zum Arzt, vom Sterndeuter bis zum König. Zuweilen kommen sogar Gottheiten vor: La Fontaine stellt sie aber alle auf dieselbe abstrakte Ebene wie die Tiere, immer geht es nur darum, ob Vernunft oder Trieb die Oberhand gewinnt. Meisterhaft veranschaulichen diesen Verzicht auf wertende Unterscheidung der Figuren die Illustrationen der Erstausgabe: Stets sind die Protagonisten, welcher Art von Lebewesen sie auch angehören, inmitten einer klar konturierten Landschaft plaziert. Dem Zeichner und Kupferstecher François Chauveau (1613-1676) sollen die Motive seiner Arbeiten eingefallen sein, während seine Kinder ihm die zu illustrierenden Manuskripte vorlasen.

Verse und Bilder verwirklichen im Einklang jenen von La Fontaine erstrebten Übergang der Gattung von didaktischer Zweckmäßigkeit zu freiem Hedonismus der Kunst. Das heißt zwar nicht, daß in den Texten des Franzosen die »Moral« fehle; sie hat aber jeden dogmatischen Zug verloren, denn sie entstammt nicht einer moralphilosophischen Sicht auf die Welt, sondern einer aus Erfahrung geschöpften Weisheit, die Verlogenheit und Verkommenheit im menschlichen Verkehr luzide durchschaut und dennoch zu überlegener Nachsicht einlädt.

Gefallen vor allem wollte der galante Epikuräer La Fontaine, und dies ist ihm so gut gelungen, daß der begeisterte Saint-Beuve ihn zum Nationaldichter erklärte und Hippolyte Taine ihn als den Homer der Fabel rühmte. Darauf freilich, daß La Fontaines subtil ambivalente, nicht selten ans Skurrile und Heikle grenzende Dichtungen nicht gerade zur Erbauungslektüre für Kinder taugen, hatte warnend schon Rousseau in seinem pädagogischem Roman ›Émile ou de l'éducation‹ hingewiesen. G. R.

Lit.: Pierre Bornecque, La Fontaine fabuliste. 3. éd., rev. et corr. Paris: Édition SEDES et CDU 1983

101 **Jacob Grimm (1785–1863) und Wilhelm Grimm (1786–1859)**

›Märchen‹

Ms. autogr., unsigniert 1810, sog. Oelenberger Handschrift

22 x 18 cm, 66 Bll., 114 S. Text. Mit Überschriften, Zusätzen und Anmerkungen

EINBAND: *Lose in Leinwand-Mappe*

PROVENIENZ: *Benjamin, New York, 1954. Aus dem Nachlaß von Clemens Brentano*

1806 vermittelte der Marburger Professor Friedrich Carl von Savigny seine Jura-Studenten Jacob und Wilhelm Grimm an Achim von Arnim und Clemens Brentano. Die beiden romantischen Dichter hatten gerade ein Jahr zuvor den ersten Band ihrer Liedersammlung ›Des Knaben Wunderhorn‹ veröffentlicht und fanden für die Fortführung in den Brüdern Grimm zwei tüchtige Helfer, die mit großer Aufmerksamkeit nach Zeugnissen »altdeutscher« und »volksläufiger« Literatur suchten. Noch während der (anonymen) Mitarbeit am ›Wunderhorn‹ hatten die Brüder Ende 1807 mit der Sammlung und Aufzeichnung von Volksmärchen nach mündlicher Tradition und schriftlichen Quellen begonnen. 1810 sandten sie 50 Niederschriften an Brentano, in dessen Nachlaß sich der größte Teil der Texte erhalten hat.

Diese heute in der Bibliotheca Bodmeriana verwahrten Handschriften sind die Keimzelle der ›Kinder- und Hausmärchen‹, zugleich das früheste Dokument volkskundlicher Märchensammlung überhaupt. Obgleich die Brüder auf ihre literarischen Quellen hingewiesen und die Zeitgenossen sich gelegentlich ausdrücklich zur Arbeitsweise der Grimms geäußert haben, hat sich bis weit in die zweite Hälfte des 20. Jahrhunderts bei Germanisten und beim allgemeinen Publikum die Vorstellung erhalten, diese sog. »Volksmärchen« dokumentierten wörtlich, was über verschiedene Gewährsleute – wie etwa Marie Hassenpflug und Dorothea Viehmann, die sogenannte »Viehmännin« – aus langer mündlicher Erzähltradition überliefert ist. Auf diesen Irrweg haben freilich die Urheber selbst Forscher und das Publikum gelockt, mit der häufigen Quellenangabe »mündlich«, vor allem aber mit ihrem Konzept einer sich gleichsam selber dichtenden »Volkspoesie«. Darin spiegelt sich die – im 18. Jahrhundert durch Johann Gottfried Herder

25

die Königstochter und der verzauberte Prinz.

Froschkönig

Die jüngste Tochter des Königs ging hinaus in den Wald, und setzte sich an einen kühlen Brunnen. Darauf nahm sie eine goldene Kugel und spielte damit, als diese plötzlich in den Brunnen hinabrollte. Sie sah wie sie in die Tiefe fiel und stand an dem Brunnen und war sehr traurig. Auf einmal streckte ein Frosch seinen Kopf aus dem Wasser und sprach: warum klagst du so sehr. Ach! du garstiger Frosch antwortete sie, du kannst mir doch nicht helfen, meine goldene Kugel ist mir in den Brunnen gefallen. Da sagte der Frosch wenn du mich mit nach Haus nehmen willst, so will ich dir deine goldene Kugel wieder holen; Und als sie es versprochen, tauchte er unter und brachte ihr bald die Kugel im Maul wieder in die Höhe, und warf sie aufs Land. Da nahm die Königstochter eilig ihre Kugel wieder und lief eilig fort, und dachte nicht an den Frosch der ihr nachrief sie solle ihn mitnehmen wie sie ihm versprochen. Und als sie nach Haus kam, setzte sie sich an die Tafel zu ihrem Vater, und wie sie eben essen wollte, klopfte es an die Thüre und rief: Königstochter jüngste mach mir auf! Und sie lief hin und sah wer es war, da war es der häßliche Frosch und sie warf eilig die Thüre wieder zu. Ihr Vater aber fragte, wer da sey und sie erzählte ihm alles. Da rief es wieder

Königstochter jüngste mach
mach mir auf

und die »Deutsche Bewegung« vielfach vorbereitete, aber erst von den Romantikern programmatisch forcierte – neue Hochschätzung des Nationalen, der jedoch aller engstirnig-bornierte Nationalismus ganz fremd ist; denn der Blick der Grimms war auf die Volkspoesie aller Völker gerichtet.

Seit der zweiten Auflage (1819) lag die Redaktion der ›Kinder- und Hausmärchen‹ allein in den Händen Wilhelm Grimms. Er pflegte einerseits den wissenschaftlichen Anmerkungsteil – was in dem zweibändigen Erstdruck (1812/15) noch ein Anhang war, wuchs bereits in der Ausgabe von 1822 zu einem eigenen Band aus –, andererseits verfolgte er mit einer parallel veranstalteten Auswahl, die zwischen 1825 und 1858 zehn Auflagen erlebte, konsequent den Weg zu Popularisierung und Kinderbuch. Weil die Brüder Grimm alle sonstigen Vorarbeiten zu den Märcheneditionen vernichtet und so den womöglich unliebsamen Vergleich zwischen handschriftlicher Urfassung und den stark überarbeiteten, gar abweichenden späteren Druckfassungen verhindert haben, bietet nur die von Martin Bodmer erworbene älteste handschriftliche Märchensammlung die Möglichkeit, den Herausgebern bei ihrer Arbeit von den ersten Anfängen bis zur Ausgabe letzter Hand über die Schulter zu schauen. Dabei erweisen sich die Editoren, vor allem Wilhelm Grimm, als veritable Schriftsteller. Wie die oft knapp gehaltenen literarischen Quellen für den Druck zu lebendig erzählten und reich ausgeschmückten Texten erweitert sind, so sind auch die aus mündlicher Überlieferung bezogenen Märchen für die Buchveröffentlichung literarisiert worden. Die Forschung hat diesen Umstand, der die Unterscheidung von Volks- und Kunstmärchen problematisiert, erstaunlich lange überhaupt nicht wahrgenommen.

In das kleine Märchen von der Wassernix ist auf dem Weg von der handschriftlichen Urfassung zum Erstdruck in den ›Kinder- und Hausmärchen‹ neben den Texterweiterungen durch Beschreibungen von Details auch gleich noch ein ganz neues Motiv hineingekommen, nämlich der sonntägliche Kirchgang der Wasserfrau.

134 Brüder Grimm, ›Froschkönig‹, Märchen, Autograph (Nr. 101)

»Die Wassernix
Ein Bruder und eine Schwester fielen ins Waßer und wurden von einer Nixe gefangen. Die legte ihnen nun schweren Dienst auf u. hieß das Schwesterchen Waßer in ein holes Faß schütten u. den Knaben einen Baum mit einer stumpfen Axt hauen. Darüber wurden die Kinder endlich ungeduldig u. entflohen. Die Nix setzte ihnen nach, als sie die Kinder erblickten, so warf das Mädchen eine Bürste hinter sich, das gab einen großen *Bürstenberg*, über den die Nixe mit vieler Mühe zu klettern hatte, aber endlich kam sie doch darüber. Da warf der Knabe einen Kamm hinter sich, das gab einen *Kammberg*, zwischen ihnen u. der Verfolgerin. Allein zuletzt stieg sie doch darüber u. wollte die Kinder greifen, als das Mädchen einen Spiegel hinter sich warf, das gab einen *Glasberg*, der war ganz glatt, daß sie nicht konnte darüber klettern. Die Nixe mußte in ihr Waßer gehen und die Kinder kamen wieder nach Haus«

»Die Wassernixe
Ein Brüderchen und ein Schwesterchen spielten an einem Brunnen, und wie sie so spielten, plumpten sie beide hinein. Da war eine Wassernix, die sprach: »jetzt hab ich euch, jetzt sollt ihr mir brav arbeiten!« und dem Mädchen gab sie verwirrten garstigen Flachs zu spinnen, und Wasser mußte es in ein hohles Faß schleppen, der Jung aber sollte einen Baum mit einer stumpfen Axt hauen, und nichts zu essen bekamen sie, als steinharte Klöse. Da wurden zuletzt die Kinder so ungeduldig, daß sei warteten, bis eines Sonntags die Nixe in der Kirche war, da flohen sie. Und als die Kirche vorbei war, sah die Nix, daß die Vögel ausgeflogen waren, und setzte ihnen mit großen Sprüngen nach. Die Kinder erblickten sie aber von weitem, und das Mädchen warf eine Bürste hinter sich, das gab einen großen Bürstenberg, mit tausend und tausend Stacheln, über den die Nix mit großer Müh klettern mußte, endlich aber kam sie doch darüber. Wie das die Kinder sahen, warf der Knabe einen Kamm hinter sich, das gab einen großen Kammberg, mit tausend mal tausend Zinken, aber die Nix wußte sich daran festzuhalten, und kam zuletzt doch drüber. Da warf das Mädchen einen Spiegel hinterwärts, welches einen Spiegelberg gab, der war so glatt, so glatt, daß sie unmöglich drüber konnte. Da dachte sie: ich will geschwind nach Haus gehen und meine Axt holen, und den Spiegelberg entzwei hauen, bis sie aber wieder kam, und das Glas

aufgehauen hatte, waren die Kinder längst weit entflohen, und die Wassernix mußte sich wieder in ihren Brunnen trollen.«

Hätten nämlich die Brüder Grimm »die ihnen zukommenden Texte völlig unverändert wiedergegeben in all ihrer Widersprüchlichkeit, in ihrem häufig fragmentarischen Charakter, in ihrer stilistischen Uneinheitlichkeit usw., so hätten sie weder einen Verleger noch gar ein Publikum für ihre Bemühungen gefunden. In einem Bild: Sie glaubten diese ›Aschenputtel‹ erst ein wenig säubern, kämmen und ausstaffieren zu müssen, ehe sie sie einem Publikum präsentierten, das dieser literarischen Gattung noch durchweg gleichgültig, skeptisch oder gar ablehnend gegenüberstand« (Heinz Rölleke). Das gilt analog auch für die ›Deutschen Sagen‹ (1816–1818). Allerdings hat dieser Seitentrieb der Märchensammlung nie eine vergleichbare Popularität erreicht; er ist geblieben, was er ursprünglich sein sollte: Vorarbeit zu einer geplanten ›Geschichte der deutschen Poesie‹.

Über den Märchen geraten allzuoft die anderen großen – für die Wissenschaft sogar noch bedeutenderen – Leistungen der Brüder Grimm aus dem Blick: Jacob Grimms ›Deutsche Grammatik‹ stellt den Beginn der historischen Sprachwissenschaft dar und hat die Voraussetzungen für die textkritischen Editionen der Mittelalterphilologie geschaffen. Dem weiten Begriff von Wissenschaft, wie ihn vor allem der ältere Bruder Jacob programmatisch vertreten hat, entspricht eine Konzeption der Germanistik, die über Sprache und Literatur hinausweist: Bis heute unentbehrliche Quellensammlungen für die Rechts- bzw. Religionsgeschichte sind die ›Deutschen Rechtsalthertümer‹ (1828), die ›Weisthümer‹ (1840 bis 1863) sowie die ›Deutsche Mythologie‹ (1835-1844). Beim ›Deutschen Wörterbuch‹, einem Jahrhundertunternehmen in des Wortes doppelter Bedeutung, haben die Grimms das Exzerpieren der Belege auf viele Mitarbeiter an verschiedenen Orten verteilt und damit in den Geisteswissenschaften ein Modell organisierter Großforschung eingeführt, an dem sich später die Langzeitvorhaben der wissenschaftlichen Akademien orientiert haben.

In den 70er und 80er Jahren des 20. Jahrhundert haben Kinderpsychologen über die Grimmschen Märchen ausgestreut, daß die in ihnen vorkommende Gewalt, wie sie etwa Rotkäppchen durch den Wolf erleide, die jungen Hörer oder Leser verängstige. Nach dem Anschwellen der Produktion von Horrorvideos scheint derartige Kritik selbsternannter Zensoren verstummt; vielleicht ist an ihre Stelle auch wieder die Einsicht gerückt, daß die Märchen, wenn sie Gewalttätigkeit schildern, diese ganz lebensnah mit anderen Formen sozialen Umgangs konkurrieren lassen. Jedenfalls sind die ›Kinder- und Hausmärchen‹ noch immer das am häufigsten übersetzte und am weitesten verbreitete deutsche Buch. Wäre dies möglich, stellten sie nicht einen fast allen Kulturen gemeinsamen Vorrat nachgerade archetypischer Erfahrungen und Deutungen der Welt bereit, zu denen auch das Erlebnis des Wunderbaren und Irrationalen gehört?

Über die Erwerbung der Handschrift durch Martin Bodmer erfährt man ein paar amüsante Einzelheiten aus dem von seinem Sohn Daniel publizierten Briefen. Bodmer schrieb am 8. Januar 1953 an Erwin Rosenthal, der sie ihm für Fr. 432 000 angeboten hatte: »Was nun die Grimm'sche Handschrift der Märchen betrifft, so gehört sie durchaus in meine Sammlung. Aber das ist kein Grund für mich, einen ›Märchenpreis‹ zu zahlen [...]. Ich bitte darum ernstlich, mir von diesem Grimm-Manuskript gar nicht mehr zu reden, auch nicht zur Hälfte des Preises, da ich alles für zu hoch halte und wirklich diskussionslos ablehnte, was Fr. 100 000 übersteigt.« Eineinhalb Jahre später, im Sommer 1954, hat Bodmer die Handschrift von dem New Yorker Autographenhändler Benjamin gekauft, für Fr. 108 000. H.-A.K.

Lit.: Die älteste Märchensammlung der Brüder Grimm. Synopse der handschriftlichen Urfassung von 1810 und der Erstdrucke von 1812. Hrsg. und erläutert von Heinz Rölleke. Cologny-Genève: Bibliotheca Bodmereiana 1975 (Bibliotheca Bodmeriana. Texte 1) – Grimms Märchen und ihre Quellen. Die literarischen Vorlagen der Grimmschen Märchen synoptisch vorgestellt und kommentiert von Heinz Rölleke. Trier: Wissenschaftlicher Verlag 1998 – Lothar Bluhm, Die Brüder Grimm und der Beginn der Deutschen Philologie. Hildesheim: Olms 1997 – Daniel Bodmer, Martin Bodmer in Briefen. In: Librarium, Zeitschrift der Schweizerischen Bibliophilen-Gesellschaft, 21. Jg., 1978, S. 2–17

Die Welt, ein Buch, darinn der ewige
Verstand selbst-eigene Gedanken schrieb,
Ist ein lebendger Tempel, worinn Er
Gesinnungen und Handlung, droben, drunten,
Worinn sein Vorbild Er uns selbst gemahlt.
Les' und betrachte Jeder diese Kunst
Lebendig, göttlich, daß er sagen dürfe:
»Ich bins, der sie vollendet und vollführt.«
Ach aber unsre Seelen sind an Bücher
Geheftet und an todte Tempel. Diese
Kopieen des Lebendigen, mit viel
Irrthümern abgenommen; sie,
Sie ziehn wir Gottes hohem Lehrstuhl vor.
Deßhalb die Strafen, die von jener Irrung
Uns unvermerkt erteilen. Zänkereien,
Unwissenheit und Schmerz. O kehrt zurück,
Zu eurem Urbild, Menschen, und zum Glück.

Thomas Campanella
Die Bücher und die Welt
übertragen von Johann Gottfried Herder

Lisette's Paris Notebook

CATHERINE BATESON

Lisette's Paris Notebook

ALLEN&UNWIN
SYDNEY • MELBOURNE • AUCKLAND • LONDON

This project has been assisted by the Australian Government through the Australia Council, its arts funding and advisory body.

Australian Government

Australia Council for the Arts

First published by Allen & Unwin in 2017

Allen & Unwin
83 Alexander Street
Crows Nest NSW 2065
Australia
Phone: (61 2) 8425 0100
Email: info@allenandunwin.com
Web: www.allenandunwin.com

Allen & Unwin – UK
Ormond House, 26–27 Boswell Street,
London WC1N 3JZ, UK
Phone: +44 (0) 20 8785 5995
Email: info@murdochbooks.co.uk
Web: www.murdochbooks.co.uk

A Cataloguing-in-Publication entry is available from the National Library of Australia: www.trove.nla.gov.au. A catalogue record for this book is available from the British Library.

ISBN (AUS) 978 1 76029 363 5
ISBN (UK) 978 1 74336 956 2

Cover and text design by Debra Billson
Cover images by Hanna Bobrova, Anna Kozlenko/123RF, and Nancy White/Shutterstock
Internal images by DeAssuncao_Creation/Shutterstock, moloko88 and Anna Kozlenko/123RF, and Nancy White/Shutterstock
Set in 11.5/16 pt Adobe Garamond Pro by Midland Typesetters, Australia
Printed in Australia by McPherson's Printing Group

10 9 8 7 6 5 4 3 2 1

MIX
Paper from responsible sources
FSC
www.fsc.org
FSC® C001695

The paper in this book is FSC® certified. FSC® promotes environmentally responsible, socially beneficial and economically viable management of the world's forests.

For Helen – her summer book, at last!

Bonjour Paris!

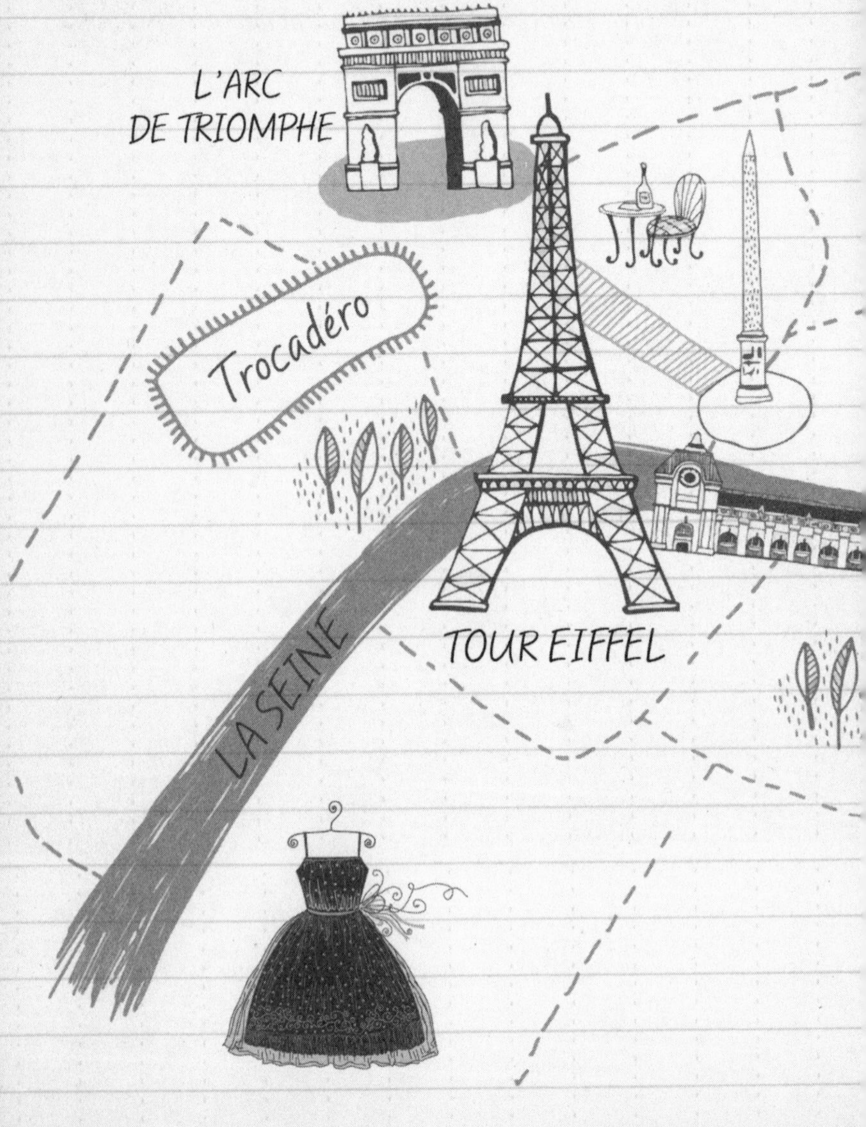

SACRÉ-CŒUR
METRO
BOULEVARD HAUSSMANN
NOTRE-DAME DE PARIS
République
PANTHÉON

Chapter 1

What do you wear to Paris? Ami and I discussed it for hours but I still couldn't think of anything suitable. Ami said a trench coat with nothing underneath but your best underwear. That was only if some boy was meeting you at the airport, I said.

By the time I landed in Paris, the anger that had burned with wildfire intensity during the first leg of the journey was a pile of hot ashes somewhere between my heart and my stomach, right around where my Vivienne-circa-1970s-inspired tartan kilt strained against the airline food, popping open the smallest safety pin. Anger was replaced by the equally uncomfortable emotion of fear.

Would I be able to understand anything? How did the airport train work? Where was my apartment? What the hell was I doing in Paris?

But I knew what the hell I was doing in Paris and that sailed me through the passport check, the baggage claim and on to the RER platform without faltering. It carried me right past the suburbs, which were like ugly suburbs anywhere, to the correct station, up the stairs lugging my suitcase and out into Paris proper. Paris and Notre-Dame!

'Oh my God!' I said, and then corrected myself, 'Oh mon Dieu!'

Until that moment I had not believed in Paris. It was a city that existed in movies, *Vogue* magazines, my French teacher's memories and my mother's imagination. I'd read about it, I'd seen it once removed, I'd even talked about it in French conversation classes. I took three steadying breaths, shouldered my backpack and grasped my suitcase handle more firmly. This was *my* city for the summer. This was where I would conquer my fears and remake myself. I'd arrived a caterpillar – okay, a caterpillar in plaid and safety pins – but I would transform into a butterfly. I hoped.

I walked across the bridges (the Seine! a barge decked out as a tourist boat! pale stone and orange shutters!) and past a square, nervously checking my map as I went, and wishing I'd allowed myself some data coverage. Google Maps – I missed it already! Some of the smaller streets just weren't on my flimsy piece of paper. My sense of direction, which worked in the Southern Hemisphere, had gone on strike in Europe. (Europe!) My suitcase bumped and wobbled over the cobblestones. (Cobblestones!)

I found my street, which was really an alley, purely by accident, and by that time my suitcase wheels were complaining. I walked past the back doors of cafes and restaurants and the kitchen staff, idly smoking, checked me out. I tugged at my tartan skirt. Probably should have put that zip in: the safety pins didn't feel secure enough for Paris. *Paris!* My heart did a little extra thump just for that word. Soon I'd be sipping café au lait at the front of one of those cafes, I promised myself, not skulking past the dishies on their smoke-o.

Further along the street a young woman scooped up water from the gutter to wash her face. She had such bad bed hair that it was matted in thick dreads at the back. I tried not to stare at her. I gripped my suitcase tightly and strode past her and her bundle of belongings. She was only slightly older than me and living in a doorway. That wasn't the Paris of old movies.

My building, however, was and seeing it in real life lifted my heart again. It was six storeys high and each window was decorated with its own box of flowers. On the ground floor was the shop, La Librairie Occulte, owned by Madame Christophe, my mother's clairvoyant and my landlady – concierge? – for the summer.

I peered through the window. It was just like any bookshop catering for weirdo mystics. There were salt lamps, crystals and piles of incense. All the signs were in French, although some boasted a small English translation for the tourists. In a corner of the room there was a woman working on a laptop. I pushed open the door, setting chimes ringing, and squeezed between the bookcases and display cabinets. Sweat had begun to bead on my forehead and I knew the stale airline food smell clung to my clothes. I'd left Melbourne in tartan-and-tights-weather and arrived in Paris on an early summer day.

'Bonjour, Madame,' I said in my best French accent. 'I'm Lise.' Back home, I'd been Lisi despite being christened Lisette by my romantic Francophile mother. In Paris I'd be Lise, silent 'e' and more sophisticated. It was my bon voyage present to myself.

'I have expected you,' the woman said. She shut the laptop and lifted the smallest dog in the world from her lap and tucked it under one arm. When she stood up I could see that she was wearing a charcoal grey sleeveless shift, more Chanel than clairvoyant, and a scarf that changed from ruby red to dark purple, depending on where the light caught it. She came from behind the desk to air kiss each of my cheeks and I could smell expensive perfume, rather than incense. She was perfectly balanced on stilettos and even the wrinkles on her face were designer.

'You must take after your father,' she said, holding me at arm's length. 'Your mother is quite round, yes? With curls? Your father is tall and fair, yes?'

Up until only a while ago I would not have been able to answer that question. For years my mother had acted almost as though I'd been immaculately conceived – but now my backpack contained four photos of my father and yes, I was definitely his daughter. I nodded.

'Welcome to Paris, Lisette.'

'Actually, I'm called Lise.'

'In Paris you will be Lisette. This is Napoléon. Come, I will show you the apartment.'

I didn't have time to even pat the dog before Madame

Christophe popped him in his basket, clipped out a back door and then smartly up five floors of steps. I dragged my suitcase behind her, panting, until we reached the very top. Madame Christophe flung the door open. 'Voilà!'

I'd expected some kind of kitchen and a balcony with a proper table and two chairs. There would be a view of the Eiffel Tower, the Sacré-Cœur or something else iconic. I didn't even have a balcony. I stood in the smallest 'apartment' in the world. It was effectively one room with a kind of kitchen annexe. I pushed past the bed and opened one of the windows. The air was still and hot. I looked up and down the narrow street. If I stood on tiptoe I could just glimpse the Seine. That was something.

'I will leave you to make yourself comfortable,' Madame Christophe said sternly. 'The bathroom is on the landing. Practically an ensuite. You will share it with no one as everyone is in the South.' She turned on her heel and clipped back down the stairs.

Apart from an ugly chest of drawers and the bed, the apartment was empty, which was a good thing in one way as there wasn't room for anything else. Where was the antique four-poster bed, the heavy wardrobe I'd imagined filling, and the washbasin stand?

I unpacked my suitcase and slid it under the bed. Apart from my 1970s Westwood tartan phase, I'd also embraced a kind of grungy seventies aesthetic based on op-shopping, upcycling and some of my own sewing. When I had first agreed to go to Paris, Mum had been really excited. She'd studied the latest issues of French *Vogue*, sketched designs and looked at fabric samples. She is the seamstress, I just sew. She'd wanted a whole upmarket hippy look – wafty cream silks, pale linen wide-legged trousers as far from my old fisherman's trousers as oysters are from battered flake.

'But everyone wears that kind of stuff,' I'd said, stabbing my finger at a perfectly beautiful maxi dress that was, the caption told us, 'mousseline de soie incrustée de dentelle', which translates as unbelievably expensive.

'Hardly,' Mum said, 'not at that price!'

'You know what I mean.'

'I'm not offering French lace, Lisette. Just something more . . . elegant and grown-up?'

I was all dress-ups – I could hardly escape fashion, living with a seamstress, but I'd wanted my own spin on it. In the end, I'd let her help me make a maxi skirt. I'd imagined a fabric with a sugar-skull pattern but we'd negotiated on tissue-thin gauzy stuff instead, subtly patterned with tiny skulls. It was almost too cool but Mum talked me into it. She also insisted on lining the skirt to just below my knees. I felt like a proper adult when I swished into my next French class to show it off.

'Isn't it perfect?' I asked Madame Desnois.

'You will feel alien,' she prophesised. 'It is more London than Paris. The French are more chic than' – she searched for an adequate word – 'punk.'

'This is high-class punk,' I explained, 'this is punk couture.'

Now, leaning out the window into the heat, I wondered if I shouldn't have made just one white or cream top. Why hadn't

I packed sandals? It was just too hard to think of summer in the Melbourne winter and I hadn't wanted to listen to Mum's advice at that point. My French boy would buy me clothes. He'd dress me up to meet his parents who'd live in the country somewhere smelling of lavender. His parents would be charmed by my skull theme and his father would pour me a vin ordinaire and teach me to roll my 'r's the way Madame Desnois wanted.

I tested the bed. My feet stuck over the edge. The pillow was a long sausage that squished flat as soon as my head touched it. I'll just close my eyes for a few minutes, I promised myself. Just five minutes.

I stayed there, drifting in and out of consciousness, the sounds from the street wafting up through the window, until someone called up the stairwell, 'Lisette! Lisette! À table!'

'Some French girl,' I thought sleepily. 'There's another girl up here. That's nice.' Then I woke up properly and remembered that Lisette was me, I was Lisette.

I followed the smell of coffee to a small room that was Madame Christophe's living room. A round table in one corner had been set for two. The plunger coffee was strong and served with long-life milk. The baguette had some kind of good, nutty cheese balanced on top of ham, a smear of mustard and a decent slather of butter. I wasn't hungry but hunger wasn't necessary. I ate my portion and crusty crumbs flew over the lace tablecloth. Madame Christophe sipped her coffee and looked away. I could hear myself chewing.

'You must walk,' she said when I'd finished.

'Walk?' I was still exhausted and my stomach was full. The dog was asleep in his basket and I wanted to curl up, just like him. My eyes felt scratchy with invisible grit. I'd been awake for nearly twenty hours straight if you didn't count cat naps. Couldn't walking wait?

'Walk,' she repeated. 'You must walk until dinnertime, then you come back and eat, if you can, and go to bed. It is necessary to defeat the jet lag.'

'I'm tired now,' I said, but Madame Christophe ignored me and cleared away the crockery.

I trudged back up all the flights of stairs to get my backpack and camera and then all the way back down.

'You are not taking that?' Madame Christophe eyed my canvas backpack.

'Why not?'

'It is like a tourist.'

'Don't French girls carry backpacks?'

'Of course not. We have the handbag, the clutch or the pochette. And there are thieves.'

'A thief couldn't get into this,' I said, pointing out the buckles.

'But they do. They have the knives.' Madame Christophe mimed a knife slicing the canvas straps.

'It's all I've got,' I said. 'I'll be fine.'

'You do not carry anything valuable?' Madame Christophe said. 'You have not your passport?'

'Of course not.'

She shrugged in a resigned way and then pushed me out

into the street. It was only after the door had closed that I remembered I had left my map behind. I could easily have gone back in, but Madame Christophe was watching me from near the tarot display. I stuck my head in the air, shouldered my backpack and set off walking in what I hoped was a good direction.

Everything was old. Everywhere I looked was another old building. It wasn't even as though they were monuments, they were just buildings. I tried to memorise which way I'd gone but the streets curved and twisted and, at one point, I went down an alley and ended up back where I'd just been. Within fifteen minutes I had no idea which direction I'd started out from. I sat for a while in a square opposite an impressive building. It was the Hôtel de Ville – the Town Hall of Paris! – but I couldn't stop myself from yawning.

'Eavesdrop,' Madame Desnois had advised. 'Wherever you are, listen to the people. Of course, there are not so many French in Paris in summer, but you will still hear the language.'

I tried to eavesdrop, but it was too hard. The couple closest to me, both eating ice-creams, were definitely not French. There was an American woman with a couple of kids nagging her for McDonalds. An intense conversation between an older couple was in French – I caught isolated words – but it was too fast and private for me to follow. I sat there until I was in danger of falling asleep in the sun and then I started walking again.

Old buildings and old streets were great, but there were rules for walking in Paris that I didn't know yet. You couldn't stop and gawp or people ran into you. You certainly couldn't take photos or people muttered at you under their breath. You didn't stare at the beggar with the cats on leads or he would hold out his hand for change you didn't yet have. You certainly didn't stop where the woman knelt on the pavement as though praying, her hands holding a small paper begging cup. Who could do that? On the dirty footpath? It was all utterly – and wonderfully – overwhelming.

Then I found the BHV, a huge department store with five levels of shopping, French style. Dogs shopping along with their owners! I tried to pat one and was snarled at by both it and its mistress.

'There are rules of etiquette,' I remembered Madame Desnois telling me anxiously. 'Lisette, I don't think you quite understand how formal the French can be.'

Apparently you needed an introduction before you patted someone's dog. How was I going to survive twelve weeks without anyone, not even the dogs, talking to me? I started with the clothes. They were expensive, but so chic and French. Even though I was definitely not chic, in my cobbled-together kilt, maybe I would be by the time I left Paris? These clothes floated from their hangers, elegantly declaiming their desirability. Well, I'm here now, I thought, so I explored each floor of the BHV as though I was desperate for beach towels, new shoes, baby clothes, picture frames and even DIY tools, which I discovered in the basement. Despite the snarling dogs, the supercilious shop assistants and the other shoppers who ignored me, the store was a cocoon. I wasn't jostled and no one begged for money. I'd have time to get used to the real Paris, I thought, when I was less tired, more confident and not wearing heavy Docs.

By the time I left the store it was late afternoon, although still very light. I walked out onto a different street and had no idea where I was. I should have taken photos with my phone of my directions, like Hansel and Gretel leaving crumbs in the fairytale. Around me was a surge of Parisians, all the women wearing high heels and scarves, all the men in designer crumpled linen and polished, beautiful shoes. I ended up on a larger street, near a group of food shops. Dinner. My stomach growled.

It would have to be classic for my first night in Paris. My first night in Paris, I repeated to myself, cheering up instantly. Goat's cheese – I could say that to the shopkeeper and I did when he finally turned to me. Who knew there would be so many different kinds? I gave up trying to understand what he was saying and just pointed to a pretty pyramid, and then another wrapped in a grape leaf. I bought a supermarket baguette – it would do until I found a proper bakery – and I tried to ignore the mouth-watering smell of the rotisserie chicken. I wouldn't be able to eat a whole one and I couldn't remember how to say free-range in French.

Surprisingly, there was a carousel on the street, right next to a metro station – and a map. I couldn't find my street on it. My feet were aching and I wanted a shower more than anything else in the world.

'Excuse me, honey.' A woman approached, holding

something out. 'This might be more detailed.' Her words were molasses-slow, in contrast to the low, rapid speech around us. She carried an impressive handbag firmly tucked under one arm. It was a bigger version of the anti-theft one Mum had tried to foist onto me before I left. Even if I hadn't heard her voice I would have known she was American from her flat shoes, which, no matter how much they tried to look otherwise with cute straps and colourful soles, were just fancy runners.

'I can't read a map worth a dime,' she said, 'but if you turn it around and around, sometimes you get lucky. You know what I mean?'

Together we turned the map until we found my street and then she pulled out a purple pen and outlined my route. 'You take it,' she said. 'They're free and my husband's collected half a dozen already. I just skip monument to monument myself – you memorise a few and they'll take you all the way home. Metro stations are useful, too – hell, they *are* monuments over here.'

Her name was Ginger, she said, and she offered me a hot chocolate. I was about to refuse when I caught something in her eyes, behind the purple-framed spectacles, that reminded me of how lost I felt.

'I'd love that,' I said, 'if you have the time.'

'I've got time,' she said firmly. 'I've got all the time in the world. Todd's in back-to-back meetings until dinner and dinner's an age away. They all eat so late over here. I guess that's European but I'm ready to eat an alligator by the time we finally sit down.'

We found a cafe and sat, rather doubtfully, side by side. The chairs were all lined up to face the street.

'I'm not used to this,' I whispered to her. 'In Melbourne, even outside, the chairs are arranged so you can talk.'

'It is so you can watch the people,' the waiter, who had snuck up behind us, informed me haughtily. 'In Paris we watch the people, the life, the fashions. In Melbourne, perhaps not so much?'

'I don't think he was real fond of your outfit,' Ginger said when he'd whisked away with our order. 'It's a little out there.'

'It's not that bad,' I said, pulling at the skirt to align the safety pins. 'But I know what you mean.'

'At least you speak some French,' she said comfortingly. 'That will definitely help.'

I wasn't so sure. Even though I had ordered in French, our waiter had replied in English. It was only my first day – I clung to that thought.

'You're so brave,' Ginger told me as we said goodbye, 'when I was your age I was doodling wedding dresses in the margins of my college books.'

'But you're here now.'

'Sure. That's what counts,' she said, but she didn't sound terribly certain. 'You have – what do they say? Bonne chance, you hear!'

I followed the purple line all the way back to Madame Christophe's and was about to knock on the closed shop door, but she popped out as if she'd been waiting, still in stilettos, scarf and fresh lipstick.

Chapter 2

Paris is the centre of haute couture and all things stylish. That's why Mum insisted on me learning French, the language of Chanel. My great-grandmother owned a Chanel jacket. It was called 'The Jacket', and she wore it on every grand occasion for as long as she could fit into it. Even now The Jacket, which hangs in my mother's studio like the piece of art it is, smells faintly of Greatma's perfume. Already Paris makes me feel gawky, as though I were thirteen again, copying the Year Ten girls.

'I did not have a chance to give you the door code. And you have no sense of direction, so you were lost,' Madame Christophe said, with some satisfaction, I thought.

It wasn't a question but I answered anyway. 'I met a woman, we had hot chocolate together and she gave me a map.' I flourished it as proof.

'An American. They have no memory, but large collections

of maps. And before this American with her collection, what did you do? No, don't tell me. You went to a shop. That is what you did. Your first afternoon in Paris and you shopped.'

'I bought some goat's cheese.' I proffered the bag. 'One is like a little pyramid. The other's wrapped in a vine leaf. So pretty!'

'That you would have bought on the way home. No one buys chèvre on the way out. You found the BHV.'

'After walking for ages.' Why did she have to sound so condemnatory?

'Notre-Dame is across the Seine. There is also the Tuileries if you walk far enough. The Jardin des Plantes. But no, you visited a shop? Never mind. We remedy all tomorrow. For now you had better eat your chèvre and then sleep.'

I wanted to set up wi-fi on my laptop but apparently one couldn't do that in the evening. Perhaps it interfered with Madame Christophe's digestion? She would let me know how to log in at breakfast. She had already informed my mother of my safe arrival so I need not be anxious about that. Perhaps I should study my map and plan some instructive days in Paris, rather than wasting my time at the BHV? Clearly I would have to skip monument to monument to satisfy Madame Christophe.

I trudged upstairs to the bed that was too short for me. My first day was over. Mostly successful, I allowed myself, ticking off the pluses on my fingers: I had managed the airport and the RER, I'd found my apartment and met my . . . met Madame Christophe. I had become completely lost but the afternoon had been salvaged by meeting Ginger and managing my first cafe, Parisian style. I'd eaten baguette and goat's cheese for dinner. I hadn't needed to talk to Mum. I'd even squeezed myself into the miniscule shower in my 'practically an ensuite' and washed my hair. Not bad.

The next morning it was clear that not everyone had left Paris for the summer. It was six-thirty and I could hear the discrete sounds of people leaving their apartments. I was in Paris, the City of Love, and I would show Madame Christophe that I wasn't at all interested in shopping. (Although I had seen some very cute earrings.)

I was expected – or permitted? – to breakfast with Madame Christophe each day. It was an agreement Mum and Madame Christophe had come to – partly, I was sure, so that Mum could keep a virtual eye on me. When I sauntered down, wearing a black T-shirt with braces, tartan shorts, knee-high socks and my Docs, I found the table set for an intimate petite déjeuner of croissants – surprise, surprise. Napoléon was already at Madame Christophe's feet, looking up at the pastry while trying to maintain a certain emperor-like dignity.

'I am organising you,' Madame said, pouring coffee into my cup. 'A friend of mine runs French classes for the art students and I have managed to convince her to put you in her class. It is a rare privilege.'

'No need to do that,' I said. 'I'll improve as I go along. It'll be easy – I'll just talk French to everyone. We could, too?'

Madame Christophe gave me a long, pitying look. 'I need to practise my English,' she said. 'Also, your mother does not want you shopping. You are here to learn things.'

'Madame Christophe, I don't mean to offend you, but I am not a child. I am old enough to make my own decisions about what I do.' Why did everyone think I needed every single thing decided for me?

But Madame Christophe had moved on and was reading the paper as she delicately dunked her croissant in a big milky bowl of coffee. Disgusting. Then she tore off the end and fed it to Napoléon. He growled at me. He was siding with his mistress.

Madame Christophe said something softly in French but Napoléon bared his teeth, which although small were sharp, despite an apparent diet of croissant.

'Napoléon, this is our guest,' she said severely, although I felt her tone was directed at me, rather than her absurd dog. Madame Christophe seemed to expect me to say something to him.

'Good morning, Napoléon,' I said. 'It's a big name for such a small dog.'

'He was a small man, Napoléon Bonaparte. He was not, of course, French.'

I bit the inside of my cheek to prevent myself spluttering croissant across the table. Was she implying that Bonaparte would have been taller if he'd been French? And if he wasn't French, what was he?

There was an awkward pause while I swallowed laughter and pastry.

'I had no idea,' I said conversationally, 'that he was short. Or that he wasn't French. I didn't do history.'

This, unfortunately, captured her full attention. 'What do you mean, you did not "do" history? What is this "do"? Of course *you* do not do history. History, it is made, not done. Do you mean you did not study history? *That* is an outrage.'

'Oh, we did Australian history in primary school.'

'Australian history. That would not have taken so long,' she said and disappeared my country with a snap of her fingers. 'You should have studied the history of Europe. Europe shapes the world.'

'What about China?' I asked. 'China's important.'

China was dismissed with an eloquent shrug. I reminded myself to tell Ami. She would have something to say about that!

'It is excellent that you are to study French with my friend. You will find her knowledge and opinions extend beyond language. She is a woman of decision and elegance – her shoes! Oh là là! You will benefit. It will cost only ten euros for a lesson and you will attend twice a week. I will show you on the plan where to go.'

'I'm not at all sure about attending French lessons.'

'Your mother agrees with me. Ten euros is nothing compared to the education you will gain. An opportunity resembling this does not often happen.'

Ten euros a lesson – twenty euros a week. What was Mum thinking? I had to Skype her!

I told Madame Christophe firmly that I had to arrange internet access as soon as possible. I also ate a second croissant, avoiding Madame's lifted eyebrow.

The wi-fi was easier to set up than negotiating a French mobile SIM card, which took forever. It was late in the afternoon by the time I got on to Mum.

'It's fantastic,' she said. 'Darling Sylvie has been able to organise—'

'I know, right? At the cost of twenty euros a week, Mum! Do you know how much that adds up to by the end of my stay?'

'It's such a great opportunity, Lisi – you simply can't walk away from that. Also, it's a way to meet other kids. What I would have done at your age to learn French in Paris, Lisi!'

'It's not in my budget,' I said flatly. 'I want to go out too. I want to be able to eat an ice-cream in the Tuileries and there's no point in meeting people if I can't afford to go clubbing with them.'

'Lisi, you don't even like clubbing!'

'Well, whatever. The thing is, Mum, I'm making my own decisions now.'

'Lisi, I thought learning French in Paris was your dream?'

There was the problem. Mum had summed it up with unusual clarity. *She* thought this was *my* dream. If it had been left up to me, I wouldn't have even taken a gap year. I would have gone to uni with Ami and hung out in the cafes and bars. But it was useless telling Mum that. It was useless arguing against her. She was too persuasive. She had it firmly fixed in her head that a gap year was essential and three months in Paris would set me up for the years of study ahead. In the end, I'd taken up her idea of coming to Paris as much to find myself, away from her, as to discover Paris. Sure, I could justify it by saying I was here for the art – an opportunity to see the real things before studying Arts (if that was what I was going to do). If I'd been driven by any real ambition, I could have stood up to Mum. But I didn't have a clear picture of my future self. Who was I? Who could I become? I was far less interested in the labyrinths of the Louvre than I was in the secrets of my own heart. I loved being able to speak French, sure. It had great show-off cred – but was it my actual heart-felt, close-held *dream*?

'I'll transfer the money tomorrow,' Mum said, and I could hear the resignation in her voice. 'It can be my little gift.'

'It's not about the money,' I said. I'd started with the wrong argument and I'd lost. It was going to end up like everything else – I'd resist, briefly, then surrender and the lines between what I wanted and what Mum wanted would blur as though they were drawn in charcoal, not permanent ink.

'Then what is it?'

I sighed. I needed a clearer outline of myself, but even this far from home I was all shade and shadow. If I argued with Mum she just became sad, hardly ever angry. Her sadness made my edges collapse.

'It's just that I don't like having something like this foisted on me.'

'But darling, travel means taking up opportunities. I thought we'd agreed on that. This is clearly an opportunity.'

We'd agreed? I couldn't argue anymore. 'According to an

American woman I met, travel is skipping from monument to monument.'

'I'm sure you'll have time to do that too. The lessons are only twice a week. You'll have them with a bunch of art students. It's very generous of Sylvie to organise them. I do hope you sounded grateful, Lisi, and didn't display that sulky teenage side.'

'Mum! You're treating me like a kid!'

'Sorry,' she said, 'I think the connection is a little problematic. I can't really hear you. I'll put the money in your account and you make the most of this, Lisi, okay? I'm trusting you to do that. I can't wait to hear all about it. Love you. Love you so much, darling.'

'Love you, too,' I replied automatically. It was interesting that the Skype connection was clear enough for her to deliver a mini lecture, but too dodgy for her to hear my side of the argument.

I got up and looked out the window. The small street was cobblestoned. I could see half a dozen people wandering past and as many dogs. There were two couples, leaning into each other as they walked. I supposed I could find out more about the lessons. Who were these art students? Maybe it wasn't such a bad idea. Art students were bound to be interesting, if a bit hipster. Suddenly it didn't sound so pedestrian to be taking French lessons in Paris.

I could see myself at uni the following year, dipping a croissant in my latte and saying, 'Of course, I was in Paris, learning French and living with this mad clairvoyant my mother had met over the internet. Madame had the smallest dog in the world called Napoléon, because he was a short man and not French.'

'Wow!' my audience would exclaim. 'That must have been so awesome.'

The story would be better with a French romantic interest. He'd have that kind of hair that droops into one eye. I clearly wasn't going to meet a French boy at French class, but the other students would have friends and they'd be French artists. We'd all go clubbing or whatever you did in France – probably something more philosophical. He'd call me Lise from the start, but maybe Lisette when he was being romantic. We'd drink absinthe. Actually, I probably wouldn't. I don't drink anything green. But I could pretend.

To be honest, I hadn't had a great deal of success with Australian boyfriends – but that was to be expected at my school. The hot boys were interested in two things only: sport and sex. The physics nerds couldn't look at girls without stuttering. Then there'd been Ben. He'd managed whole sentences. Not that it mattered in the end.

If a French boyfriend presented himself, I'd certainly say yes to opportunity!

Chapter 3

STILETTOS

I don't wear them. Neither does my mother. Although she does wear their younger sister, kitten heels. High heels were originally invented so the wealthy could rise above the mud and crap (literally) that flowed down the city streets. Then in the 1950s, a Frenchman revisited that idea, but gave it his own sadistic twist by narrowing the heel to the stiletto as we know it; capable of performing a lobotomy at a pinch. I wear flat shoes. I like to pretend I'm firmly grounded and anchored to the world.

The French lessons were on Tuesday and Thursday mornings at ten-thirty and lasted for two hours, Madame Christophe told me, or until her friend Fabienne, Madame Fontaine, decided to stop. She was generous with her time. Until Tuesday, Madame Christophe recommended I improve my mind.

'The Louvre?' I asked, unfolding my map.

'Definitely before the Americans arrive for the summer. But perhaps first the more intimate Musée d'Orsay or Musée de l'Orangerie.' Of course, she added, if I preferred to shop, and she could quite understand that I needed some good clothes, there were many beautiful boutiques in the arrondissement, but really I'd be better off waiting for the sales. That's what Parisians did. The sales would begin at the end of the month and last for six weeks. I would have plenty of time to choose my purchases before the end of my Paris stay.

Clearly I was never going to convince her that I wasn't a confirmed shopper.

With this advice, my interview was over and Madame Christophe sallied forth with Napoléon for his morning walk after reiterating that I was to provide my own lunch and dinner, implying that the breakfast deal should make me feel special. It was a rare arrangement.

I trudged back up the stairs to chart my route. I was going to work this city out. Ten minutes later I was doing exactly that. Along the Seine, past the bookstalls I'd seen in photos – most of which, admittedly were shut up and locked. Every so often I stopped and pinched myself. I was walking along the Seine! I was in Paris! I took a billion photos.

I wasn't sure what kind of drugs Madame Christophe had been taking with her breakfast, but to call the Musée d'Orsay 'intimate' was like saying a Great Dane was a tad larger than Napoléon – the dog, that is. The place was huge and jam-packed with famous art. What else had I expected? Except this was famous famous. I'd turn a corner and there would be another painting I recognised from a reproduction – Van Gogh, Degas, Rodin. I couldn't take it all in.

After about two hours of walking, the paintings began to blur. I was arted-out. It was clear that others felt the same – there were people sitting on bench seats, dazed expressions plastered on their faces. Couples were okay – they could hold each other's hand or kiss. I wished that I were part of a couple. I contemplated that as I sat beside some girls who were checking their phones and talking in both French and, perhaps, Italian at the same time. The three of them wore wedges – no wonder they were sitting down!

Why don't I have a boyfriend? An essay in one hundred words by Lisette Addams.

I don't have a boyfriend because Sally, my mum, was ditched by my father before I was even born and hasn't trusted heterosexual men ever since. Also, she doesn't go out much, so snogging opportunities were strictly limited in our house. Who wants to make out to the sound of your mum's sewing machine? Plus, she's on a lifelong quest for perfection and no member of the male gender is ever going to cut it. Then there's me – I wasn't brought up to know about football, camping holidays or other team sports. I can set a table for four courses, recognise a fish knife, a Chanel and a bias cut. Ami, my best friend, calls my home The House of Estrogen. I'd say those are major hurdles when it comes to the opposite sex.

Despite that I did have a boyfriend briefly but it ended when we tried to have sex. I still don't want to talk about it.

I improved my mind for two days. It was extremely tiring. Every piece of art was so big, so important. I couldn't understand how anyone could be an artist in Paris. Everyone had already painted, sculpted or printed everything you could think of – *and* they were all famous for it. If I were an artist in Paris I'd be suicidal. I told Madame Christophe this over croissants on the morning of my first French lesson.

'It is true,' she nodded, 'it is all in the past,' and she sighed and fed Napoléon – who I'd won over with croissant tidbits to the point that he now sat between us. 'We have made haute couture our contemporary art. You should see *that* exhibition – it will be superb!'

'A fashion exhibition? I'd love to see that!'

'There is still time. It is at the Hôtel de Ville. I was waiting for you to see the billboards. You must walk with your eyes closed!'

'I do not,' I said, 'but Madame, I have only been in Paris three full days.'

She may have sensed the fact that I was cranky – she was a clairvoyant after all – because she patted my hand and smiled. 'We will see it together,' she said. 'I have two hours this evening.'

'Thank you.' I could hardly believe the pat and the smile. Were we becoming friends?

'It is nothing,' she said and stood up, ready to take Napoléon for his morning promenade. 'Enjoy your class.'

It might have been nothing to Madame Christophe, but I was fed up with visiting museums and galleries by myself. The first time had been a bit of a novelty. I'd enjoyed pretending to be a serious international art student. By the time I'd got to the Centre Georges Pompidou the previous afternoon, I'd longed for someone to nudge or exclaim to, and envied the tourists taking each other's photos in front of Marc Chagall's *The Wedding*.

I practically skipped along the route to my French class. It was in the basement of the ugliest building I'd seen in Paris. The receptionist took my money and my name and gestured me languidly towards some stairs. In honour of the occasion – and in anticipation of the friendship material – I was wearing my skull maxi skirt. I paused to smooth it down, took a deep breath and pushed the door open. Half a dozen or so students, most a little older than me, glanced up before returning to their conversations. English was the dominant language. I plonked down in a spare seat between a guy and a very cool-looking girl.

'Bonjour,' the guy said, 'you are English?'

'Australian.'

'Ah, unusual. I am Anders.' He held out his hand.

'Lise,' I said, shaking it firmly.

'You are an artist?'

'Not really,' I said and was saved from saying more by the entrance of our teacher. Fabienne was around my mother's age but her lace shirt revealed a black bra and she wore it with matador pants and impossibly high red stilettos. She exuded confidence and launched into French without any preamble.

I was at least three sentences behind, and grappling to catch up, by the time she said something I did understand. 'We have a new student today. Please welcome Lisette to class.'

'Actually, it's Lise.' I spelled it out in the French alphabet, aware that my face was as red as Madame Fabienne Fontaine's high heels.

'Australians shorten everything,' she announced to the class, making a cutting motion with her fingers. 'Nothing can be allowed its full size. The French, we lengthen everything.'

The guy called Anders raised his eyebrows and said, sounding out the words with deliberate care, 'So that is why French men are supposed to be such good lovers?'

'Very funny, Anders.'

'Excuse me, Fabienne, but I don't understand.' The girl sitting next to me looked worried.

'Anders was making a joke,' an American girl next to her said and she whispered something that caused Goldie to clap one hand to her bright lipstick and laugh.

After this strange introduction, things proceeded more normally. Fabienne asked each of us in turn what we had done on the weekend and we all answered in our different levels of French. She wrote what we had said on the board, sometimes changing the construction we'd clumsily put together so it was more grammatical.

That was all familiar to me. What was completely different was that Fabienne offered her opinion on every activity – and she had strong and always correct attitudes to everything.

The American announced that she had gone to see some

experimental dance troupe who did a 'mathematics dance' and Fabienne's finely plucked eyebrows rose to her hairline.

'Mathematics dance? Please explain more, Mackenzie. Naturally this sounds like a joke to me.'

Mackenzie waved her graceful arms around trying to describe the way the dance had been performed. Anyone could tell she was frustrated by her lack of French vocabulary. She managed to convey that the dancers performed in a kind of grid, but the only person who really understood was Anders, who had seen the same performance.

'The dance,' he explained, 'was experimental and meant to be both expressive and not always beautiful.'

'Why create something that is deliberately not beautiful, particularly in the medium of dance?' Fabienne asked and promptly answered her own question. 'Of course, young artists feel the need to go against the tradition of beauty and the classic. They think they are creating something new simply because it lacks beauty, but in reality all they have done is reveal their own failure to understand the complexity of the classic and build on it.' She didn't stop there, however, and went on to explain this problem with contemporary dance prevented her from ever seeing a performance. I wasn't sure how much of her rant Mackenzie had even understood, but Fabienne's tone made it clear she was dismissing Mackenzie's weekend activities.

Mackenzie was perplexed. 'It was just a dance. I didn't take it too seriously.'

This did not appease Fabienne. 'So you wasted your creative time on something not to be taken seriously?'

'It wasn't like that.' Anders stepped in. 'There was a group of us. One of the dancers is the new girlfriend of someone we know. It was more for that we went.'

After Fabienne had corrected some of what he had said and written it on the board, she returned to Mackenzie and asked her more about her weekend. If I had been Mackenzie I wouldn't have been able to put together a proper sentence after that attack, but Americans must be braver than that, although when her turn was over she seemed relieved.

I wasn't looking forward to being in the hot seat. When I admitted I was having a gap year between finishing school and starting university, Fabienne declared this concept non-existent in France, a ridiculous waste of time, and I would have been better served had I begun uni and applied for an exchange, which I surely would have got because my French was surprisingly not too bad, considering I was an Australian. Well, merci for that! I tried to explain gap years were common for Australians. It was a chance to travel before settling down to more years of study.

'Imbecilic,' Fabienne said with unshakeable certainty. 'As if you have really studied before university. Now in France, maybe. Le Bac is difficult. But in Australia? I don't think so.'

'So what else do you do with this year?' Anders was on another rescue mission.

I turned to him gratefully. 'I've worked,' I said, 'in hospitality, at a French restaurant, Le Voltaire. Now, I'm in Paris to – well, go on learning French, I guess, look at art, and because my mother wanted it.'

I had meant to say 'because my mother wanted me to experience the world more', or something like that, but the truth had slipped out.

'Your mother wanted it?' Fabienne repeated. 'She came with you?'

'No,' I said, 'sorry, I meant something else.'

'Your mother wanted to come to Paris and sent you instead?' she persisted.

'Not quite.'

'Your mother works?' Anders offered. 'So she sends you to travel for her – lucky for you!'

'She's a seamstress,' I said.

'Ah,' Goldie, the girl with bright lipstick, said, 'did she make your skirt?'

'I made it, with her help for the lining,' I said.

'Your mother is a seamstress.' Fabienne pulled the conversation back to order. 'That explains why she wants to be in Paris. There is no fashion in Australia. And the prices of European clothes there – shocking! You must all buy when the sales start – but you must not go to the Champs-Élysées or rue de Rivoli. The shopping there is no good.'

'What about Les Halles?' Anders asked with an odd smirk.

'Les Halles is a disaster,' Fabienne said with a theatrical shudder. 'You must certainly not shop there! You come to France for quality. You come to the famous sales for quality that is affordable. I buy shoes, of course.' She stuck out one high heel to show us, as if we hadn't already seen them.

After we'd admired her shoes, she returned her attention

to me and demanded to know what I'd done so far in Paris. I told her I'd seen a lot of art and listed the galleries I'd gone to.

She approved of this. 'Of course, in Australia, you learn about art from books,' she explained to the rest of the class. 'Oh yes, I was there. Briefly. Very clean toilets – and as far as I am concerned you can tear those art books up and use them in those toilets. You cannot learn about art like that. So you are right to see as many masterpieces as you can while you are here. But for contemporary art, Paris is no good. It is surprising, but Australia is much better. There is good contemporary art to see in Australia.'

I had studied the reproductions she so contemptuously dismissed and although I knew now they were nothing like the real thing she made me feel deeply sorry for myself – and my mother. Mum had bought art books and we'd studied them together, Mum pointing out details of each painting – how the colours in this one shimmered with light, and those in another were separated and flat. She'd told me stories about the artists until some of them were nearly as real to me as our neighbours.

'Perhaps,' I said, trying to sound calm and dignified while I seethed, 'it is that which allows us to create good contemporary art. It must be difficult to be an artist in Paris when you are surrounded by such magnificent examples of everything.' What was the word for suicide? I didn't know. 'I would want to murder myself,' I said and my words seemed a little too loud and more emphatic than I'd meant.

There was a moment of silence and then Anders clapped. 'Bravo!' he said. 'I feel like that here also. I work and work and work and still I question what it is I am working so long at, and why, when the others have done the same before me.' He turned to Fabienne and said, 'I think the Australian is sensitive.'

I wanted to tell them that my father had been an artist but the words stuck in my throat. I couldn't answer any questions about my father's art. I had only seen one painting. Instead, I studied Anders. He was a few years older than me but had an air of authority and was clearly not afraid of Fabienne. He matched her shrug for shrug. She flirted with him and I could see why. He was tall and muscular. An abstract, serpentine tattoo ran up his forearm. He wore a much-washed shirt with rolled-up sleeves as though he had come to the class straight from his studio. His ruddy blond hair was slightly longer at the front and slicked back. He was undeniably hot, and Fabienne with her pencil-thin eyebrows, look-at-me shirt and heels was definitely cougar material.

'So, Anders, you worked on the weekend?'

'I did, Fabienne. I worked. But I also went to a party and I drank a lot.'

She laughed. 'I think you always drink a lot, you Germans, when you party?'

Anders shrugged. 'It is the only way to escape the problems of the life of an artist that Lise talked about. We work, we see our work and then we drink.'

'But then you work again, the next morning.'

'For there is nothing else,' Anders said and his tone was serious, almost grim.

Fabienne nodded. 'We have a saying in Paris, "métro, boulot, dodo". It is clear, yes?'

'I do not get the boulot bit,' Anders said. 'That is what is missing for me.'

'And for you others, you agree?' Fabienne asked, which raised a flurry of questions as they hadn't understood the Parisian saying of metro, work and sleep.

The class went over time. I was longing to get out and eat something. My stomach rumbled embarrassingly during a quiet moment and Goldie laughed at me and then touched my hand and whispered 'me too', but in French, of course.

We couldn't leave until Fabienne had finished a small rant about books. Mackenzie mentioned that she was reading a writer called Françoise Sagan – a name familiar to me because my mother had read her books. Fabienne told Mackenzie that Sagan was a celebrity but not a good writer and Mackenzie would be better off reading Marcel Proust or Albert Camus. Proust might be beyond her level of French and what a pity to read him in any other language, but Camus was easy because even if you didn't understand the exact words you could still feel his passion. Mackenzie told Fabienne she read as a distraction. Fabienne indicated this kind of reading was not French. It belonged to the United States. Mackenzie said that she was from Canada, actually.

'But not, alas, French Canada.' Fabienne dismissed her and turned to me. 'In Australia, you study Camus?'

'No,' I said, 'or not at the school I went to.'

'That's a great pity. What philosophers did you study?'

'Philosophy wasn't an option at my school, actually.'

'Disaster! What did you study, if not literature and philosophy?'

I decided to take a lesson from Anders and shrugged. Fortunately it was one-thirty by then, so Fabienne slid off the desk and indicated that the class was over.

'I can speak now in English,' she said, 'and I want you all to say thank you for Lisette. She has saved our class. I am very grateful because it would have been a financial disaster to not have this in my life. And for you, the class survives.'

Everyone murmured thank you in English, German and French and smiled at me. For ten seconds I felt as though I was part of the group. The feeling disappeared when we all left the room and it was clear that Anders, Goldie and Mackenzie were going to have lunch together. They drifted to the exit chatting and I walked slowly behind them. I would have something to eat at a cafe, I thought – I'd seen a place that smelled as though it had good coffee. I would have lunch in a cafe and pretend I wanted to be alone.

Then Anders turned and said, as though it was the most natural thing in the world, 'And you, Lise, saviour of our class, you'll join us?'

I found myself smiling too widely to be cool but I didn't care. 'Yes, please!'

Anders made a space between him and Goldie where I slipped in and matched my steps to their pace. I had new friends. New friends in Paris, France.

Chapter 4

Fortuny draped, Valentino cut on a bias, Chanel was the suit, Vivienne is England on acid, speed and steroids. These are the things I know. Not philosophy. Not Camus. Hopeless!

I'd wanted it to be my best afternoon in Paris so far, and it was. How could it not have been, sitting on the edge of the Seine with the artists, chewing on crusty baguettes filled with soft cheese, grilled eggplant and capsicum while Anders ploughed through what he called a 'meat lover's delight', which had two kinds of preserved meat in it.

'That stuff will kill you,' Mackenzie told him and reeled off a bewildering series of facts about the small and large intestines while Anders ate on, unperturbed.

Most of the conversation was about art shows I hadn't seen, friends of theirs who all seemed to be staying in the same block of studios, or artists I wasn't familiar with – to the point of not being sure whether they were dead or alive.

At one point Goldie caught my eye and laughed. 'It's okay,' she said, 'don't look so worried. Mackenzie and Anders create proper art. Me, I make glass sculptures. My trials are more practical. Where in Paris can I get good glass rods? They worry about their philosophical approach. I worry about heating points and tools. You know, I am currently using an ancient butterknife I picked up in a flea market as the main tool for my work.'

'Pollock used a stick, towels, his own feet if he thought it would work,' Anders said.

'Jackson Pollock?' I knew who Jackson Pollock was. We'd done a school excursion to Canberra and seen *Blue Poles*. When I mentioned that, Anders and Mackenzie were interested. 'Was it angst-ridden?'

'Angsty?' I asked.

Anders nodded and leant in eagerly for my answer. I tried to remember the painting. If I'd known then that a handsome German guy was going to be quizzing me about it one day, I'd have paid more attention.

'It was big,' I said, nodding emphatically, as though big was a word that referred to more than mere size. 'Big and – strangely ordered.' I started to remember fragments of what my art teacher had said. 'You think the painting is chaos, but it isn't. I mean there's no focal point, but there's still order.'

'I think it is only the boys who go for Pollock,' Goldie said. 'My preference is Helen Frankenthaler.'

Mackenzie dismissed Helen Frankenthaler with an explosive, 'Phht! You would, Goldie. It's all those soft, limpid colours. Why don't you just worship Marie Laurencin and be done with it?'

'I like Marie Laurencin,' I said, surprised by my own voice. She was one of the painters I'd sought out in L'Orangerie. 'She did a portrait of Chanel. I bought two postcards. I'm going to send one to Mum.'

Goldie smiled at me. 'You and I gravitate to the female. Mackenzie is pioneering and Anders is, after all, deeply German. They like the angst.' She pronounced the word the way Anders had.

'We need the angst.' Anders laughed. 'Without the angst, the joy is hidden. Everything becomes the same and nothing is felt. Is this not so, Lise? Even for pretty girls who should know nothing but joy.'

Was he calling *me* pretty in that patronising way? I narrowed my eyes. 'Yeah, sure,' I said, 'I suffer when my French *Vogue* isn't delivered on the due date. That's my angst.'

'Touché,' Anders said.

'You'd better apologise,' Mackenzie told him severely, 'we frontiers people don't like being talked down to by Euro trash.'

Anders got to his feet, causing a flurry of disturbed pigeons, and gave me a short bow. 'I am sincerely sorry. It was a clumsy compliment.'

'You're forgiven.'

'Forgive, but don't forget,' Goldie advised. 'What's the time? I can hear my glass sirens calling, calling.'

'I have to go too. I've got a – an appointment. To see the haute couture exhibition.'

I chucked the last of my baguette at the pigeons, who descended with such feathery force that Mackenzie shielded her face.

Anders smirked. 'So you do get *Vogue* delivered?'

'Why else learn French? An Asian language would be far more useful in my part of the world.'

'But you will be at our next French lesson?'

'Of course.' I waved jauntily at everyone even though I was hours early for Madame Christophe. If I had stayed any longer, I'd have had to flirt and I was out of my league.

Instead, I found my way to a park. I dragged my camera out of my backpack and took photos of the statue, the pigeons and the hedges. The French lessons were worth it, I thought. I'd have to Skype Mum and apologise. I'd have to thank Madame Christophe, too. I liked Goldie, who reminded me of Ami. She was the only other girl I'd met who would have worn a mustard plaid skirt, short enough to reveal lacy stocking tops, with a purple T-shirt. I wondered what country she came from – somewhere exotic by her looks. Maybe the Philippines? Mackenzie was earnest and sweet and we both spoke the same language. Anders was another plus, and even though he was too hot to be single, he was clearly open to flirtation. If I was game.

When I was tired of sitting in the park, I explored the shops in the covered walkway that surrounded it. Over half of them were small galleries and I had to agree with Fabienne. I didn't see a single piece of art that I would have hung on my bedroom wall.

Madame Christophe was waiting for me outside the building even though I wasn't late. She was studying her shop window and motioned me over to join her.

'I do the window, but it is not quite correct, is it? It needs to attract the Americans.'

Madame Christophe had put a small sample of almost everything she sold in the window. It was cluttered. I had helped Mum do the windows of her studio, La Vie en Rose, and I'd grown up with less is more. Not that I always agreed.

'It's a bit distracted,' I said carefully.

Madame Christophe frowned at the window. 'Perhaps you are right. We search for inspiration at the haute couture.'

I wondered briefly how Chanel would feel about being the inspiration for a clairvoyant's shop window, but she'd been the daughter of a laundrywoman and had no father – Mum never tired of telling me the Chanel story – so she'd probably be cool with it.

We set off, accompanied by Napoléon, of course. Madame Christophe had dressed for the exhibition in her signature charcoal, contrasted today with an acid green silk scarf. The pochette that swung at Madame's hip was a slightly different shade of the same colour and both matched the tiny bows on her wedges. It was audacious, I felt, for someone who was so classically French, and sure enough, Madame Christophe saw me looking and patted her pochette with affection.

'Sometimes,' she whispered, 'it is important to disorganise the rules. Schiaparelli knew this.' Then she winked at me.

Madame Christophe winked at me!

'Now, we visit the haute couture and give it our full attention.'

When we reached the Hôtel de Ville she stood aside so I had to pay for us both, but I was still filled with gratitude for the comradely spirit of her wink. It was right, I felt, for the gawky Australian to pay for elegance. Just as it was right for Napoléon, whining a little, to be placed in *my* backpack.

'Otherwise he might be trampled down,' Madame Christophe said. 'Oof – the crowd!'

It *was* crowded and so different to the fashion exhibitions I'd seen with my mother at home where a handful of middle-aged women, gay men and the odd cluster of fashion students moved from exhibit to exhibit with quiet, intense deference.

Here, people shoved each other to get closer and examine the beadwork on a Chanel buckle or the embroidered sun on the Schiaparelli cloak in greater detail. I noticed that when Madame Christophe wanted to stand her ground in a front of a piece she simply jutted out her sharp elbows and held them there. I copied her and copped the frown of a well-dressed woman, but if I was going to be gawky I was going to use it to my advantage. I didn't shift and when she pressed against me Napoléon came to the rescue by growling. The woman backed off, muttering 'Pardon' in an insincere voice.

'Incroyable!' Madame Christophe led us from one spectacular display to the next. 'The embroidery, the beads, the work! Oh là là!'

She asked me to take a photo but I was stopped by someone

who gestured quite angrily to a sign either Madame had not seen or, more likely, ignored.

'A pity,' she said, 'we will need to buy the expensive catalogue. This is how they make the money.'

I was sure that Madame Christophe knew all about conservation and flashes, she was just saving face. 'We French are like cats,' Madame Desnois had told me. 'When we make a mistake we look haughty and rearrange ourselves.' Madame Christophe had just twitched her tail back into place. The thought made me smile but I hid it as I shifted Napoléon to ease my shoulder. He was just as French as his mistress and moved right back.

The clothes – that was hardly a word that did them justice – were so beautiful it almost hurt. There were times when I tuned out from what I was looking at and listened, instead, to the talk around me. Many of the Americans gave the gowns a desultory look and continued a conversation they may have started over coffee. They contrasted with the French men – I knew they were French because of their shoes – who studied the finer details of many of the garments, before moving on to a beckoning Vionnet or Valentino. I didn't think all the men were gay. Some had come with women who appeared to be their wives and they sounded appreciative and knowledgeable as both partners gestured to a particular cut, fastening or scattering of sequins.

I tried to imagine having a similar conversation with, say, Ben.

'Oh, look, chéri,' I'd say, 'the simplicity of Le Smoking transformed to a Hollywood extravagance, but I prefer this quieter number with its cut-away jacket.'

'But non, mon ange, Le Smoking is a vision of splendour!'

Of course, Ben had never called me his angel and I don't think he would even know what haute couture is. He did have a great collection of funny T-shirts that he'd ordered over the internet. It was hardly the same thing.

'I love Valentino,' a young blonde next to me said to her companion. 'His backs make me look like a present someone has to open.'

Did she own a Valentino? I wanted to nudge Madame Christophe but she was examining an evening gown with a weird bustle. The woman left a trail of perfume behind her as heady as hundred dollar notes.

'And then I told her,' another American said behind me, 'well, if she and Junior are going to be married in Venice they'd better understand there's been a global financial crisis and adjust their bridal register accordingly. We won't all be able to afford air tickets, hotels and Tiffany!'

The evening gowns made me think of Mum and I swallowed a wave of homesickness and concentrated on reading the labels instead. The words were expensively musical: *broderie de fils de soie mordorés et de fils métallique* and *incrustations de cannelé de soie mordoré, perles de verre, dentelle mécanique de soie, mousseline de soie . . .*

Everything was silk. I imagined the whispering and fluttering of fabric if all the robes were suddenly animated, moving around, their crystals and jewels glittering in the low light and the fragile lace catching on our robust backpack straps as they shimmered past.

'Lisette! Regard this Vionnet masterpiece. This has refreshed our spirits, yes? We can examine my window with a cold eye. Tomorrow morning we begin our work. Tonight I have a date.'

I could no more imagine how this opulence was going to transform Madame Christophe's window with its collection of tarot card packs, candles and healing potions from obscure monasteries, than I could imagine the brave man dating her. Nonetheless I stood in front of a Madeleine Vionnet with chain necklaces falling from the neckline. It was impossible not to love. The gown was tissue-thin apple green silk and descended to the ground in a graceful column. It was a poem to spring. I could imagine the wearer turning from a garret window, shrugging out of her furs and then, laughing slightly, allowing a man to slip it off over her pale shoulders. She'd have to warn him that the necklaces came away with the frock. Perhaps he would know, being French.

Madame Christophe raised her eyebrows at me and we moved on to a more contemporary costume fringed with so much distressed denim that Madame, Napoléon and I shuddered as one.

'The catalogue.' Madame Christophe handed me the French version. 'Your mother will be delighted.'

'My mother might prefer the English,' I said.

'No, you will read it together. It will be practice for you when you have returned home.'

Before I could protest she had marched up to the cashier and begun the transaction. It was only left to me to hand over my debit card.

I thought of saying to Anders, 'One has to learn French, if only to read the haute couture catalogue.' It was the kind of thing you could say wearing a silk gown or The Jacket. Perhaps I would have to shop the sales after all. Maybe flirting, fashion and French were all inextricably linked and to become proficient at any one of them I was going to have to embrace the other two. After all, I was the great-granddaughter of a woman who had owned The Jacket. It was probably in my DNA.

Chapter 5

STOCKINGS

Lace-topped stay-ups would make everything else I owned more French. They are definitely the missing item in my wardrobe. I don't care if it's shopping.

The next morning I was woken by an urgent knocking at my door. 'Lisette, it is time! This is the day I do not open so we do the window!' It was only eight a.m.

'We need something frivolous in the holiday mood,' Madame Christophe said, when I came downstairs, 'but also with an underneath wisdom to attract the rich Americans. They both like authority and they resent it. They are children. It needs to be chic so they are reassured I am the real French, but friendly so they feel the trust. It needs to speak to l'amour. Everyone wants to know about love.'

The materials with which we were to accomplish this small miracle included a basket, a parasol, a length of blue silk and a hunk of crystal. I thought back to my visual communications design class and Ms Lui talking about the client's vision.

'I get that you want a window design that's sexy, elegant, wise and inviting,' I said, 'and I'm sure we'll achieve that, but before we start, let's talk about what your job means to you.' I felt very bold saying this to Madame Christophe but it was obvious she had window-dressing problems.

'It is not a job,' she said dramatically, 'it is my life. I am called. And the work, it is always about love and loss. Or directions in which to go to improve. It is the human condition for people to want to see the future.'

'But the future – what does the future mean?'

Madame Christophe gave a shrug. 'It is – there is an English expression – a closed book. But for me the pages turn.'

'Okay. That's perfect. That's what we need.'

'A book? Holiday reading?'

'Not holiday reading and not just one book. We need two – one closed and one open. Both old.'

'I do not understand,' Madame Christophe said, but she bustled obediently into her apartment and returned with two books.

It took ages but when we'd finished, the window was Parisian-chic, mysterious and timeless. We went outside to admire it and Madame Christophe kissed me on both cheeks. 'It is superb. You clearly have some of your father's genes,' she announced. Naturally I had, I thought, but I had to agree that the window was well done. We'd swathed a wooden plinth with the piece of dark blue silk and placed on that the closed book, weighted down with the hunk of glittering crystal. The silk trailed across the floor and where it ended, we'd placed the open book on a music stand. Next to that was a tall gilt pillar candlestick, signifying revelation. A scattering of tarot cards led from one to the other. Madame Christophe's clairvoyant services sign was tucked in one corner of the window.

'Lise!'

I whirled around from the window to see Anders, dressed in jogging shorts and a T-shirt dark with sweat. He still looked good.

'Hi,' I said awkwardly.

'So, this is what you do?' He gestured to the display. 'You are a window arranger?'

'I was helping,' I said.

Madame Christophe gave a discreet cough. I remembered my manners and introduced them.

'Enchanted.' Anders bowed and he should have looked ridiculous but he somehow managed to look charming, I thought. Madame Christophe didn't seem so convinced. She gave a small, stiff nod.

'It's very professional,' Anders said. 'If you've finished here, Lise, maybe we should have breakfast together? I will shower quickly at the studio and meet you back here in ten minutes? I had no idea you were so close. This is fortunate!'

'Regrettably, Lisette breakfasts with me,' Madame Christophe said before I could say a word. 'It is our small ritual. Alas, you will have to meet with her another time.' She dismissed Anders with a wave.

Anders raised his eyebrows at me.

'I'm sure I could miss it this time,' I said, but Madame Christophe was already walking back into the shop.

'Never mind,' Anders said. 'I do not want to cause any disharmony. Another time, Lise.' He waved cheerfully and jogged off.

I followed Madame Christophe into her apartment, seething. She'd treated me like a child. Again. On the other hand, she'd also made me feel as though I was important to her. I didn't know what to do and, as if in sympathy, Napoléon jumped on my lap and licked my chin.

'I am sorry' – Madame Christophe appeared from the kitchenette carrying a plate – 'but this morning, to thank you for your help, I bought you pain au chocolat from the good bakery. I did not want you missing it. He is from the French class, the jogger?'

'Yes.' I was somewhat mollified by the chocolate croissant, which looked deliciously decadent.

'Germans, they are so fond of physical exercise. Bizarre.'

'But healthy,' I suggested, fending Napoléon away from my breakfast.

'Perhaps. Who really knows? I have heard of people who drop dead as they run. Why run when you can stroll? What do you see? Everything is a blur, a dangerous blur. What else does this young man do?'

'He's an artist.'

'I have never heard of a serious artist taking exercise. He will not be any good.'

Anders was dismissed from the morning's conversation but not from my mind. He'd said it was fortunate that I was staying so close to the artists' studios. Had he meant anything by that? Perhaps he was single, but how could I find out?

'You like the pain au chocolat?'

'It's delicious,' I said honestly. The pastry was flaky and the chocolate rich and Madame Christophe had kept it warm. 'It's the breakfast of royalty,' I told her, 'and far too good for Napoléon to share.'

'It is a children's treat.' Madame Christophe dismissed my pastry. 'He likes you, my little Napoléon. I knew he would. He has an eye. He can see past the outside.'

I nearly choked. It was clear that Madame Christophe was criticising my outfit of choice for the day – a green vintage corduroy tunic I'd teamed with a T-shirt celebrating an obscure boy band. I was planning to buy some stay-up lace-topped stockings to underpin the irony of this outfit, but under Madame Christophe's reprimanding gaze I doubted the irony was apparent.

I changed the subject. 'How was your date?'

'He bought me a very proper dinner that I enjoyed greatly but alas there was no . . . what to say? No electricity ran between us. I am not convinced by this dating through the internet.'

I had to swallow my coffee quickly to avoid spraying it over Napoléon and the tablecloth.

'You're internet dating?' It didn't seem possible. Not Madame Christophe with her stilettos, scarves and pochettes!

'Once or twice,' she said with dignity. 'If I can be an online clairvoyant and use the internet for income, I can also look to it for romance. I am a woman of a certain age, chérie. I have seen in my own future another man, but one cannot sit and wait for the destiny to serve him up. One must work with the destiny. How is it that I am expected to meet him otherwise?'

'I thought,' I said, carefully choosing my words, 'that you were quite . . . happy alone?'

'Of course. Who would not be? I have friends, a calling and Paris at my doorstep. Is there a need for anything more? I do ask myself this.' Madame Christophe paused to present Napoléon her breakfast plate and the dog jumped off my lap straight away. 'Perhaps I am a little greedy like this one,' she said as Napoléon inhaled the pastry flakes. 'But then I think, no, Sylvie, you are woman of charm and intelligence. You deserve companionship, of the correct type. Not marriage, you understand. I am done with that. I have not time or room in my life for a husband.'

I could quite understand that. It was hard to imagine a marriage surviving in such small apartments. I said as much but Madame Christophe was puzzled. 'In Australia we have big houses,' I explained. 'Men have a shed. Where they go. To do man things.'

'A shed? What are these things men do in a shed?'

'I don't know,' I confessed. 'I've never lived with a man.'

'Of course, your mother abandoned the idea completely after your birth. It is difficult with a child and a business.

Even young as she was, she had no time for a full-time lover. It is better that way for certain women.'

'I don't think she has time for a part-time lover now,' I said, my tongue tripping over the word. 'I mean, she doesn't go out much.'

Madame Christophe shrugged. 'One day soon she will have a special friend. I know this.'

I shook my head. 'No. She has friends, and some of them are men, but the men are not . . . interested in women,' I managed, thinking of Jamie and Craig, my mother's two gay friends. 'Maybe my father was her one true love?'

'Phht!' Madame Christophe dismissed that idea impatiently. 'No, I have seen it in her cards,' she continued, 'believe me. There is someone. He is a businessman. Clever, but not devious. He gives her happiness.'

'Maybe the cards are wrong?' I said.

'You should not be jealous.' Madame Christophe patted my hand. 'You have a life, yes? You are here! With the German asking you for breakfast. Not a wise choice.'

'I wouldn't mind,' I said, ignoring the remark about Anders. 'If Mum had a boyfriend, I wouldn't mind.'

'You shouldn't,' Madame Christophe said, 'but there is the human nature. You may feel usurped. It would be foolish, but there you are.'

'And what do you mean, not a wise choice?'

'Just remember what I say.' Madame Christophe rose. 'Come. Let us forget about love and turn our attention to the commerce. Is our window attracting attention? Follow me! We look from the window of Monsieur Berger. He has already left for the summer.'

I followed her up the stairs into an apartment larger than mine, but by no means palatial. Monsieur Berger had bought his cushions from the BHV, and had a thing for candles. Madame Christophe swept past all this as though she'd seen it before, and maybe she had. She pulled back the heavy drapes, opened the windows wide and leant unashamedly out.

Across the street in the opposite apartment, an Asian man read a book to his son. Above them, a woman watered her basil plant. There were geraniums in window boxes and washing hung out on the balconies. It was so different from home.

'Attention! Regard!'

In the street, a couple walked up to the new window. 'Honey, it's a spiritualist's shop and so French! Let's get our futures read. Shame they're not open. We can come back, though. Do you have a pen?'

'It works!' Madame Christophe whispered in my ear, still pinching my forearm.

We stood there for about an hour and watched people sauntering up the street. Some stopped and admired the window, some fossicked through their bags and noted down the shop times, while others ignored the window completely. When one couple chose to kiss for a long time in front of it, Madame Christophe huffed exasperatedly, then clapped loudly to get their attention and gestured them away.

'Well,' she said eventually, with satisfaction, 'I think

we make a good job. It is a success absolutely and we have finished before lunch even. So now I will turn to my international clients and, perhaps, have another look at the men for dating. And you, Lisette? Your plans?'

'I'll go walking, I guess,' I said, 'and take some more photos. The usual tourist thing.' I sounded too forlorn. 'I'm going to buy some stockings, stay-ups with lace tops.' If I'd expected Madame Christophe to be scandalised, I was disappointed.

'A good idea. The lingerie is perhaps more important than what is put over it.'

I couldn't help thinking this comment was directed at what *I* put over it. 'I'll take Napoléon if you like,' I offered. 'I love the way dogs are allowed to go shopping.'

Madame Christophe cocked her head to one side. 'Yes,' she said, eventually, 'this is a good idea. He will lend you some chic. Otherwise one does not know if you will be allowed to buy anything.'

'I don't look that bad,' I said. 'This is vintage, Madame Christophe. Vintage!'

'It is not Paris,' she said. 'It is not summer.'

That was true, and the very instant that Napoléon and I walked onto the street I knew exactly what she meant. It was hot, too hot for corduroy, but I was stubborn and would not go back to change. 'We'll be in air con soon,' I promised Napoléon as we set off for the BHV. In his company I felt like a local, even though I'd been in Paris for less than a week. Napoléon made all the difference. If the shop assistants in the BHV scorned my vintage look, they hid it well, complimenting me instead on my French accent. The bewildering array of stay-ups temporarily put Mum's fictional boyfriend out of my mind. Some of the stockings were so sheer I couldn't imagine sliding them up my legs without them snagging on my leg stubble. Just as I wondering how I'd ever manage the contortionist act necessary to shave my legs in my tiny shower, I heard my name being called for the second time that day.

'Lise! How good to run into you!' It was Mackenzie. 'Oh, you're buying stockings like Goldie's.'

'Sprung.'

'You'll rock 'em,' she said. 'I just don't think I've got that look. Anyway, where I live, I'd be able to wear them for five days of the year without freezing my butt off. This weather is glorious! Oh my goodness, you've got a dog! How Parisian are you? Are you both free for lunch? I've found the best falafels in Paris – enormous. I'm living on them.'

'I should tell Madame Christophe before she thinks I've kidnapped Napoléon and sold him to dog traders. Although she is a clairvoyant. She should know we're having lunch, right?'

'Your landlady is a clairvoyant? How exciting! And look at you, Lise, you're so vintage. I love it. I need to do something with my style. Well, let's face it, I need to get a style. I'm sure she'd expect you both to be out for lunch. In Paris it can take days to choose the right stockings. After we've eaten I'll walk you back and you can introduce me, yeah? I'll get her to read my cards.'

'You'd have to make an appointment,' I said, rather protectively. 'She's very busy. She has international clients.'

'She must be good,' Mackenzie said. 'I love that kind of stuff. I know none of it is true but it's so comforting to hear it.'

'What if it's bad?'

'They never tell the bad stuff,' Mackenzie said with utter certainty. 'Are you going to buy those? Look, here are some plaid ones. They're totally you.'

'Don't they have to tell the bad stuff too? I mean, who'd believe it if the future was always good?'

'It's some kind of code of practice.' Mackenzie ushered us to the cashier's desk where she counted out the euros to buy a crop top bra. 'Or maybe that's just Canadian. Maybe European clairvoyants are darker. That would make sense to me. All that angst Anders talks about. I know this bra isn't sexy, but at least it's new, right?'

'It's not really a bra,' I said, putting my stockings on the counter. 'It's a crop top.'

'I know. I should have got something padded. My boyfriend's coming over for a week.'

The cashier looked at me and shook her head ever so slightly.

'You bought that for your boyfriend?' I asked.

'I'm going to be the one wearing it!'

'Mackenzie, we can do better.'

'I shall refund the money?' the cashier said hopefully.

'You don't like it either?'

The cashier shook her head more definitely. 'Perhaps for

the gym? But for a boyfriend, you need the lingerie, not the crop top.'

'Okay, back to the drawing board. Do you mind, Lise? It's a bit early for lunch anyway, isn't it? And you're obviously better at this than I am.'

Shopping with Mackenzie reminded me of trips with Ami, except it was Paris, not Chadstone, and we didn't know each other well, although that was no barrier for Mackenzie. It seemed that she had already decided who I was and that we were going to be firm friends, two brash colonials together.

Chapter 6

All the art students at French class are doing exciting, wonderful things. They are all talented. What qualities have I got that are different from anyone else, any other girl on a gap year? What do I know?

Madame Christophe didn't seem at all surprised when Napoléon and I arrived back in the late afternoon with Mackenzie in tow. Indeed, when Mackenzie said she'd love a reading sometime, Madame Christophe set down the pack she'd been shuffling, apparently idly, when we walked in and told Mackenzie to take a seat.

'You can do it now? That's so great!'

'You have a question? Think of it as you cut the cards,' Madame Christophe instructed, 'three times to the left. I think this is a suitable pack for you. It is based on the medieval cards. They are severely luxurious. This suits a Canadian, I believe.'

Mackenzie cut the cards obediently and sat like a schoolgirl, all docile attention. I was pretty certain the question was something to do with the arrival of Ethan, the boyfriend, for whom a lacy bra and undies set had been purchased – the first matching lingerie Mackenzie had ever owned. That didn't surprise me: Mackenzie was all skinny jeans, Converse and T-shirts. The only girly thing about her was her breathless conversation.

When Madame Christophe revealed the cards, however, it was clear that Mackenzie had not asked about romance.

'So many work cards for a young woman.' Madame Christophe smiled and pointed them out, her red nail polish bright against the cards. 'See, here and here and again. You work hard for your success, Mackenzie.' Madame Christophe's accent made Mackenzie's name sound exotically foreign. 'This is good, of course, but here is a warning card. You must not abandon other things in your life. This will be bad for you and your health – your inside health, not the body. A young man is in your future. He comes from far away. He is important to you, perhaps more than you realise. I see a reunion.'

'That's Ethan,' Mackenzie squealed. 'Will it be okay?'

'You must make time for him,' Madame Christophe said sternly, 'and let him know your appreciation.'

Mackenzie nodded seriously. 'Do you mind if I take a photo of the cards with my phone?' she asked at the end. 'I need to remember this, Madame. I agree with everything you said but when I start painting, everything else just flies out of my head.'

'But of course,' Madame Christophe said, 'and take my card. I work internationally.' She waved any notion of payment away. 'For friendship,' she said graciously.

'Lise, you should get yours read.'

'No, no thanks,' I said, backing away. 'I might sometime. But not now.'

'When you are ready' – Madame Christophe gathered up the cards and tapped them into a neat pile before putting them away in a silk bag – 'I will be here. I have the perfect pack. Not the tarot, but oracle cards nonetheless. I keep them for you.'

That was almost sinister.

'Thank you,' I said, trying not to sound insincere. 'That's kind of you.'

'Walk me back to the studios?' Mackenzie asked. 'Unless you're busy?'

'No, I'd love to.'

'I can't believe you don't want Madame Christophe to read your cards,' she said as soon as we were outside the shop. 'She's amazing. I mean that. I was a little sceptical, I admit. But she knew. The cards knew.'

'They can't know anything. They're just inanimate objects,' I argued.

'Well, I knew I needed a better balance in my life,' she said. 'This has been a wake-up call. It's good that it's happened before Ethan arrived.'

'So what's Ethan like?' I asked.

'He's into changing the world,' Mackenzie said. 'So, you know, vegan, environmentalist. He's going to have some food problems here – lucky I found the falafels! He studied science and works for an environmental protection agency back home. He's committed. We want to get some land and have a sustainable lifestyle. One day, when we have money.'

'Wow! I'm impressed, Mackenzie. You've got it sorted. So will you keep – what is it that you do? Painting?'

Mackenzie shrugged. 'I'm painting here in Paris, but my ambitions are more conceptual – some earth structures. Public art, not private. They require sponsors and grants. In the meantime, it's great to have the opportunity to paint. It's all art.'

We turned the corner, heading down to the block of studios.

'Hey, isn't that Anders? Anders!'

'Hi Mackenzie, Lise,' he said. 'Been shopping?'

Mackenzie nodded. 'Lingerie. Lise saved me from certain disaster, helping me choose something boyfriend-suitable.'

'Ah,' Anders said, 'so, Lise, you are a shopping companion?'

Apparently the moment I landed in Paris my reputation had been sealed. I was a shopper. I rolled my eyes. 'A girl has to do what she does best,' I said.

'This is useful to know.' Anders grinned. 'I am stupid about this aspect of life and I have an important present to purchase. I will ask for your help.'

Being a known shopper might have its upside. 'Of course,' I said, 'I'd be delighted to bring my extensive experience to bear on your problem.'

'You sound like a politician,' Mackenzie said.

'Or a diplomat,' Anders added. 'So, back to work, Mackenzie?'

'Yes,' Mackenzie said. 'Lise's clairvoyant read my cards. I need to work before Ethan arrives so I can take lots of lovely time off with him. The open studio dates loom.'

Anders gave a theatrical shudder. 'Tell me about it,' he said. 'The print workroom is full of artists. To secure a position, I wake at dawn. You are fortunate, Lise – Paris in summer is holiday time.'

'I'm practising my French,' I said defensively, 'and I'm going to museums. Heaven forbid that I should get my degree only having seen reproductions that are fit for toilet paper.'

'Don't get your hackles up,' Mackenzie said, patting my shoulder, 'you're entitled to a holiday, I'm sure. Anders is just grumpy. He's listed for the first of the open days.'

'It's true,' Anders said gloomily. 'I'm off to buy myself a Berthillon ice-cream to cheer myself up. Want to join me?'

'I can't,' Mackenzie said. 'I simply must get back to work. Anyway, I'm full of falafel.'

'But the tourist?' Anders looked at me and smiled winningly.

'Yes,' I said, 'I'd love an ice-cream.'

We left Mackenzie and backtracked, crossing the Seine to the Île de la Cité.

'This is one of my favourite views,' Anders said, stopping in the middle of the bridge. 'I even love the tourist barges. There is something about rivers.'

We leant on the rails companionably. If only he wasn't quite so distractingly handsome, I thought, looking surreptitiously at his blue-grey eyes and ruddy face.

Anders broke the silence. 'What are you thinking of? It's a boy, I can tell. A boy back home?'

'No,' I lied. 'I was just thinking how perfect Paris is.'

'Ha! That is true. When we think of Paris, we look as though we are thinking of love.'

I hadn't been thinking of love, exactly, but I could hardly tell Anders I'd been thinking about how hot he was.

'I want to show you something,' I said, to change the subject. I took him to a shop window, down a cobblestone street near Berthillon. The shop was closed. It had been closed each time I'd seen it. In the window was a fox, preserved by taxidermy. There was no explanation as to what the shop sold.

'Bizarre,' Anders said. I could tell he was intrigued. 'I have never seen this, Lise. Very odd. Thank you for showing me.' I felt as though I had given him some kind of unexpected present.

There was a queue at Berthillon, but there always was. 'I am having salted caramel, chocolate and coffee,' Anders announced. 'It will not look pretty, perhaps, but it will be delicious.'

'I'm having grapefruit, lemon and blood orange sorbet.'

'Too healthy,' Anders said. 'That isn't an ice-cream. It's a breakfast.'

'It's refreshing,' I said.

The couple in front of us had their arms around each

other. She was slouched against him, leaning her head against his shoulder. They were comfortably intimate. For a moment, I wished that I could lean that way against Anders and have his strong arm around my waist. I stood up straighter. We were just friends. Or perhaps we weren't even friends. What did we know about each other? Would I ever meet someone I was totally comfortable with?

'So,' Anders said, after we'd bought our ice-cream, and sauntered back to sit near the water, 'tell me about yourself, Lisette. Tell me about your life in Australia with your seamstress mother. It would be winter there now, yes?'

I nodded. 'But not like European winter,' I said, 'although Melbourne gets pretty cold.'

'There is snow?'

'Not in the city.' I laughed. 'Not unless you go to the mountains, and sometimes not even then.'

'You ski?'

I shook my head.

'Skate?'

'No, not even that,' I said. 'I have rollerbladed.'

'I ski,' Anders said, 'every winter. It is seriously beautiful. That rush. But also I cross-country ski. That is hard work – but the serenity! If you do not ski, what do you do in winter?'

I shrugged. 'I don't know. We read books. My mother and I light a fire and watch movies together some nights.'

'It sounds so exciting,' Anders said. 'Do you do everything with your mother? I daresay she gets out her sewing and you talk together like in an old-fashioned book?'

'Of course not! I have friends. We go out.' Was that strictly true? Ami and I stayed in mostly. We did sew. We watched *Doctor Who*, drank green tea and sometimes knitted. There was no way to make that sound exciting, even though I loved those nights.

'What's the club scene like?'

I was on safer ground. 'I don't like clubs,' I said, 'but we live near a couple of bars with live music. We go there.'

Anders nodded. 'And your mother goes with you?'

'No!' I was indignant.

'I thought perhaps you have a very young mother?'

'She's not that young,' I said. 'She wouldn't come out to see a band.'

'Does she resemble you, your little sewing mother?'

'Not really. She has dark, curly hair and she's shorter than I am. She's a great dressmaker.' I wondered if I even liked Anders, despite his cool tattoo and artful stubble. 'What about you? What do hipsters do in Germany?'

Anders snorted. 'What all the interesting people do. I go to clubs, but also music concerts – piano recitals. My friends and I party in the summer. We travel also. We hike on weekends sometimes. It is a good life. You should come to Germany, Lise. It is different to Paris.'

'I'd love to go everywhere,' I said, and realised that what I'd said was true. I'd never thought of it before, but since being in Paris, I knew that I wanted to travel to new places. Maybe I was more like my father than I realised? When he'd abandoned Mum, he just took off and never came back. Mum had always called that narcissistic, selfish and ego-driven. But was it? Could you also call it adventurous, curious and – well, let's face it, young?

'There are so many places to see,' Anders said, carefully wiping his fingers on his paper serviette. 'It must be hard for Australians to do that, so far away at the end of the world.'

'Asia is close,' I retorted, 'also New Zealand. They ski there!'

Anders laughed. 'You are very fierce, Lise. I like that.' He leant forward. He was going to kiss me! I tilted my head towards him and closed my eyes. Nothing happened. Anders dabbed at the top of my T-shirt with his serviette. 'But you are messy!'

'The sorbet is dripping.' How mortifying!

'Only so it can be closer to you.' Anders smiled, looking into my eyes so intensely that I had to blink. 'That was delicious,' he continued, standing up and stretching his arms above his head, so I could clearly see his biceps and the tendons on his forearms. 'Now, I shall go back to work. And you, Lise, what will you do?'

'I'm going to take some photographs,' I said, making up my mind suddenly. 'It's too nice a day not to keep walking.'

'You should buy one of those Lomo cameras,' Anders said. 'They are more interesting. I can tell you are an artist, Lise, the seamstress's daughter. You must do better than take ordinary photographs like anyone with their digital camera. You must capture a Paris that is entirely your own. I can take you to a shop that sells them, if you are interested?'

Was I an artist? I now owned one painting of my father's. I'd hung it defiantly on my bedroom wall the day it arrived in the post, two days before I left for Paris. My father's wife, who I could never call my stepmother because I had not met her, sent it via the lawyers. It was a dark, brooding landscape dominated by hills and clouds. 'That's Wales for you,' Mum had said, but other than that she'd made no comment although her eyes were still red from crying. Only two days before that we'd learnt of my father's death. I loved the moodiness of the painting, which reflected my own.

'They're those 35 mill cameras, right?' I wanted to stop thinking about my father.

'But not too serious. They are a fun thing.'

'I could take black-and-white photographs,' I said. 'That would be cool. My friend, Ami, she bought one of the La Sardina cameras. I'd like a fish-eye. That would be great.'

Even if I didn't always like him, Anders intrigued me, and, this time, at least, he was offering me an opportunity I hadn't thought of for myself.

'Here,' he said when we stepped inside the shop, 'this is where you buy a camera. Not a fashion photography camera, a camera for happy accidents. Isn't that so, Maurice?'

There were a bewildering variety of cameras on display. Anders, obviously not in a terrible hurry to return to work, stayed and chatted. It surprised him that I knew how to load film. That felt good! In the end, I did choose a fish-eye Lomo. It was exciting – why hadn't I thought of if myself?

'It's perfect for summer,' Maurice said, 'but don't use it in winter. You need light for these. When you are tired of seeing everything through a fish-eye, maybe you will return for a different one.'

'Perhaps I will,' I said. 'Thank you, Anders. I wouldn't have bought this without you.'

'It is always my pleasure to help someone discover their creativity,' he said with that oddly formal bow. 'I hope you will have much fun with it. What will you photograph first? The beautiful Seine?'

'No,' I said, 'everyone does that. I'm going back to that stuffed fox.'

'So macabre' – Anders was startled – 'especially for an Australian. Here, add your number to my phone. Then I can call you when *I* need shopping help.'

'I like macabre,' I said, taking the phone.

'Odd little Lise,' Anders murmured, and then, 'goodbye.' Instead of shaking my hand, he bent and kissed me on both cheeks, surprising me. Then he took my chin and looked at me again, shaking his head. 'A dead fox. You are an artist.' And he kissed me again, quickly on the mouth, before walking away.

The last kiss was so unexpected, I only registered the warm softness of his mouth. I hadn't even had time to enjoy it properly. But perhaps that was a good thing? Why had he kissed me? It was friendship. Definitely friendship. It wasn't a boyfriend kiss, I told myself sternly. It was interesting, too, that Anders had wanted my phone number. What did it mean? Anything? Nothing?

It was all too puzzling. I tried to put it out of my mind

while I walked back across the bridges. I decided I'd make cards out of the photographs. I'd send the fox card to Ami. She'd get a kick out of that. If she'd taken a gap year, too, we could have been doing this together. I needed to talk to her. I missed her life advice.

Chapter 7

When Mum was pregnant with me and her own mother hated her, she strutted out in fringed suede boots and a minidress that just stretched over the bump I was then. I've been doodling outfits I could wear that would be different from my usual style. I wanted fun chic, a mashup of vintage with some added Vogue elegance. I'm thinking sixties – a black baby-doll dress to wear with my new stockings. I'd embroider a lipstick kiss on the Peter Pan collar. I could wear it with my Docs. But not in Paris.

I didn't hear from Anders, but I wasn't surprised. He would be busy preparing for the open studio exhibition. I did find myself thinking of that light kiss more often than I should have, and looking forward to the next French class. In between classes I took a lot of photos and found a place close by that sold and developed black-and-white film. My first results delighted me. The fox looked almost real, the barges were straight out of a picture book and even the bookstores by the river looked like something from a movie set. The photos weren't predictable. Sometimes there was too much light and sometimes they were slightly too dark. I didn't care. It was my Paris.

I even got Madame Christophe to pose for me. I didn't think she'd like the results, so I used both my cameras and decided to show her only the most flattering shots. The most flattering weren't the most interesting. In the black-and-white fish-eye shots she looked like an elegant gnome, not the fashion statement I thought she'd enjoy being. However, when I showed her the digital photographs, she approved and then asked, rather sternly, to see the other results.

'The other results?' I was playing for time.

'Your new camera. The one you are loving. Have you had those photographs developed?'

'Oh, they're just black and white. Nothing really.'

She insisted and so I reluctantly handed them over, wincing in anticipation of her reaction.

'These I like very much,' she said, flourishing two in which she was all nose and bright eyes. 'I would like copies.'

'Of course, Madame. Naturally. I didn't think . . .'

'You do not know me,' she said matter-of-factly, 'but I can appreciate some . . . what would you say? Whimsy. It attracts me.'

It was true I didn't know Madame Christophe, although each day I felt we were becoming closer. She entrusted me to buy the morning croissants now, and I was permitted to take Napoléon. Mind you, she had introduced me to the staff at the best bakery so I didn't make any mistakes. She had also taken me to the cafe that sold the coffee beans she liked where the tall cashier with piercings flirted with me. He always proffered a scoop for the customer to sniff before purchasing and the cafe itself had a living wall so if you drank a latte there it was like being in the tropics.

I felt as though some of my edges were smoothing out. They had begun to build beaches down by the Seine, which amused me. They'd removed the fake meadow that had appeared in front of the Hôtel de Ville and put in a beach volleyball court instead.

'Paris is full of fakery,' I said at French class. 'Instead of real meadows and beaches, you need artificial nature. In Australia we are surrounded by natural beauty.'

Fabienne shrugged. 'What's the point of that?' she demanded. 'Humans, we improve on nature. That is called civilisation.'

'I disagree,' I said firmly. Fabienne's opinions had been particularly strident that day. 'One mark of civilisation is surely the ability to appreciate beauty in all its forms.'

'The Alps, perhaps,' Fabienne said, 'or some majestic panorama, but a beach is not that. It is merely a playground.'

'In Australia, the beaches are majestic,' I insisted. 'We have unspoilt coastline. You can walk for hours and be the only one there.'

'What's the point?' Fabienne repeated. 'Who will see you? One goes to the beach to be seen.'

'What about snorkelling? Or diving?' I tried a different approach.

Fabienne shuddered. 'I do not go down into the water,' she said. 'I would not do that. People are eaten.'

'It's a bit of a myth, actually. More people die on the roads than are taken by sharks.'

Fabienne turned her attention from me. 'Goldie, we leave Lisette with her unnatural love of the wilderness. Tell us about your week.'

After the class, Mackenzie elbowed me. 'You did it,' she said. 'I don't believe it, but you actually made her shut up.'

'I think she is phobic.' Anders joined us. 'She doesn't like nature. She likes resorts. She views nature from over the rim of a wineglass or a coffee cup. It is always perfect then.'

'She sounds like my mum,' I said. 'I didn't mean to shut her up, actually. I just wanted to point out that Australia does have some things going for it. I'm sick of her dismissing the whole country as though we've got nothing.'

'You are touchy.' Anders grinned. 'Shall we eat, everyone? Lise, how is your camera?'

Of course I had the newly developed photographs in my bag. I pretended that I'd just picked them up as I passed them around.

'Ooh,' Mackenzie said, 'look at the fox, Goldie.'

'Strange,' Goldie nodded. 'I do like the fish-eye lens, Lise. How clever!'

I was about to confess that Anders had helped me choose the camera but he interrupted. 'We should get a group shot, Lise. You take one first and then I will take one with just the women.'

What I really wanted was a photo of me and Anders but I certainly wasn't going to say that. Everyone crowded together, making faces and posing, while Anders and I took the shots.

'Very good,' Anders said, handing the camera back to me. 'I am sure they will turn out well. You are all so beautiful. Perhaps you will never be so beautiful again. This reminds me. Lise, would you pose for me? I need a model.'

Pose for him? My instinctive reaction was to say no, absolutely not. Not if that meant to pose nude. I was about to open my mouth and say that when I intercepted a glance passing between Goldie and Mackenzie. I knew what that meant. They thought I was too young and too inexperienced. They thought I was a stupid, naive Australian girl who wouldn't dream of taking her clothes off, even for art.

'Yes, I will,' I told Anders. 'It will be another Paris experience.'

'That's excellent,' Anders said. 'I now have some hope that I'll finish my work for the open studio.'

When I left after lunch, my head was whirling. What had I agreed to do? I knew that people made money being artist's models. It was nothing odd or even creepy. Except that it was. Creepy. I'd have to take all my clothes off in front of a man I didn't really know. Why had I said yes? I was in trouble.

I went straight back to the apartment. What could I wear? What did you wear to take off for the sake of art? Not the kinds of clothes I owned. I sat on my bed in despair and tried to imagine the scene. I'd waltz into Anders' studio on Saturday morning – early, he'd said, for the light. I'd shrug nonchalantly out of a dress. It would have to be a dress. There were too many awkward fastenings on everything else. I'd need to be wearing good undies, too. Undies! They'd have to come off.

Was there a website that told inexperienced artist's models what to wear? I googled and discovered a site with lots of great advice – none of which I could take. No, I couldn't practise with friends first. No, I couldn't attend a life drawing class as an artist before modelling. And how on earth could I think about negative space as I changed from pose to pose? Clothing seemed like the least of my problems – but the only one I had a chance of fixing.

I studied the haute couture catalogue for inspiration. I could completely understand how one could shrug out of a Vionnet, or slither from a Fortuny. Okay, the necklace dress would have been tricky, but there were plenty of other dresses that surely needed just a quick zipper tug or a fallen strap before they, too, would slide to the ground, leaving just the underwear.

I would require additions to my wardrobe. They would have to look as though they'd been there right from the start – otherwise I'd look as though I'd tried way too hard.

What a problem! I had three days to find the perfect dress to take off. I didn't want to think about how I was going to manage to take it off in front of Anders. I wouldn't think beyond the dress for the time being. That was enough.

I'd seen a vintage store quite close to the apartment. I hadn't actually been inside because I'd felt it was too intimate a space to test my French language skills. The BHV had the anonymity of any large department store, but a second-hand shop – that required more work.

I asked Madame to loan me Napoléon.

'I am going shopping,' I told her, fulfilling her expectations.

'The sales have not started,' she cautioned. 'It is ridiculous, Lisette, to shop before the sales.'

'I'm shopping for vintage,' I said. 'Second-hand stuff won't go on sale. Anyway, I can't wait. I need something specific for Saturday.'

Madame Christophe's eyebrows arched.

'It's just a thing with the art students,' I said. 'I want something new.'

'This is not logical,' was all she said but I noticed she fussed around and changed Napoléon's collar from his plain blue to a smart tartan, as though that was more suitable for vintage shopping.

There were two vintage shops in the Marais. They were both full of designer vintage, which meant they were expensive. The first was staffed by two young women with impossibly perfect skin and hair. I was in and out of that shop in three minutes.

The second was staffed by two men who asked if I was Canadian and cooed at me when I told them I was Australian, then left me alone while they continued an argument in fierce, swift French. Beautiful dresses hung on the hangers – Gucci, Versace and more – but at the back of the shop was a section of clothes that weren't designer but still second-hand.

This was the section I wanted. The clothes didn't even look like they'd been worn. I pulled a couple of halter-neck dresses from the rack and flourished them at the men behind the counter, who directed me to a tiny fitting room that was wall-papered in red velvet.

Eventually I chose a rockabilly style dress that was made from a blue fabric printed with cowboys riding broncos. It wasn't the baby-doll dress that I'd imagined – but at least I could slither out of a halter-neck. Also the neckline made me look slightly bustier than I really was. I wasn't sure if that counted as false advertising but it wouldn't really matter as I'd be taking the dress off anyway. I shuddered at the thought. Too late to back out now.

Years ago I'd asked my mother how she felt when my father left her. She was only twenty-two, pregnant and about to be a single mother. Not your ideal future. She said she'd been devastated but simply had to lift up her chin and swagger through it as though it was all fine. I'd cherished a vision of my mother, very pregnant, sashaying through her own mother's rage and disappointment in those fringed boots.

I would have to swagger on Saturday. I had the dress. Now I just needed the shoes.

Even though it was too hot for cowboy boots they were all I could think of. I explained my need to the two guys behind the counter who consulted each other and drew me a map, warning me that the boots, even though it was summer, wouldn't be cheap.

Their map led to a small shop cluttered with shoes and

boots of every size, colour and description. It was like stepping into boot heaven. The woman behind the counter sported a pair of tooled boots. They were red and matched her fringed skirt perfectly, as though she'd just left the rodeo.

Between us we found a rather plain tan pair that fitted me exactly. She insisted I try them on with the dress, and they were perfectly nonchalant.

'Of course, you will need the right handbag,' she said, 'something that is different. I have nothing ideal. You should try the flea market at the Porte de Vanves. There you will find everything – except boots of this quality.'

'Porte de Vanves,' I repeated. 'Thank you. I'll check it out.'

The boots were so wonderful I wore them home. They added a certain kind of flair, I felt, to my tartan skirt. I'd spent a lot of money, but I was still within my travel budget.

When I'd planned my trip, I'd worked out exactly what I needed to live on for three months in Paris, then I'd added a buffer amount for emergencies. This was an emergency.

Just before I'd left, the lawyer's letter had arrived. It announced that William Harris Lewis was dead. The name meant nothing to me, even though the letter was clearly addressed to Lisette Addams. William Harris Lewis had left his only child Lisette Alicia Addams ten thousand pounds. I read the same paragraph three times. Then I shoved the letter at Mum.

'It took him long enough to be responsible,' she said. 'It's not as if there was any support when I was raising you.' She sat down suddenly on a kitchen chair. 'Poor Will,' she said softly and there were tears in her eyes. 'It's not easy for an artist to save that kind of money. I wonder if his wife will have to sell anything so you get this inheritance? I do hope not.'

I read the letter again. So that was my father's name: William Harris Lewis. I'd never known his full name. Mum referred to him only as Will when she talked about him – which was rare. My father was a no-go zone and always had been. Once, when I was twelve and Ami and I were in super sleuth mode, we'd searched through her filing cabinet looking for clues. We'd found my birth certificate but the space next to Father was simply blank. Later I found out that if the father isn't around to sign the documentation, that's what happens. He's a blank.

'Doesn't it prove that he loved me?' I'd asked. 'Look. Ten thousand pounds, for me. He left that to me. He never forgot me.'

'Of course he didn't forget you,' Mum had said. 'He wasn't responsible, but he certainly wasn't forgetful.'

'Well, how would I know? He never got in touch.'

Mum turned away from the conversation to fidget with the flowers she was arranging. They were early tulips, as pale as breath. She was putting them in my great-grandmother's green vase, which matched the leaves exactly.

'Mum?'

'He may have tried to get in touch. Once, when you were a toddler. I said there wasn't any point. He couldn't be a proper father when he was living in Wales. Of all places! Why was Wales so much better than Melbourne? I didn't want you to be hurt the way I was. Then after he'd married that woman he sent a letter saying how sorry he was about the past. I suppose she made him do it. Closure. When you were sixteen, he wrote to say that he was sure you were accomplished and beautiful. Well, you were, of course. No thanks to him.'

'He wanted to see me?' Would I have wanted to see him?

'He was only briefly back in Australia – and not even in Victoria.'

'So? Couldn't I have gone to see him?'

'I didn't think so at the time. I was scared.'

'You were what?'

'We were such a tight unit, you and I, Lisi. I didn't want him intruding. He could have unsettled everything. Oh my God, he was so young.'

I could have swept The Vase from the counter, but I didn't. It was an Art Nouveau vase. Like The Jacket, it was a religious relic. 'Why didn't you tell me?'

'I've told you. He was nothing to us then. He had run away. If it hadn't been for Greatma, I don't know what we would have done. My mother – well! It was the end of our relationship. She'd had us married, of course – she'd assumed. Well, so had I. I'd designed a beautiful wedding dress for a pregnant bride. Serves you right, my mother said, you should never have taken up with an artist. We'd been together nearly two years. I'd just thought it was a matter of time.'

That was the beginning of the argument that raged for five days until I left Australia. Even thinking of it now, sauntering through the Marais in my new cowboy boots, made me feel like punching something. It wasn't that I'd thought it would have been a grand reunion. He'd left Mum when she was pregnant. He hadn't been 'ready' to commit. What did that even mean? Yeah, it would have been awkward, but hadn't I deserved to at least see my father *once* – particularly if he'd wanted to meet me? He was part of my DNA.

When I'd stormed at Mum about that, she'd managed to find some photos. Who knows where she had them hidden – Ami and I certainly had never found them, for all our furtive searching. I'd brought them to Paris even though they weren't really mine. I wasn't ready to frame them or anything, but they were safely in my top drawer and I'd studied them, checking out the similarities between me and this strange but familiar man whose full name I now knew.

'Come on, Napoléon,' I said, 'let's reward ourselves with a walk in the Place des Vosges.'

Napoléon perked up immediately. The Place des Vosges offered new smells. It was busy when we got there and all the sunny seats were taken. On one square of grass, a photographer was taking shots of a model, who was wearing what would probably be called a dress on anyone significantly shorter. At one stage she pulled the top of the dress right down, revealing a bit of lace, which may have been a bra. The photographer threw her a fur coat and she shrugged that over the lace. At that point two security guards became interested in what was going on and wandered over. They may have been reprimanding the team for using the grass, or they may simply have been interested in the woman's breasts. I suspected the latter.

She was certainly not uneasy about displaying her assets in public. At one word from the photographer, she pulled the dress and the lace down entirely, opened the coat and lay back on the grass in full sight of the security guards, a group of teenagers eating gelati and two businessmen, who both stared at her while they talked on their phones. Between shots, a stylist arranged her hair just so on the lawn.

I watched surreptitiously. I hoped to get some tips, but it seemed to be just a matter of glorious confidence – and fur. Not that I was going to wear a dead animal. However, I could probably borrow a live animal. Napoléon might be a good distraction. I could thrust him in Anders' arms and command that he find somewhere for him to lie down and then – voilà! By the time Anders had settled Napoléon, I'd be naked.

Naked. I gulped. What had I let myself in for? I thought briefly about simply leaving Paris. I could catch a train somewhere. I could visit Monet's garden. I'd simply text Anders and tell him I was out of town.

Or, I could tell Anders the truth and say that I'd decided I couldn't model for him. I wasn't the right type. It would be a disaster. He needed someone with more experience.

Or, I could pull on my new cowboy boots, and stalk into the studio, chin lifted because I was Lise now, not Lisi, and all artists needed models. It was just another job, after all.

The model on the grass pulled her clothes back up to their rightful places and then threw a shirt dress over the whole ensemble. The shoot was over. She and the photographer air kissed. When she walked off, she glided across the grass without her stilettos sinking. The stylist packed the fur into a suitcase, gesturing to the photographer. I'd have preferred to be the stylist, I thought, even if you had to haul around a lot of gear. At least you weren't getting your gear off.

Chapter 8

The rue de Rivoli is full of women whose handbags match their shoes and who drape a scarf, just so, even on the hottest day. Parisian style. Only my skull skirt saves me – and it is a borderline, umpire-whistle save. I am unravelling.

'I need to borrow Napoléon again,' I told Madame Christophe.

Madame Christophe gave me a narrowed-eyed look that made me think she knew far more than she should. She pursed her small, scarlet mouth.

'It could be amusing,' she acknowledged and for a wild moment I thought that Napoléon was her familiar, like a witch's cat, and had been reporting the events of our walks back to her. 'It could amuse him,' she corrected herself and Napoléon shrank back to his normal handbag size.

So, on Saturday, we set off to Anders' studio together. I was wearing my dress and the cowboy boots, and Napoléon his tartan collar.

'Very interesting,' Madame Christophe said of my dress. 'You will not forget that he eats an early dinner?'

'No, Madame,' I said, 'I won't be home late. It's a daytime thing.'

I got to the studio early, but there was nowhere to wait – outside the building was a covered walkway where at least a dozen people were still sleeping, on the ground, so I wasn't going to hang around. It stank of pee and I'd already stepped over trickles that I knew weren't water. No wonder Paris was a city of stilettos! I punched in the code, found Anders' studio and knocked before I panicked and ran away.

Anders opened the door. He was unshaven and shirtless. I really was too early.

'I'm so sorry,' I said. He had another tattoo on the left-hand side of his chest. Shirtless he was even hotter than I'd imagined but I didn't want to look as though I was checking him out. 'That's a cool tattoo. What does it say?'

'You can't read German so it might not be cool at all. It might say I love my mother.'

'I meant the lettering.'

'Come in.' He motioned me inside, holding the door open.

'Great place.' I tried to sound casual.

Anders shrugged. 'It does the work,' he said. 'The architecture is banal but it's free. Coffee?'

'Thanks.' Was he ever going to put a shirt on? Apparently not. He stuck an espresso maker on the electric hotplate. There was nowhere to sit. The two chairs in the room were covered in magazines, books and clothes.

'*Und die Lieb' auch heftet fleißig die Augen*,' he said.

'What?'

Anders pointed to the words that flowed over his skin. 'It's from a poem,' he said, 'by the great Friedrich Hölderlin. "And love too fixes keenly its eye". Do you know the poet?'

'I studied English lit and French, not German.'

'He is a favourite of mine.' Anders moved the stuff from the chairs to the floor. 'He will not wee?' He pointed at Napoléon, who was inspecting the clothes.

'No,' I said, 'he's my landlady's dog.'

'I thought you had bought yourself the essential Parisian accessory!' Anders rescued a T-shirt from the floor, sniffed it dubiously, and then shrugged it on. 'There are three washing machines here,' he said, 'and over two hundred artists. One or two machines are always kaput. In Germany we would fix quickly but here . . .' He shrugged, lifting his hands up in a French gesture of mock resignation. He heated some milk in a small saucepan and when the coffee was done, he poured it into two bowls. They didn't match, but they were both old with gilt flowers on them. 'Café au lait bowls, also for hot chocolate. Charming?'

'Charming,' I agreed.

'I buy from the flea market at the Porte des Vanves,' he said, sipping the coffee contemplatively.

'Yes, I've heard of that,' I said. 'Napoléon and I will have to go sometime.' I wasn't sure why I'd involved the dog in the flea market trip. Nerves. I wondered if Anders could hear the strain in my voice.

'Napoléon?'

I pointed at Napoléon, who had curled up on one of Anders' T-shirts.

'That's a big name for such a small dog.'

'I know, right? And Napoléon wasn't even French. But he was short.'

Holy crap. I was out of small talk and Anders was not contributing. I studied my coffee as though the meaning of life was in the small bowl. Should I drink it fast or slowly? I decided on the former. At least if I was posing, I wouldn't have to talk. The silence stretched out. Why didn't he at least play some music?

'Well,' I said, putting down the coffee I could hardly taste, 'shall we start? Where do you want me to stand? Or do you want me to sit?' I jumped up before Anders could say anything. His easel was empty, but surely he'd put something up on it once I was posing? I dragged my chair opposite the easel. Anders still didn't say anything. I was going to have to take the initiative for everything. I wasn't good at that but it was too late now. I started to undo the straps behind my neck. The top fell down and revealed my bra.

'Wait!' Anders held up his hand and then there was a knock at the door. I clutched at my dress as Goldie walked in. A small wail escaped from my mouth. She was wearing my dress too!

'I don't understand,' she said. 'Am I interrupting?' she asked and then said to me, 'You're nearly wearing my dress?'

'You're wearing *my* dress,' I said. 'The dress I *was* wearing.'

'Is this a joke?' Goldie asked.

My face was flame red.

'I think Lise has misunderstood,' Anders said.

'Where did you get my dress?' I asked Goldie. It was easier to deal with that than with whatever else had happened.

'Let's all sit down,' Anders said. 'I will get you coffee, Goldie.'

'I think it looks lovely on you,' Goldie said, drawing a chair up to the small coffee table. 'We could be sisters. Do sit down, Lise.'

Maybe she hadn't seen my bra? I quickly retied the halter straps. No, of course she had. I wanted to flee but Goldie was sitting between me and the door.

'I understand.' Anders smiled as he delivered a bowl of coffee to Goldie. 'Lise thought I wanted to draw her.'

'Well, that's what artists do, isn't it?' I demanded.

'That is true,' Anders admitted, 'but what I want is to film you and Goldie for an installation. And now, you have both made it perfect. Like twins. It could not be better.'

'I'm so embarrassed,' I said. 'I'm so . . .'

Goldie got up and put her arm around my bare shoulders. I could feel tears prickling behind my eyes. 'Don't be,' she said. 'Where I come from, we dress in the same clothes as our best friends often. It is to say to the world that we are sisters.'

'I bought it at a vintage shop,' I said. 'There shouldn't be another like it.'

'The vintage shop in the Marais, with the gay boys?'

'Yes, that one!'

'They make them up, out the back. I like your cowboy boots.'

'Thank you,' I whispered. 'I thought I had to pose nude.'

'You are very brave,' Goldie said seriously. 'I would not do that, except maybe for a boyfriend.'

That made me feel better. Then Anders told some obscure German jokes that neither Goldie nor I understood and then he became serious and there was no room for embarrassment any longer. It was exhausting. Anders had a vision. To make that work, Goldie and I had to do everything perfectly in time. Then we had to lie down on the floor with our eyes closed.

'Our dresses!' Goldie exclaimed.

'Goldie, this is my vision.'

When Anders had filmed enough of his vision, my stomach was rumbling. 'See,' Goldie said, pointing to it, 'Lise is hungry. You can hear how hungry she is. We've had it, Anders.'

'I will buy you both lunch.'

'As a modelling fee? Anders, you are cheap.'

'I am thrifty,' Anders said. 'Come. They are making lunches in the courtyard. We shall have a picnic.'

'I can't come,' Goldie said. 'I have to work. You can buy me lunch another time, Anders. Don't worry, I *will* hold you to it. Enjoy your picnic.'

'She is a worker, that one,' Anders commented as we carried our takeaway lunches across the road. 'The glass is like a lover for her.' He lifted his arm and put it around my shoulders. The gesture was so unexpected I nearly stopped walking. 'She is very serious,' he continued as though we strolled like that all the time, 'but so are we all.'

I couldn't put my arm around his waist; I was holding the plastic bag that contained the couscous. I could transfer the plastic bag to my other hand, but I was too self-conscious to make that move. It was already awkward enough – every step we took bumped our hips together, the plastic bag swung and hit Napoléon, who growled a little.

I gave myself up to the moment. Anders smelled good. It was a forest smell – pines and something else woody. He wore striped espadrilles, which were beachy, and his jawline was faintly stubbled. He would be the perfect European boyfriend.

'It went well today,' he said suddenly. 'I am happy. These exhibitions make one work for a deadline. How are your photographs, Lise?'

'I'm enjoying them,' I said. 'Of course, I'm not an artist, but I'm loving the little accidents.'

'What are you, Lise?' Anders asked. 'What do you think you might be?'

'I don't know,' I said. 'I suppose I'm here to find out?'

'I think you are like a clear canvas,' Anders said. 'You stand in front of yourself, not knowing where to begin.'

'That's silly, Anders.' I followed him to a seat overlooking the river. 'I'm already *someone*. I'm my mother's daughter, a friend—'

'What about your father?' Anders said. 'You never mention him.'

I shrugged. I wasn't going to tell Anders my family history. I didn't trust him enough. 'Of course, but the matriarchal line is stronger.'

Anders rolled his eyes. 'All these strong women. Men have been belittled. We have handed over our power.'

'That's such crap!'

'Easy for you to say.' Anders fed Napoléon a small piece of sausage and then lapsed into silence while we watched the tourist barges go by. He didn't try to kiss me again.

'I like stuff,' I said, surprising myself, 'you know – like your coffee bowls. Things other people have owned.'

'Well, there's a mark on your canvas,' Ander said. He didn't sound entirely convinced. 'Not a particularly large or useful mark but one should not judge an unfinished artwork.'

'When we're finished, we're dead,' I said sharply. 'Honestly Anders, you are so patronising.'

'I am wise,' he said. 'Come on, Lise, let's do something. You have nothing planned?'

'I have to get Napoléon home early for his dinner, but that's all.'

'Let's go to the Père Lachaise,' Anders said. 'This will appeal to you as you like old things.'

'The cemetery? I didn't mean *that* old!'

'It's very picturesque, very beautiful. Fabienne will enjoy hearing about our visit next week. Everyone should see the Père Lachaise. Even Napoléon will enjoy it.'

'Okay,' I said. Anders' enthusiasm was catching. 'I guess we could do that.'

'We'll buy some beer,' Anders said, 'so we can toast the departed. There are so many great people buried there.'

'Are you sure you can drink in a cemetery in daylight?'

'This is Europe, Lise. We drink everywhere.'

I still wasn't used to being allowed to take a dog on the metro, but Napoléon was obviously comfortable with the whole thing and curled up on his own seat as though he'd paid for his ticket.

'He is very French,' Anders said, with a slight note of disapproval.

The Père Lachaise was huge. I'd never seen such a big cemetery. Not that I spent a lot of time in cemeteries. There'd been once when Mum decided she'd better make sure they'd put up a plaque for Greatma and we trundled off with a bouquet of flowers. It was sad but in an unreal kind of way. The plaque had nothing to do with Greatma. It was just a bit of metal with her name on it. Then there'd been the Saturday afternoons that Ami and I had photographed cemetery angels for visual arts. They were my experiences. Of course, I had not been to my father's funeral – I hadn't even known it had taken place.

This was more of a tourist attraction than a proper cemetery. There were tourists everywhere and all of them were searching for Jim Morrison's grave.

'It's the big attraction,' Anders said dismissively. 'We will not worry about him. Oscar Wilde is the other most visited. His grave we will find. But it is Héloïse and Abelard I enjoy most. These we will toast.'

I hadn't heard of Héloïse and Abelard, so Anders told me the story of the doomed lovers and how they'd castrated Abelard when he was caught with Héloïse, his student. Anders shuddered theatrically as he told me and pretended to clutch his groin. 'See how we are emasculated!'

'It still happens, of course,' I said, 'in Australia.'

'They castrate men?'

'No, I don't mean that! But if you're a teacher and you're caught with a student, you can go to jail.'

'And that is the end of the romantic stories,' Anders said. 'Where are we without forbidden love?'

'I think it's seen more as paedophilia,' I said sharply.

'But do you think so with Héloïse and Abelard? We have their passionate letters as witness to their love.'

'It was different back then,' I said. 'You married younger.'

'That is true,' Anders said, uncapping the warm beer, 'but I think with these two' – he motioned to the old grave – 'it was more about class difference. That still happens.'

'Not in Australia,' I said stoutly, taking the smallest sip of the warm beer.

'So, if you or your family were very rich, they'd be happy for you to marry a penniless artist?' Anders grinned at me, swigging his beer.

'I don't see why not,' I said. 'It wouldn't really be their business, anyway.'

'Things are the same in Germany,' Anders said seriously, 'but there can still be . . . problems. Statements, remarks that sting.'

'You're speaking from experience?' This was turning out

to be the most revealing conversation I'd had with Anders. It was clear he was the penniless artist. Perhaps that was why he was in Paris and grumpy about women. He was nursing a broken heart. Could I be the one who mended it for him?

'Don't be so serious, Lise! I am no Abelard, believe me!' His loud laugh attracted the attention of a couple, who both frowned as though laughter was forbidden in the cemetery. It wouldn't have surprised me – we'd already seen cemetery officials zooming around in carts reprimanding people for sitting on the lawns. No rest in this cemetery!

'I didn't mean that.' I was offended. It had been what Ami called 'a moment' and Anders had backed away.

'Come.' Anders held out his hand. 'Let's go and see the great Oscar – another doomed lover.'

'Surely the fact that everyone is here,' I said, gesturing over the graves, 'indicates that we're all doomed.'

'Oh, Lise! You have the angst. But it is true, of course. No matter what we do we end up here. All the more reason to enjoy this day, this company.' And leaning forward Anders kissed me for the second time. Just when I'd begun to relax and think about kissing him back, he pulled away. 'There,' he said, 'that is to cheer us both up. What better than a kiss among the dead?'

Napoléon was home for his early dinner, as was I. I had hoped the afternoon would turn into a proper date. I'd thought we might have dinner together at one of the cafes I never went to. We'd sit side by side and order the smoked salmon. Or I would; Anders would eat something more meaty like the charcuterie platter. We could share. But that didn't happen and nor was the kiss repeated. At the Châtelet Métro he waved me goodbye, saying he had an exhibition opening to catch and walked off, leaving Napoléon and me to walk slowly home in the opposite direction. Instead of smoked salmon, I ate two-minute noodles, watched the street from my apartment window and marvelled at how sadly glorious it was to be in Paris alone and – maybe – falling in love.

Chapter 9

Mum said everyone should own at least one smiling dress – the dress you put on when all is right in your world and you want everyone to know you're smiling inside. Mum's has lots of flowers embroidered at the hem. I left my smiling dress at home. It's scrunched up at the back of my wardrobe where I balled it up and threw it when Mum 'found' the photos of my father. It's the floral shift Mum made me last summer, before I knew my father's full name or that he'd wanted to see me.

I wasn't prepared for the open studio to be so busy. Anders was hyped and I could see why – people kept arriving. It looked as though the plastic cups would run out and the remaining food began to look sad on the industrial china plates. Goldie and I had both been instructed to wear our 'vintage' dresses, which we did and everyone *oohed* and *aahed* over us as though we were celebrities.

The video of us was projected against one bare wall of the studio, and on another wall were stills from the video, blown up and superimposed with collages. Some of them I liked more than others. The one where we were nearly covered by a photo of Paris pigeons was creepy.

Fabienne turned up in a sheer lace mini dress. You couldn't help but see how slim and toned her tanned legs were.

'So it was planned, this wearing of the dresses?' she asked Goldie.

'Tonight, yes, but on the day, no. It was a happy accident.'

'But what a disaster for you both. Arriving alike!'

Goldie shrugged. 'We didn't mind,' she said mildly, 'did we, Lise?'

Fabienne was genuinely shocked. 'If that happened to me, I would . . .' Her English failed her. 'But of course, there is no real fashion in your countries.'

I didn't know whether to laugh or make an angry retort but Goldie just shook her head slightly so I let it go.

Mackenzie arrived with a tall Canadian boy who she introduced as Ethan. She was wearing her new bra. I could see the straps when her T-shirt slid off one shoulder. He chatted to me for a while about environmental issues in Australia. I was pleased for Mackenzie's sake that he was such a decent guy and sorry when they both left. That left me at a loose end. Goldie was flirting with someone I didn't know. I made small talk with an Italian girl from the French class, but it was hard going with limited French. I was beginning to feel bored and lonely when Anders came up with a beer.

'It's going well,' he said, 'don't you think? Thank God it is nearly over. Then we can party.'

'So what is this?'

'This is not the party. This is the ordeal. When it is over, the people I like most will stay, we open more beer, I find the secret food and we philosophise and get drunk.'

'You have more food?' I was indignant – and hungry.

'Of course! I shopped today at the Bastille Market, some for the studio, some for our party. You are staying, Lise?'

I thought that if you had just come in the door of the studio, you might think we were a couple. Particularly if you then noticed that I was one of the girls on the wall.

'Yes, of course. I wouldn't want to miss a party!'

'I wouldn't want you to miss the party,' Anders said seriously, and dropped a light kiss on the top of my head, before moving away to greet another arrival. I looked around and saw Goldie. She was frowning at me. The boy she had been talking to had disappeared. Was she jealous? Then the boy came back with beer and claimed her attention again. It was hot in the studio so I went out to the courtyard and wandered around, looking up at the still-blue sky. I wasn't lonely anymore, just waiting. I tried to look casual, or as though I was thinking about art. Finally, Anders came out.

'I think you're right, Lise,' he said. 'This would be the best place for us all to be. Nearly everyone has gone. Will you help me set up?'

Anders had stashed the small studio fridge full of food. We washed the heavy china plates and I arranged cheese and fruit, cut up baguettes and put olives into a couple of little bowls. I felt almost like a proper girlfriend, except that I didn't know where anything was kept.

There were soon about ten people in the courtyard, clustered around the table. I wasn't surprised that Mackenzie and Ethan had left but I was surprised that Fabienne had stayed. She sat cross-legged on one of the bench seats, her dress riding up to her thighs and talked to an older guy Anders had introduced as one of the printmakers. I wondered whether I'd ever be as confident as Fabienne and doubted it. Goldie came to sit with me and was about to say something serious – I could tell by her face – when Anders strolled over with a platter of cherries. She gave him a long look that I couldn't decipher. Had there been something between them?

Anders sat down beside me and put his arm around me as though it was the most natural thing in the world. I thought I heard Goldie sigh, but I wasn't sure because the guy Fabienne had been talking to picked up a guitar and began to play.

'This is living,' Anders said somewhere close to my ear and I relaxed against him, letting the music fill the night. It was sad, wild music and when the guy began to sing I knew he was lamenting a love lost to him forever. The sky darkened imperceptibly as twilight inched towards night. After that song, the music shifted and even I recognised a flamenco.

A girl kicked off her shoes and got up. Despite the jeans she was wearing, when she danced you could imagine her skirt ruffling up and hear the castanets as she clicked her fingers. Fabienne stood up too.

'But she's French, not Spanish,' I whispered to Anders.

'She can do anything,' Anders said in my ear, watching her.

She was ridiculously sexy. She and the girl circled each other, mirroring each other's movements haughtily.

'You're right,' I admitted. 'She can do anything!'

'We should have a go,' Anders said.

'No!' I said it louder than I had intended. I didn't want to be shown up by Fabienne.

'Come on, it's just a dance.' He stood up.

'No.'

'Where is your gypsy soul?' He dismissed me and joined Fabienne and the Spanish girl. He didn't know the flamenco – that was clear – but he was muscled, arrogant and proud, and the music changed ever so slightly to include him. The women gathered him up in their movements until the dance was about rivalry. I wouldn't have been up there dancing for anything but without Anders I felt conspicuous, as though I was a child who'd been allowed to stay up past my bedtime.

'Lise,' Goldie hissed at me urgently, 'Lise, we're going. We're off to have a coffee. Do you want to come?'

'No,' I said, 'I'll stay for a little longer. Do you have to go?'

'Yes. I have to clear my head. I've had too much to drink. Come with us, Lise.'

'No, I haven't said goodbye.'

'You can wave.' Goldie was standing over me, swaying slightly. 'You don't have to say anything. It's a party. No one says anything.'

'You go. I'll be fine.'

'Don't . . . you know—'

But I didn't hear the rest of what Goldie said because everyone was clapping and the dancers and the boy had tugged her away. Then Anders was back by my side, sweating slightly.

'Magnificent!' he called to the guitarist and raised his beer bottle. 'You are a virtuoso!'

'You should dance more,' Fabienne said. She wasn't even sweaty, just slightly flushed and glittery. 'Germans should always dance, it loosens them.'

I wondered how much she had had to drink but Anders just laughed.

'I drink now,' he said, 'that is also loosening, Fabienne.'

He'd put his arm back around me and I was safe. When he talked, I heard his words rumble through his chest. I didn't have to say anything. I could just sit there and be a part of it all. The guitarist, Salvador, kept playing between drinks. Sometimes Fabienne and the Spanish girl danced, sometimes they just sat, tapping their feet. The talk was about politics and art. No one, including Anders, really talked to me, but I didn't care. It was enough to be there, close to him.

Eventually someone from a nearby studio called out that people had to sleep and Salvador packed away his guitar. Fabienne came over to say goodnight and Anders released me and stood up. They embraced briefly and she kissed him rapidly on both cheek, but I counted three kisses, rather than two. I stood beside him but only received two airy kisses.

'We are continuing on,' she said to Anders, gesturing to Salvador, the other dancer and another couple, 'you can join us.'

He shook his head. 'I have to work tomorrow.' I wasn't invited, which would have stung but I was sleepy and warm.

'Take care,' Fabienne said to me and it wasn't clear whether it was a warning or a farewell.

The courtyard was empty. I yawned. 'I have to go too,' I said reluctantly, 'it must be late.'

'It's still early,' Anders said, 'the sky isn't dark yet.'

'The sky is never dark in Paris. I thought you had to work?'

'I have time to sit for a while with you.' Anders pulled me down, so I was on his lap. 'I've been wanting to do this all night,' he said and he kissed me firmly on the mouth. It was not like his other kisses, fleeting and light. This was a proper kiss, teasing but insistent. His arms were tight around me and I hoped he couldn't hear me breathing more quickly.

His hands moved over my bare back. I wished we weren't in such an open space. I didn't want to do anything half-undressed in a public space ever again.

Then Anders' phone beeped and he stopped kissing me and fumbled for it instead.

'Ah,' he said and I couldn't identify the tone of his voice. 'You must go home now, Lise. I have to attend to this.' He practically pushed me off his lap as he stabbed a message out on his phone. I straightened my dress. What was I supposed to do? Kiss him goodbye? Just leave?

'Well, bye, then,' I said, giving an awkward wave that Anders didn't even notice.

‘Goodnight, Lise,’ he said, still focused on his phone. He made no effort to get up from the seat.

I didn’t understand. I paused outside the studios to think about it, but the people who regularly slept under the colonnades were laying out sleeping bags and cardboard and I didn’t want anyone to think I was staring at them, or for them to ask me for money that I didn’t have. I kept my gaze straight and my walk steady until I was well away.

It must have been Goldie who texted, I thought. She hadn’t approved of me sitting with Anders. She’d frowned at me. It made sense – she’d texted Anders from the club or wherever she’d gone and . . . I couldn’t guess what she’d said. She shouldn’t have interfered! Anders and I were adults. We could make up our own minds about our behaviour.

Perhaps it wasn’t Goldie, but Fabienne. Yes, had Fabienne sent Anders a message chastising him for making out with a fellow student? No, that was ridiculous. Fabienne wouldn’t be so . . . parental.

It wasn’t so much the message that annoyed me as the way Anders had dismissed me. He could have at least stood up and given me a hug.

What bad luck that Anders got that message just when I was prepared to – well, to do whatever he wanted? The world did not want me to have a boyfriend. Look what had happened with Ben. Timing – it was never on my side. I was even wearing my second-best bra, which didn’t, of course, match my undies, but at least they were my lacy ones, not my daggy everyday undies. I’d almost been prepared.

It was a lonely walk back to the apartment through streets full of people laughing together and kissing under the lights. The Hôtel de Ville fountains were lit up and people sat around them, enjoying the warmth of the night.

By the time I was in my apartment I was angry with Anders. It didn't help that when I checked my email, my mother had sent me a reminder that she hadn't yet received a postcard from me and had I remembered to visit where Chanel used to live and take a photograph? Of course I hadn't. I ignored the email and went to bed, where I spent hours composing cutting text messages that I didn't send to Anders.

My phone buzzed the next morning and I sprang on it like a lion catching prey. It had to be Anders explaining about the night before – and it was Anders. He offered no explanation or apology, however. He just said it was a perfect day for shopping and did I remember offering to help him with a difficult purchase?

I thought about simply ignoring the text. I thought about it for all of thirty seconds and then I said sure. I hoped the single word was dignified and gave nothing away. If Anders wasn't going to explain, I wasn't going to ask. At least, not in a text. We agreed to meet at a cafe. He said he wanted a good breakfast but I decided he was nervous about encountering Madame Christophe again. I was too, and I evaded her questions, talking instead about how striking Fabienne was and telling her what she had worn to the opening.

'She has style,' Madame Christophe acknowledged, 'but she has not yet – and it pains me to say this about my friend – comprehended that her age demands a little . . . restraint. In this she reveals her Italian father. No matter. For the moment she is safe.'

I thought of the lace dress and wondered exactly who was safe? No matter. I had evaded questioning.

Chapter 10

PARISIAN LINGERIE

When Mum took me shopping for my first bra, she also bought me a lingerie bag that she handed to me as though it were a religious relic. Despite that I'm usually pretty casual about underwear. Unless there's a chance it might be seen. Ami, on the other hand, only ever buys bras with matching knickers. Boy scout preparedness, she says when she's in a good mood. Delusional optimism, when she's not. I hope she got the stay-ups I sent.

Anders was waiting for me at the cafe. Although when I say waiting, I'm exaggerating slightly. He was eating sausages, drinking coffee and consulting his phone. He was wearing a pale striped T-shirt and he hadn't shaved. Despite that, I felt slightly frayed around the edges. I'd rescued my shorts and teamed them, rather hopefully, with the stay-up plaid stockings. The plaids clashed, but in an edgy way. I was beginning to think wistfully of the wardrobe Mum had wanted to make me and of the sales in Paris. Could I afford new clothes? Or something *really* vintage?

'Guten Morgen,' Anders said. 'Coffee? This is a difficult assignment, Lise. We must find something special. Something very French. I hope your shopping talents are up to it.' I thought he was examining my outfit with suspicion and I tugged at the bottom of my shorts surreptitiously. I didn't want to show too much lace.

'So who's the present for?' I asked.

'A person of total discernment.' Anders smiled as he took my hand. 'That's why I need to employ a shopper. Gabi is total chic.'

'And Gabi is?'

'My sister. It is her birthday and she wants something French.'

'A scarf?'

'We have scarves in Germany.' Anders dismissed the idea with a wave of his sausage-laden fork.

'Perfume?'

'Too obvious.'

I was getting cranky. He'd ditched me the night before and now I was supposed to instantly come up with brilliant ideas for his sister's birthday present? 'What happened,' I began, 'one minute—'

Anders' phone dinged and he held up his hand. 'Ah,' he said, 'the woman herself has spoken. She requires lingerie. French lingerie.'

'Your sister wants you to buy her lingerie?'

'Why not?'

'I don't know. It's just a little odd?'

'Not in my country. Let us search.'

I thought we'd go to a large department store, but instead Anders strode off in the direction of the Louvre. From there we turned right into streets filled with small, expensive shops. It was designer territory. The windows of each shop were works of art and I wanted to linger in front of the patisseries where piles of rosy macarons nestled next to gleaming tarts filled with whirls of dark chocolate.

Anders paused at a window filled with haughty mannequins pretending to be wearing more than their scanties. 'Here,' he said and I followed him in.

The lingerie was laid out in glass cases as though the barely-there bras and panties were museum artefacts. I grabbed Anders' elbow. 'It's going to be expensive,' I hissed.

He was unperturbed. 'Gabi *is* expensive.'

An attendant glided up to us, murmuring in French. When Anders spoke, she instantly switched to English. 'For mademoiselle?' She indicated me with a glacial smile. I pulled at my shorts again.

'Not for me,' I said in French, 'for his sister. It's her birthday.'

'And the sister, she resembles your boyfriend?'

I looked at Anders. I had no idea. 'Anders, what does Gabi look like? Is she like you?'

'No, not at all. She is shorter, with dark hair and pale skin.'

‘So completely unlike?’ I was surprised.

‘She takes after my mother,’ Anders said, ‘I take after my father. This is genetics, Lise.’

It must have been clear from my ignorance that I knew nothing so the attendant switched back to English and led Anders to the counter where she rapidly laid out wisps of lace in dusty pinks, scarlet and silver-grey. ‘It depends on the look,’ she said as she all but stroked the bras, ‘perhaps not too sexy from a brother?’ and she deftly removed the scarlet push-up from the silky pile.

‘Romantic,’ Anders said, ‘definitely romantic. With a hint of sexy, but above all, something elegant. Not red or black – too obvious.’

He clearly didn’t need my help. Why had I been invited along? As the attendant flourished bras at Anders, I pretended it was my birthday. We’d been together for six months, I decided, long enough for a European man to choose underwear for his girlfriend. I knew the set I wanted as soon as the attendant held it up. Unlike the others, this wasn’t all lace. It was a silk balconette bra in blue polka dots, but what made it perfect were the ruffles. Sure, you’d only be able to wear it with certain clothes – but it would be the best bra to show off. The knickers had rows of the same ruffles forming a boy leg.

‘I like those.’ I nudged Anders.

‘They are not sleek,’ he objected. ‘And they are not Gabi’s colours.’

Sleek turned out to be the barest-pink semi-sheer lingerie set decorated with floral lace. I noted that Gabi was smaller than me but took a C cup. I was impressed that Anders knew that – or was it creepy? I couldn't decide – I was an only child. Would I want my brother to know what size bra I took? Perhaps I would if he was prepared to spend as much on me as Anders spent on Gabi. The attendant wrapped the delicacies in the palest green tissue – almost the exact shade of the leaves that curled around the flowers.

'Your sister is very lucky,' the attendant said, and then to me, 'It might be your turn next.'

'Lise wears only tartan,' Anders said, taking the slim box, 'we would have to buy her underwear from Scotland.'

'That's not true,' I began to protest, but my words were lost in the flurry of the attendant opening the door for us and telling Anders was a wonderful brother he was.

'So, to thank you for your help, I should buy you something,' Anders said, taking my hand.

'I didn't do anything,' I said sulkily.

'You provided moral support,' he corrected. 'Also, I wouldn't have entered the shop without you. Come, we will get you something special.'

For one bold minute I allowed myself to hope – but the special thing turned out to be a pastry from a nearby cake shop. I was still smarting from the tartan underwear comment so I chose an elegant lemon tart even though I actually wanted the opera cake, which looked amazing. Predictably, that's what Anders ordered. We sat outside, facing the street. Every woman who passed us was elegant. No one wore stay-up stockings with shorts.

'You are gloomy,' Anders said. 'Why, Lise? Has no man ever bought you pretty lingerie?'

I shook my head. 'I don't think an Australian guy would be game,' I said, 'or if he did, it would be something dodgy – you know, something *he* thought was sexy, not something a girl would like to wear.'

'You need to find yourself a European man,' Anders said, patting the box on the seat next to him, 'we think of the woman.'

'Last night you didn't,' I blurted out, 'you just kicked me out. More or less.'

'Ah, this is what makes you sad?'

'No. Well, sort of. It was a little abrupt.'

'I am sorry, Lise. There was something I had to attend to. It was a shame. I did enjoy kissing you.' And just like that he leant over and kissed me on the mouth, despite the crumbs of lemon tart. I didn't have time to push him away, even if I had wanted to. 'You taste like lemons,' he said, 'lemons and sugar. I wish I had more time today, Lise. I would be able to show you just how much I enjoy kissing you, but today is full of urgent errands for me. Perhaps later?' He signalled the waiter for the bill. 'I must hurry away now. You stay here, finish your coffee. There is no rush for you.' He kissed me again – this time on the top of my head – and before I could protest, he had marched off, holding the box of lingerie.

What did later mean, I wondered, ordering a second coffee. Did it mean that evening? Or later in the week? Still, he *had* kissed me. I replayed our conversation in my head for the rest of the afternoon as I sauntered through the Tuileries, watching the children play with the little boats, and the couples lounge in the sun. If I hear three people speaking German, I thought, Anders will text me. He didn't, even though I heard four people speak German. If I see two Bichon Frisé dogs, Anders will text me. I cheated on that one – I saw one and a rather plump poodle. Anders did not text. If I remember all the conjugations of aimer, Anders will text me. Even the subjunctive of aimer didn't work.

Later obviously did not mean that day or even that night and I ate two-minute noodles again sitting on my bed, watching a movie on my laptop. It was part of Ami's going-away present and it made me miss her. I left a Facebook message for her, asking what kind of man buys expensive underwear for his sister. When I woke up, she'd replied, *An incestuous one.* I knew that Ami had just meant to be funny, but it wasn't. I didn't reply.

Chapter 11

MENSWEAR – WHO CARES?

You may think you don't – but, trust me, you do. Ami says she doesn't mind a good T-shirt collection, but they have to be what arthouse movies are to blockbusters. Mum says every man should own at least two suits – one for funerals and one for celebrations. The funeral suit needs to be classic, the celebratory one can be fashionable, within reason. I like a guy who isn't afraid to wear a shirt with a collar. A guy in a shirt has the potential to be a man.

When my phone buzzed the next day I expected it to be Anders but it was Goldie, asking me to her studio for lunch that day. She'd bought too much from the market, she texted, and needed to share. Please say I could make it.

It was better than nothing, I thought, and a chance to see Goldie's artwork, so I said yes. I took my fish-eye camera. She was on the fourth floor of the main block of studios. It wasn't as good a position as Anders' courtyard studio. I wondered if Goldie envied him.

She was waiting for me. The standard studio table was covered with a bright sarong that made the thick white china look rustic. 'I'll make coffee first,' she said. 'You must sit.'

I prowled around instead, admiring the glass objects that were scattered on every surface. Goldie made miniature female figures, which she arranged in coloured landscapes. At one end of the studio there was a large sculpture that reminded me of a Japanese Zen garden, except that the glass reflected the light in a hundred different directions so it was distracting, rather than restful. I liked the little women, however. There was something self-contained about them, as though they were simply content to contemplate their own beauty.

'I haven't any wine.' Goldie emerged from the kitchen. 'It doesn't mix with glasswork. All right for the painters to drink during the day, but if I make a mistake it will mean pain.'

While we ate, I felt as though Goldie were watching me. We talked – I learnt Goldie *was* from the Philippines, and had two siblings, both of whom worked in IT. Her ex-boyfriend had called off their relationship before she'd left for Paris on the grounds that she might meet someone and that he had to be free, too. After this revelation she came to a standstill. It was obviously my turn to speak but there was nothing I could think of saying other than the question I'd been asking myself since the night of the open studios, which I now blurted out.

'Did you text Anders the other night, after the opening?'

'No. Why would I?'

'I don't know. I thought – a message just came at an inconvenient time. That's all.'

Goldie nodded. 'I'll make more coffee?' She turned away.

'I wish I knew who it was,' I complained. 'It was really weird.'

Goldie busied herself at the sink and brought back the refilled plunger.

'I think you should know,' she said, 'that Anders is a bit . . . unreliable.'

'I know.' I laughed. Goldie's tone of voice had made me suspect she was going to tell me something far more serious.

'Not like that. You must listen, Lise. There's a girl. They have some kind of . . . arrangement.'

'An arrangement?'

Goldie got up from the table, even though she'd just sat down, and rearranged a glass landscape on one of the shelves. Absently she brought the little woman back to the table and fiddled with her as she spoke. 'It's complicated, but Anders – he flirts with someone. Like you. He did this before, right?'

'Before what?'

'Before you. Then, just when it seemed as though it was going to go somewhere, Anders called it off. The girl, Sophie, was devastated. The next thing, Anders arrived with this German girl. He introduced her as his girlfriend. Sophie didn't finish her residency. She just left. Anders said it wasn't his problem, he didn't promise anything. It was flirtation only.'

I held on to the table and stared at Goldie. Her eyes were soft and worried.

'He has a girlfriend?'

'She arrives when she feels threatened, perhaps? Who knows? I wanted to tell you before . . . before you were hurt.'

'Do you think it was the girlfriend who texted Anders? Do you think she knew about me?'

'It's possible. Mackenzie thinks it's a game they play.'

'It's an awful game,' I said, 'and I was so close to . . . you know.'

Goldie nodded. 'I didn't think things would go that far. I tried to say something, but I didn't want to make a fuss.'

'That's why you glared at me?'

'I didn't mean to look cross. I'm sorry.'

'Not as sorry as I am.' I got up and went to the big windows. There was no breeze to cool my face. 'I can't believe it. I know he can be arrogant but sometimes he's so nice.'

'He is,' Goldie said quickly, 'but as a friend, not a boyfriend. Or maybe he is nice to Gabi?'

'That's her name? Gabi? He told me that was his sister,' I wailed, remembering the expensive silk. 'We went shopping together for her birthday present.' I had known something was wrong with a brother buying his sister lingerie.

'That's not nice at all.'

'He told me stuff about her. How she was beautiful and elegant. I was so pleased she was only his sister, not his girlfriend. I knew I wouldn't have had a chance if he'd been interested in someone like that.' I didn't want to cry in front of Goldie but then she was beside me, her arms around me, and I was crying into her shoulder before I could stop myself.

'It's not the end of the world,' she said, after a few minutes. 'He's only this one guy, Lise. You don't even know him that well.'

'Maybe,' I sniffed, 'but I wanted to.'

Goldie shrugged. 'He is good-looking,' she acknowledged, 'but what interests do you share with him?'

'He helped me buy my camera.' I felt like a snotty kid.

'How difficult was that?' Goldie asked. 'How much time did it take from his day? Did he buy it for you – of course not. With Anders you jump to his tune. Is that what you want, Lise? To be like your little dog?'

'Napoléon's not like that,' I protested. 'He can be quite snarly and he's very independent.'

'So maybe you should be *more* like him? Snarl a little.'

'If Anders is with someone else, it doesn't matter what I do,' I said mournfully.

'Still, you can use this,' Goldie said.

'What do you mean?'

'To learn,' she said firmly.

'That's the kind of thing Madame Christophe would say.'

'Oh Lise, I know it's horrible. It is *so* horrible, but it only stays that way while you let it hurt you.'

I didn't know how to stop it hurting but there was no use telling that to Goldie. She insisted that we'd spent enough time on Anders and made me take photos of her even though with my tears I could hardly see through the lens. She said it would make me feel better and strangely enough it did. I knew Ami was going to love seeing the photos and I told Goldie about her and how I'd sent her some plaid stockings. Talking about Ami didn't make me feel homesick, despite the whole Anders thing. I missed her, of course, but Goldie was right. I was in Paris and I'd be home soon enough. Maybe by then Anders would be just another travel story?

Chapter 12

Ami wanted to have a cool affirming quote tattooed onto her wrist but she was worried her wrists were too small for anything worthwhile. She said 'breathe' was stupid as it was an involuntary act but I think sometimes it would be a reassuring reminder.

I left Goldie's studio a couple of hours later with a film full of photos and one of her little glass women. The humid air hit me and so did my loneliness. I didn't want to go back to the apartment where I'd be tempted to Skype Mum and get a lecture on male irresponsibility. I found myself in the Place des Vosges with its serene, ordered hedges. I sat on a bench and watched the pigeons.

There was a group of people my own age sitting on the lawn and eating. From their accents I could tell they were Irish and one of the girls had that auburn hair that always goes with pale, beautiful skin. She looked ethereal. Was Gabi as beautiful? As more friends joined them, the group on the grass jumped up and kissed or hugged each other before making the picnic circle bigger.

I had never felt quite so alone. Serves you right, I told myself, viciously scrubbing away tears before they could fall. Serves you right. You're so stupid. Just a stupid little girl whose own father didn't love her. Except now I knew that was no longer true. My father had loved me and he'd never forgotten about me. I could no longer chant the old mantra I had used when everything went wrong with Ben.

After Ben, before VCE finished, I'd seen a counsellor. Ami was doing psychology and diagnosing everyone. She'd pronounced me depressed and urged me to see someone. It was true that I wasn't sleeping well. I was stressed and anxious, but you could have said the same for nearly everyone in our year level.

It was actually a good move. The counsellor didn't lecture me for wasting her time. She listened to me and then suggested some strategies. She asked me to check in with her regularly to see if those strategies were working. She also explained how Ben wasn't the cause of it all. It was natural to carry around a fear of abandonment if one of your parents was absent, she explained. But, I could work on that by changing the things I told myself. That would be a start.

I am not stupid, I told myself now in the kindest tones I could manage. I am not stupid. I am good at some things. I know quite a lot about art and fashion history. I'm smart. I found my apartment in Paris even though it was the first time I'd ever been overseas. My father loved me. My mother loves me. I have good friends. I'm okay. Really, I'm okay. Anders is the jerk.

I sat there for about an hour, repeating my new mantras to myself, trying to believe them. Every so often I'd glance at the Irish group and wish that one of them would notice me and invite me to join them. They didn't. In between mantras, I'd check my phone. Just in case Anders had texted me. He hadn't.

Paris seemed grey and empty. Which was absolutely ridiculous. But I didn't tell myself I was being ridiculous. I told myself that I was in shock and that I was grieving and it was fine to feel this way for a while. If nothing worked out I promised myself I could go home early even though I knew I couldn't – not without wasting a lot of money. I'd been through all that with Mum before I left.

'But you won't want to leave,' she'd said. 'Paris for three months – the time will fly!'

'What if I get homesick?' This had been before the lawyer's letter, before our fight and before my world had shifted.

'You'll manage.' Mum had patted my face. 'You'll get through it, Lise. You've got a stubborn streak just like . . .' She'd paused and turned away. At the time, I'd thought she'd meant her mother. Now I suspected she'd meant my father, my stubborn father.

Anders and his stupid idea of me as a clean canvas could jump in the Seine, I thought savagely. I was so much more than that. Who knew where my passions would lead? People might laugh at my knowledge of fashion history, but somewhere it would be useful.

I could have told that stuck-up shop assistant selling lingerie something she didn't know. I could have told her that the first report of a brassiere was in American *Vogue* in the early 1900s and that an American first patented the bra. Take that, Paris, fashion capital of the world. Out-engineered by the USA! I should have casually leant on the counter, with just the tip of my elbow – like Audrey. 'Of course, once you'd have been buying a bust bodice,' I'd have said. Except Anders wouldn't have cared what a bra had first been called. Stuff like that didn't interest him. Stuff like that didn't interest any guy.

I put the little glass woman Goldie had given me on the park seat. I didn't really want to keep her. I felt guilty about it but she would always remind me of the moment when I knew I'd been played. She was too lovely to just throw away. I could simply leave her there to be found by someone she would delight.

I thought I could walk down to the Seine and see whether the Paris-Plages beaches had been constructed yet. I could take some more photos and then I could go back to my apartment and make some postcards. Or even Skype Mum, if it wasn't too late. I had been avoiding her but now I wanted to hear her voice. I wouldn't tell her about Anders. I just wouldn't mention him at all.

I walked past the Irish group. It was their last night in Paris before returning to study. I loved the accents – it sounded as though they were reciting poetry even when they were just passing plates of food around.

My phone buzzed. A message. From Anders. My mouth was dry and my stomach churned. I didn't want to know what it said but I couldn't just delete it without looking.

'Excuse me,' a voice behind me said urgently. 'You have left this. Your object of art.'

I turned and there was a skinny boy not much older than me with thick, ragged hair and almond-shaped eyes. He wore a proper shirt, but it had come untucked from old-fashioned suit trousers. When he handed me the glass woman, I could see that his cuffs were frayed and the arms slightly too short. His French was fluent, but careful, and I heard an English accent behind it.

'Thank you,' I replied in French. I didn't want to admit to having left it behind deliberately. I took it out of his palm and put it gently in my bag.

'You're not French,' he said in English now.

'No, Australian.'

'Oh, Australian! Hugo. English. Originally from Camden.'

'Lise.' I shook his hand. His bitten down fingernails made his hands look as though they belonged to someone younger, although this was belied by the bony strength of his handshake.

'Such a pleasure,' he said. 'I've been speaking French all day and my brain is going to explode.'

I was torn between wanting to talk to him and reading Anders' text. Maybe he was messaging me to explain? Maybe Goldie had made a mistake? Maybe this time things were different? I glanced at my phone pointedly.

'Oh,' he said, 'I'm sorry. You're calling someone?'

'A message,' I said. 'I'm kind of . . . Do you mind?'

'Of course not.'

'There are some Irish students back there.' I gestured to the group on the grass, but even as I did so I noticed that most of them had drifted off. 'They all speak English.'

'It's okay.' He smiled and I noticed the smile caused two small creases to appear next to his mouth. 'Not really an issue. It was just that I thought – hoped – you might have a gelato with me. But you're busy and why wouldn't you be? It's Paris. No one comes here by themselves! Well, except me. And really I'm on business. Have a lovely evening, Lise.'

He half-waved and walked briskly away, leaving me slightly confused. He was in Paris on business? He wasn't dressed like a businessman but nor was he like any of the hipster artists I'd met. There was nothing studied about his clothes or appearance. It was more as though he'd borrowed someone else's once-quality garments.

My phone buzzed again. I steadied my hand and then opened the message. *Meet me at the falafel?* That was it. No apology, no explanation. Had Goldie told him what she'd revealed to me? What if she was wrong about him? What if he'd broken up with Gabi? I'd turn up and he'd be romantic. He'd have flowers – dark roses. Or maybe some exquisite chocolate truffles dusted with gold leaf. I'd seen some that looked like fairytale bird's eggs. I had to give him the benefit of the doubt, didn't I?

I just had time to whiz back to the apartment, apply some make-up and change my clothes.

I was five minutes late at the rue des Rosiers but my eyeliner was perfect and my messy bun the result of half an hour of hard work. Anders was slouched against a wall examining the queue already forming for falafel. He greeted me with a kiss – not an air kiss, but a real kiss on the mouth. I couldn't pull away. He smelled of that nearly familiar forest fragrance and he put his arm around me straight away, as though we were already a unit.

'Shall we queue?' he asked. 'Or shall we go the rivals?'

'Is there a difference?' I didn't want to talk about falafels. I wanted Anders to tell me the truth about Gabi but I couldn't just blurt out everything Goldie had told me.

'I don't think so, but then for me food is fuel. Perhaps not the Berthillon gelato or my mother's stollen, but falafel? The difference is too subtle.'

That was my opportunity. I could ask how he felt about women. Were our differences too subtle? I was trying to form the words in my head when I had to decide whether or not I wanted spicy falafel and garlic sauce. It seemed too trivial to compare myself to chilli flakes so I just accepted the falafel and Anders and moved on.

'I can't eat this walking,' I said. 'I'll spill it.'

'We'll find somewhere. But you must walk quickly, Lise. I don't want my fuel getting cold! Come, there's a square near here.'

It was not the Place des Vosges, but a small, barren square dominated by a large mural of a ghostly woman. We sat beneath her and were immediately mobbed by pigeons who stood defiantly at our feet, waiting for tidbits. Eating was serious business for Anders and he didn't talk. I followed his lead and concentrated on my falafel. He'd put his arm around me. He'd kissed me gently. He wasn't a jerk. He wasn't a player. Goldie had it wrong. Maybe she'd lied? Maybe she was keen on Anders? She had said he was good-looking. But Goldie was my friend – she'd never do that. And Anders was my friend too, wasn't he? I didn't know what to think.

After Anders had folded our empty wrappers carefully together and disposed of them, he settled back on the park bench, and nestled me against his chest. 'This is perfect,' he said. 'Such a beautiful evening with a beautiful girl. What more is life for?'

'Family? Your sister? Art?' I lifted my head up and, as though in answer, he bent his head down and kissed me. It was a long, slow, deliberate kiss. A voice in my brain shrieked, *this may not be right – what about Gabi?* But, no matter how strident that voice was, my mouth went right on kissing Anders back.

'It is good,' he said, eventually pulling away, 'that we both had the garlic sauce.'

It wasn't a very romantic thing to say but I didn't feel I could point that out to him. I laughed nervously instead.

'Here,' he said, 'smile!'

He aimed his phone at us, his mouth against my cheek. 'I'll send it to you?'

The whole thing was surreal. 'I didn't think you were the selfie sort?'

'I don't like Fakebook,' he answered, fiddling with his phone, 'but that doesn't mean I don't wish to remember good times. And also, I know that all you girls love photographs. Proof that you have won our hearts.'

'That's not true.' I twisted away from him. 'I hate selfies. Well, that's not true, either. It's okay when everyone's posing for fun.'

'Shall we take another and you can do that hair shake thing?'

'I'm wearing a messy bun,' I said. 'I don't want to shake it out. What would be the point of putting it up in the first place?' Everything felt wrong.

'What's the point of anything?' Anders asked in a tone that was at least half condescending. 'Ah, but I know. Come back with me to my studio.'

Back to his studio! That could only mean one thing. Was that what I wanted? Should I mention Gabi?

I found myself saying, 'Okay,' as though I was under a spell.

'Beautiful Lise,' Anders murmured, stroking the side of my face, 'so beautiful!'

He lifted me to my feet as he kissed my neck and shoulders. They were fluttery kisses that matched the butterflies bursting to life in my stomach. I could feel the muscles in his back and chest as we stood up and I was forced to hold on to him for balance. We kissed again and it was the perfect moment, pressed up against Anders, the mural above us and, surprisingly, for Paris, no one else in the square.

Then his phone rang. He broke away. 'Sorry, Lise. I need to take this call.'

I couldn't believe it. I would have let my phone ring out, but no, Anders was not only answering his, but walking away from me and talking in German, leaving me with the pigeons until he came back.

'That is dealt with,' he said. 'It was just my sister.'

'Your sister?' The butterflies in the pit of my stomach solidified into a thick mass I felt I'd vomit up any second. I tried to keep my voice light when I said her name. 'Gabi?'

'That's right.' Anders smiled, but a small muscle beside his mouth jumped. 'Gabi. She is coming to Paris.'

I took a deep breath. It all made sense. The selfie had been part of the game. He'd sent it to Gabi.

'That's fabulous,' I said, my voice unnaturally bright. 'I'll meet her?'

'Gabi is a whirlwind,' Anders said. 'She will have plans for every minute. Shall we go?' He took my hand but I stood my ground.

'But you've told her about me?'

'I have,' he said confidently. 'I've told her how beautiful you are, Lise.'

'Did you send her our photo just then?' Was I sounding as innocent as I hoped?

Anders gave me a slightly puzzled look. 'Yes, I did,' he admitted.

'So she rang when she received the photo? She must want to meet me.'

'Of course, but she also wants to see my exhibition. It finishes next weekend. Gabi is very . . . supportive of my work.'

'Well, what *sister* wouldn't be?'

'Lise, why are we standing here discussing Gabi when we could be walking back to my studio contemplating far more pleasurable pursuits?'

'Because she's not your sister,' I said and my voice shook.

Anders released me straight away. 'What?'

'Gabi is your girlfriend, Anders.'

'It's not like that,' Anders said, but he'd already moved a step away from me. 'It's complicated.'

'That's a Facebook cliché,' I said.

'Who told you? Who interfered?'

'That's really not relevant. Why did you lie to me? I thought you were my friend.'

'It's complicated,' Anders repeated, 'and I don't conduct my relationships like some teenager. I don't think in those boxes – girlfriend, boyfriend.'

'How convenient,' I said, 'and how progressive. Well, I like those boxes.'

'You are so young, Lise.'

Tears stung my eyes. 'I don't think it's a question of being young,' I said. 'I think it's more about trust. I trusted you and you betrayed me.'

'But if I had told you from the start that Gabi and I were open to other . . . complications . . . you wouldn't have been part of it,' Anders said.

'That's right,' I said, 'I wouldn't and you knew that.' The tears made my voice thick and even shakier. 'You're just a user, Anders. Just a jerk.' I couldn't say anything else. It was stupid to cry for a relationship that had never even happened but I wasn't just sad, I was also really, really angry. I turned away. I thought I might throw up.

Chapter 13

It can take ten hours to make a few centimetres of lace the traditional way. Mum knew someone who made her daughter a lace bridal veil. It took over two thousand hours. Mum and I worked out that was about two hundred and fifty full working days. She began the veil when her daughter was born. Imagine being so certain your daughter would get married – and wear a veil. What if she'd been a punk? Or didn't want a traditional wedding? Or just didn't want to get married at all? I guess people don't ask those questions when they begin something so enormous. Something so big with love.

I wanted to rant. I needed to tell someone. Mum was my first thought. But did I really want her to know that I'd been taken in by a smooth German player? Also the time difference was no longer on my side, which cut out Ami as well. Instead, I went for a long walk along the river.

I pretended I was a heroine from a classic book or one of Mum's favourite old movies, walking along the Seine. Except if I'd been a nineteenth-century girl, nearly ruined, I may well have considered throwing myself in. I thought of this as I leant on the parapet, looking at the beginnings of the Paris-Plages. It was incredible to think that each summer a fake beach was built in the centre of Paris. I couldn't even guess at how much sand was being dumped. Dumped. I hadn't even had a chance, this time, to be dumped.

'He's not worth it,' a faintly familiar English voice behind me said, 'and it's not like in the books. You wouldn't drown – all Australians can swim – but you'd end up in hospital with some dreadful bacterial bugs in your system and die a lingering, expensive death.'

'Thanks for that,' I said. 'I was actually watching them make the beach. Did you find someone to talk English with?'

'I have now. It must be my lucky day.' He stuck out his bony, nail-bitten hand for me to shake again. 'Hello again, Lise.'

'Hi, Hugo.'

'So, meeting you here means one of two things – your date didn't work out or you were lying to get rid of me the first time.'

I sighed. He was watching me carefully, his face a studied blank. 'My date didn't work out.' I offered the truth and he beamed at me.

'Sub me in?'

'Sub?'

'You know, substitute me. I'm more than happy to be runner-up. It's not glamorous, but someone has to do it. Feel like an ice-cream?'

'Not Berthillon.'

'Don't tell me – you used to go there with him. Isn't it the best ice-cream in Paris? Not that it worries me. I'm English. Our tastebuds are genetically stunted by generations of chip butties, lager and Woodbines. I'll settle for second-best ice-cream. Or third-rate. Or no ice-cream but a beer.'

'I was just going to walk,' I said, although the idea of beer with this strangely attractive guy was appealing. Was he only attractive because I was on the rebound? Could you even be on the rebound from something that hadn't happened?

'Let's walk, then,' he said. 'Do you know, if we walk far enough we can see the dinosaur.'

'The dinosaur?'

'Someone's building a dinosaur. It's art.'

'Wow, I didn't know that.'

'Good thing you subbed me in. I'm a wealth of local knowledge.'

Despite myself, I was cheering up. 'So you live in Paris?'

'I visit. I'm from England. Formerly of Camden, latterly of ooop North. Hugo Sandiland of Sandiland and Nephew. I'm the nephew. Antiques, bric-a-brac, rare books, you name it, if it's worth something and it's old, the Unc and I will attempt to make a quid out of it.'

'Antiques. That's great. So you're not a student?'

'Of life and the antique trade, of course. But not of any smaller institution, no. And you?'

'Gap year – well, gap three months. I'm here learning French and studying art – historical stuff, sort of.' And artists, I thought.

'Art? So we're in the same game?'

'I'm not really in any game yet!' We'd fallen into step now and were heading towards the Tuileries. Hugo's nonstop talking reminded me of Mackenzie and that alone made me feel easy with him. 'Actually, I came largely because my mother persuaded me to. It was her dream.'

'Which you inherited?'

'I guess. We learn French together. She's a seamstress.'

'Not just a dressmaker, but a seamstress?'

'Correct. She worked for a while in haute couture, but not in France, of course. In Melbourne. That's when she started learning French. She might have come to France but she got pregnant to my dad. Then she had me and a business and it was just too hard to travel as a single mother.' Why was I telling him all this? I stopped.

'Ah,' Hugo said, 'so you thought you should step into her dancing shoes because you'd effectively mucked up the original tango?'

'It takes two,' I said sharply.

Hugo laughed. 'Touché!'

'So why are you in Paris?'

'Unc sends me over to do deals. His French is too proper. They rip him off.'

'So you come over here to buy stuff?'

'A little here, a little there.'

'That's fantastic!' He seemed far too young to be entrusted with business, but even as I thought that, I wondered if that wasn't part of the point.

'It's a living. More or less. Actually rather less in the current economic climate, but we do the best we can.'

'That would explain your shirt,' I said without thinking. 'Oh, sorry!'

'My shirt?'

'The frayed cuffs,' I said apologetically.

He stuck one of his wrists out. 'Hmm, I see what you mean. Didn't notice myself. Unc and I are becoming a tad shambolic, I fear. It's batching together. Not good for our sartorial ship-shapedness at all. Still, my clients probably haven't noticed. Not the most sartorially minded themselves. You, on the other hand – well, a seamstress's daughter.'

'I wasn't being critical,' I said.

'Not at all.' Hugo took my hand in his, as though it were the most natural thing in the world. I should have tugged my hand away but instead I let him tuck it into his elbow. Maybe it was an English thing? 'I think observant is the word. A necessary quality if you're studying art history.' Maybe to distract me from the fact that we were now walking close together, he kept up a high-speed account of his past few days in Paris. It was a bewildering list of names and places completely unfamiliar to me.

'So where are you staying?' I asked, when he paused for breath.

'Ah, good question, that. First up, I stayed with an old amour of Unc's but her daughter arrived out of the blue – broken marriage. So now I'm couch surfing for a couple of nights. I was lucky enough to find somewhere in the seventh.'

'Couch surfing? But aren't you working?'

'I'm buying,' Hugo said, 'not selling. Yet. You have to have the money to spend money to make money. What district are you in? Are you in a hostel?'

I told him about Madame Christophe, French lessons and Fabienne. I told him about Mackenzie and Goldie, but not about Anders.

'There it is,' he said suddenly. We both stared at the metallic dinosaur. 'It's not as big as I thought it would be. Disappointing.'

'I think that calls for a beer. Drown our sorrows?' I suggested. I discovered I didn't want to turn back home. I wanted to find out more about Hugo.

'Now you're talking!' He found a bar effortlessly. It was a punk bar run by a middle-aged woman with a full-sleeve tattoo. Hugo ordered our drinks and chatted to her in fluent French. He must have told a joke because she laughed a throaty smoker's laugh and, later, brought out a small plate with salami, cheese and baguette. She said in English, 'Your boyfriend is a charmer,' and winked at me. Hugo ducked his head and blushed.

'Do you know her?' I asked.

'No,' he said. 'We share some of the same music tastes though. It's a Camden thing.'

'I thought you lived in Ooop North?'

'Good accent,' Hugo said. 'I do now, but you can't take Camden out of the boy.'

'So, where is Ooop North?'

'Yorkshire, lassie. Way ooop North.'

'Oh.' It was my turn to blush. 'I thought ooop North was a place.'

Hugo laughed. It was an unabashed sound. It made me sort of proud to have caused it. 'It's a place and more – an attitude, a way of life, a way of talking and so slow it drives anyone from Camden crazy. But I kind of like it there, now. Unc needed me and I've always loved old things.'

'Isn't that strange? I mean, I love old things too. But for a guy?'

Hugo shrugged. Unlike Anders, his shoulders were thin and where the seam was giving out at the top, I caught sight of his blue-white skin. I looked down at the plate and took a piece of salami. The glimpse of skin had made me feel as though I'd eavesdropped on an intimate conversation. 'Half the antique dealers I know are men,' he said. 'I like things that were precious once to someone else.' He leant forward to make his point. 'When we weren't such consumers, gobbling everything up and then tossing it out, even ordinary things were chosen with care. You didn't just buy, say, salt and pepper shakers. You thought about them. You imagined them sitting, just so, on your favourite tablecloth.

There was meaning there. That's what I like – feeling the meaning.'

'We still do that,' I said, 'Mum and I. We talk about stuff before we buy anything. It can be frustrating because it takes us so long but in the end we get something we really want. I think it's because we didn't have much money when I was born. But maybe it's because we lived with my great-grandmother.'

'With your great-grandmother? Isn't that strange for an Australian?'

'I guess,' I said defensively, 'but my grandmother didn't want Mum to have me because she wasn't married. It worked out for Mum and Greatma, though, because Greatma was getting forgetful. Not dementia – just forgetful. Also she didn't drive and she hated Meals on Wheels. She called me her little blessing because Mum moved in with her and looked after us both.'

'Is she still alive?'

'No, she died when I was ten. I still miss her sometimes. She had a whole lot of old stuff, antiques and bric-a-brac. Mum kept nearly everything.'

'How wonderful.' Hugo seemed genuinely interested. 'What a fabulous childhood that must have been in so many ways. I mean, shame about your grandmother and all, but a great-grandmother – that's something. You'd have been so spoilt!'

I knew what he meant. Greatma had never been too busy to read to me, or make me doll's clothes or play Scrabble.

'Yeah, maybe, but not in a princess way. When she died Mum lost her voice for about four weeks. The doctor said there was nothing he could do. It was grief. She croaked around the place wearing Greatma's aprons. We told each other stories about Greatma and cried every night.' Embarrassingly, my eyes were filling now. I took a big swallow of beer and willed the tears away.

Hugo reached over and covered my hand with his. 'It's hard to lose people,' he said. 'Unc says this life is a vale of tears and it's remarkable that we keep slogging on through the misery. Mind you, he's an Eeyore.'

I laughed. 'Does that make you Tigger?'

Hugo laughed too, the welcome sound filling the small bar. 'That's what he says,' he admitted. 'I think of myself more as the wise Owl. He fought in the Falklands.'

'The Falklands?'

'Yeah, we forget it wasn't really a world war. It was just a British thing – before you and I were born, of course. But it was still a war. Unc came back a lot more pessimistic, Mum says, and a lot quieter. PTSD.'

'PTSD?'

'Post-traumatic stress disorder – most soldiers have it.'

'Oh, yeah, of course.'

'He doesn't go out much. I'm his runner.'

I nodded. 'My mum doesn't go out much either,' I said. 'I mean, she's not agoraphobic, she's just self-sufficient. I used to worry about her. I wanted her to meet someone. Ami and I tried to set her up on OkCupid, but she wasn't impressed.'

‘So she hasn’t got a boyfriend?’

‘No. I don’t think she’s ever had one – well, not since my father. She has lots of friends, though.’

‘If she’s anything like you,’ Hugo said, ‘there would have to be a man somewhere. Sorry, Lise, that’s not really a compliment – it’s just a fact.’

‘I look like my dad,’ I said.

‘Do you have photos?’ Hugo asked.

‘Back at the apartment. Only a few of him.’

Hugo fished out his phone. If you’d asked me what kind of phone Hugo would have, I’d have guessed something old with a cracked screen, but this was a new smart phone in a leather case, which he flipped open to reveal a proper French metro card, not just the paper tickets I bought by the tens. He must have seen my surprise.

‘Chosen with care,’ he reminded me. ‘I’m techno savvy, as any Camden boy should be. Course this phone just might have fallen off the back of a lorry but that’s the perks of the trade, luvvie.’

He showed me photos of his uncle, an older version of Hugo with the same dimples when he was smiling. I saw the shop they ran with the sign, *Sandiland and Nephew*, hanging up in ornate ironwork. I saw photos of his uncle’s cat. Then I saw photos of his mum and his sister. ‘Hairdressers, both of them,’ Hugo said, pushing his thick fringe away from his eyes. ‘Mum said I was a crime to hairdressing. Double crown, thick hair. A nightmare. I was banned from the shop in case her customers thought she was responsible.'

'You're joking.' The woman in the photo had hairdresser hair, perfectly tinted and styled in a deliberately messy updo. Her lipstick and nail polish matched. It was hard to imagine Hugo as her son.

'Of course I'm joking!' Hugo said with undisguised affection. 'Mum's okay. She looks a bit Stepford wifey but she's not. What you can't see in that photo are the two tatts she's got – Hugo inside her left forearm and Olivia inside the right. So she doesn't forget who we are when she's old and demented, we say.'

'She's got tattoos?'

'It's a Camden thing,' Hugo said. 'You'd love Camden, Lise. You should come across the channel. See somewhere other than Paris while you're on this side of the world.'

'I'd love to go to London,' I said. 'I'd love to travel everywhere but this trip is all about Paris. Mum said you don't know somewhere properly unless you live there for a while. And I'm taking French lessons.' As soon as I said that, I thought, oh no: I'd have to go back to French class and Anders would be there. Damn. 'So what about your dad?' I asked, not wanting to think about that embarrassment.

'He's okay. We don't see a lot of each other these days.'

'But you do see him?' I pressed.

'Yeah, on special occasions. Don't you see your dad?'

'He's dead.'

'Oh, I'm sorry.'

'It doesn't matter. I never knew him. He took off before I was born. Went to Wales, England.'

'Wouldn't you like to see where he lived?'

I thought of the painting hanging in my bedroom. Those mysterious hills wearing hats of low cloud. 'Not this trip,' I lied. 'It was all arranged before I knew where he even lived. This trip isn't about him at all.'

'Really? But you're only a hop, skip and a jump away. Just saying.'

I changed the subject and Hugo let it ride but I knew I'd dwell on what he'd said when I was back at my apartment.

The sky was just darkening by the time I returned. I'd had one beer too many, I decided, as I tried to focus on the numbers of the security code. It was a good thing that Madame Christophe wasn't still awake. I negotiated the flights of stairs and flopped on my bed. Hugo had tried to walk me home but I'd put him off. I needed to clear my head.

'Are you sure you'll be all right?' Hugo asked.

'It's Paris,' I said, 'it's not even late and the Marais is a gay district. I'll be fine, Hugo. Hey, let me ask you one question. Do you know what a bust bodice is?'

'A bust bodice? If this was a trivia game, I'd have to guess that it was a kind of bra?'

'You're exactly right!'

'There you are – I'm not just a pretty face. Let me give you my number.'

'I need to be alone,' I said, 'but you do get a prize for the right answer.' And I'd kissed him. Just a little kiss but on his mouth. Which was surprisingly soft.

'Whoa!' he said. 'That was unexpected. And lovely. But maybe you've had too much to drink?'

'Just one beer too many,' I said, 'but I meant the kiss. You're very sweet, Hugo. Very. Just remember that, won't you?'

Lying on my bed, I cringed thinking about that moment. The walk – and pretending to be more sober than I felt – *had* cleared my head. I just hoped Hugo had accepted what I'd said as a real compliment, and not just the kind of drunken, condescending statement a girl makes to a guy she's subbed in for someone else.

Chapter 14

'A time to reap, a time to sew' – Greatma embroidered those words on a needlework sampler. It's a misquote from the Bible. I imagine her stitching, pushing her hair from her face the way my mother does. At ten she was making something that would outlast her, something that would be cherished. All the women in my family have sewed. It's genetic. What else is genetic?

Mum Skyped me early the next morning, afternoon her time. It felt as though months had passed since we'd spoken. We didn't talk about my father or the money he'd left me or the fact that she had kept photos of him that she'd never shown me. Instead she told me how the weather was becoming colder and that she had made a cape for one of her clients that looked exactly like Red Riding Hood's coat. I let her talk. I was slightly hungover. I told her about Hugo, but not about Anders.

'An antique business?' Mum was excited. 'Oh, how wonderful, Lisi. And over in France buying for his uncle!'

'He was very nice,' I admitted, 'but not, you know, boyfriend material.' There was silence, although I could see Mum's fuzzy frown. I knew what was coming next. 'Not that I'm looking for a boyfriend. That would be stupid.'

'Difficult,' Mum agreed. 'You'll be home before you know it and then it will be university and a whole new cast of people. No, you need to concentrate on your French and soak up all that culture, Lisi.'

'Have you seen Ami?'

'Yes,' Mum said, 'we had dinner together the other night.'

'She's never on Facebook,' I said. 'I keep leaving her messages.'

'She's been working for her uncle – it's uni holidays.'

'What are they doing?'

'Some kind of catering thing,' Mum said vaguely, 'you know – office morning-tea parties. Apparently he got some green tea cheaply and they're experimenting with baking with it.'

'Baking?'

'For the catering.'

That sounded just like Ami's uncle – and, knowing him, it would turn out to be really popular. It also explained why I hadn't heard from Ami, other than the briefest of messages like waves from a passing car. Then Mum's phone rang and we hung up. We'd managed the whole conversation without saying anything narky to each other.

By the time I got down to breakfast, Madame Christophe had nearly finished eating and my coffee was lukewarm.

'You need to go to the Porte de Vanves,' she announced. 'Today.'

'Why?'

'You will enjoy it and you will find your mother a present from Paris.'

I had a perverse need to rebel. 'I could go next week,' I said, pouring more coffee. 'I'd be better prepared.'

She shrugged. 'You can certainly go next week,' she said, 'but you also need to go today. You can take Napoléon. He will help you haggle. Also, he adores flea markets.'

Napoléon's world opinions were flexible and opportunistic; however, I loved stepping out, dog in tow. I gave Napoléon a conspiratorial wink while Madame Christophe fussed over his flea-market-suitable collar, which turned out to be a rather smart navy blue number decorated with silver paw prints.

'Take cash only,' she said, 'you will not be able to use a card. Be careful in the metro – it is not a good line. There will be thieves.'

Porte de Vanves reminded me of parts of Melbourne – it was more modern than the Paris I had become used to. There were no sweet alleys and old buildings but tall modern apartments and office blocks, and there was a tram. I stood there gaping at it. A tram! I took a photo to send to Ami.

The market stretched up one street to a coffee cart, then it turned the corner, meandered along that street and across the road was another length of stalls. It was just after ten when Napoléon and I arrived and the market was bustling. There were all sorts of vintage things for sale. The first stall had ugly vases, empty picture frames, and a plastic tray full of costume jewellery. The next had linen: embroidered tablecloths, napkins and rolls of faded ribbon. Another stall sold nothing but perfume bottles and the Chanel and Bulgari gifts that you sometimes got if you spent enough money, blingy bracelets and necklaces, a wallet and a travelling jewellery pouch. They weren't free on the stall, of course. Other stalls sold doll's heads. They seemed sad, piled up without their bodies. Then I overheard the price of one and sadness was replaced by incredulity.

I could see so many things that Mum would love. Madame Christophe had been right – this was the place to buy her a French present. Perhaps an Art Deco tea set? She would adore that but of course it was entirely impractical. I needed something precious but small. There was a stall of handbags and one of them was vintage straw decorated with bright yellow daisies that I knew would have matched the yellow in my cowboy dress. I picked it up twice, to the stallholder's displeasure. She hissed the price at me and I replaced the handbag reluctantly. I hadn't bargained on the market being so full of wonderful things and my cash was limited. Mum's present would have to come first.

I was nearly back down the row when I saw it – a marcasite brooch. A poodle. It was half kitsch, half gorgeous and fully vintage. It was wholly perfect. I asked the stallholder how much it was.

She eyed me up and down. 'It's marcasite,' she said, 'and it's very old.'

I knew it wasn't that old, but I just nodded. 'It is the ideal thing for my mother,' I said.

'It is one hundred and twenty euros,' the woman said, smiling and reaching for the brooch. 'Shall I wrap it for you?'

'That's too expensive,' a familiar voice behind me said. 'Chérie, it's a little gaudy, don't you think?' Hugo plucked the brooch from my hand and turned it over. 'I mean, it's cute, if you like this kind of thing.' He shrugged and returned it to the stallholder. 'But too expensive, regrettably.' He pulled me away.

'I wanted that,' I hissed as he marched me from the stall.

'I know you did and so did she. It was all over your face. You need to bargain, Lise. It's only fifties marcasite. Although it is sterling, I'd give you that, and the poodle is very French. It's a perfect gift for your mum.'

'But you stopped me from getting it!'

'Ah, no, but I have a plan. A cunning plan.' He was leading me back up the hill to the coffee cart.

'I knew it was fifties, by the way,' I told him, 'and I guessed it was silver. I'm not stupid.'

'I don't think you're stupid at all.' Hugo stopped and the crowd of shoppers swirled around us. 'I think you're sharp, Lise. You're clever, stylish, brave, quite beautiful and I bet you wouldn't say no to a hot chip?'

His abrupt change of subject was disconcerting. 'Well, thanks. I mean for the compliments. And, yes, I guess to the chips. But I want that brooch, Hugo. What if someone else gets it?'

'Then you shrug philosophically and say, ah well, there is always another market, another brooch.'

'You said yourself it was perfect and you don't even know Mum.'

'Okay, okay. Just wait. Let's order chips and while they cook I'll get your brooch. Deal?'

He ordered the chips and I sat down at a rickety table with Napoléon at my feet, growling slightly at a feisty miniature schnauzer who was guarding the end of a bread roll.

'I'll be back,' Hugo said. 'Make sure the Hound of the Baskervilles doesn't eat all the chips!'

The proprietor came over with our food. 'Hugo's a good man.'

I was intrigued. 'You know him?'

The guy nodded. 'Always joking, even though life cannot be easy. His uncle is troubled.'

'Yes, I've heard.'

'But of course, the company of a young woman as lovely as yourself will make him cheerful.'

'We haven't known each other for very long,' I said hastily.

'Ah well, there is always the beginning,' he said cryptically and shuffled back to serve someone else.

'Voilà,' Hugo said, coming up behind me, 'your brooch! You owe me the rather less expensive sum of seventy euros.'

'Oh, Hugo – that's wonderful. How did you do that?'

'Charm and wit. I could have got it for less had you not so obviously wanted it.'

I unwrapped the brooch. 'How did you know it was silver?' I asked, turning it over as Hugo had done.

'See that?' Hugo pointed to a tiny imprint. 'That's the silver hallmark. You can absolutely guarantee anything with that mark is silver. I say, it is lucky we've met again, isn't it? This is our third meeting. That has to mean something.'

'It means that Paris is quite small,' I said.

'No, anything that comes in threes is symbolic. That's a rule of the universe. So, what else catches your fancy?'

'There's a handbag,' I said slowly, 'but it would be hard to pack. It's straw.'

'You're thinking of packing already?'

I rolled my eyes. 'Only in terms of shopping.' Actually, when I added up how many weeks I had left, I was dismayed. I would be leaving Paris in seven weeks. Seven weeks! Time was slipping past. I'd already been in Paris for more than a month.

'Yellow daisies?'

'Yes, that's it. How did you know?'

'We antique dealers know these things.' Hugo laid a finger beside his nose and nodded complacently. 'Come on, let's get you bargaining, Lise. The trick is to pretend to yourself as well as the stallholder that you don't care if you get the object of your desire or not. Just tell yourself there's something even more perfect around the corner. If that fails, pretend to be someone else – haughty and supercilious.'

We went back to the stall and Hugo launched into a stream of effortless French. Within seconds the stallholder had unbent and they were laughing at each other's jokes. I was pleased with how much I understood. Hugo had made me his girlfriend. He was against the buying of the bag, because it would be difficult to pack.

'But Hugo,' I said, placing both my hands on his shoulders and looking up at him in a girlfriendly way, 'I will carry it. It's a handbag!' The stallholder and I rolled our eyes at men in general, and this one in particular. His shoulders were bony under my hands. What would it be like to slide my hands down his back? I'd be able to feel every little knot of his spine. Instead I put my fingers on his mouth. 'Don't say another word,' I said. I rather hoped he'd kiss my fingers but instead he took my hand in his and held it.

Then it was over to me.

The stallholder named a ridiculous sum. I picked the bag up. I pretended to myself that I didn't really want it. I'd much rather a Birkin, I thought. I looked at it critically and picked at a loose bit of straw with a contemptuous fingernail. I examined the underside of one of the yellow daisies (so perfect!) and showed Hugo a discoloured spot on the fabric. We both shook our heads. I tested the handle and poked at one end that was slightly unravelling. Nothing I couldn't fix. I could already see exactly how it could be done with some stout linen thread.

'Regrettably, Madame,' I said, 'this bag is not in perfect condition. Look.' I flicked my fingernail at the loose straw and tugged on the handle, drawing her attention to the flaws.

She shrugged and lowered the price by five euros. I was a haughty Birkin-loving woman. I was enjoying myself. I eyed the bag speculatively. 'Packing it will be a problem,' I said, 'and not just for me, but for anyone. Only a tourist, after all, would be interested in such a piece.'

'Oh, but not at all, Mademoiselle,' the vendor said, 'these are very desirable this season. Have you seen the latest *Vogue*?'

'I have, Madame,' I said – and I wasn't fibbing. I'd pored over it only a couple of nights ago, seeing if I could understand all the articles, but mainly examining the clothes. 'There was not a single piece like this, I'm afraid. This season it's all about neutral leathers and everything is oversized. We are carrying our life in our handbags. This is why you will only sell this to a tourist.'

'It is vintage,' the vendor said defensively, 'vintage is always *au courant*.' But she lowered the price by another five euros.

I managed to bargain her down by fifteen euros without Hugo saying a word.

'Your girlfriend is formidable,' the stallholder said grudgingly as she handed over the bag.

Hugo laughed. 'She surprises me all the time,' he said and then drew me into a hug. Without thinking I stood on my tiptoes and kissed his mouth. It was a soft kiss that I let last longer than I should have because the surrounding stallholders and several passers-by clapped.

'You do surprise me,' Hugo whispered.

'Oh, that's right – you're English. That was a little too public for you?' I wanted to kiss him again and keep my eyes open this time. I wanted to see if he enjoyed it.

'Not at all. We've met three times. We'd probably have a kid by now, back where I was born.' Hugo grinned. 'I'll carry the bag for you. You've got Napoléon. You did really well, you know. I wouldn't have believed that was your first time haggling. You're a natural.'

'It was fun,' I said. 'I really, really enjoyed it. But then handbags are something I know about. Jewellery, not so much.' Hugo still held my hand. Kissing him had been an unexpected bonus. But I didn't say that out loud.

'It can all be learnt,' Hugo said, 'if you've got a feel for it and an eye – which obviously you do. I bet I could sell that brooch for twice what you paid for it. It's very quirkily chic.'

For a breathless moment I imagined the market life for myself, or maybe running a small shop. 'Oh Madame,' I'd say, 'such an elegant piece but with a genuine French je ne sais quoi.'

'Can we have lunch together?' Hugo interrupted my daydreaming.

'We've just eaten,' I said.

'Chips were the entree. Come on, there's a place near the metro. Cheap and cheerful. I want to know everything about you, Lise.'

He dropped my hand and then offered me his elbow. I tucked my hand in its crook and we sauntered off. Hugo didn't seem to be at all concerned that in his other hand, he swung a vintage straw bag covered in yellow leather daisies and sporting an enamel daisy clasp.

Chapter 15

The Romany girls I've seen in Paris have been dressed just as I'd imagined – flounced skirts, jangling bracelets and off-the-shoulder tops. Their eyes slide past me. I cannot imagine living as they do, so brashly identifiable and so obvious.

If you had asked me, I would have said that Hugo did most of the talking. He told me the local gossip in the town he and his uncle lived in. He told me about his uncle's dogs and how they were his uncle's excuse for not going anywhere, except for walks on the common. He talked about ordinary things, like the television programs he and his uncle watched and how his uncle had taught him to cook. In return I told him about my mother's afternoon teas with the rose-patterned Royal Doulton teacups, the sugar tongs and the teapot always turned three times.

'We have tea bags,' he said. 'Fancy being out-civilised by an Aussie colonial!'

'Mum doesn't like that the tea has to be bagged,' I said. 'It's environmentally unsound.'

'She's smart, your mum.'

'Sometimes,' I admitted, 'but she lives – well, Ami calls our place the House of Estrogen. That says it all, doesn't it?'

'That could be scary,' Hugo said.

'It's a bit like a movie set,' I said. 'Designated places untidy, otherwise cushions plumped, throw rugs on the furniture they exactly match, flowers always in the correct vase and candles at night.'

'Comforting, then? Unc and me – it's dishes in tottering piles on the sink, herds of empty beer bottles standing around and a month's worth of old newspapers in lieu of a tablecloth.'

'Disgusting' – I wrinkled my nose – 'but kind of fun.'

'That's behind the shop doors, of course. In the shop it's different. Sherry for the best customers. Old crystal glasses that Unc surreptitiously polishes on his shirttails. The English don't mind. Used to eccentricity. We embrace it.'

'Australians don't,' I said. 'We like everyone to conform and to be good at sport.'

'But you don't look like a joiner. Are you good at sport?'

'I play tennis. At school that wasn't good enough. It was all about netball or swimming. There were the popular kids, the sports jocks and the nerds. Then there was me and my best friend. We were a little hard to categorise.'

'Who likes school anyway?' Hugo said. 'Dreadful idea. Unc thinks we should all have had tutors at home. The old way.'

'In the library?' I imagined a dark room, floor-to-ceiling books and children standing around a large desk that was covered, perhaps, in a map.

'Oh my God, the library!' Hugo pulled out his phone. 'I have an appointment. Phew – there's time.'

'Do you have to rush off?'

'The book market. I'm sorry, Lise.' He rifled through his wallet. 'I thought I had a card. Damn. Do you have a pen?'

'Probably.' I rummaged around in my backpack and found a biro.

'This is my number.' Hugo grabbed my forearm and wrote large numbers along my arm. 'I seriously have to run!' He dropped a kiss on my forehead and ran off with a strange, loping stride.

I made my way down to the metro wistfully. I'd expected the afternoon to continue with us wandering around together. I'd certainly wanted that to happen! I pushed through the turnstile, Napoléon in my arms, and when the train arrived I jumped on still thinking of Hugo. Napoléon bristled and I saw that I'd nearly stepped into a taut piece of rope at one end of which a thin, watchful dog hunkered down under a seat.

Across the aisle sat a woman dressed in layered rags, so dirty I wasn't sure of the original colour. Her feet were bare and her matted dreads were wrapped in a filthy scrap of material. Another dog sat under her seat. She and the dogs stared at me. I didn't want to back away but I didn't want to step over the rope, either. I wanted to say excuse me, but I couldn't find my voice. Finally she yanked the rope and the dog slithered reluctantly from under his seat to join her other dog. Napoléon's hackles rose and he growled but I hushed him and walked past. I whispered, 'Merci.'

It was the dogs that shocked me. Most of the dogs I'd seen on the street had been well cared for, even pampered. They were drawcards for money, as well as company for their owners. The guy begging next to the supermarket had two Pomeranians he brushed until their fur was supermodel shiny and when he stopped, the dogs nosed and licked him, before curling up on their sleeping mats. These dogs were wild and uneasy. Napoléon was on high alert and I hugged him close. The woman turned deliberately so she could keep staring at me. The other passengers all studiously avoided eye contact with either of us. I counted the stops before mine. There were too many.

Three stops later, she got up. Thank goodness! However, instead of going to the nearest doors, she walked right up to me, pulling the cringing dogs after her. I could smell the thick, unwashed stench of her. She spat a stream of measured invective at me in a language I didn't understand. With each word, she brought her face nearer to mine. None of the other passengers moved. I was on my own, apart from Napoleon, who growled. I couldn't hush him. I couldn't say a word. My throat was sandpaper.

I was mad, though. At every word, my anger rose. She had no right! I had done nothing. And those poor dogs. They slunk behind her, as far away as their ragged rope leads allowed. I would not cower from her. I returned her stare, found my voice and said, in French, that I didn't understand her. Finally, the train pulled up and the doors opened. She said one last, long sentence and then jabbed her finger at my forehead, despite Napoléon's snapping at her, and held it there. Her hand smelled of sweat and dog. I kept staring. Her eyes were full of anger and she could have been any age. It was impossible to tell under the layers of dirt. She may even have been pretty, if she was washed and loved. Just before the doors closed, she pulled herself away and yanked the dogs off the train, but she continued to speak at me through the window until we pulled out of the station. Napoléon bared his teeth.

No one in the train carriage met my eyes. It was as if they hadn't seen anything.

I was still trembling when I got to Madame Christophe's.

'Calm yourself,' she advised. 'Poor little Napoléon – he has had a shock?'

'He's had a shock! What about me? That horrible woman!' I told her the whole story.

'Yes,' Madame Christophe nodded, 'yes, I think you have been cursed. No matter. It will be fine. You should wash your forehead. She touches you so that your thoughts are hers, but that cannot be.'

'I don't want to be cursed. I don't even know what she cursed me with. She wasn't dressed like the other girls.'

'It will not be pleasant,' Madame Christophe said calmly, 'it will be the usual Romany curses – unhappy love, ill fortune for you and yours. They have been cursing people for centuries. Nothing changes. They do not all wear pretty skirts, Lise. There are others, perhaps not so lucky as to own a pretty skirt and some bangles.'

'Do you believe in curses?' I asked, subsiding onto her client chair. My forehead was hot where the woman's finger had been. I didn't want to believe it, but I was also, at the same time, spooked and thrilled. I'd been cursed! What a great story to tell! Hugo would love it, so would Ami.

Madame Christophe gave an elegant shrug. 'It is what they are good at,' she acknowledged, hesitating between her words. 'I would be foolish not to believe a little.'

'Can you lift it?'

'Not entirely, but I also have some power. You will wash your face with this.' She rummaged around in the desk drawer and drew out a gauze bag containing some soap. 'And then come back to me. I will prepare something. It will not disappear the curse. You will have always been touched, but that may be a good thing, who knows?'

The soap smelled of plain old comforting lavender. I checked in the mirror but there were no visible signs of the curse.

'It was the dogs I minded most,' I said when I'd finished, 'they weren't happy. They didn't want to be with her. That's why I stared back. I'd have been scared if it hadn't been for those poor dogs but they made me angry.'

Madame Christophe nodded. 'She didn't pick the right person,' she said. 'She didn't know you were Australian. We will cleanse you now.' She lit a stub of herbs and waved it around me and chanted something I couldn't understand. I wanted to laugh. I was in Paris, I'd been cursed by a Romany in the metro and now I was being smudged by a French clairvoyant wearing stilettos and a leopard-print scarf.

'It is done,' Madame Christophe said after a while. 'Of course, you have still been cursed. But we have done what we can to turn it.'

'Thank you.' I was wobbly all of a sudden. 'Thank you.'

'Go and rest. It is the smudging and the curse in battle. You will be tired.'

She was right, although I didn't think it was due to an internal battle between good and evil. I was still in shock. The smoke didn't help. Its slightly acrid smell was lodged in my throat and my eyes watered. I stumbled upstairs, drank a glass of water, pulled the curtains shut and slipped into bed. I registered how cool the sheets felt before falling fast asleep.

I woke when smells of cooking wafted up the stairs. There were a couple of other tenants who had stayed for the summer but they were mysterious beings. I hardly saw them – just caught the sound of a heel on the narrow stairs, or smelled their food. Someone on the floor below lived on Moroccan takeaway. I was hungry. Was it too soon to text Hugo? The yellow daisy bag was perched on my bed. It was so perfect for my Paris dress! I should at least text him and thank him again. Maybe he'd want dinner?

But when I stretched out my arm, the numbers had smudged, some even obliterated except for a faint trace of blue ink. How had that happened? I'd only been asleep, not swimming!

It was the curse.

I'd been stupid not to take it seriously. Despite Madame Christophe's cleansing smudge sticks, it had worked. I stumbled downstairs to the shop.

'Look!' I held out my arm for her to inspect.

'Ah, Lisette. Did you sleep?'

'My arm.' I waved it in front of her. 'Where Hugo wrote his number.'

Madame put her designer specs delicately on her nose and then held my arm still. Her fingernails were bright pink. They matched today's leopard-print scarf perfectly. 'Wrote his number?'

'He had an appointment. He'd run out of cards. He wrote his number on my arm. The curse washed it off.' I realised that tears had filled my eyes and I stopped babbling, ashamed.

'Alas, yes. There is only a fragment of the number left. But why is this so important?'

'Because . . . I don't know. He lives with his uncle. He listens. He understood the whole . . .' I paused, trying to work out whether Madame Christophe would understand 'House of Estrogen'. I settled on 'House of Women' instead.

Madame Christophe nodded, still holding my arm. 'So, you think he is important to you?'

'We've only just met.'

'But you are crying,' she pointed out, letting go of my arm and offering me a tissue from the packet for distressed clients that she kept in her drawer.

'I'm cursed,' I said, sitting down in her client's chair, blowing my nose. 'I'm cursed and he never had a chance to become important. She needn't have cursed me, you know. I was already cursed. My father never had a chance of being important either. Mum hid him. No wonder I'm crap at men.'

'Your mother hid him?'

'She hid his photos from me.'

'But you have them now?'

'Yes, but I could have seen them earlier. She could have told me more. I might have been able to meet my father. Now he's dead.' Tears welled in my eyes and I scrubbed at them with the moist tissue.

'Did you ask?'

'No,' I said, 'but she made it impossible. She wanted a life without chips or cracks. She didn't let me ask.'

'She was humiliated,' Madame Christophe said slowly. She sat down behind the desk and Napoléon jumped onto her knee. 'I think you understand humiliation, Lisette?'

Heat rose in my face. First Ben and then Anders and Gabi! Oh, yes, I understood humiliation. I nodded, shamefaced.

'It is difficult to simply brush off humiliation. Your mother, she would have thought everything was settled. She and your father would live together, happily ever after. He thought the same, perhaps. Then, when he thought that ever after would not, perhaps, suit him, he left her. She was seven months pregnant, Lisette.'

'I know,' I whispered, 'but he was my father. And now all I have is some of his money – well, I will have when the estate is settled. He got married, Madame.'

Madame Christophe nodded. 'I know this. But you are his only child. You were never forgotten.'

'But is that enough? What if Mum *had* talked to me about him, what if I'd tracked him down?'

Madame Christophe shrugged and scratched Napoléon behind the ears. 'We always expect the what if to be better than the what was,' she said. 'But it is not always true. Let us play a different version of this game. What if you had found him, and he had turned his attention from his painting – he was an artist, yes? – and said, very nice, lovely, now please, I have no time?'

'I would have – I don't know.'

'I think you, too, would have been humiliated. And then perhaps bitter and you would have thought, he does not love me and nor has he ever loved me. When perhaps the truth was that he did love you, in his own way. He did not forget you. When he made his will, he made provision for you. He would have thought, I will leave Lisette something, enough for her to find her way in the world as a young woman.'

'Maybe,' I said.

'Maybe,' Madame Christophe agreed. 'Now, Lisette, wash your face and put on your Paris dress that goes so well with your new handbag and let us proceed to dinner.'

'You and I are going to dinner?'

'With Napoléon, of course,' Madame Christophe nodded. 'It will celebrate surviving the curse.'

'But Hugo's number didn't survive.'

'I would not worry about that. You can always find him. You have wi-fi.'

She had a point. I could easily track Hugo down – if he and his uncle were the kind of businesspeople who had a website and checked their emails. That didn't really fit with my idea of eccentric antique dealers, but then I remembered Hugo's smart phone. Maybe I could do that. Maybe I would do that. I cheered up and the idea of dinner out – a real French dinner out – sent me speeding up the stairs to get dressed. My reflection smiled at me as though that young woman was ready for whatever life offered her. I blew her a kiss, just because.

Chapter 16

Mackenzie said that a mini-crini sounded like a fat-saturated, high-salt, hidden-sugar treat that the Americans would invent. I told her it was Vivienne Westwood's much-abbreviated take on the crinoline. It is so good to have a friend in Paris to hang out with. She and Goldie are the best, although I feel closer to Mackenzie. She's Canadian, after all. That's almost Australian!

The bistro was one I'd walked past a dozen times before but never gone into. Unlike the other cafes, there were no tables outside, and sometimes it was open and other times not. Madame Christophe sailed in and was greeted by the waiter with a warm kiss on each cheek. I was introduced and then Madame was called out from the kitchen to meet us. Madame was a short, fat woman who rolled her 'r's' with a guttural passion. When she gently pinched my cheek, as though checking whether or not I was ripe, her hands smelled of lemon and flour and I was suddenly very hungry.

‘I will order for us, yes?’ Madame Christophe didn’t wait for my reply, but conferred with both the waiter and Madame, whose accent made it impossible for me to understand anything. I smiled and nodded, hoping my enthusiasm made up for my lack of comprehension. Everything on the menu was discussed at length and then everything that wasn’t on the menu was also deliberated over until, eventually, choices were made that caused everyone pleasure.

‘This is food from the real France,’ Madame Christophe said. ‘We will eat like peasant royalty tonight, Lisette. This is the last place in Paris you can eat food that tastes of the countryside, the soil that grew it. You will let your mother know of this – it will interest her greatly.’

The waiter appeared with a bottle of wine and poured a little into Madame Christophe’s glass. He beamed at her as she tasted the wine.

‘Superb,’ she said, ‘which is what I expected. Lisette – to your health.’

‘And to yours,’ I stammered, raising my glass.

‘Lisette was cursed by a Romany this afternoon,’ Madame Christophe confided to the waiter, ‘but I did a cleansing and now she is left, perhaps, with only the wisdom of the curser. Who knows?’

The waiter tutted and exclaimed and there was talk of the healing power of food and then toast arrived along with a chunk of some kind of terrine. Madame Christophe smiled and fed Napoléon a small corner. ‘You will never taste terrine as good again,’ she said, ‘it is all about the choice of pigs.

Madame has a brother. He takes the pig foraging. They are pigs that are delighted with life. You can taste their delight.'

The terrine was salty with a slight tang of aniseed. Did delight taste of apples and hazelnuts? I hoped so, for the sake of the pigs.

By the time we finished our meal, we were the only ones left in the bistro and I was practically in a food coma. The waiter came to the table with a tray of coffees, an unmarked bottle and some glasses. Madame came out of the kitchen and I noticed through my daze that she'd taken her apron off, swiped on some lipstick and tidied her hair. Coffee was passed around, more alcohol came out and they both sat down with us. I'd have thought that the alcohol would make it harder for me to understand Madame, but it was as though it had loosened not just my speech but also my hearing. I stuttered out my thanks for the wonderful meal and told her that I understood she'd been brought up on a farm and had learnt cooking from generations of country women. Both she and the waiter crowed over my French as though they, themselves, had taught me. More of the sharp, warm liquor was poured and Pascal made a toast to Madame, whose name was Jeanne. Then the table was cleared and Madame Christophe produced some tarot cards and began to read their fortunes, while I sat back sleepily.

There was happiness due in Pascal's life, she told him, and he agreed. Proudly he admitted that his daughter was having a baby boy in early winter. Madame Jeanne, Madame Christophe prophesied, would receive good news from abroad. Madame made us all accept another glass of liquor. Her friend was coming from America, she confided. They had been corresponding by email and had decided it was time to meet in person. She disappeared to the kitchen and brought back – of all things – a tablet, found a Facebook page and passed it around so that we all had a chance to admire the photograph of a smiling, rotund man brandishing barbeque tongs.

'He has his own restaurant,' she said, 'but he is leaving it in the hands of his son and daughter-in-law. They specialise in Tex-Mex. France will open his eyes to the real food. I will take him to my brother's farm. He will learn.'

'So, how did you meet?' I asked through a fog of eau de vie.

'On the internet,' she said, 'that is how everyone meets these days. It is – what do they call it – a village of the world?'

'It is Lisette's turn,' Pascal announced. 'Madame Sylvie, you must read the cards for Lisette.'

'Ask a question,' Madame Christophe ordered, 'and shuffle the cards.'

The only question I could think of was whether or not I'd see Hugo again. I asked that and moved the cards around the tabletop. I thought it was a silly question – of course I wouldn't see him again, the curse had erased his number. I was destined to be single forever. I'd have to become a crazy dog lady. I asked anyway.

Madame Christophe began to lay the cards out and Pascal and Madame Jeanne leant in to see, as though my future was as important to them as their own.

‘This is the foundation of your question,’ Madame Christophe said. ‘A young man, creative and business-minded.’

‘Ooh.’ Madame Jeanne gave me a knowing look. ‘A young man! Is he handsome?’

I blushed. ‘I suppose so,’ I admitted, ‘he has a nice smile, but I don’t really know him.’

‘This is in the past’ – Madame Christophe flipped up another card – ‘another man, but not so pleasant. This is someone who is cruel and wilful. He is a source of unhappiness.’

I pretended to be mystified but my colour heightened. It was clearly Anders.

By the end of the reading I still didn’t know if I was ever going to see Hugo again but I had learnt that I needed to see beyond the superficial and that an unexpected gift was going to lead to happiness. Pascal and Madame Jeanne exchanged meaningful glances as though they could both see my future quite clearly.

‘A good outcome,’ Madame Christophe said, gathering up her cards, shuffling them and putting them back in the velvet bag. ‘Yes, Lisette, a very good outcome. Fortune will smile upon you.’

I tried to be suitably pleased but yawned instead. ‘I’m sorry,’ I said, ‘I think it’s all the cognac.’

Madame Christophe nodded. ‘Not to mention the curse. You are possibly still involved in internal conflict. It is tiring.’

‘That woman did the devil’s work,’ Madame Jeanne agreed and crossed herself discreetly. ‘The next time you pass a church, Lisette, you should light a candle.’

To my surprise, Madame Christophe paid for our dinner. She waved my protests away. 'I invited you,' she said, 'you are my guest. It was a pleasure, Lisette.'

Despite the food, the wine and the cognac, it took me a long time to go to sleep. I thought about what Hugo had said – how his uncle had buried himself in things from the past, to avoid the pain of his own past. Did my mother create order and perfection to make up for my father walking out on her? Sometimes her fussing drove me mad – I wanted to tear the petals off her roses or write something rude right across the mirror in the studio. At other times, walking in and seeing the pretty cups on a tray, the vase of fresh flowers and smelling the essential oils she vaporised made me calm and happy.

'So do you feel you're looking after your uncle?' I'd asked Hugo at lunch.

'I used to think he'd just disappear without me. He'd burrow so far into his books he'd never come out again. Lately, though, I've noticed he actually does have a life of his own. It was a bit of a shock, to be honest. I'd thought I was indispensable, but I'm not. He has friends. He goes to the pub. He plays snooker on Saturday nights and darts on Thursdays.'

'At least you're doing something real,' I'd said gloomily.

'For the next while,' Hugo had said. 'I might do something else in a few years. Anyway, you want to be an art historian, don't you?'

'I thought I did. But I don't know – it's all so remote, isn't it?'

'It's an education.'

'The problem is that all the art's hanging on gallery walls,' I'd said. 'You can't, you know, take it down, look at it properly. You can't touch it. That's why I like clothes. Or jewellery. I like things you can pick up, turn around or wear. I'd like – I don't know, to buy things for movie sets.' I had sounded so hopelessly young and stupid that I'd ducked my head in embarrassment. It was like saying you wanted to be a fashion designer – how many girls wanted that? Naturally, I'd wanted to do that, too. I didn't tell Hugo.

'Or go into the antique business?' Hugo said. 'That's what Unc and I do – pick things up, turn them around and then sell them. When we're lucky.'

It didn't sound like a bad job, I thought. I wasn't at all sure what I'd do with an art history degree, even if it was an education. Once I'd thought of it as a way to somehow get closer to my father – that one day, if we ever met, I'd be able to tell him I was working in his field. It was never going to happen now. We would never be able to have the conversations I'd imagined throughout my childhood.

In honour of my education, I decided the next morning I'd visit the Louvre. I announced this to Madame Christophe over breakfast. I thought she'd applaud my choice but instead she shook her head vehemently.

'No,' she said, 'no, you must visit next door – the museum of the arts decorative. There is an exhibition there of underthings. It will interest you.'

'Underthings?'

'Exactly,' she said. 'I would accompany you, but alas, I have clients booked. Perhaps you should ask that girl with the boy's name? She would enjoy it, I am sure.'

I stomped back upstairs to see what Madame Christophe could possibly mean and discovered that there was an exhibition of underwear, including crinolines and bustles, on at the Musée des Arts Décoratifs. Mackenzie *would* enjoy that, I thought, and Ethan had gone back to Canada, so she might want cheering up. I texted her straight away.

We met at the entrance of the museum.

'Thank goodness it's just fashion,' Mackenzie said. 'The more art I see, the less confident I become.'

Just fashion! I shook my head as we stepped into the dimly lit exhibition space. We ended up staying for over an hour. Who knew that underwear could also be a love letter? In the eighteenth century, a lover would have his declaration of love carved onto thin wooden or whalebone busks that were part of a woman's corset. In return, he might receive one of the ribbons that held it in place. So romantic! Or that sixteenth-century men had already discovered their equivalent of a sock in the jocks? Or that anyone would wear a wig down there? Seriously?

We tried on crinolines – not mini-crinis, but the full-sized ones – and took photos of each other. The best thing in the whole exhibition, however, was a doll-sized mannequin – a Pandora, the label read. They were sent around Europe so that fashionable women could choose their clothes from the doll's wardrobe. She was dressed only in her underwear, but the clothes she would have once worn were displayed beside her. Everything was tatty but I could see how exquisite she would have been and I longed to reach through the glass of the display case and touch her.

'A grown-up's doll,' Mackenzie said thoughtfully. 'Interesting.'

'Oh, Mackenzie, I want one!'

'I can see that!' Mackenzie said. 'Stop drooling on the glass, Lise. They'd be worth hundreds, probably thousands. If you could even find one.'

'I wonder if Hugo knows about them,' I said aloud.

'Hugo?'

'Just this guy I met. He's into antiques.'

'I thought . . . you and Anders?' Mackenzie said delicately.

I blushed. 'Goldie warned me off,' I said, 'and then Anders – oh, it doesn't matter, really. It was a near escape.'

'I would have told you,' Mackenzie said, 'but I wasn't sure. It was possible that Anders and Gabi had broken up. I'm sorry, Lise. I haven't been a good friend.' She reached out and touched my hand, her face sad and earnest.

'You've been a friend,' I said. 'Mackenzie – you're a great friend. Thank you.'

Her face cleared as suddenly as it had clouded and she wrinkled her nose. 'So this Hugo?'

'It's nothing,' I said, 'we've only just met and then the Romany curse erased his phone number from my arm.'

'Whoa' – Mackenzie held out her hand – 'stop right there, Lise. A Romany curse?'

I told her the whole story. It took two coffees each – Mackenzie's shout, she said, because it was such a weird story.

'Wow!' she said at the end. 'Lise, you come to Paris and stuff happens to you. Me, I come to Paris, do a few mediocre paintings and miss my boyfriend. You're an encounter magnet. Like, seriously, most people look at the Eiffel Tower, climb up to the Sacré-Cœur and see the *Mona Lisa*. You get a clairvoyant landlady, two men – okay, one's an arse, but the other one sounds fine – an authentic curse and your tarot read after a genuine French bistro meal.'

'I won't see Hugo again,' I said sadly. 'His phone number disappeared. I could contact him through the shop's website, but I don't think I should. What would I say? What if his uncle read it? Holiday romances don't last.'

'You never know,' Mackenzie said. 'Paris isn't that big. He might just show up again.'

I didn't have much faith in Paris being *that* small. Mackenzie's optimism was catching, however, and her version of me was much bigger and more interesting than my own. Perhaps because of that I found myself keeping an eye out for Hugo all the way home and even when I didn't see him, there was still a residual seed of happiness growing inside me.

Chapter 17

There are tricksy elements in designing dancewear.
You'll want a sexy, backless dress. But you'll perspire.
After your partner has jived, dipped and swung you across
the dance floor, he'll be all too familiar with your sweaty back.
This is just one of the reasons that I do not dance.
Mum and I once saw a movie where this married couple
dance together, around their bedroom, after a fight.
Mum started crying. 'That was the kind of husband
I wanted,' she said. 'Someone you could just fall into
step with, after the shouting.'
I get that now. I totally get that.

Only two days later I was window-shopping, dreaming of mini-crinis and corsets and thinking of how romantic it would be to receive a carved busk from a beau, when my phone pinged. Mackenzie – *It's Paris-Plages. There's dancing! Tonight!*

To say the idea didn't thrill me would have been an understatement. On the other hand, what else would I do?

I did wonder what on earth Mackenzie would wear, but she showed up in jeans with small-heeled shoes that sparkled.

'Ballroom shoes,' she said. 'Ethan and I do ballroom dancing, back home. We met doing the salsa.'

'Wow! I didn't know that you were into dancing.'

Mackenzie grinned at me. 'It's so much fun,' she said. 'Let's go. Goldie's meeting us there.'

'Hang on a sec,' I said. 'Do we have to dance?'

'That's what it's all about.'

'I don't actually do that.' I cleared my throat. 'Not in public.'

'So what?' Mackenzie said. 'You're in Paris. You have to dance in Paris. You have to dance at Paris-Plages. They put speakers up. People come from their dance classes. It's a summer ritual. You only have to dance once, just to say you've done it. You can take photos the rest of the time, if you want.'

'You're kidding, right?'

Mackenzie just smiled.

There was already a crowd down by the river. Children were playing in the sand that had been dumped for the fake beach. The misters were on and kids ran in and out of them while a teenage couple stayed underneath, glued together by kisses and spray. Couples strolled past eating ice-creams, or sat on beach chairs watching the tourist boats and barges on the river.

A portion of the boardwalk had been constructed into a makeshift dance floor. Two large speakers were erected on some scaffolding and they blared out up-market lift music. People were already congregating at the edges of the stage, subtly checking each other out. They were mostly older women.

'Here you are!' Goldie found us. 'Jeans, Mackenzie?'

Mackenzie laughed. 'It's all I've got, apart from yoga pants. I'm wearing good shoes, at least. That's all that counts.'

The music changed to something with definite rhythm and a couple moved to the centre of the boardwalk. They were an unlikely couple. Even though he was definitely middle-aged, if not frankly old, he wore long dreadlocks that were looped around his shoulders. He was tall and far more casually dressed than his stout companion who wore a silky hot-pink blouse over a tight black skirt with kick pleats. His shoes, however, were sharp – narrow-fitting and highly polished.

'They're going to be good,' Mackenzie said. They were good. Even I could see that. They moved as though they'd spent all their lives entwined in that loose but confident embrace. 'Ooh, I want to dance with him.' Mackenzie sighed. 'Oh God, it's a tango! Come on, who wants to get up? I can lead.'

'Not a tango,' Goldie said. 'No way, Mackenzie. You have to know something to do that!'

There were more couples up on the stage now. Mackenzie gave a running commentary on the abilities of each dancer. It was obvious that she was longing to get up and dance but I pointed out that there was no one even close to our age dancing.

'It doesn't matter who you dance with,' Mackenzie said, 'once they know you can dance. The point is the dance.'

Finally Mackenzie managed to drag Goldie up for a salsa and I saw what she meant. The other dancers watched her, just as she'd watched them. They were definitely judging Mackenzie, but she was every bit as professional as the hot-pink woman. She led, making up for Goldie's hesitations and stumbles.

Mackenzie was a star. She had partners lining up for her after that. First was the dreadlocked man, who when Goldie shook her head slightly at Mackenzie's invitation to dance the next number, smoothly intercepted and swept Mackenzie away. His previous partner sat on the sidelines, fanning her face, clearly pleased to sit out the faster number.

'Was it fun?' I asked Goldie when she joined me.

'Sort of,' she said. 'But I'm happy to be here. Let's take photos instead.'

Mackenzie was not without a partner for the next thirty or so minutes and then, flushed and smiling broadly, she came down to rehydrate.

'I had completely forgotten how much fun that is!' she said. 'I just love it! Lise, you have to come up!'

More and more people arrived and there were always at least five or six couples spinning and dipping. One woman arrived with her partner dressed as though they had both come from a fifties-style wedding. She wore a hat with a tulle veil and a skirt layered with petticoats that flew out as her partner, in a three-piece suit, spun her around.

'It's amazing,' I admitted. 'Mum would love to see this.'

'She can see the photos,' Goldie said. 'Mackenzie, I really have to go. It's been great, but I have to get to an exhibition opening.'

'You'll stay, Lisette? We haven't even danced yet!'

I wanted to go too. Sweat had trickled down my back simply watching Mackenzie, but I agreed to stay, cursing myself for my cowardice.

I cursed myself harder when minutes later I caught sight of the one person I had wanted to avoid. Anders. With a girl. She had to be Gabi.

Mackenzie had already returned to dance and I couldn't simply disappear. I ducked my head and fiddled with my camera. If I couldn't see him, he couldn't see me.

I held the camera up both to conceal my face and also to zoom in on Gabi. She was a pale glow underneath a pile of dark curls. She leant into Anders as though they had been waltzing together all their lives. They probably had been. They were so engrossed in each other it felt as though I were spying. I lowered the camera but I couldn't stop watching them.

Why on earth had he made a move on me when Gabi was a part of his life? It didn't make sense. I was out of her league. I was too young, too blonde, too Australian. I couldn't understand it. It was humiliating to think that I'd imagined us together.

Gabi blurred. I put the camera down to blink away my tears. Anders didn't matter so much. What stung was my own stupidity. What had I been thinking?

They'd stopped dancing. I blinked again. Gabi was pointing in my direction. She was tugging Anders forward. I looked for an escape route but I was hemmed in by tourists. Then suddenly they were right in front of me.

'This is your little Australian? Introduce us,' she ordered Anders. Up close she was not flawless although her make-up was very good. Underneath the concealer, a fine sprinkling of pimples covered her forehead and I didn't believe for one second that those full, long eyelashes were her own. I lifted up my chin. My clear skin was one of my assets and my own eyelashes were respectable. I was ready to snarl like Napoléon.

'So, Anders, this is your *sister*?' I said. 'How very European of you both. How very . . .' I paused and took a breath to steady my voice, 'incestuous.'

Gabi flashed a look at Anders, frowning. 'I am his girlfriend. Always.'

'Not what he told me. Enjoy the new lingerie,' I said. 'I thought it was quite . . . pretty . . . if that's what you like. A little traditional for someone whose relationship is not so conservative.' I fluttered my fingers at them both and sidestepped into a gap in the crowd. My knees were shaking but I had done it. I had shown my teeth.

'I hate to intrude,' a voice with a distinct English accent said, 'but your clairvoyant told me to find you here.'

I whirled around. It was Hugo. I could have flung my arms around him. 'Hugo! I'm so sorry I couldn't call. A Romany woman cursed me and your number faded on my arm.'

'It always happens.' He nodded. 'I mean, if it's not a curse, it's a dragon abduction or an army of ogres. The things that keep me from the girls of my dreams!'

'It's true,' I said, 'there was a woman in the metro. Madame Christophe had to perform a cleansing smudge.'

'Is that an oxymoron?'

'With sage or something herbal.'

'So not charcoal and art therapy?'

'No. She's a clairvoyant, not an artist.'

'She's amazing. I think we bonded. Napoléon was the glue – he remembered me.'

'How did you meet her?'

'I could say it was an accident, and then I wouldn't sound like a stalker, but I'm happier telling the truth. When you didn't call I researched clairvoyants in the Marais. There are surprisingly few. Actually, there's one. Yours. So I went there and she told me you'd be here and . . .' Hugo stopped. 'And here you are,' he finished.

'I didn't tell her I was coming here,' I said. 'In fact, she was out when I left. There was a sign on the shop. How did she know?'

'She's a clairvoyant,' Hugo said, shrugging. Then he looked at the dancers. 'So that's him,' he said after a few seconds.

'What do you mean?' I asked cautiously.

'The guy who stood you up? The one who caused you to contemplate the lonely river?'

'I wasn't contemplating the river! Also, how do you know that's him? Or that he's even here?'

'Intuition. I'm a wheeler-dealer, remember. He's obviously a bit of an arse.'

'He *is* an arse and she's not as beautiful as she looks from a distance.'

'She looks high maintenance,' he said.

'Come on, Hugo, how could you even tell?'

'Just a feeling. Do you care about them?'

I considered the question. Did I care? 'I regret being deceived,' I acknowledged. 'They were actually in a relationship but he told me . . . he told me lies. That's what hurts – and that I believed him.' I looked at Anders. He was slightly self-conscious. His shirt sleeves were a little too neatly rolled. His hair had been gelled.

'I think we should dance,' Hugo said.

'Dance?'

'I'm not that great at it,' Hugo said, 'you know, Camden boy – we pogo. But we can give it our best and have a bit of fun, yeah?'

'I don't know. I haven't danced since the school formal.'

'I have been told I resemble a windmill on speed,' Hugo admitted but he already had my elbow and was leading me to the dance floor. 'On the other hand, that's better than looking as though you've a poker up your arse.'

'I've always liked windmills,' I said.

The music had changed to something Latin but that didn't deter Hugo. He watched for a minute or two and then grabbed me and we both attempted to follow the couple nearest to us. As it happened, they were the wedding couple who were so much better than us that what they made look easy tangled our feet in an instant. Hugo grabbed me and pulled me to him.

'We'll improvise,' he said in my ear, before swinging me out again.

Eventually we stopped fretting about what everyone else was doing and managed to dance together, roughly in beat with the music, inventing our own steps, which at one point definitely included something pogo-ish. When the music changed again to a slower number, Hugo opened his arms and I stepped forward as though it was the most natural thing in the world to be there.

His collar points were frayed and his shirt sleeves had half unrolled. He was wearing weirdly not-quite-vintage trousers. Where his shirt was open at the throat, I could see his white skin. He smiled at me, his eyes tender.

'It's not that difficult,' he said.

'It's not,' I answered and I knew neither of us meant the dance.

'You're not going to do another Cinderella on me, are you?' he asked.

'You're the one who ran off!'

'I had to. I nearly missed the whole reason I'm in Paris. Besides, I left you more than a glass slipper.'

'I was cursed!'

'Such a good story to tell our children. We nearly didn't get together because your mother was cursed by a Romany.'

'What? You're hopeful!'

'Always. Is that a friend of yours waving?'

'It's Mackenzie.'

'Mackenzie – good Scots name.'

'She's Canadian.'

'That explains it. Delighted, Mackenzie.' Hugo stuck out his hand for Mackenzie to shake.

'Hugo, Mackenzie. Mackenzie, Hugo.'

'I'd shake hands with you but I'm covered in sweat,' Mackenzie said. 'Shall we get a drink?'

'Sounds ideal,' Hugo said. 'I mean, I like dancing as much as the next chap, but there's a moment when your shirt feels as though it's just come out of the wash and that's when I prefer to stop. Beer? My shout.'

It was only when we were sitting down that I realised I'd forgotten about Anders and Gabi. At the same time, I noticed that Hugo had rested his arm on the back of my seat. He was waiting, I thought, for permission. I leant back and his hand came down on my shoulder. Mackenzie carefully smiled at her beer.

While Hugo asked Mackenzie about painting, environmentalism and her life in Canada, I wondered if Hugo and I were temporary, like Paris-Plages. Every so often Hugo's hand left my shoulder as he emphasised something he said. When it returned, warm and slightly sweaty, my pulse quickened as though my body was saying, *glad to see you again.*

'The thing is,' I heard Mackenzie say, 'you can't pre-empt the future, can you? I mean, you can't say, I shouldn't be doing figurative stuff because that's been done and it won't sell. You have to do what your heart tells you to do and trust that it will all come out okay.'

Mackenzie had nailed it on the head.

'I guess that goes for life as well,' I offered and Hugo squeezed my shoulder.

'It's all risky,' he said, 'risky and wonderful.'

How many days did Hugo have left in Paris? I couldn't remember when he'd said he was leaving.

'To wonderful risks.' Mackenzie held up her beer bottle and we clinked, echoing her words.

When she went to buy the next shout, Hugo turned to me. 'Will we risk it, Lise?'

'I don't know,' I said, but I felt a little giddy, as though I'd just drunk too much champagne rather than just one beer.

'I'm going to put your number into my phone. Then I don't have to track you through Paris. I'm going to drink this beer, walk you home and then I'm going back to Unc's friend because I promised to be in before midnight. Tomorrow I'm seeing my friends. They run a vintage store.'

'Can I come with you?'

'I would like that,' Hugo said seriously.

It didn't matter that in a couple of weeks the sand would be dumped back where it came from or that the bars would be taken down and the dancing stop for another year. I was here now, I thought. That's what mattered.

Chapter 18

Vintage – something from the past of high quality, especially something representing the best of its kind. That is seriously the definition of vintage and vintage shop owners should learn it by heart before they try to pass off old crap as vintage. Old crap is just that. Vintage is different.

'I'm meeting Hugo's friends today,' I told Madame Christophe. 'They are the Falbalas and they run a vintage clothing store somewhere.'

'They cannot be the Falbalas,' Madame Christophe said calmly, feeding Napoléon.

'I'm sure that's what he said.'

'*Falbalas* is a film,' Madame Christophe said firmly. 'It is not a couple. Although they may have chosen that name for their store, of course. It is a film about haute couture and very tragic. I hope they are not tragic people.'

I couldn't imagine Hugo being friends with tragic people

and I told Madame Christophe this. 'But I am pleased you told me about the movie,' I said, 'it would have been embarrassing to think that was their real name!'

'I do not think you could embarrass that young man,' Madame Christophe said. 'He is very – how will I say it? He is safe in his skin.'

I thought about Hugo dancing. Madame Christophe was right, although her English was obscure. 'Comfortable in his skin,' I said, 'that's what we say.'

'Comfortable, safe,' Madame Christophe shrugged. 'It is the same. You will take Napoléon? I have a client coming who he does not like. I would choose not to see this client but his problems are small and his pocket is rich.'

'Oh là là,' Hugo said when he met me outside, 'so French! We have the dog. Max and Edouard will be impressed.' He kissed me, first on one cheek and then the other and a third time, confusing me.

'Ouch.'

'Sorry.' Hugo ruefully rubbed his nose. 'I got carried away. It's Napoléon. Off we go to the biggest flea market in France, maybe the world.'

I had no idea where we were going but Hugo negotiated the metro, only interrupting his chatter to distribute money to various beggars and buskers.

'I can't give much,' he said to me, 'but I feel . . . well, what do I feel, really? Guilty, I suppose. So I have this policy. Anyone old, anyone with children and anyone with the right kind of dog.'

'So the wrong kind of dog disqualifies you?'

'I hadn't thought of it like that.' Hugo was worried. 'Disqualifies you? That's harsh. I guess I couldn't give money to someone with a dog who'd been beaten.'

I took his arm. I hadn't meant to question his system. 'It's great that you've given it so much thought,' I said. 'Most people simply ignore them.'

When we got out at Saint-Ouen, Hugo said, 'I need to get some flowers. I always take flowers. I also need to tell you something, so let's find a cafe and have a coffee.'

He bought a big bunch of dark pink and creamy white flowers, some in bud, some open. It was lavish. Opulent. I regarded it with suspicion. My chest was tight. What was Hugo going to tell me?

He didn't talk until the coffee arrived and then he took my hand and held it across the table.

'I want to tell you this before you meet them, so there's no confusion. Maxine and I – well, when I was younger, we had a thing. It was before Edouard. Maxine was the first woman . . . well, that I'd loved and everything.' He seemed to run out of breath.

I knew he was going to say that he still loved her. I tried not to glare at the flowers. His hand was sweating slightly and I pulled mine away from it. I didn't want to make this easier for him.

'First Anders,' I said, 'and now you.'

'What? No, no, not at all. Not even a little bit.' Hugo

grabbed my hand again, upsetting the sugar bowl and spilling coffee into our saucers. 'Damn!' He scooped the sugar back into the bowl. 'Don't look,' he said, but I kept staring at him as he swept the rest off the table with his napkin, then took my hand again.

'You're sticky,' I said.

'Sorry, you'll just have to put up with it while I tell you. You've got it wrong, Lise. Of course I love Max, but not like that. Not now. This all happened five years ago.'

'*Five* years! You're not that old.'

He grinned and ducked his head shyly. 'I was seventeen. Max is older by a couple of years. It was my first buying trip. I had strict instructions from Unc. He'd wanted to come but at the last minute he freaked out, so I arrived here with my schoolboy French, a list of things to look for and a budget. I was really flung in the deep end. Anyway, Max already had a stall at the Porte de Vanves. She felt sorry for me. I, of course, fell head over heels and mooned over her. For her it was a springtime fling with a boy. For me it was profound.'

The bands around my chest tightened. *Profound.* Along the street was some kind of African market – all I could see was a blur of bright yellow, green and red from the T-shirts hung up high like flags around the stalls.

'I wanted to tell you,' Hugo said, 'because I want you to know about me and why I buy Maxine flowers and why we're close – the three of us, Max and Edouard, her partner, and me. I'll always love Max – I'm so grateful to her. Not just for, you know – but also because later she put up with my emails and my drunk phone calls and she was nearly always kind when she needn't have been. I don't want you thinking I'm anything like that cheating guy.'

'What happened after Max?' I extracted my hand again. I was cold even though we were sitting in the morning sun.

'Nothing for ages.' Hugo laughed. 'I wrote emails in bad French and sent over things I'd picked up at the markets at home. Unc moved up North. I went on visiting flea markets. Then I met a Camden girl – very different from Max. She was my age. It didn't work. Not everyone understands vintage things, yeah? And they're kind of the point of my life. So now I've told you my sad story. Are we okay?'

'I guess.' Privately I thought that would depend on what this Maxine was like, but I also knew I didn't really have any claim to Hugo. I was a tourist – and not just in Paris.

'Just checking.' Hugo grinned at me. 'Come on. Let me wash your hand. I've got a water bottle.'

The Falbalas vintage clothing and bric-a-brac stall was in the middle of the huge antique market at Saint-Ouen. Hugo led me through a maze of different shops that sold everything from high-end Art Deco antiques to flea market goods until we reached a two-storey building. Max and Edouard were upstairs.

A woman, wearing a pantsuit straight from the late sixties that even had a matching waistcoat, looked up from her desk and leapt to her feet, shrieking over her shoulder, 'Edouard – it's Hugo!' She rushed at Hugo and triple-kissed him, leaving lipstick on his cheeks. Edouard emerged from behind a curtain. Like the woman, he was dressed in vintage wear but his clothing dated from an earlier period and he sported a waxed moustache. I tried not to stare.

'Hugo!' Edouard embraced him, ruffling his hair fondly as he did.

'Maxine, Edouard, allow me to present Lisette,' Hugo said solemnly, letting go of my hand as he gently pushed me forward.

'Enchanted.' Edouard took my hand and air kissed it close enough that his moustache tickled.

Maxine held her face against mine briefly. 'Delighted,' she murmured and we both checked each other out. She wasn't beautiful or even pretty, but she was chic. Her hair was cut very short and, despite the sixties outfit, the only make-up that stood out was the dark lipstick that contrasted with her pale skin. She was – I searched for a word and reluctantly found it. She was compelling. No wonder Hugo had fallen for her.

'I love this skirt,' she said, reaching forward to finger my skull skirt, 'it is very striking. An Australian designer? Hugo told us you are from Australia. So original.'

Was she talking about my skirt or Australia? I wasn't sure. What had Hugo said about me?

'Can we have lunch together?' Hugo asked, waving the flowers around.

'The flowers, Hugo!' Maxine reached for them. 'You will ruin them dancing like that! Look, Edouard – peonies. They are beautiful, Hugo. Thank you.'

'We will certainly have lunch.' Edouard produced a vase seemingly by magic. 'We'll close. Business is slow anyway.'

'But it's far too early. We could have coffee, unless you want wine? Edouard, find some chairs and water for the dog. Adorable. Trust you, Hugo – you find a girl with the perfect French accessory.'

Hugo put an arm around me. 'She's Australian – they learn to fit in.'

Edouard touched my elbow. 'Don't listen to Hugo – he is already taking you for granted.'

It was clear that I had passed some kind of test. Hugo's smile was as wide as the sky as he helped Edouard move chairs around the desk.

We were soon all drinking coffee from a fifties coffee set.

'This is interesting,' I said, checking it out. I'd wanted Mum to make the studio more fifties but she was all floral teacups. She said the fifties were ugly.

'Oh look, Edouard. She is examining our coffee set.'

'Sorry.' I put the cup down. 'It's just gorgeous.'

'Don't be embarrassed,' Edouard said. 'We all do it all the time, do we not, Hugo? It was on display but of course whenever anyone asked the price we'd put up it so far it couldn't possibly sell. Then I said to Max, obviously we don't wish to sell it. No wonder we make no money!'

Maxine shrugged. 'There is more in life,' she offered. 'And business with you and your uncle, Hugo?'

'Better after this trip,' Hugo said. 'I've been procuring something special for a distinguished client.'

'Ah, how we need distinguished clients!' Edouard laughed. 'Of course, I must be careful with this. Max does not like me to have too many distinguished clients.' He winked at Hugo. 'Lisette, you are interested in the trade?'

'I don't know anything,' I said, 'except about clothes.' I wondered what Edouard had meant by his comment. Was Hugo's client, who he'd been in such a rush to see, a woman? Was she interested more in him than his antiques? But then why would he tell me about Max – as a smokescreen?

Max clapped her hands. 'So perfect!' she said. 'Fashion, history of clothing. It creates an eye, does it not? That is clear from the skulls. You made this?'

'With my mother's help,' I said.

'You sew well!'

'Not like Mum. She's a seamstress.'

'And will that be your career?'

'I don't know,' I said honestly. 'I was going to go to uni and study art history. Now, I'm not sure. I'm worried that I just latched on to it for the sake of doing something.' I wasn't explaining myself very well but Maxine nodded.

'You need to feel it in your bones,' she said. 'Your skirt, you feel there? Clothes are art too. Ah, Hugo, this brings me to a moment of importance. We have clothes. We have been saving them.'

'I don't buy new clothes.' Hugo turned to me and then to Max and Edouard. 'Lise noticed my fraying cuffs.'

I stared at the pile Edouard produced. 'Some of these are beautiful,' I said. 'Hugo – this grey-green would suit you.'

'And this' – Maxine produced a shirt with pinwheels of colour all over it – 'would suit you, Lise. You must have it. Ooh, and also – where is that Audrey shift, Edouard? That would be perfect, too.'

Before lunch Hugo changed into his new old clothes. The shirt I had picked brought out the colour of his eyes. He lounged comfortably at the Moroccan cafe, his long legs stretched out in front of him. This was his world, obviously. Even his clothes, which looked slightly odd on the Paris streets, were just right at the flea market. I'd changed into the Audrey shift and Maxine had applied cat-eye eyeliner on me. I wondered if I looked at home like Hugo did.

'So,' Edouard said, helping himself to couscous, 'we have time to all go somewhere amusing? Perhaps to hear some music?'

'I have ten days left,' Hugo said, 'and then it's back to the UK.'

'And you, Lise?'

'I'm in Paris for another five and a half weeks and then back to Australia,' I said slowly. I hadn't spoken those words aloud before and the sentence stuck in my throat. Did I want to go home? I felt as though I was on the brink of some discovery. But what if I didn't find it in time? What if I went home before I'd worked it out? I wanted to reach out and hold Hugo's thin wrist or snuggle my head into his shoulder but how could I – we weren't really together and I was already on my way home.

Chapter 19

RULES

There are fashion rules. When Mum was growing up, her mother always told her she should never wear blue and green together – blue and green, mustn't be seen. My grandmother's shoes matched her handbag, her lipstick matched her nail polish. A woman was always well-groomed. It's all changed. What about Life Rules? You do what you said you'd do. You marry the girl. You catch the flight. You keep your promises. You don't mess up.

I Skyped with Mum. 'I really, really like him,' I told her.

'So, he's become a boyfriend?' she asked. The connection was bad and I couldn't see the details of her face. It was as though someone had painted her with the colour laid on a little too thickly. Was she angry or resigned?

'I suppose so,' I said, 'but we don't, we haven't . . . you know.'

There was that weird Skype time-delay and Mum leant forward towards the monitor. 'You don't have to have sex with someone to be in love with them,' she said. As if I was twelve.

'I do know that,' I said. 'He goes back to England very soon.'

'You can stay in touch. I would advise putting the brakes on, though. You don't want to become too involved.'

'It's not even a romance yet,' I said.

'Exactly,' Mum said. 'Now, let's talk about other things. You'll never guess who came around the other day!'

'Who?'

'Ami's Uncle Vinh. With pork dumplings, beer and green tea. We had a meal together in front of the fire.'

'How's Ami?'

'She's doing fine,' Mum said, 'enjoying her course, apparently. Misses you.'

'She was there, right? Eating dumplings? Or was it just Vinh?'

'Oh, Ami wasn't there,' Mum said, 'she's started back at uni. It was just Vinh.'

'Why wasn't Ami there?'

'She was doing her own thing,' Mum said mysteriously.

After I'd finished talking to Mum, I wondered if Ami was seeing someone. Ami had said she'd never get a boyfriend without my approval. It wasn't fair to hold her to *that*, I knew, but I did wonder what excitement I'd missed out on. I Skyped her straight away.

'Are you going out with someone?' I said and then added quickly, 'I think I'm falling in love.'

'Uncle Vinh is seeing your mum,' Ami said, at the same time.

Then we both did that Skype *you first, no you,* three times each exactly.

'She's seeing him or going out with him?'

'She's going out with him. And staying in with him.'

'Wow! That's crazy. What about you?' I said finally.

'I'm staying in with my economics textbook. Not to mention my exam timetable. It's not crazy when you think about it.'

'It's just not fair. I leave the country for half a minute and she's taken up with some man.'

'It's not some man. It's Uncle Vinh. We all love Vinh.'

'That's why it's unfair. Mum's got a better chance of having a lasting relationship than I have.' Tears thickened my voice and I hoped the Skype connection didn't let on.

'He picked me up from your place ages ago. She made him a cup of tea – you know that blossom tea. You should have seen him, Lise. He took the teacups out to the kitchen for her. And then they made a cake together.'

'They what?' It was difficult enough to imagine a man in my mother's kitchen without having to also imagine him rolling up his sleeves to whisk eggs and measure flour. 'What kind of cake?' I asked. As if that mattered.

'Well,' Ami said, 'this is why I know it's serious. Sally was making a sponge and Uncle Vinh persuaded her to make a green tea sponge.'

'A green tea sponge?' Mum had always said there was nothing quite like a plain sponge. It was the little black dress of cakes. It was how you accessorised the sponge that was the key. Her sponges were whispered about by the customers. They put in shy requests for their favourites as they discussed fabric and drape. 'Oh, and if you could, darling,' they'd say, 'I heard the lemon curd sponge is a wonder. I've never tried it,' and they'd try not to drool on the watermarked bridal satin. But green tea? That was not Mum's style, no matter what size shipment Vinh had bought.

'With a coconut cream filling. It was delicious.'

I had a sharp pang of instant homesickness. I imagined my mother's kitchen and could almost hear the radio playing from the top of the cookbook shelf. I could smell ground coffee and the lemon verbena scent she wore through the summer. Of course, it wouldn't be summer. It was winter and she'd be wearing something spicier. 'Are they serious?'

'I think Vinh is. He consults me about what movies she likes. He's always talking about her. Sally doesn't talk much about him. But she doesn't hide the evidence, either.'

'The evidence?'

'Not gruesome evidence,' Ami said, 'not *our* kind of evidence. It's just little things. There were dumpling wrappers in her fridge and a new cookbook on her shelf – on making dumplings. Also a book on creatives and blogging. Vinh kind of things.'

'Wow.' I was stunned.

'I'm only surprised it hasn't happened before,' Ami said thoughtfully, 'but then I worked out that for those first years of high school Vinh wasn't even in Victoria. So I guess they've never really met properly. She's waved at his car. He's waved at her window. How romantic does that sound!'

'I guess.'

'You're not really jealous, Lise?'

'Of course not!' I lied.

'So who are you falling in love with?' Ami said. 'Is it still that artist?'

I sounded so shallow when Ami put it like that. 'No, but I'm sticking to boys in the arts field,' I said, aiming for flippancy.

'That's right, Vinh said there was an antique dealer?'

'How does Vinh know?'

'I told you,' Ami said patiently, 'they're dating. Your mum tells him things, he tells me things.'

'It sounds very cosy,' I snapped.

'Come on, stop being snarly and tell me about him.'

'He's . . . I don't know. He's just funny and sweet and kind of carefree. No, nonchalant. That's a better word. Even though he's really caring.'

'Nonchalant is okay,' Ami said after the Skype pause, 'so long as he isn't nonchalant with your heart.'

'He's not like that. He lives with his uncle. But he goes back to England in ten days.'

'You should go, too,' Ami said instantly, 'you could have a blissful time in England. God, Lise, you could even stay there.'

'Don't be ridiculous, I've got a return ticket. I come home in less than six weeks.'

'You can change it.'

'I can't change it. Remember all those terms and conditions?'

'So it costs money.' Ami waved that away with a careless, weirdly slow-motion hand. 'You've got money.'

'No, I haven't. I mean, I have enough to last me out in Paris. But not to change the stupid ticket.'

'You might have your inheritance,' Ami said. 'There was a letter from your lawyer on the kitchen bench.'

'Mum didn't mention that!'

'Well, she hasn't opened it. She won't open it, Lise. It's yours. But it's probably to tell you about the money.'

'Really?'

'Check your bank balance,' Ami advised. 'Have you even done that since you've been away?'

'Only my travel account.'

'Well, check your real one and see if anything has been paid in. They'd just do that, wouldn't they?'

I tried to remember the first letter I'd received. 'Yeah, I think so, but they said it would take time. They have to advertise the will and all sorts of other stuff.'

'It's been ages,' Ami said.

'Not legal ages.'

'Well, he sounds absolutely right for you. I'd go to England with him – even for a weekend.'

'I'm not going,' I said sharply. 'I don't even know if he was really serious.'

'Did he really ask you?' Ami asked

'It was just a throwaway line,' I said.

'I wish it was the kind of offhand thing boys said to me,' Ami said and then told me everything about nineteenth-century English literature, which she was enjoying studying much more than economics, as if I needed to know. Right at the end she said, 'You know, I could go and steal the letter, steam it open, read the contents and then seal it back up. Or, you could just be a grown-up and ask your mum to open it for you?'

'It won't be about the money,' I said, 'but, yeah, thanks for the heads-up.'

Chapter 20

There's always some item of clothing you associate with a person – and I don't mean Chanel's jacket or Alexander McQueen's black duck dress. I mean Madame Christophe's scarves, Fabienne's stilettos. I can pick a Hugo shirt from fifty paces. They are cotton, silk or linen and worn soft as skin.

I stopped going to French lessons. Hugo and I spent an afternoon window-shopping the antique stores near Madame Christophe's. The jewellery was more expensive than at the Porte de Vanves and displayed either on plump little cushions in the window, or in locked cabinets inside. Sometimes I knew more about the pieces than Hugo. Like when I guessed that a piece of bling was a Chanel giveaway.

'Yeah, I think you're right,' Hugo said. 'Who would want it, though?'

'I bet one of Mum's clients would,' I said. 'There's a woman who has three vintage Chanel handbags. She'd buy it.'

We talked about family. We talked about everything.

'My dad's a bit of a tosser,' he said one night, as we sat together eating ice-cream in a park. 'He's always got an idea that he thinks will make money and it never does, of course. He's charming, though.'

'So is he your uncle's brother?'

'No, Unc's my mum's brother. He practically raised my mum – their mum was sick all the time and their dad wasn't around.'

'Sick from what?'

A restaurant barge went up the river. People on board waved champagne glasses at us.

'I think she was depressed,' Hugo said. 'They don't talk about it much. She had migraines, they say. She drank too much. She stayed in bed all day. If you ask them anything directly they get evasive. As soon as Unc came back from the Falklands, my mum was onto him. Phone calls every day. Mental health checks every week.'

'I haven't got any uncles or aunts,' I said, 'or not that I know about. The women in my family are all only children.'

'Attention-seekers' – Hugo punched me lightly on the arm – 'drama queens, divas. What about your dad?'

'Not according to Mum. But how would I know? Like what if he did have a brother or a sister and she's just wiped them from her memory? I could have cousins I don't even know existed.'

'But she told you about your dad,' Hugo argued.

'Only when she had to.' I remembered the letter arriving. How light it was. How we'd stared at the envelope and Mum had said the solicitor's name aloud, both of us clueless. 'Only when he was already dead. Great, I've got a painting he did now. His wife sent it. But I will never know him. Her name is Sarah,' I told Hugo. 'My mum's name is Sally. Sally, Sarah – a little close, don't you think?'

'Have you met her?'

I shook my head. 'She lives in Wales,' I said, 'and anyway, *she's* not related to me.' There had been a note with the painting. 'Sarah' had said it was unfortunate that circumstances (like my father choosing to live on the other side of the world!) had not permitted us to know each other. She said that she hoped I had inherited my father's sense of adventure and playfulness. The sense of adventure, I'd thought, that took him away from me and my mother. The playfulness I'd never, ever seen. How could I miss a father I'd never known? But I did. I did. She'd also said I was always welcome wherever she was. As if.

'I think you should meet her.' Hugo turned to me. 'She'll open up part of your story to you. She can tell you what your father was like.'

'I think it would be too weird.' I hugged my arms around myself.

'Life's weird,' Hugo said. 'You could come to back to England with me. We could stay with Mum in Camden first and then you could meet Unc and then, when I've tied up some business, we could go to Wales. Easy.'

'I can't, Hugo. It's not that easy.' But even as I said it, I wondered – *could* it be that easy?

'Why not? You could stay for – what? Four weeks? – then come back to Paris and still catch your plane.'

'What about my French lessons?' I said.

'You've already missed some! Anyway, I can teach you French. We could speak nothing but French.'

I thought of what Mum had said about romantic involvements. I thought about leaving London after four weeks of Hugo's company, getting on an aeroplane and flying back to Paris and then the long-haul flight back to Australia. I couldn't do that. If I went with Hugh to England, I'd be saying something about us, wouldn't I?

Weren't those unspoken words already resonating in the way my fingertips traced the long veins inside his pale arms and held the sides of his face when we kissed? Wasn't each kiss saying something about us?

He dropped the subject and each kiss became more urgent, as though our mouths knew what our hearts were refusing to admit. It was as though we needed to know everything about each other, from the surface of our skin to the inside workings of our minds and history. I'd never asked anyone so many questions or answered so many myself. What was happening to me?

I showed him photographs of Mum's studio and he studied them attentively, admiring the Art Nouveau sweep of the front. He peered at the interior shots and said, 'Wow! Paper patterns, hung up properly. That's class, Lise.'

In return he told me his favourite Roald Dahl story about a valuable Chippendale chest of drawers being cut up by people who had just sold it to an unscrupulous antique dealer. They were worried it wouldn't fit in his car but he was actually cheating them.

'That's awful,' I said when he'd finished.

'You, Unc and I,' Hugo said seriously, 'we don't laugh at the story. Everyone else thinks it's hilarious.'

He told me about weekends spent visiting the Victoria and Albert Museum, when he could get away from the shop to visit his mum and sister back in Camden, and how he was researching the sixties. 'Everyone has to have a period, you know? A small but significant collection to call their own. The fifties is already out of my price range. I'm thinking the futuristic sixties. There are real gems out there. Imagine a world without mobile phones or Google. The future people were imagining then is nothing like now.'

When I heard the chimes of the shop ringing, I'd rush down the stairs, hoping it was him. He'd stand there, chatting to Madame Christophe, patting Napoléon and then we'd saunter out, arms wrapped around each other into the Paris afternoon or evening. We'd sit by the Seine, swinging our legs and talk until something he said, or I said, or the way he smiled, stopped us talking. We'd kiss and kiss. I'd feel his heart beating through the thin cloth of his shirt.

With Ben it had been all about sex. We'd kissed until my jaw had ached and my lips were dry. I'd wanted his hands all over me. We talked on and on about how we had to do it, because we loved each other. But it was impossible – Mum never went out and he had three younger brothers who were always around. When he got his licence, he'd borrowed his mum's car, to take me to the movies, he said. Being able to borrow the car was his reward for getting his licence first try. But really, *our* reward had nothing to do with the movies!

I hadn't told Hugo about Ben. I hadn't even invited Hugo to stay the night with me. I wasn't sure how. He'd apologised for not asking me to his place but I knew it was just a couch at his uncle's friend's studio. That was clearly when I should have asked him to spend the night at my apartment. I'd been tongue-tied and unexpectedly awkward, cursing myself later. Why was I so stupidly shy at that precise moment?

'I didn't know what to do,' I said to Goldie and Mackenzie.

They had claimed me for some girl time. There was a beatbox band playing at the Tuileries. It was some kind of German music festival, and I hesitated in case we bumped into Anders, even though he was no longer important. Friendship and crepes won out hands down.

'You just say to him, please stay the night,' Goldie said. 'What's the problem with that?'

'I know, but I was scared . . .' I stopped.

'You are making a problem where there is no problem,' Goldie said.

'I know that, Goldie. It just felt – feels – like a big thing.'

'It is, then,' Mackenzie said. 'Whether it is a big thing or it isn't, if you feel it is, then it is, because that's what your emotions are telling you.'

‘That is so American,’ Goldie complained. ‘I don’t even know what you’re trying to say.’

‘It’s Canadian,’ Mackenzie said. ‘I wish everyone wouldn’t confuse us with them. It’s disheartening.’

We walked down to the pond and watched the kids, pushing little sailing boats around with their long sticks.

‘We used to make paper boats,’ Mackenzie said dreamily, ‘every solstice. In summer, my mum would take us down to this picnic place. We’d make paper boats and write our wishes on them and then we’d sail them down the river. In winter, we’d write our wishes on paper and Mum would hang them carefully from a tree. Every morning, when I ate breakfast, I’d watch as my wishes twirled around in the wind.’

‘That’s so Canadian,’ Goldie said.

‘But not American,’ Mackenzie said triumphantly.

‘Anyway, we couldn’t do that here. There’d be a law against it.’

‘That’s true,’ Mackenzie said, ‘it would be like sitting on the grass. So many parks where you can’t lounge around! So French. But we could hire some of those toy boats? We could tell our Paris wishes to our boats and set them sailing.’

‘It costs money,’ Goldie said.

‘And won’t it seem odd?’ I asked, even though I wanted to do it. The vintage boats looked magical and the children were like characters in a storybook. I wanted to be like them, not worried about anything except the fate of my little wooden boat.

'Who cares?' Mackenzie said. 'I'll shout. I'm a Canadian. That's what we do.'

'You can't shout all of us,' Goldie argued. 'That's not Canadian. That's just foolish.'

'I can, Goldie, and I will. Come on.'

Against all our protests, Mackenzie hired us each a boat and we took them down to where there were the least kids around.

'Now,' Mackenzie said, 'you have to whisper your wish to your boat and set it sailing into the world. Except of course, it's not really the world – but hey, it's the French way and we can adapt.'

I don't know what the others asked for. I stood there in the bright sunlight and I thought about my wish for what seemed like a long time. I didn't want to get confused. Madame Christophe had told me that most of her clients didn't even know what question it was that they wanted answered. I wasn't going to squander my boat wish on something I didn't really want. It made it difficult. Mackenzie and Goldie had already launched their boats by the time I shoved mine out into the water. In the end I sent it into the pond without wishing for a single thing. How lame was that?

Chapter 21

MORE RULES

All designers break rules. Coco Chanel took off her corsets and wore her signature pearl necklace backwards. Schiaparelli wore a shoe on her head. Vivienne made safety pins a fashion accessory. All artists break rules. Obedience doesn't create masterpieces. But nor does it create failures. It's like sewing with a pattern. You end up with something that looks like the illustration on the packet. More or less. It might not be the skirt you dreamt about, the one that swirled and swished and danced with you, but it will fit. Obeying rules means everyone is safe. More or less. But what about the rules you make yourself? Can you break them?

Hugo extended his stay by three days. 'It's fine,' he said. 'I've cleared it with Unc. I can't leave yet.'

I skipped another French class to celebrate and Hugo and I went to Versailles for the day.

'It's extraordinary,' I said so many times that Hugo stopped counting.

'Imagine having just one of those vases!'

'Or sleeping in those beds!'

'Sneaking through the corridors to visit your lover.'

'I'd get lost,' I said.

'You'd need Google Maps!'

We kissed near each fountain. I told Hugo it was an Australian superstition.

'You're just taking advantage,' he said.

'I don't hear you complaining.'

'I think it's a Camden thing that you need to do it twice,' he answered.

'I'm not objecting,' I said.

It couldn't last. He would have to go back to work. I had to get on with my life.

'We miss you,' Mackenzie said. 'You're the best student in the class. *Fabienne* misses you.'

'She doesn't even like me,' I said.

'She does, actually,' Goldie said. 'She likes anyone with a good accent. She asked after you on Tuesday. She said, "Where is the Australian?" and then she raised an eyebrow at Anders and said, "I hope you haven't scared her away."'

'Oh no!' I said. 'What happened next?'

'I told her that on the contrary,' Mackenzie said, 'au contraire, you'd met someone. I was pretty pleased with the au contraire. You need to come back, Lise, if only to say goodbye.'

'I'm not leaving for another four weeks,' I protested. 'I just need to be with Hugo while he's still here. You know that.'

They talked me into it.

I didn't want to see Anders. Somehow I felt that would taint the relationship I was building with Hugo. Would it be better to see him again when Hugo had left? The thought of Hugo leaving made me desolate. How was it even going to work? I'd go to the railway station and we'd cling together until the train tooted? I couldn't even think about it.

On the morning of the Great Return I was nauseous. I gave half of my breakfast croissant to Napoléon and then wondered if I felt sick only because I was actually hungry. Even my Falbalas shirt couldn't give me courage.

Madame Christophe regarded me sharply. 'You are returning to Fabienne's class?' she asked eventually. It no longer completely shocked me when Madame Christophe knew things that I hadn't told her.

'Yes,' I said, pouring another coffee for myself and adding a big splash of milk. 'It seems like time. Anyway, Hugo has a client to see.'

'It is time,' she nodded.

'Great,' I said.

Madame Christophe took a deep breath, almost a sigh, as though I had disappointed her in some way. 'You are not still worried about the German jogger?' she asked.

I shook my head. 'Not really.'

'So what is it?'

'Just life,' I said.

'Ah well, yes, life.' Madame Christophe gave her elegant little shrug. 'At least there is Paris,' she said as though that solved everything.

I met Mackenzie and Goldie. We were early to class and we took the three seats that directly faced the whiteboard. Goldie began an elaborate description of her latest glass constructions that required her to draw diagrams on her French notes. She was planning to make Paris scenes in which she'd place her naked women.

'It could be entertaining,' she said, 'or dreadful. You know – kitsch? I can't tell yet and so I keep drawing. I don't want to be kitsch, but I do love the idea of perching my little woman at the bottom of the Eiffel Tower. What do you think?'

'Kitsch,' a male voice said. It was Anders, of course. He'd walked in without us noticing. Goldie flushed.

'I think it depends on how it's done,' I said, turning to Goldie. I was surprised my voice wasn't shaking. It sounded certain and measured. 'I mean, if you're planning this whole Paris in summer theme, I think you'll get away with it.'

'So do I.' Mackenzie nodded. 'There's something celebratory about it, Goldie. I think an exhibition of them would be great – and they might sell.'

'Commercial,' Anders said, straight away. 'Selling out?'

I turned away from Goldie and looked at Anders. Yes, he was hot. There was no getting away from that. But his mouth was drawn into a mean sneer that made his lips thin and he'd narrowed his eyes so they were unkind. His shirt sleeves were too carefully folded up, as though he meant you to see his biceps. He saw me watching him and he smiled, but the smile didn't reach his eyes. My stomach jolted. I don't like you, I thought. I actually don't like you. My head spun a little and everything was floaty. I should have had more breakfast, I thought, and then, no – I'd been released. I'd seen through Anders.

At that moment Fabienne waltzed in, wearing tight jeans, her trademark stilettos and a sheer white shirt that revealed a lacy camisole. 'Ah, Lisette!' she said, and I was gratified to hear the warmth in her voice. 'We have heard your news!' she said theatrically. 'It is Paris, the city of romance.'

'Romance?' Anders asked me directly. His top lip curled.

I channelled Madame Christophe and shrugged one shoulder at him. 'I will have to consult my clairvoyant,' I said. 'I cannot see into the future myself.'

Fabienne clapped her hands, just once. I couldn't tell whether she was applauding or merely bringing the class to attention, but I suspected from her smile that it was the former. Anders pulled out his notebook and opened it noisily.

'So,' Fabienne said smoothly, 'what has everyone been doing? Goldie, you were talking about your art?'

Goldie sighed. 'It's hard to talk about art in another language,' she said, but she tried anyway. The class proceeded as though nothing had changed, but everything had changed and even when Anders began to describe his week, pointedly mentioning Gabi as often as he could, I didn't care. He'd been stripped of his glamour and what was left wasn't attractive.

When it was my turn I didn't mention Hugo. It was not anyone's business except my own. I did mention Falbalas, however, and the flea markets and was gratified by Fabienne's response.

'Ah,' she said, 'you are becoming a Parisienne, Lisette!'

I watched with some satisfaction as a couple of new students copied words from the whiteboard and asked halting questions about metro directions. I was careful to avoid all mention of being cursed. I didn't want to put anyone off.

'You were great,' Mackenzie said after the class. 'I'll buy you a beer for that effort.'

'I could do with a beer,' Goldie said. 'Did you hear how she made me describe the glasswork? Oof, I'm never going to learn French!'

'But you did it.' Mackenzie linked arms with us. 'You did it, Goldie.'

'I think I may have said I was going to have a woman in the Eiffel Tower,' Goldie said, 'or perhaps impale her on it?'

'It was a brief misunderstanding,' Mackenzie said. She caught my eye and started to laugh, which set me off. We were still laughing when we sat down in a Mexican cafe – chosen by Mackenzie, because who wouldn't want Mexican in Paris?

'To friendship!' I said, raising a toast with my beer. 'Thank you for being my Paris friends.'

'We'll stay friends,' Goldie said seriously.

'On Facebook,' Mackenzie said. 'Although, really, the world is a global village. You must both come to Canada.'

'I think it's too cold,' Goldie said. 'Aren't there bears?'

'You should both come to Australia,' I said, but my heart flopped when I said it. It wasn't an excited flip-flop but more of a belly whack. I didn't want to go home, but I had a return flight. I would go to university and study art history, whether I wanted to or not. I'd never be an artist but I would be educated. I tried to imagine myself saying to someone, a little sadly, 'Oh yes, I fell in love in Paris, but I had to come home. We still Skype.' I couldn't imagine who I'd say it to, I could only see Hugo's face in my mind's eye, the loose threads at his collar points.

'You're very quiet.' Mackenzie pounced on me. 'And you've hardly touched the corn chips. Are you feeling okay?'

'Yeah, yeah,' I said, 'I'm just. You know. It's all happening so fast. Time passing.'

We all ordered more beer even though that wasn't going to solve anything. Goldie launched into a long, complicated speech about a boy she had once gone out with and when they broke up he'd said that there was no such thing as a relationship that didn't work. It worked, he'd argued, for as long as it had worked. All relationships work. Then they might stop. It didn't make any sense, no matter how much beer I drank.

'Does that make sense to you?' I asked Mackenzie when Goldie went to the toilet.

'I think we need to order some more food,' Mackenzie said. 'I think food is seriously needed.'

'I just don't understand. Or am I overthinking it?'

Mackenzie studied the menu. 'Actually, I don't need food. I need to have drunk less beer.'

Goldie came back. 'I can't work this afternoon,' she said, 'not after this beer. What shall we do?'

'I know!' I said, waving a corn chip for emphasis. 'You guys can come with me and find Chanel. I promised my mother I would.'

'Chanel? You mean the shop?'

'Yes. The one where her old apartment is – I think the apartment's upstairs.'

'Do we have to go inside?' Mackenzie rubbed anxiously at a spot of salsa on her jeans.

'Oh come on, Mackenzie – you're Canadian. You can go anywhere.'

'Not covered in lunch,' Mackenzie argued.

'We don't have to go inside, necessarily. I just want a photo. That's all.'

My mother idolises Chanel. I don't, particularly, although I appreciate her role in haute couture. Nonetheless my heart skipped a beat as we stood outside 31 rue Cambon in front of the famous linked Cs.

'There's a shoe in the window,' Mackenzie said, 'and nothing else. I like the pastry shop windows better.'

'It's an expensive shoe,' Goldie said. 'There's no price tag on it.'

'Of course there isn't. That would be vulgar.'

'What's vulgar about knowing the price of something?' Mackenzie asked.

'Knowing is one thing, displaying is another.'

'Come on,' Goldie said, 'this making me nervous. I bought a pair of knock-off Chanel sunglasses in Manila. I could be arrested. Let's just take the photo.'

'Can you tell the difference?' Mackenzie asked curiously.

'I don't know,' Goldie said, 'I've never seen original Chanel sunglasses and I'm not going inside to find out.'

'I can't believe she must have stood here,' I said, 'and thought about her windows and wondered about the angle of a hat or the drape of a skirt. That's pretty extraordinary. I'm standing where Chanel stood. Mum should really be here.'

We took photos as discreetly as we could – not that it mattered too much. A whole bunch of tourists came up and madly photographed each other, a couple holding their white Chanel bags aloft.

'I think it's a little too perfect.' Mackenzie waved at the shopfront. 'I don't think I'm comfortable with perfect.'

I wondered, was that why Mum loved Chanel so much? The Vase often featured white camellias, one of Chanel's signature motifs. I preferred overblown peonies, Schiaparelli's wit and Westwood's audacity. I told Goldie and Mackenzie about the camellia.

'She had a signature flower?' Mackenzie was outraged. 'That's ridiculous. Why didn't she buy a bit of forest and save some trees instead?'

Goldie and I looked around at the buildings and cobblestones. 'I don't think trees were such an issue back then,'

Goldie said gently, and then to me, 'It's a fair point, though. Is haute couture still relevant?'

'It's as relevant as art is,' I said hotly, 'and as beautiful.'

'And as inaccessible to most people,' Mackenzie said. 'At least art gets into public galleries.'

'So do clothes,' I said, 'and anyway, what are you going to do with your art, then? Plaster Paris with it – or try to sell it?'

'I know, I know.' Mackenzie threw up her hands in defeat. 'But when I get home, I'm planning some environmental art pieces that will become part of the landscape. I won't be able to sell them, they'll be public art.'

'I just think there's room in the world for beauty,' I said, 'and for people who spend their lives making it.' I thought of Hugo's stories of his uncle lovingly polishing silver spoons. 'Or caring for it or collecting it,' I added.

'If you had a signature flower, Lise,' Goldie said, linking arms with both Mackenzie and me, 'it would be a strong flower that didn't give up easily.'

'I'd be a weed,' I laughed.

'You'd be a bougainvillea,' Goldie said, 'vibrant, beautiful and tough – a survivor.'

'We don't see them in Canada,' Mackenzie said, 'but that sounds like Lise.'

I thought, I'll remember this forever, the day I was told I was vibrant, beautiful and tough – three new words I could use to describe myself.

Chapter 22

Before Fashion Week, every big house operates 24/7 getting ready. They are on a countdown. Hugo and I were on countdown, too. But we weren't going to march it proudly down any catwalk. We were going to end up destroying what we'd been so carefully making.

'Come on,' Hugo said, 'ten best movies of all time. And one has to be a Star Wars.'

'You won't know the ones I like,' I said, a little self-consciously, 'a lot of them are kind of weird and old.'

'Try me.'

This was the type of game we played. Ten books you couldn't live without. Three favourite birthdays you'd had. Most vivid childhood memory.

'*Mary Poppins*, *My Fair Lady* – for the costumes – *Breakfast at Tiffany's*—'

'My mum has the DVD.'

'We have it, too. Shall I go on?'

'Please.'

'*Amélie*, another French one, *The Embroiderer* – it's really long and slow but she embroiders. It's . . . the colours? I don't know, there's something about it and she is pregnant and alone. Maybe it reminds me of Mum? But it has a happy ending.' That was the thing with Hugo. I told him more than I'd ever told anyone except Ami.

'That's five,' Hugo said, 'and you haven't picked the Star Wars movie yet. Mine, in no particular order, are Tarantino's *Pulp Fiction*, two by the Coen brothers: *O Brother Where Art Thou?* and *Fargo* – the former for the music, the latter for the black humour – and because I love the pregnant cop, but not in a kinky way. Okay, that was awkward but you know what I mean, right? *The Lord of the Rings* – that has to count as one, yeah? Also, and I know this isn't cool and sophisticated, but the first Harry Potter movie. It was like seeing one of my favourite books come to life.'

'What about *The Lion, the Witch and the Wardrobe*?'

'Doesn't make top ten.'

'*Atonement*,' I said, 'talking of films adapted from books. We studied it at school but I still love it.'

'Yeah, that could be on my list,' Hugo said. 'Mum, Unc and I went to see it. They cried.'

'I was furious at the ending. But that green dress! *Factory Girl*, about Edie Sedgwick.'

'Haven't heard of it,' Hugo admitted cheerfully.

'Andy Warhol's muse,' I said, 'she was one of the sixties icons. I think *The Lord of the Rings* would make my list, too.'

'See, we have films in common,' Hugo said cheerfully.

'Only two,' I said.

'And our Star Wars film? Go on, tell me it isn't *A New Hope*?'

'It is – but only just. The one with the Ewoks nearly beats it.'

'You're such a girl,' Hugo said and leant over to kiss me.

'Come on, Hugo! I bet you had a teddy bear. You'd have been just the kind of boy who refused to go to sleep without his teddy!'

'He had a sailor suit,' Hugo admitted. 'Actually, he's still wearing it. He lives in my old wardrobe at Mum's.'

When I stopped kissing him I could see the little blue pulse at his throat jumping.

'What will we do?' I asked.

Hugo shook his head and half turned away before he said, 'I haven't taken you to my favourite museum.'

'I've probably been to it already,' I told him.

'I bet you haven't been to this one.'

'Bet me what?'

'If you haven't, you come home with me.'

'Yeah. Sure. I bet your uncle would be thrilled. You know I can't do that, Hugo.'

'Okay, just to London. Just for the weekend. And, for the record, both Unc and Mum would be cool. People go from Paris to London all the time.'

'I know that, Hugo,' I said crankily. 'But what happens after the weekend? I come back to Paris, by myself. We can't keep crossing and re-crossing the Channel until I go back to Australia.'

'Couldn't we play it by ear? You don't have to come back to Paris by yourself.'

'My plane home leaves from here. So, are you saying you'll come back to wave goodbye to me from the Charles de Gaulle?'

'I'm saying why should you have such fixed plans at all?'

'It's called a ticket, Hugo. You can't change this kind of ticket just like that. It's not like a train ticket. It's a *plane* ticket.'

'You're sounding middle-aged,' Hugo said, 'as though your entire life is dependent on catching this and catching that. People forfeit tickets. People move halfway across the world. Your dad did.'

'I'm a responsible person,' I snapped. 'I made a commitment. Le Voltaire's busy season starts again in spring. They'll be needing me.'

'It's a hospitality job, Lise.'

I wanted to slap him. 'It's a *French* restaurant and I'm my mother's daughter,' I said and turned away.

'Oh wow. So it's not Maccas. What about us? Don't you think we're worth taking a chance on?'

'I think about us all the time,' I said. We stopped arguing then but the hurt simmered between us.

The museum was filled with weird things like shop signs that normally I would have loved but Hugo and I marched through it in silence. We didn't even hold hands.

After half an hour, Hugo checked his phone. 'I have to go,' he said. 'I have an appointment.'

'You didn't tell me that before.'

'No. Well, I don't have to tell you everything, do I? Anyway, you'll be able to find your way back, won't you?'

'Of course,' I said, 'I just thought we'd be able to spend more time together.'

'So did I,' Hugo said. He didn't even wave properly, just loped off without looking back.

I walked back into the museum. It was better to cry in a museum than on the streets of Paris. I went into the garden and sat on a seat and tried to breathe calmly. He had a cheek being angry with me, I thought eventually. I didn't care if I never saw him again.

But I did care. That was the whole problem. Why was I so intent on staying in Paris?

When I'd stopped snivelling I went home. I avoided Madame Christophe and even Napoléon. As soon as I was in my room I got on Skype. I sent Ami an urgent message telling her I needed to talk and then I waited.

'He says just for the weekend,' I told her. 'But what happens then?'

Ami rolled her eyes. 'What happens whenever?' she said.

'Ami! I'm serious. After the weekend I'd just come back and Paris would be awful without him.'

'So stay with him.'

'Don't be stupid. How can I? I've got a ticket home.'

'I know all about the stupid ticket, Lise. You've told me about the ticket a hundred times. So, you've got a ticket.

Have you asked your mum about the letter yet? Have you checked your bank account?'

'No. Not yet.'

'So, if it's about the money, that's what you need to do first.'

'It's not about the money.'

'Then what *is* it about?' Ami peered at me. My laptop had pixelated her face but I could still see her forehead crinkling in exasperation.

'I don't know,' I said. 'Failure? Like, you know, I go with him and it turns out there's a girl. A Camden girl. A Yorkshire girl. Or something else – his mum doesn't like me? Anyway, I can't just stay there forever.'

'As I see it,' Ami said patiently, 'you're jumping the gun a little, aren't you? The guy's just suggested a weekend in London and you're already talking about forever?'

'I know. It's stupid.'

'Just a bit,' Ami said. 'It could just be a weekend – or even a week sightseeing and then you could come back to Paris and then he might come back to Paris to see you the next weekend.'

'He's got a job. In Yorkshire. It won't be the next weekend. And then, anyway, I come back to Australia – and people don't do that all the time, do they? They don't cross back and forth to the other side of the world for the weekend.'

Ami examined her nails and then she waved them at me. 'Look,' she said, 'glittery, aren't they? But you know what? I can change nail polish it if it's too much after a week.'

'You're saying that you can change your feelings if they're too much? Shallow, Ami.'

'No, I'm not saying that. I'm saying you need to put things in perspective, Lise. Nothing needs to be permanent. Decisions don't. You have the power.'

Except Ami was wrong. I didn't have any power. Hugo had walked off without even waving goodbye. He'd left me for another appointment. Probably with his distinguished client. Who was probably a woman. That's what Edouard had implied: I remembered the wink. I hadn't had a chance to ask Hugo about that. It had slipped to the back of my mind, lost in the whirlwind of museum-going and park-kissing.

The more I thought of it, though, the more it made sense. He had a back-up plan. I had nothing, only French lessons, Madame Christophe (and Napoléon), a return ticket to Australia and work for the rest of the year – work so I could afford to go to uni to study something I wasn't sure I wanted to study. Hugo had a distinguished client who was probably pouring him champagne and clinking crystal glasses with him as I cried at my computer.

'You have the power,' Ami repeated stubbornly. 'What do you want, Lise? What do you really want?'

'I want Hugo,' I whispered. 'I want him but it's impossible, Ami. It's just not going to work out.'

Ami shrugged. 'You don't know that, Lise, you don't know anything. Anyway, I've got to go. I don't think I do want to sparkle for much longer. I'm going to ring the nail place and make a booking. Blue glitter is for mermaids. I want to be tougher than this. Lise, why don't you get your nails done? Or buy some more boots? Remind yourself that you *are* in control. That you can be tough – what happened to the girl who stomps around in her Docs? What happened to her?'

She's falling in love, I said to myself. She's falling in love and she's really confused. It's just a phase, like blue glitter or ox-blood Docs. Or is it something more?

Chapter 23

When Mum was a little girl, she had a collection of foreign dolls. One day she'd planned to give them to me, but when my grandmother died we discovered she'd got rid of them. 'Probably just op-shopped them,' Mum had said bitterly. She'd described the little Japanese doll with her collection of wigs. 'I'd change her wigs,' she'd told me. 'I'd make her kneel for the tea ceremony. She could have just saved her. Just her.'

I tramped through the Louvre all the next day – so huge. So exhausting. I'd woken up to a text from Hugo apologising and asking me to forgive him but I'd deliberately left my phone at home so I wouldn't text him straight back. I wanted him to be sorrier. I wanted him to suffer. When I got home I had the beginning of a headache and my feet were hurting. Hugo was waiting outside with a shopping bag of food.

'Please,' he said, 'let's call a pax?'

'Pax?'

'Peace. Let's break bread together. I'm sorry I was an arse.'

I let him follow me up the stairs. 'You just seemed to change,' I said. 'I thought we were being brave and bold and not worrying about the future?'

'It sounds okay in theory' – Hugo sounded gloomy – 'but in real life it's crap. Let's face it, Lisette. It's crap. I think . . . oh, never mind.'

'I don't know where we're going to eat this. On the bed?'

'Cosy,' Hugo said. 'That's one advantage of these maid's rooms. Very intimate.'

I raised my eyebrows. 'If we don't want intimate contact with crumbs, we'd better get plates.'

'So what do you want intimate contact with?' Hugo did a pretend leer as we settled cross-legged, facing each other on the bed.

'I think you know.'

Our knees were touching and I knew my skirt had ridden more than halfway up my thigh. A picnic in bed – that was practically an invitation, wasn't it? I wanted it to be, but I was also nervous.

'Is this how you've seduced all your other boyfriends?' Hugo fed me a piece of baguette.

'I thought you were seducing *me*,' I asked, putting an olive in his mouth. 'Also I haven't had many boyfriends, actually.'

'What about Anders?'

'He was never a boyfriend,' I said, 'he was just charming. For the wrong reasons.'

'But in Australia?'

Here was the talk I'd been avoiding. I'd alluded to boyfriends. Well, *a* boyfriend. I'd kept my inexperience secret. I'd let Hugo tell me about Maxine and the Camden girl while I'd evaded his questions. All he really knew was that I was single. He also knew that my home life hadn't been conducive to boyfriends, but I suppose he thought – as anyone would – that teenagers would get around that.

'Look,' I said to distract him. 'My blister! I told you I'd walked forever.'

Hugo cupped my foot gently in his hand. 'Poor foot,' he said. 'So, boyfriends?'

'Do you want some wine?' I asked.

'I'll open it,' Hugo said, 'you keep talking.'

'I don't know what to tell you.'

Hugo prised the cork out of the bottle and poured the wine. 'Have you been in love?'

The question caught me off balance. I'd expected something different. I thought of Ben, how my heart had beaten faster when he'd walked into the classroom. 'Yes,' I said finally, 'yes, I've been in love.'

'And?'

'Well, it didn't work out. Obviously.'

'But while it did?'

'It wasn't like what you had with Maxine or the Camden girl. It was just a school thing. Everyone knew we were together but we didn't go on proper dates. Sometimes I watched him play footy and then his mum or dad would drop me home after the game. Sometimes we went to the movies and my mum would drive him home. It was like that. He wasn't comfortable at my place with Mum always there. And his younger brothers wouldn't leave us alone at his house.'

Hugo looked confused. 'So what happened?'

'He got his licence,' I said, 'then we broke up.'

'Then you came to Paris? It must have been some break-up.'

'It was last year!'

'And then you had his love child, decided to adopt it out and have regretted it ever since?' Hugo waggled his eyebrows at me. 'Which is why you never talk about him?'

'I said it was a school thing.'

'He cheated on you with Shari who had a nose ring and you murdered them both and were subsequently expelled?'

I knew he thought he was making it easier. 'I don't know if I want to tell you.'

Hugo put his wine on the floor, rummaged through his backpack and took out a package that he unwrapped. He held up a small doll wearing torn undergarments. She had a painted face and her body was made from some kind of fabric. Her mouth was surprised and her dark hair slightly unruly. I leant over and smoothed it down. It was real hair.

'Oh, Hugo, where did you get her?'

'Lise, meet Babette. Babette, this is Lise. I've told you about her.'

'Pleased to meet you, Babette,' I said. Hugo's attention was firmly placed on the doll he'd balanced on his knee.

'About time he introduced us,' the doll said. 'I've been saying, you ashamed of me or what?'

I laughed. 'Hugo, I didn't know you were a ventriloquist!'

'Here!' Babette said. 'Don't pay him no attention. He's just along for the ride.'

Even though she wasn't a proper ventriloquist's doll and Hugo was holding her on his knee, there was something about her that was real in the subdued light of the apartment. 'I'm sorry, Babette.'

'That's orright, darling, you weren't to know. Come on, tell us the whole sorry story, then.'

'I don't know.' I glanced nervously at Hugo. 'You promise not to laugh?'

'I can't answer for him.' Babette's head jerked towards Hugo. 'But I won't, luvvie. Us girls have to stick together.'

'I won't promise,' Hugo said. 'But I'll try my best not to.'

'I'll bash him if he laughs,' Babette offered, 'and that's a promise.'

I took a deep breath. 'Okay. Well, because my dad didn't stick around to see me born, there was always an anti-boy vibe at home.'

'Boys,' Babette said, 'can't live with them, can't live without them.'

'Except my mum did – and I lived with her lectures about being careful and how you just couldn't trust men. In Year Nine Ami and I pretended we were lesbians just so we didn't have to produce a boy to moon over. It was funny at first and then it got a bit old. I grew my hair and Ami started wearing skirts, but it didn't change anyone's mind so we just lived with it. Then Ben came along in Year Ten. He was new to the school, kind of dorky.'

'There's hope for me. I'm the original dork.'

I remembered what Ben had been like in Year Ten: a weedy nerd with acne. He wouldn't have even made it onto my radar except that we'd been put on the same debating team and I felt sorry for him. He was so obviously at a disadvantage. Then I heard him argue – he was dynamite. Irritating dynamite because he thought he knew everything. That made me try harder to prove him wrong. We debated everything and realised we'd become friends.

'By Year Twelve,' I said, 'Ben had turned from an ugly duckling into a swan.'

'No hope for you.' Babette turned her head slightly towards Hugo. Her expression took on a slyness. 'You're still in the duckling phase, boyo.'

'Anyway, that's when he asked me out, at the beginning of that year. We made out a lot at school but it didn't go any further than that. Then Ben got his licence. We decided we should, you know . . . do it.' This was the part I didn't want to talk about, but I ploughed on. 'He borrowed his mum's car and we drove up the mountain – that's where you go, if you can't do it at home.'

'The old shag in the back seat. Doesn't happen where we come from, does it boyo?'

'No.' Hugo shook his head at Babette. 'Not so much. A knee-trembler after Friday night at the pub, maybe?' He sounded amused but he wasn't laughing. That was something. Anyway, I wasn't telling him – I was telling Babette.

'It should have been fine,' I said. 'Ben and I were excited but a bit scared. We talked about the future. Taking a trip together.'

'They do that,' Babette said. 'Let me tell you about the promises boys have made to me. Oops, sorry – it's not all about me.'

'It was Noosa,' I said, 'just a trip to Noosa.'

'It wasn't London.' Babette cackled. 'You've got the edge there, Hugo-boy.'

'Shut up, Babs.' Hugo was stern.

'Ooh, he called me Babs. He must be riled.'

'We'd been sitting outside but then it got a little cold, so we moved into the car.'

I remembered the aftershave he always wore. Everything was familiar and everything was new. The car had been cramped but we'd managed to get almost comfortable. We'd made out some more and then, half-undressed . . .

'You're in the car?' Babette's voice nudged me back to the present.

'Half-undressed and you know, nearly . . . and suddenly there's a light shining through the car window. I screamed.'

'I should bloody well think so.' Babette was indignant. 'Some pervert, love?'

'I couldn't see who it was,' I said. Even thinking about it still made the hairs on my neck stand on end and shivers snake down my skin. I had been utterly terrified at that moment.

'I thought it was a serial killer,' I told Babette. Her eyes seemed to flicker even though they were painted on.

'And it was a pervert?' she asked again sympathetically.

'A policeman.'

'Oh bloody hell.' Babette's voice sounded strained, as though she was choking back laughter. I couldn't look at Hugo.

'I understand that it's funny,' I said. 'Except it wasn't. I may have peed a little because I was so scared.'

'I always pee when I'm scared,' Babette confided. 'Nothing to worry about.'

'Ben and I scrambled into our clothes. Ben was swearing and I was crying. Then the policeman knocked at the door and Ben had to unlock it and show him his licence. The policeman gave us a lecture on having sex in a public place. We hadn't even got that far. If only Ben had laughed or we'd talked about it. I mean, I'd been terrified, but I would have seen the funny side later, I think. He dropped me home and said that he'd see me at school. But he didn't text me. He didn't answer my texts. Nothing.'

'See,' Babette said, 'men! What did I tell you? No finer feelings. No empathy.'

'I was responsible too. I was the one who had suggested Mount Dandenong. Who knew the police were patrolling the area? They didn't usually but there'd been a spate of drug-related crimes, petty things. We were unlucky. It still might have been okay. We might have been okay.' My voice cracked. 'But . . .'

'There's more?' Babette said. 'You go on, spill the beans. Got to get an experience like that off your chest.'

'He avoided me in class. I thought I'd give him space. I guessed he was cranky about the whole thing. Then he didn't turn up for debating. After our team won, Ami, Julia and I went back to Julia's. Her parents were away somewhere, so she'd organised for us to stay over because we all had spares the next morning. It was meant to be a serious study night – Julia wanted help with a photography assessment. I think Ami and I were pleased to have been asked. So we were all working away when her older brother decided to make some cocktails. He was studying hospitality.'

'So you got elephant's trunk and blabbed the whole thing?'

'Elephant's trunk?'

'Elephant's trunk, drunk. Rhyming slang. Bit of a cockney, our Babette.'

'Yes. I was tipsy and showing off,' I said miserably. 'Julia's brother is gay and funny and kept saying how charming we all were and didn't Julia have unusually intelligent friends. I told the story because I wanted to be funny too. Ben and I split up after that, of course. He finally sent me a text. Ending it. He didn't really ever talk to me again.'

'Oh love,' Babette said, 'but that's not the end of the world, is it? Got to get back on the horse, girl.'

'By the end of the year it had become a cautionary story. You know, my brother knew someone who went parking up at the mountain and was told off by a policeman. Also, no other boy took Ben's place. So, you know. I don't know that much.'

'You don't have to know that much,' Babette said and her voice was so kind it nearly undid me. 'In my experience, you follow your heart and things work out. More or less.'

I got off the bed and put the plates away on the kitchen sink. When I turned back, Hugo was stretched out on the bed, Babette lying beside him. His shirt had come untucked. I wanted to touch the skin that was revealed, trace my fingers over it.

'Come here,' Hugo said. He shifted to my end of the bed. 'Come and lie down with me.'

There wasn't really enough room but Hugo pulled my head onto his chest and I curled around him. I waited for a couple of minutes and then, tentatively, I put my hand on his stomach, just above the pulled-out shirt. I slid my fingers down to the gap where his skin was warm and soft. Then I tilted my head up to his and we kissed. We kissed each other breathless. He untucked my T-shirt and I felt, rather than heard, him sigh as he touched my skin. We paused for breath and then kissed again. And again. I'd undone his top three shirt buttons when he pushed me away.

'What? Hugo? Is something wrong?'

'The thing is,' he said after a long breath, 'I don't want to go that far if it just ends here.'

'What do you mean?'

'There are – I don't know – intervals in a relationship. You can walk away in the pause. You can say, oh well, that wasn't going to work out. I could walk away now. Sadly, of course. But I don't know how I'll cope if we become . . . more intimate.'

‘I’m not sure what you’re saying,’ I said.

‘I’m saying come home with me,’ Hugo said, putting his hand over mine. ‘Come to London and see what we’re like. Give us a little more time.’

‘My timing sucks,’ I said. ‘Don’t ask me, Hugo. You know why I can’t.’

‘Are you living your own life? Or are you living your mum’s life?’

‘I don’t know,’ I said. I could feel Hugo’s heart beating next to my cheek. ‘I don’t know what I want. I don’t know if I should even go to uni. I don’t know anything. I walked everywhere in the Louvre today. My head hurts and I have a blister.’ My voice rose in a wail and tears ran onto Hugo’s shirt. I was so tired.

Hugo stroked my hair and started to sing quietly. It was some kind of lullaby but the words were all wrong. Who called their kid Mucky? What lullaby threatened a kid with a whack? When the song ended I nudged him. ‘More?’

I hadn’t heard the end of the last song. That was my first thought when I woke up. One of my legs was half out of the narrow bed and Hugo was pressed against me. I could feel his breath on my neck. I had no idea what the time was but there was hardly any light visible through the crack between the curtains. My back was too hot with Hugo so close. I wanted to move away and I didn’t want to move at all. His hand rested between my breasts. I’d never felt so close to anyone, I thought, not even Ben and certainly not Anders. I shifted experimentally and Hugo gave a little sigh, then his breath returned to normal. I stroked his hand and his body twitched.

I wanted to see his face. I squirmed around slowly. He sighed again and I stopped moving. Little by little I shifted gently until I was facing him. I was nearly off the bed by then so I put my arms around him to stop myself from falling out. In the half-light, I could see his face clearly. He looked younger asleep, his mouth just slightly open. His eyelids were almost blue and his eyelashes enviably thick. I wanted to kiss him. Would he wake up? I moved slightly and touched his mouth with mine. I kept my eyes open. His lids flickered and in half a second he was kissing me back, looking at me steadily.

We were half-undressed when Hugo stopped. 'I wasn't expecting this to happen,' he said. 'Have you got anything?'

'What do you mean? A condom? Well, no.' I didn't want to stop. 'Can we get one?'

Hugo kissed me again, and pulling away one hand, fumbled for his phone. 'It's so late,' he said. 'Nothing will be open.'

'Really?'

'Ssh. Let me think.' He put his hand on my mouth – as much to stop him kissing me again as anything else, I guessed. 'Nowhere I can think of. You're right, Lise, you are the queen of bad timing.'

'It's not my fault!'

'I know. It's equally mine. I'm sorry. I shouldn't have said that. Come on, let's get out here.' He pulled away and put his shirt on. 'Let's go and see a late night movie.'

'A movie?'

'Anything. Let's go for a walk. I don't care.'

'I can't walk,' I said. 'I've got a blister. I told you.'

'Well, I can't stay here,' Hugo said. 'We'll end up . . . and look what happened to your mum.'

'It's not contagious,' I said snappily.

'It might be genetic.' Hugo grinned at me. 'It's not worth the risk, Lise.'

'It just seems contradictory,' I complained. 'Come home with me, come to London. But let's not take a chance on this.'

'Lisette! Seriously?'

I looked up at him. 'Sorry,' I said. 'You're right. I'm just being sulky and stupid. I don't want to walk anywhere, though.' I held my foot up for him to see my huge blister.

'Can't you put a plaster on it?'

'I don't have any,' I said.

'I just need a circuit breaker.'

I tugged his arm. 'We don't have to do the full circuit,' I said. But the joke fell flat.

Hugo just looked at me before lying down next to me, his arms folded across his chest like some young, dead knight. 'You win.'

I scrunched myself up next to him. 'It wasn't very funny,' I admitted.

'It's all kind of messed up,' he said after a long silence.

I thought of what Ami had said after the whole Ben incident. 'No one's died,' I offered.

Hugo laughed. 'That's true,' he said. 'Come here.'

In the early hours of the morning he nudged me awake. 'I'm going now,' he said. 'I've got pins and needles in my arm, and a cramp in my leg, but really, I just don't think I can face Madame Christophe over breakfast.'

We crept down the stairs although I wasn't sure why we bothered when presumably, being a clairvoyant, she knew everything anyway.

'I don't care,' Hugo said, when I told him this theory. 'It's different her knowing from her magic crystal ball or whatever, to actually having her eyeball me in that French way over my early morning tea.'

'We don't have tea.'

'There – that's another reason. Oh Lise, don't look like that! Of course I'd sacrifice my breakfast tea for you.'

I waved him off down the street. I felt sad because I hadn't realised he was a tea-in-the-morning person and how would I ever get to know his habits if we said goodbye now?

It wasn't until I got back up to the apartment that I realised he'd left Babette there, propped up on my chest of drawers. She looked a little shabby and her eyes made her appear as though she were squinting. 'You really need some clothes,' I told her. 'It's disgraceful living in just your underwear – underwear you haven't actually changed for decades, by the look of it!'

The bed seemed much bigger without Hugo, and lonely. In the end, I put Babette in the space next to me. I wondered about the child who'd first owned her. I'd have to ask Hugo more about her, I thought. Where she'd come from and what he was going to do with her. For a brief second I let myself imagine Hugo buying dolls and me making clothes for them. Of course, I'd have to become a better sewer – but my hand stitching *was* neat. Mum had made sure of that. We'd live at the back of the shop, I thought sleepily. I'd become a tea-in-the-morning person and all my clothes would be vintage. I could go to university part-time and study costume history. I would bet almost anything there were universities offering that in England. Then I shook myself angrily. It was a daydream. That's all it could be.

Chapter 24

I had loved making doll's clothes when I was little. Mum cut them out for me and I'd sew them slowly by hand. Mum always said I was learning haute couture techniques at seven but I knew my stitches were sloppy. Is the rest of my life like that now? I know the theory, but my practice feels shoddy.

At breakfast I picked at my croissant and ended up creating so many flakes I just swept them onto the floor for Napoléon.

'You are feeling ill?' Madame Christophe asked.

'No . . . yes. A little,' I answered. 'It's hard to know. I don't feel myself,' I ended lamely with one of my mother's phrases. Madame Christophe leapt on my words and demanded I repeat them, in English. Then she cackled.

'That is very good to know,' she said, nodding. 'I shall tell some American customer that they do not feel themselves. It is so true, too. There are often times when one is not quite oneself, but the beginnings of someone else one might become. The difficulty is always stepping forward. Will it suit? What will be left behind? Many, many times what is left behind is nothing that was really wanted.'

I refused Goldie's offer of lunch and Mackenzie's invitation to coffee. I put Babette in my daisy bag. Her head poked out but I didn't care that I was too old to be taking a doll to the park. She was my talisman. I walked through the Jardin des Plantes. It was a hot, humid day. I'd looked up the weather in London earlier and seen photos of people sunbathing anywhere in the city there was a patch of sunlight, even outside the Tate Modern. Why had I looked up the English weather?

Big, clumsy bees that looked like oversized striped helicopters negotiated the flowerbeds. I wondered if they were bumblebees. There were cornflowers. They had been my Greatma's favourite flowers. I remembered planting them with her in the sunny corner of the garden. Mum and I kept planting them, alongside Queen Anne's lace. Mum said she supposed it was lovely, in a way, that Greatma was still so missed after that many years.

Missing people, grieving and mourning – my family was good at those things. How wasteful, I thought. How amazingly wasteful. Not my Greatma, of course – it was right that we missed her. She'd been a better mother to my mum than my grandmother had. Had my grandmother missed Mum? Who knew? Grandad used to visit secretly and bring chocolates, lollies and, once, a doll. My grandmother never unbent. Never apologised. When Grandad died, Mum went to the funeral and my grandmother didn't even say hello to either of us. We went to her funeral because, as my mother said flatly, 'I just want to make sure she's dead.'

Mum and Dad. She'd missed him even after what he'd done to her. Why else keep the photos? She'd missed him and she'd hardened her heart against him just as her own mother had clenched her heart against us.

Had I found Hugo just to lose him again? And why? Just because I was stubbornly sticking to a plan that was no longer relevant? Panic bubbled through me. He would be on a train in three days going back to London. I needed more time.

I couldn't stop thinking, so I walked away from the gardens only to arrive at another garden. I could just garden-hop around Paris, I thought, but I wasn't headed into the Tuileries with its lounging visitors lifting their faces to the sun. I went, instead, to L'Orangerie and sat in front of the Monet water-lilies for a long time, first in one room and then in the other. I didn't even look at the paintings properly, just let the colours wash over me like water itself. I was drenched in colour and that was enough to quieten my crazed mind. The questions stopped shouting at me and began to whisper, instead.

A text dragged me back to the real world. It was from a number I didn't know and, when I opened it, it was written in French. Maxine! I read through it three times before I was absolutely certain that she was inviting me to meet her so she could show me the best fabric stores in Paris that afternoon. No time to do anything but hop on the metro. I didn't even need a map these days! Of course, I was still carrying Babette but Max was probably used to people carrying around strange things.

And, indeed, she exclaimed when she saw the doll, 'Oh là là,' she said, 'she is fantastique. Hugo must have been very pleased to find her.'

'He didn't really say,' I said. 'I was wondering if I should make her some clothes.'

'But of course, she will be much more elegant that way. Do you know anything about her?'

'Nothing – except she's got real hair and her body's soft.'

Max nodded. 'This is correct,' she said, 'she is possibly from the late nineteenth century. A little worse for wear and those eyes are not her best feature. So not a Jumeau Bébé. Such a pity – that would have been worth something. Perhaps she is from a mystery maker – that is what they say when there is no maker's mark.'

'Wow! You know so much.'

Max shrugged. 'It is my business,' she said simply. 'You would learn, too, if you were in this world. You would learn quickly.'

'I'd love to,' I told her. 'I think I'd love that more than I would art. It feels more part of me. As though I could make it my own. There is something very personal about it.'

'This is true,' Max said, giving Babette back, 'this is very intimate, this handling of small, precious things. But, come – let us look at fabric. I want to buy something for new cushion covers – those I *can* make. You might find something for the doll?'

We headed to what Max told me was the fabric district of Paris – and she was exactly right. Each shop was filled with tables of fabric. There was one place that had five floors – one whole floor devoted to upholstery and home decorating fabrics. It was here that Max found some heavy cotton for her cushions. It was retro fifties print – abstract shapes, which reminded me of furniture, on a grey-green background interrupted by coloured brushstrokes of red and yellow. Then we looked for something suitable in the remnants pile for Babette.

'She should be wearing a . . . how do you say it?' Max outlined a crinoline shape with her hands. 'She is from that time.'

Eventually we found a remnant of some kind of heavy self-patterned brocade, some lace and some silk ribbon, which was delicately dyed.

'It is good,' Max pronounced, 'but how will you make the crinoline like a bell?'

'Wire,' I said, 'and look – these tiny buttons would be perfect, too.'

'She will need a hat. Women in those years would not go out without one.'

'I might make a bonnet. I've been looking up dolls on my laptop. Even the ones that weren't meant to model the latest fashions were beautifully dressed. I hope I can make something half as good!'

'I am sure you will,' Max said. 'Now, we must have a glass of wine, for that is what Parisian women do after shopping. If you have time, Lisette?'

We sat outside but Max directed her attention at me, rather than the passers-by. 'Santé,' she said and we chinked glasses delicately. 'So, Lisette,' she said after a sip of wine, 'Edouard and I have been wondering. It is not our concern, it is true, but we are fond of Hugo. We wonder what you are thinking – is it for you a holiday romance?'

'No,' I said straight away. I couldn't imagine having a holiday romance. That implied a resort and cocktails. It wasn't Hugo, lying in my bed, with my head on his shoulder. It wasn't him saying, *This is all messed up*. It wasn't *us*.

'But you are not joining him in England.' Max frowned into her wine.

'If I went to London with Hugo – then what? I'd come back to Paris by myself and then return to Melbourne? It would be worse than never going. At least here I have Mackenzie, Goldie and Madame Christophe.'

Max cocked her head and shrugged. 'A ticket?'

'I have to go home sooner or later,' I told her. 'There's the question of visas.'

'But is this what you want?'

'I don't know. Well, no. It's not what I want.' I'd said it. Out loud. The words hung between us. I could practically see them.

'Life.' Max patted my hand and smiled – although why I didn't know. 'It is sad, yes? But if you do not want things to be like this, you will find a way to make it different.'

That sounded to me like someone urging you to think positively as though that alone could change things, but

I liked Max and I wanted her to like me, so I smiled and nodded as though it were that simple.

When I got back to my apartment, I took out the fabric and haberdashery I'd bought and began a search on how to make clothes for Babette. One website instructed that an old doll would have to have authentic clothing and there was a warning to use only natural fibres.

I undressed Babette carefully and washed her underthings with my shampoo. I couldn't tell if they were authentic or not, but they were grubby. She didn't seem to have a mark on her, which meant that Max was probably right, and she was from a mystery maker. When I compared her to some of the examples I saw on Pinterest, I could clearly see her flaws – those off-centre eyes! – but I loved her even more.

I'd bought brown paper, scissors, a tape measure and a lovely fat pencil from the BHV. I carefully noted her measurements and then did some rough sketches. A crinoline was too hard, I decided, and one of the websites I consulted advised that these kinds of dolls were often dressed in a simple, low-waisted style of Edwardian dress. There were lots of examples. I knew the brocade would hold pleats well and so I worked out a rough pleated-tunic pattern. If I did that, I reasoned, I could fashion a jacket and no one would have to know the tunic had no sleeves.

I cut the pattern from the paper first to make sure it fitted. Then I cut it from the brocade. The best thing about making doll's clothes is that you don't need much space. I wouldn't have been able to cut out anything for myself in the tiny room, but I could simply use the top of my chest of drawers as a table for Babette's clothes. This was a familiar activity – Mum had taught me to sew doll's clothes before she allowed me to use any of her sewing machines. I had gone from painstakingly stitching along a pencilled line to making my own patterns, just as I was now. Why had I ever stopped? The last doll's clothes I'd made was an over-the-top Japanese streetwear outfit for a doll I had given to Ami for her birthday when we were both in Year Nine. She'd loved that, and pestered Mum until Mum had taught her to sew too.

I was trying to work out how to do the facing when Hugo knocked at the door.

'That's so fabulous,' he said when he saw the tunic.

'Do you think it looks too much like furnishing brocade?'

'They wore that kind of stuff, though. Heavy, so it wouldn't have to be washed as much. Lisette, don't you *feel* how right we are together?'

I snatched the tunic from him, nearly stabbing my finger with a pin. 'You can't ask me that all the time,' I said. 'You can't do this, Hugo.'

'I'm not asking you all the time. I'm asking one more time. That's all.'

'I can't go. And even if I did, I don't see how it would solve anything. We'd have a . . . holiday romance. That's what it would be, Hugo.'

'I'm not looking for a stupid holiday romance. What is that, anyway? And no, I don't understand. I'd do almost anything for this to work. I'd stay longer in Paris if I had an option to but I don't – I'm running out of money.'

'You're running out of money? Hugo – I have plans for my life. Why are my plans less real than your business?'

'You're undecided, aren't you? I didn't think you'd settled on what you wanted to do?'

'I've got nothing in England.'

'You'd have me. You've got your stepmother in Wales.'

'She's not my stepmother. I don't even know her!'

'Sorry.'

'I just thought that if you came with me, we could see what happened. See what we might be together. You never know what will happen if you don't take a chance.'

'We'd win TattsLotto?'

'It sounds stupid,' Hugo admitted, sitting on the bed. 'But I just thought having more time might present us with more options.'

'I don't see how.'

'I don't know either, but sometimes you just have to trust in the universe, or something.'

'Like think positively?'

'Why not? I might sell something big and make some real money. You might walk into a job. You might look around London or Yorkshire and think, this is where I want to be for the next while. We might look at each other and say this is who I want to be with. We might do that if we are together. Aren't you willing to risk that? I am.'

'No. No, I'm not.' My heart sank as I said it – but how

could I? How could I put my trust in something so intangible? How could I put my trust in this man, this *boy*, with his frayed collars and cuffs and his beautiful eyes? I wasn't my mother. But I also ignored the voice in my head whispering that Hugo wasn't my father either.

'I have to go,' Hugo said, standing up and reaching the door in one stride. 'I have to arrange some things. I'm supposed to be working. See you later, Lisette.'

'Hugo—'

'Don't walk me downstairs.' He held his hand out to stop me from moving towards him. 'I'm sorry,' he said. 'You can't take the risk. It's bad timing. I understand that.'

He was gone before I could reply, taking the narrow stairs two at a time. The front door crashed and I was standing by myself, cradling a half-made doll's tunic in my arms. I couldn't breathe – it was as though he'd taken all the oxygen in the room with him. I sat down on the bed. That was that, then. I'd let him go. I'd joined my family of mourners. There'd been something so final about Hugo's last words. He'd never talk to me again. I'd get a text – or maybe not even that. He was gone from my life.

There was half a bottle of rosé in the fridge and I drank a glass, leaning on the windowsill with Babette, now in her dried underthings, beside me, watching the Paris nightlife from my window. This was me, I thought. My mother made beautiful clothes for people who danced, flirted and fell in love. My mother measured hems and sewed on buttons. I'd come across the world to find out I wasn't any different.

Apparently I hadn't inherited any of my father's genes. If he'd only stuck around for even a little while, how would I have been changed? What would he have done if a woman had said, come with me? Make some more time for us? But isn't that exactly what my mother *had* said? Who was right? Why did all hurt so damn much? I drank the rest of the bottle and fell into bed. The room spun around and around and I felt nauseous if I moved, so I didn't. Eventually I slept, lying as I was, my arms straight by my sides like a soldier.

Chapter 25

In the Victorian era – about when Babette was made – when someone died, they made mourning brooches and wore them so they wouldn't forget their loved ones. They were often just miniature frames with a photo or human hair inside. My Greatma's mother had one containing the hair of her infant son, my Greatma's brother. It was one of the few things we sold after Greatma died. Mum said it gave her the heebie-jeebies. If I had some of Hugo's hair I'd put it in the silver locket Mum gave me on my sixteenth birthday. Not that he's dead, of course, but I'm in mourning. Clearly I should have been born in a different century.

I felt like a wounded solider when I woke up. My head ached and the morning light was too bright. No message had arrived from Hugo during the time I'd been asleep. I didn't even know why I checked my phone – he'd sounded so final when he'd left.

I didn't want to face breakfast with Madame Christophe. I didn't even want to face Napoléon. I trailed down the stairs forlornly, remembering Hugo leaping down them the night before as though pursued by a banshee. I could have wailed like a banshee.

Madame Christophe pushed the coffee plunger across to me. 'I cannot stay,' she announced. 'I have a Skype session with an international client. I said to her, no, Madame, I will not stay up until all hours of the night in order to tell you what you know already in your heart. If we are to Skype – such an ugly word – we will do it in my time, not yours. Napoléon will breakfast with you and you will pop him into his basket after.'

I breathed a sigh of relief. Napoléon sat silently beside me, eating my croissant while I drank coffee and water. Maybe I was coming down with something. I felt wretched enough. A summer cold – the worst. I sniffed experimentally. It wasn't a cold. I was kidding myself. This is what heartbreak and hangover felt like.

'No one died,' I told Napoléon firmly, but he looked unconvinced. 'Well, actually someone did if you think about it – my father died. I suppose I should find out what's in the mystery letter.' I left Napoléon in his basket and went back up the stairs. Would Mum be busy? If she was on Skype I'd tell her about Babette first and then ask about the letter.

'Good thing you called now,' she said. 'I'll be out later. You must be telepathic, Lisi – it's living with Sylvie.'

'I don't think clairvoyance is something you can catch,' I said.

'I was joking! I'm going out later, that's all. It's lovely to see you, sweetheart.'

'Going out?'

'Yes, with Vinh. You know, Ami's uncle Vinh.'

'Ami said you two were – you know.'

Mum leant into her laptop screen. 'Do you mind?' she asked earnestly. 'It won't change us, we'll still be the same, Lisi.'

'Well, we won't,' I said, 'but that's okay too, Mum. I think it's great for you. And for Vinh. I can see it working. I just don't understand why it didn't happen before.'

'It was one of those things. I suppose we were always preoccupied – me with you and Vinh with business. Anyway, enough of—'

'It just feels as though I had to leave the country for you to, you know, go out with someone.'

'Lisi, it's not all about you! I make my own decisions, you know.'

'Well, I know you try to make mine,' I said, but so quietly I hoped she hadn't heard.

'What have you been up to?'

When it came to it, I didn't trust myself to talk about Hugo, so I told her about the fabric district instead, without mentioning Babette at all.

'Interesting,' she said. 'Vinh tells me there are some wonderful fabric shops in Vietnam. Not the cheap as chips ones. Quality. You have to know where to go.'

'Which he does, of course,' I said rather drily.

'And beautiful handiwork – embroidery. Out of this world, he said.'

'Is there any mail for me?'

'Oh, Lisette, good thing you reminded me. There's a bank statement and one from the legal firm, those solicitors. I'll open that first?' I watched as she tore open the envelope. It was hard to tell on Skype, of course, but she was definitely different. Happier? Relaxed? There was silence while she read the letter.

'What does it say?' I asked finally.

'Well, it's amazing,' Mum said. 'Really, truly amazing.'

'What is it?' Had the money gone through already? Impossible.

'Sarah, your father's wife, has advanced some of the money to you.'

'What? How can she even do that?'

'She's the executor of the will, I suppose. I don't know – maybe it's her own money? Anyway, that's what she's done.'

'How much?'

'Five thousand dollars,' Mum said. 'That's very good of her, Lisi!'

'Where is it?' I asked. It was a rude question but I had to know.

'Hold on, let me read this again. Okay – the solicitor says that Sarah Grayson blah, executor of the estate et cetera, has requested, unusually, that you receive some of the money prior to the settlement and this has been deposited into the account you elected, so . . . it'll be in your bank account.'

'Can I access that from here?' There'd have to be some trick.

'I suppose so, Lisi, but you won't need to, will you? You aren't running short?'

'Not really, not exactly.'

'You'll have to write to her straight away and thank her. That is enormously generous. Did you tell her you were going to Paris?'

'Yeah, when I wrote to thank her for the painting.' I remembered my stilted note with shame.

'This really is extraordinary.'

'You'd do the same,' I said, loyally.

'I don't think I would,' Mum said. 'Grief can be so overwhelming. I don't think I'd even think about it. Of course, you could dip into it for a few souvenirs. Don't go crazy, though, Lisi. Actually, in some ways she hasn't done you a favour, has she? It will just be a temptation. You need to think about that being a nest egg for your university years.'

'I might use that money,' I said. 'I might use that money to go to London.'

'London? Why would you go there? Oh, no – Lisette – not the bric-a-brac boy!'

'He's not a bric-a-brac boy. He's an antique dealer.'

'That's quite irrelevant.' Mum's hand moved in slowmo as she brushed definitions aside – the same woman who insisted on being called a seamstress, not a dressmaker! 'Anyway, you can't go for long. What about your ticket home?'

'It's just a ticket,' I said.

'It's a ticket worth a lot of money,' Mum said. 'Listen, have you got Sarah's details? I'll give them to you now.'

I would have to contact her, I thought. I felt light-headed. Five thousand dollars!

'That's Vinh,' Mum said, listening to something I couldn't hear. 'Lisi – promise me you won't do anything stupid. Promise me you won't ruin your life over some boy. I love you. I don't want to see—'

'You're fading out,' I lied. 'I love you, Mum! And give my love and my blessing to Vinh. Bye!' I pressed end before I promised anything. Five thousand dollars. From a complete stranger. Well, almost complete.

The money could change everything. It could give us an option. I could change my ticket. I could go back with Hugo and stay for long enough for us to work out what we were together. What we could be. My father had bought us some time.

The only problem was that Hugo hadn't texted me. He'd said goodbye. He'd leapt down the stairs, two at a time, just to escape from me. He was probably chatting up his distinguished client as I was searching for my father's wife on Skype.

I needed to thank her in person – or as much person as I could, given that I was in Paris and she was in Wales. Even if nothing worked out, I wanted to tell her that I appreciated her thinking of me, even when she was overwhelmed with grief.

It didn't take me long to find her – she'd used her whole name and there was only one Sarah Grayson listed in her village. I sent her a long contact request. I was shaking. I received a message back more quickly than I expected. It said simply, *Delighted. Let me call you.* And then my computer buzzed and I was sitting in front of a woman I didn't know, a woman my father had loved enough to marry.

She looked older than Mum but – were those grey dreadlocks?

'Lisette,' she said in a deep, musical voice, 'how this unexpected encounter fills my heart with joy. You have no idea. You look so like him.' Her hand went to her mouth and for a minute I thought she was going to cry, but instead she blew me a kiss and smiled. 'Darling girl! So beautiful.' And she held her hands to her heart and shook her head so her dreads danced enthusiastically around her head. 'If only Will could see us talking now. And you in Paris! He would have been so proud!'

'How did he die?' I blurted out. I was shocked. I had not expected to ask that question so early in our conversation although it had been something I'd been wondering about.

'Oh, my dear Lisette. Shall I call you that? Such a romantic name!'

'I prefer Lise,' I said, 'but not Lisi.'

'Lise, then. It was quite sudden – thank goodness because Will would have hated anything slow – but terrible because it was so unexpected. It was a heart problem. Undetected when he was growing up. Nothing you need be concerned about,

Lise. I did ask so I could let you know if it was genetic. Can we talk about more cheerful subjects now?'

'I'm sorry.' I bit my lip. She was so much *warmer* than I had expected. 'I had to know.'

'Of course you did. But let's move on. Do you love Paris or are you suffering from Paris Syndrome?'

'From what?'

'Discovering your imagined Paris is nothing like the real city?'

'No, not at all. It's almost exactly as I thought it would be. Except better.'

'That rather sounds as though you have the other Paris Syndrome!'

'What's that?'

'Falling in love in the city of love.'

'Oh. Well, yes. Sort of. But he's not French.'

I hadn't meant to tell Sarah anything. I'd meant to thank her and, maybe, if she was okay about it, ask her something about my father but I found myself blurting out, 'I might come to England. I might change my flights.'

'Oh, I would,' she said straight away. 'Definitely. You're practically next door. Why the hell not? Come and stay here! Both of you.'

'How do you know . . .' I started uncertainly.

Sarah laughed, a warm, untroubled laugh. 'You just told me! You admitted you were in love but not with a French boy. So he's from England? Or does he just want to come here?'

I told her the whole Hugo story. I showed her Babette – even though she couldn't see her very well – I told her about Madame Christophe and Napoléon. I even told her about Anders. By the time I'd told her everything, she'd swapped her teacup for a glass of wine.

'But do you think he'll ever speak to me again?' I asked. 'He hasn't texted me since he left.'

'Oh, I should think he'll come around,' she said. 'But even if he doesn't, do come over anyway. You'll love the UK and it will love you. This is exactly what Will would have wanted for you.'

'What was he like?'

'He was bold. Larger than life. Difficult. Prickly as cacti. Wonderful. We were soulmates. The moment I met him, I knew. Oh, Lise, I'm sorry. He did love your mother, but he felt trapped. They were so young and she made all these plans – she took for granted they'd be together forever.'

'What else would she think?'

There was a long pause and Sarah took a sip of her wine. She looked thoughtful, rather than angry or sad. 'I know,' she said finally. 'It was bad timing for them both. Your mother must have struggled. It took a long time for Will to forgive himself. But he had to do it. He wasn't ready to settle down. Maybe if they'd met a few years later? Who knows.'

'I wish he'd let me into his life.'

'Well, he couldn't, actually. I know he didn't try very hard – or, at least that's what it must feel like. He didn't try as hard as he should have – I always told him that. But he didn't want to hurt Sally any more than he already had. He did the best he could. Most of us do.'

I digested this.

'Mum worked really hard,' I said. 'She built up her business, all while looking after me.'

'I hope she was doing what she loved.'

I thought of the immaculate studio, The Vase always filled with flowers, the teacups on the table and the smell of rising sponge from the kitchen. I remembered the low chatter of the women as their hems were pinned, their seams adjusted. *It must be your sponge, Sally! I'm sure this was perfect when we measured it last week. I should never have had that second piece!* I thought of the nights when Mum and I and sometimes Ami would watch French movies, trying not to look at the subtitles. I thought of her now and the way she had of always touching anything soft, like petals, or my face, or velvet. Vinh would be in the kitchen, wearing a jacket, his tie slightly loosened. He was not prickly. He was not difficult. He was effortless, sincere and smart.

'Yes,' I admitted. 'She loves what she does. Always.'

'There you are. The best way to live. And speaking of love, I must show you more of your father's artworks. Hold on, Lise, I'll take you on a guided tour.'

I felt dizzy as I watched Sarah introduce me to my dad's artwork – there were big abstract landscapes with slashed colour and heavy lines, some that deliberately extended over the wide, plain frames as though nothing could contain their dark exuberance. A large red and purple nude was definitely

Sarah, but she didn't pass over it, just said matter-of-factly that she missed being his model.

'When you come over, I'll show you more,' she promised. 'We'll go to some galleries. Oh, I miss him so much. I know he's gone, but I hear him around. I talk to him in the evenings. When you're ready, come here – and bring your young man. Now, my chooks need feeding. The girls like a regular life. Lisette – I am so pleased my little family has expanded to include you. Go well, lovely human, travel light!' She blew me another kiss and was gone.

I sat back in my seat. I was dumbstruck. I tried to imagine those paintings on Mum's walls. I just couldn't see it. They'd have been too overpowering. Or Mum would have thought they were. But I could see a dark green piece, all ambiguous movement, like wind through scrub, or wind through water, even, being hung above The Vase without any problem.

But then I was the product of those two people. I swallowed. I could be bold. I could learn that from my father.

Chapter 26

Every fashion magazine in the world runs articles on packing light. There are whole blog posts devoted to reducing your wardrobe to a capsule of this-goes-with-that. My life spills out of an old ugly suitcase. It's never going to be perfect. It's never going to be manicured.

I waited all day but there was no word from Hugo. At least I didn't have to sit by a phone the way my mother would have sat, scared to leave the house for fear of missing a call. Did she do that? Did she sit there, day after day, her hand on her growing belly? She'd painted my room – an elegant blue-grey, rejecting the nursery colours advised by baby magazines. She'd quit her job in the ABC studios where she was only another dressmaker, not a designer. She'd put an advertisement in the local newspaper promising fast delivery, meticulous work and design flair. She cleared out the front room of Greatma's house and hung her brown papers on a rack. She didn't sit around.

I decided not to either but I did take my phone with me as I took some more photographs of Paris and did some shopping at the sales. Fabienne and Madame Christophe were right – they were worth waiting for. I didn't buy much. I was careful. I looked at everything first. I checked the stitching and the fabric. I thought about the buttons and the zippers. I was my mother's daughter, too. I didn't buy skirts – too easy to make. Instead I bought an intricately pleated fine linen shirt to go with my skulls, a jacket to go with the Audrey shift and a cheap-for-cashmere cardigan. It was winter in Melbourne. It would be autumn here soon. Toss a coin, I thought – heads or tails, where will you go?

Still Hugo didn't call. He didn't text. He wasn't at the apartment when I got back.

I rang Mackenzie and told her about Sarah.

'You're kidding!' she kept saying. 'So you're going to the UK?'

'I don't know,' I said. 'Hugo might already have left.'

'Call him. God, Lise – if you can Skype your dad's wife, you can call a guy you love.'

'I know,' I said. 'I know, right? Except that I can't. I'm scared I've blown it.'

'As soon as you hear his voice it will be okay,' Mackenzie said, 'seriously, Lise.'

It was silly calling him this late at night, I reasoned. He'd be out with Edouard and Max, drinking in some groovy bar, and they'd be telling him it was okay I wouldn't go with him – I was nobody. He was worth more than me.

I'd call him in the morning. I'd definitely ring in the morning. Or I'd text.

I didn't sleep. Babette and I watched the phone. It sat there, mute. At three a.m. I went to the window and watched Paris. A couple walked home. One of the homeless guys staggered past with a piece of cardboard. He was singing to himself.

At four I composed a speech for Madame Christophe. How much would she already know? At five I wondered whether Mackenzie had been right and that clairvoyants had a code of ethics. Maybe she wasn't allowed to look into my future until I asked her? Even then, would she tell me anything bad? At six I took up the hem of Babette's tunic. I really needed an iron, but I folded the fabric as firmly as I could and pressed it down with the flat of my hand. It was a pity she didn't have a hat. At seven I looked at Paris waking up. At eight I did all the yoga poses I could remember from when Ami and I had a crush on the instructor at the local aquatic centre. I tried to breathe the way he had taught us.

At nine I texted Hugo. *Please ring me. Please.* At nine-thirty I went down to breakfast. Even though it was late, Madame Christophe was there reading a magazine she put down as soon as she saw me. 'I have been thinking of your education,' she said, as though that was the most natural thing in the world to occupy her thoughts. 'I understand it seems like the plan of a featherbrain, but I applaud your decision.'

'My decision?'

'But yes, the decision to go to England. It is excellent timing as the usual occupant of your apartment returns to Paris early. There was an incident with some regrettable seafood. It made the vacation less joyful than anticipated.'

'I hadn't decided,' I said, plopping Babette on my lap as though she were Napoléon. Madame Christophe was kicking me out?

'Such a beautiful doll. You made her clothes yourself? You have talents you should bring into the light more often. Of course, you have decided.' She arched one eyebrow at me. 'Have you not?'

'Not exactly.' I was breathless. 'Hugo and I – I haven't heard from him.'

'But England, it would not just be for Hugo. It would be for you, also. An opportunity to see more, to continue this voyage of life.'

'Well, yes. It would.'

'I can refund the rent for the next few weeks. This is no trouble at all.' Madame Christophe smiled and placed her hand on my arm. The rings on her fingers glinted gold and glittered with small precious stones.

'Thank you, Madame. That is kind.'

'Paris will always be here. For the haute couture it is irreplaceable. I think you will learn more about yourself in England. When Destiny elbows you, it is wise to listen.'

'But is Destiny elbowing me?' I asked. 'Is it Destiny or is it just being irresponsible? I'm ditching my plans, Madame Christophe. I'm wasting money and time on a wisp of a dream, aren't I?'

'You are choosing the life you wish to pursue, are you not?'

'Do I have that choice?'

'Who else but you has it? You cannot do always what your mother expects. You cannot do always as your teacher tells you. Or a boyfriend. Or a husband. You must decide for yourself, Lisette, what is best for you. As for the money, pouf!' She pretended to blow it away in a disdainful puff. 'The money, it comes. It goes. If it helps, try to hear your father's voice inside your head. What would he have advised?'

'You just told me I shouldn't do what other people tell me!'

'But if you are going to listen to other people, listen to them all. Assemble the arguments. Then make your own decision. Of course, if you decide to stay in Paris, I can find you another arrangement. That is no problem. But I do not think this is really what you want.'

I put my hands over my face. It was too hard. As soon as I thought that, I wondered why it was hard. Was there something wrong with me? People crossed the Channel all the time. They surrendered plane tickets or paid to change them. It happened. I wanted to see England. I wanted to see Wales, where my father had decided to live and where he had died. It would be best to see it with Hugo – but I could decide to go on my own. Even if I didn't see Hugo again in Paris, even if he didn't return my texts, maybe when I got to England he'd realise we were worth a second chance. In the meantime, no one had died.

'I have to ring him,' I said, 'and explain everything.' But Madame Christophe had turned back to her magazine as if she had known all along what I was going to do.

When I called Hugo, heart pounding, clutching Babette in my free hand, a strange voice answered the phone. It was a woman's voice, speaking French. She was not Maxine.

I switched to French. I explained it was important I speak to Hugo. That was simply not possible, the voice answered. Hugo was unable to take calls. Who was she? I asked her straight out.

'I am a friend of the family,' she said. Family friends weren't supposed to sound sexy. 'And who are you?' She was amused.

I considered the question. Who was I? It was difficult to know who I was in relation to Hugo anymore. Did I have any claim on his affection or was he now comforting himself with this 'family friend'? In the end I settled for simply saying my name.

'I shall tell him you called,' she promised, but I didn't believe she would. 'He is currently out of reach.'

What did that even mean? I thanked her through gritted teeth and hung up. 'I don't care,' I lied to Babette, 'I really don't care. I'm going anyway. Madame Christophe's right – Destiny has elbowed me. *We're* going,' I amended, wondering how I was going to pack the doll.

Methodically I made the arrangements. I rang the airline and waited on hold. I explained to the bored staff that I needed to change my ticket and that, yes, I did understand the cost involved but I didn't care. I left Hugo out of the conversation – I didn't want them thinking I was the victim of another holiday romance. I told them instead about my father's wife and how we'd made contact. In the end I settled on a reduced refund. I didn't book a return flight. I could do that anytime.

I booked a rail ticket on the Eurostar. One way. It was a seat that was surrounded by empty seats. There was still a chance. Maybe there was still a chance.

When I'd done it all, I rang Maxine. As soon as she answered I said I knew I'd hurt Hugo but to please not hang up on me, and told her that I was going after all, that I had been unable to contact Hugo but wondered if someone could possibly give him my ticket information? Her tone was courteous but cool. I babbled out the train time and my seat number. 'Please, Maxine, tell him I'm going to England. I've made more time for us.'

She said she would pass this message on. I believed her. Before she hung up, she wished me good luck. 'Bonne chance,' she said and her voice sounded warm and kind. I googled the weather in London. I checked out the Victoria and Albert website and then, for good measure, I finally put my father's name in Google. It immediately came up with a dozen hits. He seemed quite well-represented in regional galleries. That made me feel better.

Then I went downstairs to tell Madame Christophe everything that I'd achieved.

She was not alone. Fabienne was seated in the client's chair in the shop. There were no cards spread out; instead there were teacups and the familiar scent of Madame Christophe's linden tea.

'Ah, Lisette.' Fabienne half rose and I obediently kissed her on both cheeks. 'You disappear, too. They all come and go, these students. I will have a whole new class soon. Such is the job. I begin again. I correct all their accents. I correct all their attitudes. I tell them about Paris, art and life.'

'You are wonderful,' Madame Christophe clucked and at the same time shot me an unmistakable prompt.

'Absolutely,' I said. 'I am very grateful.'

'When you return to Australia where they learn nothing, you will need to practise with someone very French,' Fabienne said. 'If you return to Australia. Otherwise you will sound ugly again. Now, I must go. I have seen these shoes, oh là là, they make me wish to – how do you say it in English? When your heart, it . . .' She made a funny jerky gesture with her hand.

'Skips?' I guessed wildly.

'Perfect,' Fabienne purred. 'Bon voyage, Lisette. Bonne chance!'

How did she know I'd need good luck?

'So, you rang him?' Madame Christophe turned her attention to me.

'I didn't speak to him. There was a woman. A "family friend". But I can go anyway.'

Madame Christophe removed a deck of cards from the desk drawer and began to shuffle them. 'You can,' she agreed. 'You have a train ticket?'

'I have,' I said, and felt unexpectedly proud of myself. 'I leave on Saturday.'

Madame Christophe cut the cards and showed me the

images. On one side was the Two of Cups and on the other The Fool. She laughed. 'The cards are always correct,' she said, 'see, both are true. The Two of Cups, minor arcana of the Lovers and the Fool – look how he dances, so close to the edge with his little dog.'

The Fool was not reassuring. 'What does it mean?'

'Life,' Madame Christophe said cryptically, and slapped the pack together again. 'That is all that it means, Lisette.'

'That's not very helpful.'

'Lisette, it is absolutely helpful! It is the most helpful advice the cards can give.'

'I don't even have a dog,' I said, clutching Napoléon as though he would make all the difference.

Madame Christophe rolled her eyes. 'A dog is not what you need to catch the train.'

'Do you think I'll see him again?' I asked her.

'I think you will find what is necessary to you,' Madame Christophe said. 'And, of course, he must do the same.'

Was he necessary to me? Was I necessary to him? I thought of his smile, which made two little creases around his mouth, and expressive eyes. I remembered the way his trousers always hung off his hips, rather than his waist, the fraying cuffs and collar points. I remembered us lying together in my bed, arms wrapped around each other and the heat rising. We'd been on the way to becoming necessary to each other. I just hoped we hadn't blown it.

Chapter 27

EVEN MORE RULES

Pack so that if your suitcase is checked by customs, you're not embarrassed when your oldest knickers and bra fall out on the airport floor. Who told me that? Who cares what falls on the airport floor, so long as it's legal? And I've nothing better to do. If I pack beautifully, he'll text me.

It was my last proper day in Paris. Packing made me think about how Mum had tried to help me pack when I was leaving Melbourne. I'd held her off. I'd shouted, 'I'm doing it my way! I'm not a baby.' I was sorry I'd been so mean. Would she see my actions as a betrayal? Would she think I was turning out like my father? Was that such a bad thing? I thought of Sarah and her bouncing dreads. They'd had chooks together. She had called him her soulmate. I was never going to *be* my dad or my mum. I was myself, Lisette Rose Addams, and I was packing to go to England.

Somewhere at the beginning of packing, I recognised how precision had staved off Mum's anxiety and held fear at bay. Somewhere in the middle, I admired how my clothes sat in my suitcase, the shoulder seams resolute, the edges defined. At the end, I was surprised at how little Paris had physically weighed me down. Some new boots and clothes, a small espresso maker, a fish-eye camera, catalogues from exhibitions. Babette, of course – although she wasn't really mine. I wrapped my glass woman carefully in a T-shirt. She would always remind me now of meeting Hugo. I folded my canvas backpack into the suitcase. Everything I needed for the train would fit into my daisy handbag.

After some soul-searching I threw my Vivienne Westwood homage into the bin. The girl who had needed that skirt was gone. I would leave Paris in grown-up clothes. I wasn't forsaking Vivienne, but the next homage would be well-made! I texted Mackenzie to tell her my decision.

You go, girl! she replied. *One day I bet you find an authentic Westwood at some market! I'm so excited for you! We'll have bon voyage drinks with Goldie. I'm going to miss you, Lise, my Australian friend.*

I didn't Skype Mum but I sent her an email. I told her I was going to England and that I knew it wouldn't make sense to her and that she'd worry but that Madame Christophe had encouraged me. I figured Madame Christophe would smooth things over with Mum and I knew how much Mum respected her clairvoyant. I said that it wasn't all about Hugo. I was going to Wales, to meet Sarah and see my father's world.

I confessed that I wasn't even sure that Hugo wanted to see me again. I told her how much I loved her. I told her I missed her and that I was sorry we had parted on such bad terms. I told her Vietnam sounded exciting and asked her to give my love to Ami and Vinh.

I Skyped Ami.

'I'm doing it,' I told her.

'I knew you would,' she said. Her fingernails were dark green. She waggled them at me in case I hadn't noticed.

'I threw away my kilt,' I said.

'Good. I never did think it worked. Hey – thanks for the stay-ups!' She lifted one leg up so I could see she was wearing the stockings I'd sent. 'They're fabulous. When you get to London, send me a policeman, yeah? Or a tall Irish guy. Talk me up to one of Hugo's friends.'

'I don't know whether I'm seeing him again,' I said, then I told her the whole story.

'But you're still going?'

'Yes. I mean, I'm still hoping to hear from him, obviously, but I'm going even if I don't. I want to see the Victoria and Albert.'

'So, you'll phone him when you get there?'

'If I haven't heard from him before, yes. I guess that's what I'll do.'

'You've got a place to stay?' Ami was sounding more and more like my mother.

'I've looked up some places. I'll find a hostel.' I said it as though I always set off with no fixed destination in mind.

I pretended to be nonchalant. 'It's the United Kingdom, after all, not the Gobi Desert. I like the nail polish.'

'It matches my uniform – I'm one of Vinh's minions. Hey, he's talking about taking Sally to Vietnam. He's started a Pinterest board.'

'That's so weird.'

'That he's taking Sally to Vietnam? Why is that strange? They'll have a ball.'

'I knew *that* – once Mum mentioned fabric! No, that he's got a Pinterest board!'

'Vinh moves with the times. Or that's what he thinks. He still isn't on Instagram. I have to set that up for the business.'

'I miss you,' I said.

'I miss you too, but the way I'm earning, I'll be over there before you can say Doctor Who. So long as I pass economics.'

Mackenzie texted me and we met up with Goldie at the Scottish bar we'd made our local.

'I can't believe you're doing this,' Mackenzie said, raising her glass to clink with us.

'Yes, bon voyage, Lisette.' Goldie chinked her glass. 'Love that shirt! Did you do the sales?'

'I wanted something different,' I said.

'You're different,' Mackenzie said. 'Don't you think, Goldie?'

'Am I? What do you mean?'

'You're more solid,' she said eventually, 'like, if I had painted you in that first class, I'd have chosen watercolours or pastels, you know? Back then it was as though you were in dress-up clothes, trying to be bold. You've moved from a sketch to a painting.'

'That's so American,' Goldie complained.

'It's so Canadian.' Mackenzie rolled her eyes. 'America doesn't have a monopoly on pop psychology.'

'Really? That surprises me.' Goldie laughed and clinked our glasses again. 'To friendship across the seas.'

'That's so old-fashioned,' Mackenzie said, 'but I guess you're not a brash new Canadian.'

'Exactly. Where I come from, we give bon voyage presents. Lise, these are for you.' She poured a small glass bead necklace into my cupped hand. 'I know we'll keep in touch, but I wanted to give you something you'd remember me by.'

'They are beautiful,' I said and held the necklace up so Mackenzie could see how each bead was subtly different – the blues and greens shifting shades like an ocean. Mackenzie did the clasp up for me and we all admired how they looked with my new shirt.

'I brought something, too,' Mackenzie said shyly. 'It's not as beautiful as Goldie's present but – anyway. I don't want to talk about it. I just want you to have it.' She slid a large envelope into my hand. 'I would have framed it but I was worried about the weight. It's fixed and everything, so it won't smudge. Just keep it as flat as you can.'

I opened the envelope and carefully took out something that was sandwiched between two thick pieces of card. It was a sketch portrait of me. Mackenzie must have done it in French class because my notebook was in front of me and my left hand was holding a pencil to my mouth. The sketch, hasty though it was, caught me exactly, leaning forward, slightly anxious with my too-broad mouth open and my eyes wide and steady.

I looked from Mackenzie to Goldie and back again. 'You have been – no, you *are* – the best friends. I will miss you so much. Paris would not have been half so wonderful without you.'

It was after midnight when I crawled up the five flights to my apartment. It was no longer mine, I thought, in a wash of sadness as I turned the key. It was no longer *my* apartment. I had packed and by tomorrow morning, every last reminder of me would be erased. There was still no word from Hugo – perhaps he had also erased me. I kicked the phone under my bed. Stupid, silent thing.

Chapter 28

There are two quintessential French items of clothing – sunglasses and a scarf. They are practical and stylish. You can hide unwashed hair in a scarf and tear-red eyes behind dark glasses. If only I'd bought vintage sunglasses.

I walked down the stairs slowly the next morning. It was my last breakfast with Madame Christophe. I was sad, anxious and a little hungover. I gave her the scented candle I'd bought for her, along with the card I'd made.

When we said goodbye, she pressed a tissue-wrapped envelope into my hand. 'One for you and one for your mother. A little piece of Paris.'

We kissed, not twice, but three times. I hugged Napoléon again. I'd find a new collar for him in England. 'Buy some food for the train,' were her last words. 'You'll need it – if not for the journey, over there. There will not be good cheese.'

I wasn't convinced that was true. But I wasn't going to argue with Madame Christophe, so I bought the Frenchiest cheese I could – a pyramid of the goat's cheese I'd bought when I was first here. Now they smiled at me in the cheese shop. I was the Australienne.

I gave some of my last euros to the beggar with the two gleaming dogs.

'I'm going to London,' I told him.

'You should stick around Paris and find a Frenchman,' he said. 'But you can't tell a woman anything.' He raised a toast for me with his half bottle of wine.

I was early, of course. I half-expected Hugo to walk onto the platform, all his disappointment dissolving at the sight of me. For all I knew he could already be back in Yorkshire. Or he could have changed his plans entirely and be staying on in Paris. Maybe the 'family friend' had lent him money and he was buying more for the shop? I closed my eyes and imagined him loping towards me, his duffel bag banging at his side. He'd sweep me up, we'd kiss, just like the lovers in the Doisneau photograph, and our lives would be perfect.

I bought a French *Vogue* and a bottle of water at the station with my very last euros and then wished I'd kept enough for a coffee. The *Vogue* made me feel like a proper international traveller but I couldn't settle down enough to read it. I went through the customs check. I walked up and down. I sat for a while, holding my phone as though I could summon a text from Hugo through willpower alone. I opened up Madame Christophe's present. There were two silk scarves. My mother's was very chic with dark and light roses. Mine was vintage and decorated with line drawings of Paris life. It went perfectly with my new shirt. I draped it around my neck for luck. I flipped through *Vogue* again but I still couldn't read a word. I thought I might be sick. I found a toilet and stared at my reflection while my nausea settled. I applied more eyeliner. I brushed my hair. I went back to the seats.

My phone pinged and my hands shook as I checked it. It was only Mackenzie. Not *only*, I corrected myself. That wasn't fair. It was a text from my friend Mackenzie. It was a bunch of kisses and a big hug and a heart. The next ping was Goldie with an almost identical message. After that the phone was silent and even its clock didn't seem to work. Time was passing too slowly.

Then it sped through three-quarters of an hour and there was an announcement telling us the train was ready to board. I tried to swallow the fear rising in my throat but it was as impossible as swallowing stones. This was it. I was going by myself.

I yanked my suitcase along the platform behind some Americans who were each pulling a huge bag. At least I could put mine on the rack without help. Which was a good thing, because there was no one to help me. I wiped the tears away. All the recently applied eyeliner smudged on the back of my hand. A few of the passengers looked at me pityingly. Holiday romance. Broken heart. It happens. I reached my seat and sat down. Babette poked out from my handbag. I took her out and put her on my lap. I didn't care that I resembled some kind of mad girl. Babette wasn't a doll. She was an antique.

She was all that I had left of Hugo. I smudged away more tears and opened *Vogue* once more and forced myself to read.

Ironically the team from French *Vogue* had gone to London. Of course they had. There were shots of models posed beside a canal, wearing Vivienne. The photographs blurred. I rubbed my eyes. The canal was in Camden. Yeah, that figured. I flipped past the London shoot and started to read an interview with Vivienne instead. I made myself read slowly, thinking about each word and the construction of each sentence. It was strangely like folding clothes.

'Do you mind if I join you?' His voice. His dimples just showing as he looked down at me.

My mouth was too dry to speak.

'Does she have a ticket?' He gestured at Babette.

I just shook my head. I could feel tears forming in my eyes.

'I thought we'd got rid of 'im,' Babette whinged.

'I never wanted that,' I told her, my eyes not leaving Hugo's face. 'I love him.'

The tray table was in the way but I reached up, Hugo bent down and we hugged as though we'd never let go, but of course we had to breathe, so we did let go. Or almost. I kept hold of the edge of his jacket. I wanted to make sure I wasn't dreaming or imagining it all.

'I'm sorry,' Hugo said, 'I shouldn't have walked away. I was so . . . confused. And then Maude told me you'd rung my phone, which I'd made her hold on to so I didn't contact you. I didn't know what else I could say except come with me, please, and you'd made it so clear—'

'Who's Maude?' I asked. My voice was muffled in his jacket.

'Unc's old flame. The one I was staying with.'

'She sounded young.'

'Maude? She's about – I don't know? Fifty? It's hard to tell. She's well-preserved. Oh Lisette, you're here.'

'I thought you might be . . . that there might be something between you two.'

'Between us? You're kidding!'

'It was just that Edouard said something about distinguished clients. Remember?'

'Oh, that's Edouard. He's French. I'm English. Hey, I'm chuffed you were jealous!'

'You never called!'

'I was with Max's brother, in Rouen. He's a therapist, but he was useless. We got drunk together. You should have been there. They lit up the cathedral with a light show of Impressionist paintings. It was beautiful but I could only think about missing you.'

'I rang Max.'

'I know. She rang her brother.'

'You still didn't call me.'

'I should have. I wanted to, but I didn't know what to say. I just couldn't even think by then. I'd been up for about twenty-four hours. I shouldn't have drunk so much. Lucien told me to just book the ticket. Sort it out later.'

'Some therapist!'

'Actually he's a teacher. But you know – little kids, hopeless blokes. It's all the same, right? This morning I looked for a cafe with an English breakfast. Stupid thing to do – I nearly missed the train. I just managed to grab a baguette.'

'I bought cheese,' I said. 'It's in my handbag.' Had he heard me tell him I loved him? He hadn't said anything. I swallowed. I couldn't say it again. I just couldn't.

'See – we're perfect together.' Hugo took my hand.

He wasn't going to tell me he loved me? I shook my head. My mouth was dry again. I stared out of the train window.

'I'm sorry,' Hugo said. 'I've tried to tell you how sorry I am. I behaved badly. Lisette! Look at me. What have I done? What's wrong?'

I couldn't tell him. There was no way I could say anything. Each second dragged past.

'Okay,' Hugo said, 'let me tell you a story. There was once a girl who left a little glass woman on a bench in the Place des Vosges. She had sad eyes. The next time I saw her she told me my clothes needed mending, but not in those exact words. Then I ran into her again and she bargained like an expert. I don't know when exactly I fell in love with her, but each time I saw her, I was a little more smitten.' He took my hand and held it against his heart. I slipped my finger through the gap in his buttons. His skin was warm. 'I asked her to come home with me and she wouldn't. I was selfish – but I loved her. I love her.'

I found my voice. 'There are rules, you know. If you have a plane ticket you use it. You have to be sensible. If you break them – well, my father did. He broke the rules. I thought he'd broken my mother, except now I know he didn't. '

'We'll be okay,' Hugo said, settling his arm around me. 'We won't break each other, Lise. We're careful people who know how to live with fragile things.' He lifted my hand to his mouth and kissed my knuckles.

This was it, I thought as the train rushed away from Paris. What had Madame Christophe said about the tarot cards she had cut? That it was just life.

Mysterious, foolish, wonderful life.

Retro singlet
Chopps
Leather jacket
Patched jeans
Hoops
Red lippie
Skull scarf
Tote bag
Clutch purse
Boots

Sunglasses
Vintage Chanel
Silk scarf
Je t'aime
Little black dress
Totally impractical shoes
Airport snack

Author's Note

This book would never have been written had I not been the recipient of an Australia Council for the Arts three-month residency at the Cité Internationale des Arts, a huge complex of artists' studios in the Marais. To have three months free to write, wander and *live* in Paris was extraordinary.

My love affair with France began when I first read the novels of Colette as a young adolescent. It was Colette who inspired me to take up private French lessons with Madame Campbell-Brown, then a woman in her mid-seventies, who had been a lecturer at the University of Queensland and was 'une dame formidable'. Once a week I turned up to her home in Spring Hill, Brisbane, clutching my copy of *Le Petit Prince* and an ancient French grammar book. She despaired because I had not learnt Latin, but we persevered nonetheless.

Years later I decided to brush up my French language skills and attended the Alliance Française in Melbourne. The French grammar book was far more modern but the lessons catapulted me back to Madame Campbell-Brown's old Queenslander, the jasmine blooming in two enormous pots beside the front door and the huge map of Paris that took up one wall of her study. I remembered reading novel after novel by Colette, immersed in her sensual world in an almost trance-like state.

I applied for the residency, still thinking of Colette, and was amazed and delighted, months later, to be standing in the place Colette. I spent a good amount of the time I was in Paris saying, over and over again, 'Paris! Shakespeare and Company! The Métro!'

The NYU Writers in Paris program was on, so there were weekly readings by poets and novelists at Shakespeare and Company. I'd walk across the Seine (the Seine!) and hear some wonderful work and then stroll back to my studio apartment fuelled with words.

I gave many of my own experiences to Lisette. Like her, I saw the haute couture exhibition, bought a camera (a La Sardina) to take black-and-white photographs with and attended the French classes at the Cité. I got lost countless times as I've never been good with maps. I went to the flea market at the Porte de Vanves and, yes, was cursed by a woman in the Métro with two cringing dogs. Unfortunately, Madame Christophe is entirely a fictional character, so there was no smudging ritual to lift my curse.

I can remember the exact moment I thought of Madame Christophe. The night before I had seen a small bookshop up near the rue des Rosiers and tucked in one corner of the window was an advertisement for tarot readings. The next morning, I thought – that's what I need – a clairvoyant! Enter Madame Christophe with her little dog and sharp wisdom. The novel started to slowly come together.

My husband joined me in my final two weeks in Paris and together we visited Versailles and Rouen before heading over to the UK. Hugo was created after a trip to a London flea market and his appearance changed the direction of the novel.

I am so grateful to the Australian Council for the Arts for the opportunity to have three unfettered months' writing time – and in Paris (Paris!). It was an inspiring and unforgettable summer. I am also grateful to my family who encouraged me to study French again, and who so actively supported my decision to apply for a residency.

Thanks to Sophie Splatt for her close editing and to Erica Wagner for her unwavering belief in Lisette. Thanks, too, to my daughter, Helen, who years ago asked me to write her a 'summer' book.

About the Author

First published as a poet, Catherine Bateson has twice won the CBCA Book of the Year for Younger Readers, and been awarded the Queensland Premier's Award, Younger Readers. She's written more than a dozen novels for young adults and younger readers, including *Star*, *Magenta McPhee* and *His Name in Fire*.

xoxo